元魏漢訳ヴァスバンドゥ釈経論群の研究

大竹 晋

ŌTAKE Susumu

大蔵出版

まえがき

本書は先に筆者が拙著『新国訳大蔵経　インド撰述部　釈経論部18　法華経論・無量寿経論　他』のあとがきにおいて『漢訳所伝ヴァスバンドゥ釈経論群の研究』という仮題のもとに刊行を予告した書である。この数年来、筆者は書肆大蔵出版の新国訳大蔵経シリーズに参画し、以下のような漢訳ヴァスバンドゥ釈経論群の国訳に携わってきた。

『新国訳大蔵経　インド撰述部　釈経論部16　十地経論Ⅰ』大蔵出版、二〇〇五年。
『新国訳大蔵経　インド撰述部　釈経論部17　十地経論Ⅱ』大蔵出版、二〇〇六年。
『新国訳大蔵経　インド撰述部　釈経論部18　法華経論・無量寿経論　他』大蔵出版、二〇一一年。
『新国訳大蔵経　インド撰述部　釈経論部19　能断金剛般若波羅蜜多経論釈　他』大蔵出版、二〇〇九年。

本書は漢訳ヴァスバンドゥ釈経論群の中核をなす元魏漢訳に対する著者の知見をまとめ、さらに、元魏漢訳のうち新国訳大蔵経シリーズに収録されない毘目智仙・般若流支訳ヴァスバンドゥ釈経論群の現代日本語訳註を伴うものである。序論と第二部と第三部とは書き下ろしであるが、第一部と結論との一部はかつて書いた以下のような拙稿に基づいている。

「ヴァスバンドゥ『勝思惟梵天所問経論』『妙法蓮華経憂波提舎』『無量寿経優波提舎』について」『仏教史学研究』四六・二、二〇〇三年。
「ヴァスバンドゥ『金剛般若波羅蜜経論』『十地経論』について」『仏教史学研究』五二・二、二〇一〇年。

ただし、これら旧稿を第一部と結論とに転用するに当たっては、構成を改め、大幅な増補と訂正とを加えている。その結果、旧稿と本書との間には論旨展開や文章表現の点においてかなりの隔たりが生じたが、その隔たりについてはいちいち記さなかった。読者諸賢が旧稿と本書とを読み較べて、旧稿から削除された部分や、旧稿から変化した部分を見つけた場合には、そうした部分に関して筆者が意見を改めたと判断していただきたい。読者諸賢が元魏漢訳ヴァスバンドゥ釈経論群に対する筆者の見解に言及してくださる場合には、今後は本書を定本としてくださると幸いである。なお、巻末の英文の作成に当たってはマイケル・ラディチ（Michael Radich）氏の助力を忝くした。

思えば、一生のうちに題名にヴァスバンドゥの名を冠する本を書くことは唯識学者の本懐ではあるまいか。今回、書肆大蔵出版の御好意によってそれが叶えられたことは、まことに喜びに堪えない。本書の刊行をこころよく許し直接間接の御配慮をくださった同社編集部長の井上敏光氏と、本書の企画の時点から直接の相談相手となり厳密な編集作業により遂にこんにちの刊行を実現してくださった同社編集部の米森俊輔氏とに心からの感謝を捧げる次第である。

今後はいつか老いて気力がなくなるまでに、マイトレーヤ、アサンガ、ヴァスバンドゥというインド唯識三祖師のうち、最も神秘的なマイトレーヤと、彼の代理人であるアサンガとの関係の謎を解き明かして、題名にマイトレーヤとアサンガの名を冠する本を書いてみたいと思っているが（マイトレーヤがアサンガ以外の実在の人物であるらしいことについては、本書において些かそれを明らかにした）、それはまだ遠い将来に属する。今はとりあえず、本書を継承して元魏におけるインド唯識説の受容と中国唯識説の始まりとを論ずる『菩提流支の研究』『大乗起信論成立問題の研究』の二部作を準備し、恩師竹村牧男先生以来師弟二代にわたる元魏漢訳仏教研究の完成を期そうという念がしきりである。大方の御後援を期待する次第である。

二〇一三年一月

京都東九条にて　大竹　晋

元魏漢訳ヴァスバンドゥ釈経論群の研究　目次

凡例

A　第一部から第三部までを通じては、以下のことがらを基準とする。

1　漢文を提示する場合、以下のような括弧を加える。

「　」は会話文や引用文を指す。

『　』は経論の題名や、「　」の内部の更なる会話文や引用文を指す。

〔　〕は補いを指す。

【　】は割註を指す。

（　）は文字に対する訂正案を指す。

〃　〃は文章の構造を明確にする。

2　梵文や蔵文や漢文に和訳を併記する場合、以下のような括弧を用いる。

「　」は会話文や引用文を指す。

『　』は経論の題名や、「　」の内部の更なる会話文や引用文を指す。

〔　〕は補いを指す。

【　】は割註を指す。

（ ）は訳語の簡単な説明や、還元梵語を示す。
〝 〟は文章の構造を明確にする。

B 第一部と第二部とにおいては、以下のことがらを基準とする。

1 第一部および付章を除く第二部において梵文や蔵文や漢文を提示する場合、原則として和訳を併記する。ただし、目録の記述のような短い漢文を提示する場合、例外として和訳を併記しない。

2 第二部付章において漢文を提示する場合、見やすさを図って、和訳を併記しない。

C 第三部においては、以下のことがらを基準とする。

1 本文の上段において毘目智仙・般若流支訳ヴァスバンドゥ釈経論群の原漢文を提示する場合、『大正新脩大蔵経』第二十六巻所載の『宝髻経四法憂波提舎』（一五二六番）『転法輪経憂波提舎』（一五三三番）『三具足経憂波提舎』（一五三四番）と、同三十巻所載の『順中論義入大般若波羅蜜経初品法門』（一五六五番）とを底本として用いる。校勘に当たっては『大正新脩大蔵経』のほか『中華大蔵経』をも用いる（詳しくは第三部を見よ）。

2 本文の下段において毘目智仙・般若流支訳ヴァスバンドゥ釈経論群を和訳する場合、もしある箇所について並行する梵文や蔵訳が存在するならば、その箇所については原則としてその梵文や蔵文に従って和訳し、註において並行する梵文や蔵文を示す。

3 註において梵文や蔵訳や漢訳を提示する場合、もし本文の下段において和訳が提示されているならば、和訳を併記しない。

4　註において梵文を提示する場合、原則として並行する漢訳や蔵訳を併記しない。ただし、鳩摩羅什訳『摩訶般若波羅蜜経』『小品般若波羅蜜経』『維摩詰所説経』『仏説阿弥陀経』、玄奘訳『大般若波羅蜜多経』『説無垢称経』『称讃浄土仏摂受経』『瑜伽師地論』については、例外としてこれらを併記する。鳩摩羅什訳がヴァスバンドゥの時代に比較的近い時代のテキストであることと、玄奘訳がヴァスバンドゥを継承する瑜伽師の系統によって伝えられたテキストであることとの二つを考慮するならば、現行の梵文に両訳を併記することの必要性が認められるからである。

5　註において、梵文が欠如しているという理由から、漢訳と蔵訳とを提示する場合、『勝思惟梵天所問経』『文殊師利問菩提経』については、菩提流支訳以外の漢訳を提示することを省略する。両経に対するヴァスバンドゥの註釈『勝思惟梵天所問経論』『文殊師利問菩提経論』が菩提流支訳として現存し、菩提流支訳の両経はヴァスバンドゥが依拠した両経に近いテキストであると考えられる以上、その他の漢訳を網羅的に提示することの必要性はさほど認められないからである。

『大方等大集経』と『大宝積経』とに収められる諸経については、曇無讖訳『大方等大集経』と菩提流志訳『大宝積経』以外の漢訳を提示することを省略する。曇無讖訳がヴァスバンドゥの時代とほぼ同時代の瑜伽師の系統によって伝えられたテキストであることと、菩提流志訳がヴァスバンドゥを継承する瑜伽師の系統によって伝えられた玄奘訳を含むテキストであることとの二つを考慮するならば、両訳以外の漢訳を提示することの必要性はさほど認められないからである。

その他の諸経については、並行する漢訳を網羅的に提示する。

序論　元魏漢訳ヴァスバンドゥ釈経論群の諸問題

一　はじめに

いにしえのインド仏教の思想家ヴァスバンドゥ（Vasubandhu. 婆藪槃豆、天親、世親）の著作として梵文・漢訳・蔵訳のうちに現存する文献はあまたの量にのぼるが、そのうち一つ纏まったグループをなすものとして経に対する註釈すなわち釈経論がある。本研究はそのうち六世紀前半の元魏（北魏および東魏）において漢訳されたヴァスバンドゥ釈経論群に対する研究であるが、この序論においては、まず導入として、ヴァスバンドゥ釈経論群のうち元魏漢訳ヴァスバンドゥ釈経論群が有する諸問題について概説する。

二　ヴァスバンドゥの生涯と著作

そもそも、ヴァスバンドゥの生涯と著作とに関する資料は錯綜しており、それを整理することは容易なことでない。以下においては、まず、中国の菩提流支系、真諦系、玄奘系の諸伝承と、西蔵の伝承とを順次に紹介したい。

菩提流支系の伝承

北インドから中国に到った菩提流支（菩提留支。*Bodhiruci. —五〇八—五三五—）系の伝承として、彼の講義録であるらしい『金剛仙論』（菩提流支訳のヴァスバンドゥ『金剛般若波羅蜜経論』に対する複註）が存する。その巻十においては、ヴァスバンドゥが「二百年許」前の人であり、大乗瑜伽師の領袖アサンガ（Asaṅga）の弟子であることが記されている。

もしこの『金剛般若波羅蜜経』の文章の意味の繋がりぐあいが難解であり推測の範囲を超えているというならば、論主〔ヴァスバンドゥ〕は何によって理解することを得、論を作って解釈したのか。ゆえに「尊者から聞き」と言われる。論主が自ら〝この『金剛般若波羅蜜経』という甚深なる法門の意味に対する註釈は自らの智力による理解でない。むしろ、近くは「尊者」、すなわち、西域ではアサンガといい、漢土では無障礙という比丘のもとで聞き、さらに、遠くはマイトレーヤ世尊のもとで聞いたのである〟と言っているのを明らかにする。〝功績のありかを仰いで押し戴くのであり、誤伝でない〟というのを明らかにする。ゆえに、「尊者から聞き」と言われるのである。「及び、広説した」とは、〝アサンガ比丘はとりもなおさず性地の菩薩であり、多く聴聞してはしっかり記憶し、大乗を流通させ、外道を折伏することができた。ゆえにマイトレーヤ世尊はこの閻浮提の人を憐んで、『金剛般若経義釈』（未詳）と『地持論』（*Bodhisattvabhūmi*）とを造り、アサンガ比丘に付嘱して、彼に流通させた。しかるにマイトレーヤ世尊はただ長行形式の釈を造っただけであった。論主ヴァスバンドゥはアサンガ比丘のもとで習得し、さらにこの『経』と『論』（『金剛般若経義釈』）との意図を検討し、あらためて頌形式の論を造り、広く問いを設定して、この『経』を註釈して、全部で八十頌を有し、さらに〔八十頌に対し〕長行形式の釈（『金剛般若波羅蜜経論』）を造った。さらにこの『論』（『金剛般若波羅蜜経論』）を、また金剛仙論師らに教え、この金剛仙はまた無尽意に教え、無尽意はさらにまた聖済に教え、聖済はまた菩提留支に教え、かわるがわる伝授した〟というのを明らかにする。今に至るまで、始まりから二百年ばかり、いまだかつて断絶したことがない。ゆえに「及び、広説した」と言われるのである。

若此『金剛般若』句義次第難解非図度境者、論主何由得解、而造論解釈也。故云「従尊者聞」。明論主自云、此『金剛般若』甚深法門義釈非自智力解、乃近従尊者、胡名阿僧呿、漢云無障礙比丘辺聞、復遠従弥勒世尊辺聞。明仰推功有在、非是謬伝。故言「従尊者聞」也。「及広説」者、明無障礙比丘乃是性地菩薩、多聞強記、能流通大乗、折伏外道、故弥勒世尊愍此閻浮提人、作『金剛般若経義釈』并『地持論』、賫付無障礙比丘、令其流通。然弥勒世尊但作長行釈。論主天親既従無障礙比丘辺学得、復尋此『経』『論』之意、更作偈論、広興疑問、以釈此『経』、凡有八十偈、及作長行論釈。復以此『論』、転教金剛仙論師等、此金剛仙転教無尽意、無尽意復転教聖済、聖済転教菩提留支、迭相伝授。以至於今、始二百年許、未曾断絶。故言「及広説」也。

(T25, 874c)

「二百年許」前とは、『金剛仙論』が成立した六世紀半ばから逆算するならば、おおむね四世紀前半に該当する。[1]

ところで、『金剛仙論』においては、ヴァスバンドゥとアサンガとについて、その師弟関係が記されるにすぎない。ただし、高句麗の大丞相、王高徳（未詳）が仏教に関して北斉の鄴に出した質問状のうちに『十地経論』『金剛般若波羅蜜論』の作者をめぐる質問があり、それに対する北斉の沙門都統、法上（四九五―五八〇）の返答において、ヴァスバンドゥがアサンガの弟であることが記されている。

『十地経論』『金剛般若波羅蜜経論』はいずれもアサンガの弟ヴァスバンドゥの作である。

『十地論』『金剛般若論』並是僧佉弟婆藪槃豆造。（費長房『歴代三宝紀』巻十二所引。T49, 105a）

したがって、そのような情報が（おそらく菩提流支によって）伝えられていたことがわかる。

真諦系の伝承

西インドから中国に到った真諦（Paramārtha. 四九九―五六九）系の伝承として、『婆藪槃豆法師伝』が存する。要点のみを紹介すると次のようになる。ヴァスバンドゥは仏滅後「九百年中」（T50, 189b）の人である。北インドのプルシャプラ（Puruṣapura. 現在のペシャワール）においてブラーフマナであるカウシカ（*Kauśika）の三人息子の次兄として生まれ、長兄アサンガの弟であった。説一切有部で出家した彼は小乗の論を造ったのちアサンガの手によって大乗に転向し、アサンガの死後に大乗の論を作ったのちアヨーディヤー（Ayodhyā）において八十歳で死んだ（T50, 191a）。ヴァスバンドゥの著作の執筆時期については次のようにある。

執筆時期	典拠
【小乗期】 『七十真実論』（散逸） 『阿毘達磨倶舎論』	ヴァスバンドゥはますます憤懣し、即座に『七十真実論』を作って、外道が作ったサーンキヤの論を論破したところ、徹頭徹尾瓦解して、一文たりとも無傷でいられなかった。 天親弥復憤懣、即造『七十真実論』、破外道所造僧佉論、首尾瓦解、無一句得立。（T50, 190a） 〔ヴァスバンドゥ〕法師はその後さらに正法を興隆した。先に『大毘婆沙論』の教義を学びおわって通暁し、後に人々のために『大毘婆沙論』の教義を講説し、一日講説しては即座に一偈を造って一日講説された教義をまとめ、赤銅葉を刻んではその偈を書き、酔象の頭の下に掲げ、太鼓を撃って、誰かこの偈の教義を論破することができるか、論破することができる者は出てみよ、と宣言した。この進めかたのままに、六百餘偈を作り、『大毘婆沙論』の教義をまとめ尽くした。一一がすべてそういうありさまであり、ついに論破できる人はいなかった。すなわち『倶舎論』の偈である。偈ができ終わってのち、五十斤の金とこの偈とを罽賓の諸毘婆沙師に届けた。彼らは見聞して大いに歓喜し、われらの正法がすでに広く宣布されたと考えた。ただし偈のことばが奥深く、すべては理解できなかったので、さらに五十斤の金を前の五十斤に足して百斤の金とし、〔ヴァスバンドゥ〕法師に送り、法師に長行を作っ

	てこの偈の意味を註解してくれるよう頼んだ。法師はただちに長行を作り、偈を註解した。説一切有部の教義を提示しつつ、妥当でない箇所があるごとに、経量部の教義によってそれ（＝説一切有部の教義）を論破し、『阿毘達磨倶舎論』と名づけた。 法師爾後更成立正法。先学『毘婆沙』義已通、後為衆人講『毘婆沙』義、一日講即造一偈、摂一日所説義、刻赤銅葉、以書此偈、標置酔象頭下、撃鼓宣令、誰人能破此偈義、能破者当出。如此次第、造六百餘偈、摂『毘婆沙』義尽。一一皆爾。遂無人能破。即是『倶舎論』偈也。 偈訖後、以五十斤金并此偈、寄与罽賓諸毘婆沙師。彼見聞大歓喜、謂我正法已広弘宣。但偈語玄深、不能尽解、又以五十斤金、足前五十、為百斤金、餉法師、乞法師、為作長行、解此偈義。法師即作長行、解偈。立薩婆多義、随有僻処、以経部義破之、名為『阿毘達磨倶舎論』。（T50, 190b）
【大乗期】 大乗経に対する諸註釈 『唯識論』 大乗論に対する諸註釈	アサンガ法師の死後、ヴァスバンドゥはようやく大乗の論を作り、諸大乗経を註釈した。『華厳』『涅槃』『法華』『般若』『維摩』『勝鬘』などの諸大乗経の論はすべて〔ヴァスバンドゥ〕法師によって作られたものである。さらに、『唯識論』を作ったり、『摂大乗』『三宝性』『甘露門』などの諸大乗論を註釈したりした。 阿僧伽法師殂殁後、天親方造大乗論、解釈諸大乗経。『華厳』『涅槃』『法華』『般若』『維摩』『勝鬘』等諸大乗経論悉是法師所造。又造『唯識論』、釈『摂大乗』『三宝性』『甘露門』等諸大乗論。（T50, 191a）

さらに、真諦は自著『中辺分別論疏』（基『成唯識論述記』巻一本所引。T43, 231c）においてヴァスバンドゥが仏滅後「九百年中」に生まれたと述べ、自著『九識章』（珍海『三論玄疏文義要』巻二所引。T70, 228c）においてヴァスバンドゥが「論百部」を造ったと述べている。

ただし、真諦の弟子、慧愷は『阿毘達磨倶舎釈論序』（T29, 161a）においてヴァスバンドゥが仏滅後「千一百餘年」に生まれ、「大小乗論凡数十部」を造ったと述べている。真諦の直接の弟子ではないが、真諦系の人である道基（五七〇頃—六三七）も『摂大乗論釈序』（T31, 152b）においてヴァスバンドゥが仏滅後「千一百餘載」に生まれたと述べ、道基と同じく真諦系の人である曇遷（五四二—六〇七）も『摂大乗論釈序』（T31, 153b）においてヴァスバンドゥが仏滅後「千一百餘年」に生まれたと述べている。

　このように、ヴァスバンドゥの生年については、仏滅後九百年代と説く真諦と、仏滅後千一百年代と説く慧愷らとの間に隔たりがある。これは必ずしも慧愷らの誤解とは断定され得ない。なぜなら、玄奘（六〇二—六六四）のインド留学中の情報に基づく辯機（—六四九）『大唐西域記』巻六によれば、インドにおいては、当時が仏滅後何年代なのかということについて諸部派の間で異論があったのであり、真諦と慧愷とが別々の部派の立場によって語っている可能性があるからである。

> 仏の般涅槃以来〔の年数〕については、諸部派は異論し合っている。或る部は千二百餘年と言い、或る部は千三百餘年と言い、或る部は千五百餘年と言い、或る部はすでに九百年を過ぎたが未だ千年に至っていないと言っている。
>
> 自仏涅槃、諸部異議。或云千二百餘年、或云千三百餘年、或云千五百餘年、或云已過九百未満千年。（T51, 903b）

　ところで、真諦や慧愷らにおける仏滅年が西暦何年なのかを知るすべはないのだろうか。周知のとおり、現存の資料においては、仏滅年は北伝と南伝とに大別される。

　まず、真諦訳『部執異論』（T49, 20a）は北伝に属するが、アショーカ王の治世における仏教教団の根本分裂が仏滅後「過百年後、更十六年」に起きたと述べている。アショーカ王の即位年は数年の誤差を認めた上での紀元前二六八年であるから、[2]『部執異論』における仏滅年はおおむね紀元前三八〇年代と考えられる。これによるならば、もしヴァスバンドゥの生年が仏滅後九百年代である場合、彼の生存年代はおおむね六世紀となるし、もし仏滅後千一百年代である場合、彼の生存年代はおおむね八世紀となる。これらはどちらもあり得ない。

次に、真諦の所属部派であったと考えられる正量部は南伝の仏滅年である紀元前四八〇年代を採用していたらしい[3]。これによるならば、もしヴァスバンドゥの生年が仏滅後九百年代である場合、彼の生存年代はおおむね五世紀となるし、もし仏滅後千一百年代である場合、彼の生存年代はおおむね七世紀となる。このうち、七世紀はあり得ない。

なお、普光『倶舎論記』巻十八（T41, 282a）において、今年が仏滅後「一千二百六十五年」だという真諦のことばが引用されている。慧愷『阿毘達磨倶舎釈論序』（T29, 161b）によれば、真諦が『阿毘達磨倶舎論』を訳したのは天嘉四年（五六三）から光大元年（五六七）までの間であるから、もしこの真諦のことばによるならば、仏滅年は紀元前七百年となる。これは北伝の仏滅年とも南伝の仏滅年とも大きく異なる。これによるならば、もしヴァスバンドゥの生年が仏滅後九百年代である場合、彼の生存年代はおおむね三世紀となるし、もし仏滅後千一百年代である場合、彼の生存年代はおおむね五世紀となる。このうち、三世紀はあり得ない。

以上のように、真諦系においては、ヴァスバンドゥの生存年代は必ずしもはっきりしないのである。

玄奘系の伝承

インド留学から帰国した玄奘（六〇二―六六四）系の伝承としては、彼のインド留学中の情報に基づく辯機（―六四九）『大唐西域記』巻五のうちにヴァスバンドゥに関する記述が存する。要点のみを紹介すると次のようになる。ヴァスバンドゥは仏滅後「一千年中」（T51, 896b）の人であるアサンガの弟であった。説一切有部で出家した彼はアサンガによって『十地経』を聴かされて大乗に転向し、大乗論「百餘部」（T51, 897a）を著し、アサンガの生前に死んだ（T51, 896c）。

さらに、おそらくは玄奘のインド留学中の情報に基づいて、彼の高弟である基（六三二―六八二）の著作のうちにヴァスバンドゥに関する記述が存する。要点のみを紹介すると次のようになる。ヴァスバンドゥは仏滅後「九百年間」（『成唯識論述記』巻一本。T43, 231c）の人であり、アサンガの「同母弟」（『成唯識論掌中樞要』巻上本。T43, 608a）であった。彼は『華厳経』十地品と『阿毘達磨大乗経』摂大乗品とを聴いて大乗に転向した（『成唯識論掌中樞要』巻上本。T43, 608a）。ヴァスバンドゥの著作の執筆時期については次のようにある。

執筆時期	典拠
【小乗期】 『勝義七十論』（散逸） 『阿毘達磨倶舎論』	ヴァスバンドゥはかくて『第一義諦論』を作った。『勝義七十論』とも呼ばれる。……それは因果の前後連続生起を明らかにしており、経量部の教義とされることもあった。大乗もそれ（＝因果の前後連続生起）を認めるにせよ、当時の人は〔ヴァスバンドゥが〕未だ大乗に転向しない時の作と見なした*1。ゆえに、ヴァスバンドゥ菩薩は年老いてから人に〔この論を〕講義させ、自らこの論を聴聞し、自分自身あたかも忘れてしまったかのようであった、と伝えられている。 世親乃造『第一義諦論』。亦名『勝義七十論』。……彼明因果前後相生、亦有将為経部之義。大乗雖復認之、時人謂、未入大乗時作。故伝、世親菩薩老年已来、則遣人講、自聴此論、身猶癡忘。（基『成唯識論述記』巻四末。T43, 379bc）
【大乗転向期】 『十地経論』 『摂大乗論釈』	当時、ヴァスバンドゥ菩薩、唐に世親という人がいた。アサンガ菩薩の同母弟である。位は明得定（＝加行位のうち煖位）に位置し、道は極喜地（＝初地）の直前にあった*2。三乗を広く把握し、かくて諸部派にあまねく遊び、小乗の教えは至極でないと知り、ついに大乗に転向した。『華厳経』十地品と『阿毘達磨大乗経』摂大乗品*3とが誦されるのを聞いたことによって、前の過ちを悔いて謝罪し、先の見解について涙を流し、刀を持って舌を切断し、それによって深いまごころを表わそうとした。その兄は三由旬もの遠方にいたが、はるかに一手を延ばして、彼が自ら切断しようとするのを止め、利害を説いた。「おまえは舌によって法を誹謗したにせよ、どうして舌を切断して罪を除けようか。すみやかに大乗を讃釈して、それによって先の過ちを悔いるがよい」。菩薩は兄を敬い従って承諾し、それによって〔大乗の〕素晴らしい道理に帰した。兄はそこで『十地経』を委嘱し、『摂大乗論本』を作って、彼に註釈を作らせた。ゆえにこの二

	論は菩薩が初めて大乗に帰した時の作である。 時有筏蘇畔徒菩薩、唐言世親。無著菩薩同母弟也。位居明得、道隣極喜。亦博綜於三乗、乃遍遊於諸部、知小教而非極、遂迴趣於大乗。因聞誦『華厳』十地品『阿毘達磨』摂大乗品、悔謝前非、流泣先見、持刀截舌、用表深衷。其兄処遠三由旬、遥舒一手、止其自割、説以利害。「汝雖以舌謗法、豈截舌而罪除。早応讃釈大乗、以悔先犯」。菩薩敬従兄諾、因帰妙理。兄乃嘱以『十地経』、制以『摂大乗本』、令其造釈。故此二論、菩薩創帰大乗之作。（基『成唯識論掌中樞要』巻上本。T43, 608a)
【大乗継続期】 『辯中辺論』 『大乗荘厳経論』 ほか大乗の論多数 （基は菩提流支訳や玄奘訳においてヴァスバンドゥに帰される論を、特に執筆時期に言及しないまま、著作のあちこちにおいてヴァスバンドゥの作として扱っている）	『辯中辺論』に対するチャンドラグプタ（*Candragupta）の複註は〔次のように〕言っている。 アサンガ菩薩は先に地前の加行位のうち増上忍位に住していた時、マイトレーヤ尊がこの『辯中辺論』のあらゆる頌を説くのを聴きおわってのち、初地に入ることを得、ヴァスバンドゥのために説いた。ヴァスバンドゥ菩薩は先に地前の順解脱分（＝資糧位）のうち十廻向終心に住していたが、アサンガがこのマイトレーヤの頌を説くのを聞き、〔アサンガが〕彼に註釈を造らせたので、加行位の初めである煖位に入ることを得た。聖者となるはずである。 『辨（辯？）中辺論』護月釈云。無著菩薩先住地前加行位中増上忍時、聞慈氏尊説此『中辺』所有頌已、得入初地、為世親説。世親菩薩先住地前順解脱分廻向終心、聞無著説此弥勒頌、令其造釈、得入加行初煖位中。応是聖者。（基『唯識二十論述記』巻下。T43, 1009c) しかるに『大乗荘厳経論』の頌はマイトレーヤによって説かれ、長行はヴァスバンドゥによって作られた。昔の人は知らないまま、すべてヴァスバンドゥの作と考えた。誤りである。 然『荘厳論』頌文弥勒所説、長行釈者世親所為。旧人不知、総謂天親作。謬也。（基『成唯識論述記』巻四本。T43, 352b)
【晩年期】 『唯識二十論』	この『唯識〔二十〕論』はヴァスバンドゥが年老いて、〔サンガバドラ（Saṃghabhadra）〕『阿毘達磨順正理論』の後にようやく作ったものである。 此『唯識論』、世親年邁、『正理論』後、方始作也。（基『唯識二十論述記』巻下。T43, 992ab)
【臨終期】 『唯識三十頌』	この『〔成唯識〕論』の本頌にはただ正説分があるのみである。ヴァスバンドゥ菩薩の臨終の時の作であり、いまだ長行を作って広く註釈しないまま、すぐに亡くなった。ゆえに初分と後分との二分の文がないのである。

此『論』本頌唯有正説。世親菩薩臨終時造、未為長行広釈便卒。故無初後二分文也。（基『成唯識論述記』巻一本。T43, 232a）

＊1 なお、普光『倶舎論記』巻四（T41, 71c）や元瑜『阿毘達磨順正理論述文記』巻四（散逸。宗性『倶舎論本義抄』巻六所引。T63, 139c–140a）によれば、『阿毘達磨順正理論』巻五における「本頌の作者（*sūtrakāra. ヴァスバンドゥ）は自らの論のうち、ある箇所において言っている」（「経主自論有処説言」）以下の引用は『勝義諦論』（『第一義諦論』『勝義七十論』）からの引用である。加藤純章［1989: 169 (n.27)］はこの引用の出典を未検にとどめた。李鍾徹［2001: 44］はこの引用とほぼ同じ内容が『釈軌論』において説かれていることによってこの引用の出典を『釈軌論』に同定したが、再考の余地がある。

＊2 ヴァスバンドゥが到達した階位をめぐる諸伝承については、船山徹［2003］を見よ。

＊3 玄奘系においては、玄奘訳『摂大乗論本』巻下（T31, 152a）における「『阿毘達磨大乗経』のうち摂大乗品を、わたしアサンガはまとめて解説し終わった」（「『阿毘達磨大乗経』中摂大乗品、我阿僧伽略釈究竟」）という文によって、『摂大乗論』を『阿毘達磨大乗経』摂大乗品の註釈と見なす。しかし、実のところ、『阿毘達磨大乗経』は固有名詞でなく、「阿毘達磨である大乗経」を指しており、「『阿毘達磨大乗経』中摂大乗品」とは「阿毘達磨である大乗経のうち『摂大乗論』」という意味に他ならない（『摂大乗論』が経としての権威を認められているのである）。このことについては、高田仁覚［1953］と松田和信［1984a］とを見よ。したがって、ヴァスバンドゥが『阿毘達磨大乗経』摂大乗品を聴かされて大乗に転向したことを史実と認めることはできない。

なお、基『成唯識論述記』巻一本（T43, 231c）によれば、『唯識三十頌』を註釈したダルマパーラ（Dharmapāla. 護法）は仏滅後「千一百年後」の人であり、彼の生存年代は、その弟子シーラバドラ（Śīlabhadra. 戒賢）と玄奘との師弟関係を考慮して、六世紀と考えられる。[4] したがって、玄奘系の伝承におけるヴァスバンドゥの生存年代に二説あるうち、基が伝承した説である仏滅後九百年代は四世紀となる。辯機が伝承した説である仏滅後一千年代が何世紀であるかははっきりしない。

西蔵の伝承

西蔵の伝承としては、代表的なものとして、ターラナータ（Tāranātha. 十六—十七世紀）『仏教史』のうちにヴァスバンドゥに関する記述が存する。要点のみを紹介すると次のようになる。ヴァスバンドゥは「〔第二十八代〕吐蕃王ラ・トトリ・ニェンツェン（lHa tho tho ri gnyan gtsan. 五世紀頃）と同時代[5]」の人であり、父はブラーフマナであり、アサンガの出家の後に生まれ、彼と「同母兄弟[6]」であった。声聞乗を学んだ彼はアサンガによって『無尽意所説経』『十地経』を聴かされて大乗に転向し、アサンガの死後に大小乗経論に対する五十の註釈と、独自の著作としての八つの論[7]とを著し、「百歳近く」に至って死んだ。ヴァスバンドゥの著作については次のようにある。

聖者アサンガが身まかったのち、吉祥あるナーランダーの和尚とならせたまうて〔……〕、合間合間に、論に着手することと、外道なる対論者を屈服させることとを行ないたまい、『二万五千頌般若波羅蜜多』『無尽意所説経』『十地経』『三宝随念』（＝『仏随念』『法随念』『僧随念』）『五印経』『縁起経』『〔大乗〕荘厳経〔論頌〕』『二分別』（＝『中辺分別論頌』『法法性分別論頌』）など大小乗の大小経と、密意を解き明かす〔アサンガの〕論となどに対する、他〔経論〕の註釈として着手された五十〔の論〕、そして、独自の著作として八つの論（prakaraṇa）を作りたまうた。

’phags ma thog med sku ’das pa’i ’og tu dpal nā laṇda’i mkhan po mdzad de [...] bar bar du bstan bcos brtsoms pa dang | mu stegs kyi rgol ba bzlog par mdzad de | shes rab kyi pha rol tu phyin pa nyi khri lnga stong pa dang | blo gros mi zad pa bstan pa dang | sa bcu pa dang | dkon mchog rjes dran dang | phyag rgya lnga’i mdo dang | rten ’brel gyi mdo dang | mdo rgyan dang | ’byed gnyis sogs theg pa che chung gyi mdo sde che chung | dgongs ’grel gyi bstan bcos sogs la gzhan ’grel du brtsams pa lnga bcu tsam dang | rang rkang du pra ka ra ṇa sde brgyad mdzad |（Tāranātha 95, 16–96, 9）

これらの伝承のうち、相互に比較可能な記事を対比させると次のとおりである。

	生存年代	アサンガとの関係	著述活動
菩提流支系	二百年ばかり前（四世紀前半）。	アサンガの弟。	大乗の論を造った。
真諦系	真諦によれば仏滅後九百年代（西暦不明）、慧愷、道基、曇遷によれば仏滅後一千一百年代（西暦不明）。	アサンガの弟。アサンガの手によって説一切有部から大乗に転向した。	アサンガの死後に大乗の論を造った。著作数：百部。
玄奘系	基によれば仏滅後九百年代（四世紀）、辯機によれば仏滅後一千年代（西暦不明）。	アサンガの同母弟。アサンガによって『十地経』もしくは『十地経』『阿毘達磨大乗経』を聴かされて声聞乗から大乗に転向した。	大乗の論を造ったのち、アサンガの生前に死去した。著作数：小乗の論のほか、大乗の論百餘部。
西蔵系	〔第二十八代〕吐蕃王ラ・トトリ・ニェンツェン（lHa tho tho ri gnyan gtsan）と同時代（五世紀頃）。	アサンガの同母弟。アサンガによって『十地経』『無尽意所説経』を聴かされて声聞乗から大乗に転向した。	アサンガの死後に大乗の論を造った。著作数：五十部の註釈と八部の論。

三　ヴァスバンドゥ二人説とその反響

さて、これら異なった伝承をいかにして整合的に理解すべきか。それに対する最も大胆な仮説がオーストリアのフラウヴァルナー（Erich Frauwallner［1951］）によって提唱されたヴァスバンドゥ二人説である。フラウヴァルナーは『阿毘達磨倶舎論』に対するヤショーミトラの註釈が、『阿毘達磨倶舎論』作者であるヴァスバンドゥの他に、古師ヴァスバンドゥ（vṛddhācārya-Vasubandhu）に言及するのに注目する。この古師ヴァスバンドゥは普光『倶舎論記』巻九（T41, 167c）においても言及されており、それによれば、『雑阿毘曇心論』巻一（T28, 869c）において『阿毘曇心論』に対する註釈『無依虚空論』六千偈を作ったと記される説一切有部の和修槃頭と同一人物である。フラウヴァルナーは兄アサンガによって声聞乗から大乗へと転向させられたヴァスバンドゥはこの古師ヴァスバンドゥであり、『阿毘達磨倶舎論』作者であるヴァスバンドゥはそれと異なる新師ヴァスバンドゥであると見なすのである。

フラウヴァルナーによれば、ヴァスバンドゥに関する伝承は、真諦の弟子たちが古師ヴァスバンドゥと新師ヴァスバンドゥとを混同し、その混同を玄奘の弟子たちが継承したことによって成立している。したがって、フラウヴァルナーは古師ヴァスバンドゥと新師ヴァスバンドゥとの区別を試みるのである。

フラウヴァルナーはヴァスバンドゥの生存年代をめぐる三つの伝承（仏滅後九百年、仏滅後一千年、仏滅後一千一百年）のうち、『婆藪槃豆法師伝』において説かれる仏滅後九百年を、恵沼『成唯識論了義燈』巻二本（T43, 688b）において引用される『婆藪槃豆法師伝』に仏滅後「一千百餘年」とあることによって、本来、仏滅後一千一百年とあったと推測する。そして、慧愷らによって説かれる仏滅後一千一百年を、今年が仏滅後「一千二百六十五年」であるという真諦のことば（前出）に基づく仏滅年によって、五世紀と換算する。先に確認したとおり、辯機によって説かれる仏滅後一千年は五世紀と換算される。したがって、真諦系の仏滅後一千一百年と玄奘系の仏滅後一千年とはともに五世紀である。フラウヴァルナーによれば、それが新師ヴァスバンドゥの生存年代である。

フラウヴァルナーは真諦と基とによって説かれる仏滅後九百年を、古師ヴァスバンドゥの生存年代と推測する。ただし、フラウヴァルナーは真諦系と玄奘系との仏滅後九百年がともに或る古伝承に基づいており、その古伝承における仏滅年が不明であると推測して、古師ヴァスバンドゥの生存年代を別の資料から求めようとする。その資料は三つあり、いずれも鳩摩羅什（四世紀中葉―五世紀初頭）に関連する。

一つめは、僧肇『法華翻経後記』である。僧肇（三七四／三八四―四一四）は鳩摩羅什の弟子であるが、その著『法華翻経後記』（唐の僧詳『法華経伝記』巻二所引）によれば、弘始八年（四〇六）の夏、鳩摩羅什訳『妙法蓮華経』が訳された際、鳩摩羅什に対し、姚興は鳩摩羅什訳『妙法蓮華経』が先行の竺法護訳としばしば異なる理由を尋ねたが、その際、鳩摩羅什は次のように答えた。

わたし（＝鳩摩羅什）は天竺（インド）にいた時、あまねく五天竺に遊学し、大乗を検討し、スーリヤソーマ（Sūryasoma）大師から道理の味わいを享受しました。〔スーリヤソーマ大師は『妙法蓮華経』の〕梵本を〔わたしに〕委嘱して、「仏という太陽は西に沈んだが、その残した輝きは今や東北に及ぼうとしている。この経典は東北にゆかりのあるものだから、おまえは慎んで広めるがよい。昔ヴァスバンドゥ論師がウパデーシャを製作したが、〔この梵本はヴァスバンドゥ論師がウパデーシャにおいて註釈した〕その正統な梵本である。散文や韻文を取捨してはならぬ、原典の文を取捨してはならぬ」とおっしゃいました。わたしはすぐさまかたじけなくそれを拝受し、背負い籠に背負って〔東北に〕来ました。今〔鳩摩羅什訳『妙法蓮華経』が〕伝える内容はまことに理由があるものです。〔鳩摩羅什訳『妙法蓮華経』が〕はっきりと〔『妙法蓮華経』の〕宗旨を確定していることは、ほかの訳（＝竺法護訳）と較べものになりません。

予昔在天竺国時、遍遊五竺、尋討大乗、従大師須利耶蘇摩、飡稟理味。慇懃付嘱梵本言、「仏日西入、遺耀将及東北。茲典有縁於東北、汝慎伝弘。昔婆藪槃豆論師製作優婆提舎、是其正本。莫取捨其句偈、莫取捨其真文」。予怱怱忝飡受之、負笈来到。今所伝、良有所以。詮定宗旨、不同異途。（T51, 54b）

もしこれによるならば、『妙法蓮華経憂波提舎』の作者であるヴァスバンドゥは鳩摩羅什より前の時代の人であったことになる。

二つめは、鳩摩羅什訳『百論』である。『百論』は提婆菩薩造・婆藪開士釈と記されるが、この婆藪開士について、吉蔵（五四九―六二三）『百論序疏』に次のようにある。

「婆藪」とは、ヴァスバンドゥを言う。ヴァスバンドゥはもともと天帝の弟であり、〔天帝は〕彼を閻浮提に生まれさせ、阿修羅を調伏させた。かれは割那舎闍（*Kanyākubja [?]. Puruṣapura の誤りか）の人であり、〔割那舎闍は〕丈夫国と言われる。「開士」とは、ヴァスバンドゥはもともと小乗について学び、五百部の小乗論を作ったので、方等（Vaipulya. 大乗）はついに下降し、蔭となって伝わらなくなった。兄であるアサンガは大乗の人であり、弟が盛んに小乗を弘めているのを見、大道が覆い隠されるのを恐れ、彼を〔大乗に〕誘って教化しようと望んで、ゆえに彼のために仮病を使った。弟は兄が病であると聞き、やって来て彼を慰問した。弟は兄に質問した。「どうして病んでおられるのですか」。回答。「おまえのせいで病んでいるのだ」。弟は質問した。「どうしてそうでしょうか」。回答。「おまえは小乗を弘め、大道を覆い隠した。罪ははなはだ重い。ゆえにおまえのせいで病んでいるのだ」。弟は言った。「もしそうでしたら、それは舌の過失ですので、この舌を切断します」。兄は言った。「必要ない。おまえはあらためて大乗の論を作り、大道を流通させるがよい」。ここにおいて、大乗の五百部の論を作った。当時の人は千部の論主と呼んだ。「開士」（すなわち菩薩）という称号は、後半生から名づけられたのである。

「婆藪」云天親。天親者本是天帝弟、遣其生閻浮提、伏修羅也。其是割那舎闍人。云丈夫国也。「開士」者、天親本小乗学、造五百部小乗論、方等遂没、翳而不伝。兄阿僧伽是大乗人、見弟盛弘小乗、恐覆障大道、欲引誘化之、故為之現病。弟聞兄有病、来参慰之。弟問兄曰。「何故病哉」。答云。「為汝故病」。弟問曰。「何故爾耶」。答。「汝弘小乗、障覆大道。罪過深重、故為汝病也」。弟曰。「若爾、此是舌過、当断其舌」。兄曰。「不須。汝可更造大乗論、令大道宣流」。於是造大乗五百部論。時人呼為千部論主。「開士」之称、従後時得名也。（T42, 234bc）

もしこれによるならば、『百論』を註釈したヴァスバンドゥは鳩摩羅什より前の時代の人であったことになる。(8)

三つめは、鳩摩羅什訳『発菩提心経論』である。この論はヴァスバンドゥに帰されている。もしこれによるならば、

『発菩提心経論』を作ったヴァスバンドゥは鳩摩羅什より前の時代の人であったことになる。
これらの資料によって、フラウヴァルナーは二人のヴァスバンドゥを次のように区別した。[9]

	古師ヴァスバンドゥ（西暦三二〇―三八〇頃）	新師ヴァスバンドゥ（西暦四〇〇―四八〇頃）
アサンガとの関係	アサンガの弟。説一切有部に属したが、アサンガの手によって大乗に転向した。アサンガの生前に死去した。	アサンガの弟とは別人。説一切有部に属しながらも経量部に傾斜した。
著作	『阿毘曇心論』に対する註釈ほか五百部の小乗論。『百論』に対する註釈や、『辯中辺論』や、『十地経論』『妙法蓮華経憂波提舎』『金剛般若波羅蜜経論』など大乗経に対するいくつかの註釈や、『発菩提心経論』を含む五百部の大乗論。合計千部。	『阿毘達磨倶舎論』『勝義七十論』

フラウヴァルナー（Erich Frauwallner［1961］）はのちに古師ヴァスバンドゥのみならず新師ヴァスバンドゥも大乗に転向したと推測し、大乗経と古典的大乗文献とに対する諸註釈の大部分を古師ヴァスバンドゥの著作、『唯識二十論』『唯識三十頌』を新師ヴァスバンドゥの著作と見なした。[10] かつ、佚文が残る論理学書である『論軌』『論式』『論心』を新師ヴァスバンドゥの著作と見なした。[11]『唯識二十論』『唯識三十頌』を新師ヴァスバンドゥの著作と見なすフラウヴァルナーの説は、この二論のうちに「経量部的前提」を見出だすフラウヴァルナーの高弟シュミットハウゼン（Lambert Schmithausen［1967］。和訳：Lambert Schmithausen［1983］〔加治洋一訳〕）によって継承された。

なお、松田和信［1984b］は『縁起論』において『阿毘達磨倶舎論』『成業論』が自著として言及されることを指摘し、『成業論』において自著として言及される『釈軌論』を併せ、合計六著作を同一著者の著作と確定した。さらに、『阿毘達磨倶舎論』に対するヤショーミトラ（Yaśomitra）の註釈は『阿毘達磨倶舎論』の著者の著作としてしばしば

『五蘊論』に言及しているので、『五蘊論』をも併せ、合計七著作が同一著者の著作と確定される。したがって、現在のところ、ヴァスバンドゥ二人説を保持するかぎり、ヴァスバンドゥ二人説に関係する現存するヴァスバンドゥ著作群は次のように二分される（フラウヴァルナーが言う古典的大乗文献に対する諸註釈のうち、現在までに深刻な著者問題が提起されている『法法性分別論』[12]を除外する。大乗経に対する諸註釈のうち、除外すべきものについては後述する）。

現存する古師ヴァスバンドゥ著作群	現存する新師ヴァスバンドゥ著作群
『辯中辺論』『大乗荘厳経論』*『摂大乗論釈』、大乗経に対する諸註釈、『百論』に対する註釈、『発菩提心論』。	『阿毘達磨倶舎論』『釈軌論』『成業論』『縁起論』『唯識二十論』『唯識三十頌』『五蘊論』

＊ 厳密に言えば、『大乗荘厳経論』についてはこれをアサンガに帰する伝承とヴァスバンドゥに帰する伝承とがあるが、こんにちの学界においてはその作者はほぼヴァスバンドゥに確定されている。たとえば、小谷信千代［1984］第一部第一章、袴谷憲昭・荒井裕明［1993］解題（袴谷憲昭執筆）を見よ。

さて、ヴァスバンドゥ二人説に対しては、翌年、その恣意的な資料操作への批判を含む詳細な紹介が櫻部建［1952］によって寄せられたほか、こんにちまでにいくつかの否定的材料がさまざまな研究者によって指摘されている。

たとえば、梶山雄一［1976］は『阿毘達磨倶舎論』において経量部の術語として現れる語「相続転変差別」(saṃtati-pariṇāma-viśeṣa) が『大乗荘厳経論』においても現れることを指摘した。

松田和信［1984a］は『摂大乗論釈』における帰敬偈がおおむね『縁起論』における三帰依の規定に沿っていることを指摘した[13]。

松田和信［1984b］はアサンガの口説と思われる説が『縁起論』において紹介されていることを指摘した。

白館戒雲［1989］は『大乗荘厳経論』において如来の六十種類の音声について現われる解説が『釈軌論』においても現われることを指摘した。

加藤純章［1989］は阿毘達磨の諸論師の関係に基づいてヴァスバンドゥの生存年代を三五〇—四三〇頃に置くことを提案した。この生存年代は古師ヴァスバンドゥの生存年代（三二〇—三八〇頃）と新師ヴァスバンドゥの生存年代（四〇〇—四八〇頃）とを統合する可能性があり、ヴァスバンドゥ二人説に対する間接的な否定に繋がる。

李鍾徹［2001: 51–60］は『大乗荘厳経論頌』（MSA XI.31）に対し『大乗荘厳経論』と『釈軌論』とが同じ解釈を行なっていることを指摘し、かつ、梵行の四功徳に対し『大乗荘厳経論』と『釈軌論』とが同じ解釈を行なっていることを指摘した。

さらに、フラウヴァルナーが用いた資料のうちには、こんにちの学界において信頼性が疑われるものが多い。とりわけ、古師ヴァスバンドゥの生存年代に関して用いられた僧肇『法華翻経後記』、吉蔵『百論序疏』、鳩摩羅什訳『発菩提心経論』はいずれも問題を抱えている。

まず、『法華翻経後記』はすでに多くの研究者によって偽撰であることが指摘されている。[14]

さらに、『百論序疏』に先立って書かれた、鳩摩羅什の弟子である僧肇『百論序』（T30, 167c–168a）は婆藪の素姓について何も触れていない。婆藪をヴァスバンドゥと同視するのは『百論序疏』や智顗・灌頂『妙法蓮華経玄義』巻六上（T33, 752b）の頃からである。

さらに、『発菩提心経論』はヴァスバンドゥの作でも鳩摩羅什訳でもなく、中国における偽撰と考えられる（本研究第二部付章を見よ）。

なお、新師ヴァスバンドゥがアサンガと密接な個人的関係を有していたらしいことは前述の松田和信［1984b］が指摘したとおりであるが、筆者はさらに義浄（六三五—七一三）のインド留学中の経験に基づく記述にも注目したい。

義浄『南海寄帰内法伝』巻四、三十五長髪有無においては、インドにおける「アサンガの八支」(「無著之八支」)なるものが紹介されている。

一には『唯識二十論』、二には『唯識三十頌』、三には『摂大乗論』、四には『阿毘達磨集論』、五には『辯中辺論』、六には『縁起論』、七には『大乗荘厳経論』、八には『成業論』である。この中にはヴァスバンドゥによって作られたものがあるにせよ、功績はアサンガに帰するのである。

一『二十唯識論』、二『三十唯識論』、三『摂大乗論』、四『対法論』、五『辯中辺論』、六『縁起論』、七『大荘厳論』、八『成業論』。此中雖有世親所造、然而功帰無著也。(T54, 230a)

ここでは、ヴァスバンドゥ二人説において古師ヴァスバンドゥに帰される『辯中辺論』『大乗荘厳経論』と、新師ヴァスバンドゥに帰される『唯識二十論』『唯識三十頌』『縁起論』『成業論』とについて、それらの「功績はアサンガに帰する」と説かれている。「功績はアサンガに帰する」と言われるのは、ヴァスバンドゥがアサンガから親しく教えを受けた弟だからに他なるまい。もしそうであるならば、義浄が留学した頃のインドにおいては、古師ヴァスバンドゥと新師ヴァスバンドゥとは区別されずアサンガの弟と見なされていたのであるまいか。

以上のように、ヴァスバンドゥ二人説に対しては、さまざまな否定的要素が見出だされつつあるのが現状である。

四　ヴァスバンドゥ釈経論群の概要

ところで、ヴァスバンドゥ二人説が語られる際に必ず言及されつつも、ヴァスバンドゥの作という伝承に追従するのみで常に一からげに扱われ個別の研究がさほど進められてこなかったのは、ヴァスバンドゥ釈経論群である。それらのうち現存するものを、現時点において明確な著者問題がないグループと、明確な著者問題があるグループとの二つに大別すると次のとおりである（大正新脩大蔵経の釈経論部と西蔵大蔵経の経疏部とに含まれない著作であっても、広義の釈経論と見なされ得るものをすべて挙げる）。

明確な著者問題がないグループ

『縁起論』（*Pratītyasamutpāda-vyākhyā*）〔梵文断片現存〕
蔵訳『縁起初分分別経論』（*rTen cing 'brel bar 'byung ba dang po dang rnam par dbye ba [bstan pa]'i bshad pa. *Pratītyasamutpādādibivibhaṅganirdeśa-vyākhyā*）（東北三九九五番、大谷五四九六番〔経疏部〕）
〔備考〕全訳註は未だ存在しない。現在までの部分訳については、Yoshihito G. Muroji［1993］と本庄良文［2001］とを見よ。グナマティ（Guṇamati. 生没年未詳）による複註がある。蔵訳『聖縁起初分分別経論釈』（*'Phags pa rten cing 'brel bar 'byung ba dang po dang rnam par dbye ba bstan pa'i rgya cher bshad pa. *Āryapratītyasamutpādādibivibhaṅganirdeśa-ṭīkā*）（東北三九九六番、大谷五四九七番〔経疏部〕）

元魏、菩提流支訳『金剛般若波羅蜜経論』（大正一五一一番〔釈経論部〕）
唐、義浄訳『能断金剛般若波羅蜜多経論釈』（大正一五一三番）
〔備考〕全訳註：大竹晋［2009］（義浄訳）。

元魏、菩提流支訳『妙法蓮華経憂波提舎』（大正一五一九番〔釈経論部〕）
元魏、勒那摩提訳『妙法蓮華経論優波提舎』（大正一五二〇番〔釈経論部〕）
〔備考〕全訳註：大竹晋［2011］。

元魏、菩提流支訳『十地経論』（大正一五二二番〔釈経論部〕）
蔵訳『聖十地経論』（*'Phags pa sa bcu'i rnam par bshad pa. *Āryadaśabhūmi-vyākhyāna*）（東北三九九三番、大谷五四九四番〔経疏部〕）
〔備考〕全訳註：大竹晋［2005］［2006］。スーリヤシッディ（Sūryasiddhi. 生没年未詳）による複註がある。蔵訳『聖十地経論釈』（*'Phags pa sa bcu'i rnam par bshad pa'i rnam par bshad pa. *Āryadaśabhūmi-vyākhyāna-vyākhyāna*）（東北三九九四番、大谷五四九五番〔経疏部〕）

元魏、菩提流支訳『無量寿経優波提舎願生偈』（大正一五二四番）

〔備考〕全訳註：大竹晋［2011］。

元魏、菩提流支訳『文殊師利菩薩問菩提経論』（大正一五三一番〔釈経論部〕）
蔵訳『聖伽耶山頂経論』（*'Phags pa ga ya mgo'i ri zhes bya ba'i mdo'i rnam par bshad pa*）（東北三九九一番、大谷五四九二番〔経疏部〕）
〔備考〕全訳註：大竹晋［2011］。シャーキャマティ（Shākya'i blo. *Śākyamati. 生没年未詳）による複註がある。蔵訳『聖伽耶山頂経雑釈』（*'Phags pa ga ya mgo'i ri mdo dang spel mar bshad pa*）（東北三九九二番、大谷五四九三番〔経疏部〕）

元魏、菩提流支訳『勝思惟梵天所問経論』（大正一五三二番〔釈経論部〕）
〔備考〕筆者は菩提流支訳ヴァスバンドゥ釈経論群のうち『勝思惟梵天所問経論』の全訳註のみ未発表であるが、じつはそれについても個人的におおむね全訳註を作ってある。機会が与えられるならば、いずれ発表したい。

元魏、毘目智仙訳『宝髻経四法憂波提舎』（大正一五二六番〔釈経論部〕）
〔備考〕全訳註：本研究第三部第四章。

元魏、毘目智仙訳『転法輪経憂波提舎』（大正一五三三番〔釈経論部〕）
〔備考〕全訳註：本研究第三部第三章。

元魏、毘目智仙訳『三具足経憂波提舎』（大正一五三四番〔釈経論部〕）
〔備考〕全訳註：本研究第三部第二章。

隋、達磨笈多訳『金剛般若論』（大正一五一〇番〔釈経論部〕）
蔵訳『聖仏母能断金剛般若波羅蜜多七義広釈』（*'Phags pa bcom ldan 'das ma shes rab kyi pha rol tu phyin pa rdo rje gcod pa'i don bdun gyi rgya cher 'grel pa*）（東北三八一六番、大谷ナシ〔般若部〕）
〔備考〕全訳註：大竹晋［2009］。この論は達磨笈多訳によればアサンガに帰されるが、蔵訳によればヴァスバンドゥに帰される。蔵訳が正しいと考えられる（大竹晋［2009］『金剛般若論』解題）。

唐、失訳『六門陀羅尼経論』（大正一三六一番〔密教部〕）
蔵訳『六門陀羅尼経論』（*sGo drug pa'i gzungs kyi rnam par bshad pa*）（東北二六九四番、大谷三九八九番〔タントラ部〕。大谷三五一八番、東北三九八九番、五四八九番〔経疏部〕）
〔備考〕ジュニャーナダッタ（Jñānadatta. 智威。生没年未詳）による複註がある。唐、失訳『六門陀羅尼経論広釈』（大正一三六一番〔密教部〕）、蔵訳『六門陀羅尼経論広釈』（*sGo drug pa'i gzungs kyi rnam par bshad pa'i rgya cher 'grel pa*）（Stein Tibetan 430）。なお、『六門陀羅尼経』は後期インド仏教の伝承において経量部に帰されている。Katsumi Mimaki［1977a］［1977b］を見よ。

唐、失訳『大乗四法経釈』（Stein 609; Stein 2707; Stein 3194; Pelliot chinois 2350V; Pelliot chinois 2356V）

蔵訳『聖四法経論』（*'Phags pa chos bzhi pa'i rnam par bshad pa*）（東北三九九〇番、大谷五四九〇番〔経疏部〕）

〔備考〕ジュニャーナダッタ（Jñānadatta. 智威。生没年未詳）による複註がある。失訳『大乗四法経広釈』（Pelliot chinois 2350V）。法成訳である可能性が高い（上山大峻［1990: 197］）。

蔵訳『仏随念広註』（*Sangs rgyas rjes su dran pa'i rgya cher 'grel pa. *Buddhānusmṛti-ṭīkā*）（東北三九八七番、大谷五四八七番〔経疏部〕）

〔備考〕全訳註：中御門敬教［2008］・藤仲孝司［2008］。アサンガ『仏随念註』（*Sangs rgyas rjes su dran pa'i 'grel pa. *Buddhānusmṛti-vṛtti*）（東北三九八二番、大谷五四八二番〔経疏部〕）に対する複註。アサンガ『仏随念註』の全訳註については、中御門敬教［2010］を見よ。

明確な著者問題があるグループ

姚秦、鳩摩羅什訳『発菩提心経論』（大正一六五九番〔論集部〕）

〔備考〕中国撰述と考えられる（本研究第二部付章）。

元魏、達磨菩提訳『涅槃論』（大正一五二七番〔釈経論部〕）

〔備考〕中国撰述と考えられる（大竹晋［2011］『涅槃論』解題）。

陳、真諦訳『涅槃経本有今無偈論』（大正一五二八番〔釈経論部〕）

〔備考〕中国撰述と考えられる（大竹晋［2011］『涅槃経本有今無偈論』解題）。

陳、真諦訳『遺教経論』（大正一五二九番〔釈経論部〕）

〔備考〕中国撰述と考えられる（大竹晋［2011］『遺教経論』解題）。

蔵訳『聖十万頌二万五千頌一万八千頌般若波羅蜜多広註』（*'Phags pa shes rab kyi pha rol tu phyin pa 'bum pa dang nyi khri*

lnga stong pa dang khri brgyad stong pa'i rgya cher bshad pa）（東北三八〇八番、大谷五二〇六番〔般若部〕）
〔備考〕ナルタン版においてヴァスバンドゥに帰される（デルゲ版においてはダンシュトラセーナ〔Daṃṣṭrasena〕に帰され、北京版においては著者名がない）。プトンはこの論をヴァスバンドゥもしくはダンシュトラセーナに帰するが、ツォンカパはどちらに帰することをも疑問視する。如来の六十種類の音声に対するヴァスバンドゥ『大乗荘厳経論』の解説が「軌範師」（slob dpon. *ācārya）の解説として引用されており、ヴァスバンドゥより後の人の作と考えられる（磯田熙文［1996］）。

蔵訳『聖無尽意所説経広註』（*'Phags pa blo gros mi zad pas bstan pa rgya cher 'grel pa. Āryākṣayamatinirdeśa-ṭīkā*）（東北三九九五番、大谷五四九六番〔経疏部〕）
〔備考〕ヴァスバンドゥ『大乗荘厳経論』『阿毘達磨倶舎論』『五蘊論』のほか、スティラマティ（Sthiramati）『荘厳経論註釈』（*Sūtrālaṃkāra-vṛtti-bhāṣya*）『三十頌釈』（*Triṃśikā-bhāṣya*）『五蘊論釈』（*Pañcaskandha-prakaraṇa-vaibhāṣya*）やスティラマティ糅『阿毘達磨雑集論』が引用されており、スティラマティより後の人の作と考えられる（Jens Braarvig［1993: volume II, cxvii–cxxx］）。

蔵訳『聖普賢行願讃広註』（*'Phags pa bzang po spyod pa'i smon lam gyi rgyal po'i rgya cher 'grel pa*）（東北四〇一五番、大谷五五一六番〔経疏部〕）
〔備考〕一三六二年にダツェパ（sGra tshad pa. 一三一八—一三八八）によって増補されたテンギュル目録において初めてヴァスバンドゥの著作として記録され、それが西蔵大蔵経版本に継承された（中御門敬教［2004］）。

蔵訳『摂偈義論』（*Tshigs su bcad pa'i don bsdus pa. *Gāthārthasaṃgraha*）（東北四一〇三番、大谷五六〇四番〔阿毘達磨部〕）
〔備考〕声聞乗の二十一偈（そのうち二十偈は『ウダーナ・ヴァルガ』のうちに含まれる）のアンソロジーである『摂偈』（*Tshigs su bcad pa bsdus pa. *Gāthāsaṃgraha*）（東北四一〇二番、大谷五六〇三番〔阿毘達磨部〕）に対する註釈。ヴァスバンドゥ『阿毘達磨倶舎論』『縁起論』『釈軌論』との大幅な逐語的一致を示しており、考えようによって、ヴァスバンドゥの作とも、後の人がヴァスバンドゥの作から転用した作とも解釈され得る。研究者たちはおおむねヴァスバンドゥより後の人の作と見なすようになっている。研究史については、松島央龍［2007］を見よ。筆者が気づいたかぎりでは、この論はヴァスバンドゥ『大乗荘厳経論』を引用しており、ヴァスバンドゥ二人説を採用しないかぎり、ヴァスバンドゥより後の人の作と考えられる。すなわち、『摂偈義論』に次のようにある。「それゆえに次のように『如来の智は過去の時に関して滞らず妨げられず、現在と未来との時に関して滞らず妨げられない智』と言われている」（de bas na 'di skad du | de bzhin gshegs pa'i ye shes ni 'das pa'i dus la chags pa med cing thogs pa med pa dang | da ltar byung ba dang ma 'ongs pa'i dus la chags pa med cing thogs pa med pa'i ye shes zhes gsungs so ||）（P no. 5604, Nu 243a4–5）。これは『大乗荘厳経論』の次のような文の引用と考えられる。“atīte 'dhvani tathāgatasyāsaṅgam apratihataṃ jñānam, anāgate pratyutpanne 'dhvani tathāgatasyāsaṅgam apratihataṃ jñānam.”（MSABh 187, 25–26）。

蔵訳『一偈論』(*Tshigs su bcad pa gcig pa'i bshad pa*)(東北三九八八番、大谷五四八八番〔経疏部〕)
〔備考〕『摂偈義論』の第一偈の箇所のみの単行。

このほか、現存しないものとして、『宝髻経四法憂波提舎』『転法輪経憂波提舎』『三具足経憂波提舎』において言及される『菩提心憂波提舎』があり、さらに、前出の『婆藪槃豆法師伝』において言及される「『華厳』『涅槃』『法華』『般若』『維摩』『勝鬘』等の諸大乗経の論」によるならば、少なくとも『大般涅槃経』『般若波羅蜜多』『維摩詰所問経』『勝鬘夫人獅子吼経』に対する註釈があった(『大方広仏華厳経』十地品に対する註釈である『十地経論』、『妙法蓮華経』に対する註釈である『妙法蓮華経憂波提舎』を省く。『般若波羅蜜多』に対する註釈が般若流支訳『順中論義入大般若波羅蜜経初品法門』を指す可能性については、本研究第二部第三章を見よ。ただしこれは『能断金剛般若波羅蜜多』に対する現存の二註釈を指すのかもしれない)。前出のターラナータ『仏教史』において言及される、『五印経』に対する註釈も(真偽不明にせよ)現存しないようである。

ともかくは、ヴァスバンドゥ釈経論群の研究においては、上記の明確な著者問題がないグループが研究対象となることは言うまでもない。

五　元魏漢訳ヴァスバンドゥ釈経論群研究の理由と構成

本研究は、上記の明確な著者問題がないグループのうち、六世紀前半に訳出され、訳出年代が最も古い、勒那摩提(*Ratnamati)、菩提流支(*Bodhiruci)、毘目智仙(*Vimuktisena)、般若流支(*Prajñāruci)による元魏漢訳ヴァスバンドゥ釈経論群を扱う研究である。敢えてそれらを扱うことには次のような理由がある。

一つめは、元魏漢訳ヴァスバンドゥ釈経論群に対する研究が現在のヴァスバンドゥ研究にとって空白部分となっているからである。ヴァスバンドゥ釈経論群の大半は元魏漢訳のかたちでしか現存せず、さらに、元魏漢訳のかたちで現存する釈経論群が梵文や蔵訳のかたちで現存するインド仏教文献のうちに引用されることも極めて乏しい。そのような、取り扱いの難しさもあってか、他のヴァスバンドゥ著作群に対する近年の研究の長足の進歩に較べ、それら元魏漢訳ヴァスバンドゥ釈経論群に対する研究の進歩はほとんどない。しかし、それらをいつまでも放置しておくことは、ヴァスバンドゥ研究のうちにいつまでも空白部分を残しておくことになる。この点において、元魏漢訳ヴァスバンドゥ釈経論群の研究が待たれるのである。

二つめは、元魏漢訳ヴァスバンドゥ釈経論群があらゆるヴァスバンドゥ著作群のうち記録上最も古くに遡るからである。これら釈経論群は代表的なヴァスバンドゥ著作と目される『阿毘達磨俱舍論』や『唯識三十頌』より先に中国に紹介されており、もし訳出年代の古さがヴァスバンドゥへの近さを保証すると言い得るならば、ヴァスバンドゥ一人説を採るにせよ二人説を採るにせよ、元魏漢訳ヴァスバンドゥ釈経論群がヴァスバンドゥに帰される偽作である可能性はきわめて低い。この点において、元魏漢訳ヴァスバンドゥ釈経論群の研究が待たれるのである。

三つめは、元魏漢訳ヴァスバンドゥ釈経論群によってヴァスバンドゥ二人説を再検討したいからである。元魏漢訳ヴァスバンドゥ釈経論群は、こんにちに至るまで、ただ伝統に従って消極的にのみヴァスバンドゥ著作と扱われがちであり、実証的な研究を踏まえて積極的に扱われることはまずなかった。そのことはヴァスバンドゥ二人説についても当てはまる。ヴァスバンドゥ二人説においては、元魏漢訳ヴァスバンドゥ釈経論群は古師ヴァスバンドゥ著作としてーからげに扱われるにとどまり、個別の研究が進められることはなかった。しかし、考えてみるならば、古師ヴァスバンドゥに帰される釈経論群を訳しつつも、それと同時期に、毘目智仙は新師ヴァスバンドゥに帰される『業成就論』（すなわち『成業論』）を訳し、般若流支は新師ヴァスバンドゥに帰される『唯識論』（すなわち『唯識二十論』）を訳している。さらに、現存は確認されていないにせよ、元魏から北周にかけては、北周の武平三年（五七二）以前に、新師ヴァスバンドゥに帰される『大乗五陰論』（すなわち『五蘊論』）もすでに訳されていたらしい[15]。すなわち、古師ヴァスバンドゥ著作群と新師ヴァスバンドゥ著作群とは同時期に同じ訳者たちによって中国に紹介されたのであり、考えようによっては、このことは二人のヴァスバンドゥを同一人物と見なすための状況証拠となり得る。それを単なる状況証拠に終わらせないためには、新師ヴァスバンドゥ著作群を参照しつつ、元魏漢訳ヴァスバンドゥ釈経論群に対するきめ細かな検討を行なうことが必要となる。この点において、元魏漢訳ヴァスバンドゥ釈経論群の研究が待たれるのである。

本研究は次のような構成を持つ。

序論　元魏漢訳ヴァスバンドゥ釈経論群の諸問題

第一部　勒那摩提・菩提流支訳ヴァスバンドゥ釈経論群の研究

第一章　訳出の背景

第二章『金剛般若波羅蜜経論』

第三章『十地経論』

第四章『妙法蓮華経憂波提舎』

第五章『無量寿経優波提舎願生偈』

第六章『勝思惟梵天所問経論』

第七章『文殊師利菩薩問菩提経論』

第二部　毘目智仙・般若流支訳ヴァスバンドゥ釈経論群の研究

第一章　訳出の背景

第二章　『三具足経憂波提舎』『転法輪経憂波提舎』『宝髻経四法憂波提舎』
第三章　『順中論義入大般若波羅蜜経初品法門』
付章　伝鳩摩羅什訳『発菩提心経論』

第三部　訳註研究

第一章　毘目智仙・般若流支訳の翻訳上の特色一班
第二章　『三具足経憂波提舎』訳註
第三章　『転法輪経憂波提舎』訳註
第四章　『宝髻経四法憂波提舎』訳註
第五章　『順中論義入大般若波羅蜜経初品法門』訳註

結論　元魏漢訳ヴァスバンドゥ釈経論群の位置づけ

この構成から明らかなように、本研究は第一部において勒那摩提・菩提流支訳ヴァスバンドゥ釈経論群を扱い、第二部において毘目智仙・般若流支訳ヴァスバンドゥ釈経論群を扱い、第三部において毘目智仙・般若流支訳ヴァスバンドゥ釈経論群の訳註を収める。

第一部と第二部とにおいては、元魏漢訳ヴァスバンドゥ釈経論群と、梵文や蔵訳のかたちで残る古師・新師ヴァスバンドゥ著作群との並行箇所を逐一指摘し、これら釈経論群が少なくともどちらかのヴァスバンドゥによって書かれたことを証明する。なお、毘目智仙訳ヴァスバンドゥ釈経論群はいずれも『菩提心憂波提舎』なる先行文献に言及しており、その文献と現存の伝鳩摩羅什訳『発菩提心経論』との同異が検討されるべきである。それゆえに、第二部の付章においてそれを検討し、『発菩提心経論』がヴァスバンドゥ著作でも鳩摩羅什訳でもなく、中国撰述であることを証明する。

第三部においては、毘目智仙・般若流支訳ヴァスバンドゥ釈経論群のすべてを訳註する。元魏漢訳ヴァスバンドゥ釈経論群はその多くが対応する梵文や異訳を有しないため、その、梵語の原意に沿った解読は難しい。訳文の晦渋さに加え、不適訳や誤訳による文意の混乱も充分想像される。ただし、毘目智仙・般若流支訳については、経からの引用や、先行する論からの転用が全体のかなりの割合を占めるため、それら経論の梵文や異訳を参照することによって、たとえ確実とは言えないまでも、ある程度まで梵語の原意に沿った解読が可能になる。したがって、ここでは梵語の原意に沿った現代日本語訳を試みる。意に満たないものではあるが、世界初の近代語全訳によって、これら釈経論群が学界にとって近づきやすいものとなれば幸いである。

六　おわりに

最後にどうしても述べておきたいのは、大部分が漢訳のかたちでしか現存しない元魏ヴァスバンドゥ釈経論群を扱う関係上、本研究が本質的に制限を受けているということである。

第一部と第二部とはあくまで梵文や蔵訳のかたちで現存するヴァスバンドゥ著作群との並行箇所を指摘することによって、元魏漢訳ヴァスバンドゥ釈経論群が少なくとも古師・新師どちらかのヴァスバンドゥによって書かれたことを証明するにすぎず、それら釈経論を全体にわたって詳細に吟味するわけではない。それは、大部分が漢訳のかたちでしか現存しないインド仏教文献を、インド仏教の文脈において完全に正確には解読することが不可能だからである。

第三部はあくまで釈経論群のうちに引用されあるいは転用された経論の梵文や異訳を参照することによって、毘目智仙・般若流支訳ヴァスバンドゥ釈経論群を梵語の原意に部分的に忠実に和訳するにすぎず、もとより梵語の原意に全体的に忠実な訳を期するわけではない。これも、すべてが漢訳のかたちでしか現存しないインド仏教文献を、インド仏教の文脈において完全に正確には解読することが不可能だからである。

大部分が漢訳のかたちでしか現存しない（しかも、不適訳や誤訳を含む晦渋訳に他ならない）元魏ヴァスバンドゥ釈経論群は当初から梵文との間に隔たりを有している。その隔たりはいかなる研究によってもなくされることがない。おそらく、将来、これら釈経論群の梵文が発見されたならば、本研究に対し少なからぬ訂正が行なわれねばならない筈である。ただし、これまでそのような発見が起こらなかった以上、今後それが起こると誰が断言できようか。そのような発見が起きるまでこれら釈経論群が研究されないならば、ヴァスバンドゥ研究は、あるいは永遠に、空白部分を抱えたままかもしれないではないか。そのような思いから、筆者は現時点において最善を尽くして、元魏漢訳ヴァスバンドゥ釈経論群の研究に取り組むことにした。困難な状況ではあるが、自己の学的良心に恥じないよう、現時点において妥当と思われるあらゆる根拠を示して論述したいと考えている。将来、本研究を訂正してくださるかたがたが、筆者が資料上の限界によって不可避的に誤りを犯しつつも、なおかつ当時としては最善を尽くしたことを認めてくだされば、筆者の喜びはこれに過ぎるものはない。

元魏漢訳ヴァスバンドゥ釈経論群の解読に関しては、ほぼ完全に筆者独自の研鑽による。しかし、それらを他のヴァスバンドゥ著作と比較するに際しては、他のヴァスバンドゥ著作に関する先輩諸氏の研究、特に翻訳を参照してたいへんな便宜を得た。本書の原稿の一部に早くから目を通し、あまたの有益な示唆を与えてくださった筆者の年長の友人、原田和宗氏の御親切も忘れられない。ここに記して、諸氏に感謝を捧げる次第である。

註

（1）大正新脩大蔵経所収の『金剛仙論』巻五、巻六、巻九の冒頭には「魏天平二年、菩提流支三蔵於洛陽訳」とある。しかし天平は東魏の年号であるから、北魏の都洛陽において訳されたはずはない。したがって、天平二年（五三五）という訳年は必ずしも信じられないが、六世紀半ばの成立であることは、同論の流布の状況から考えて、確実である。

（2）仏滅年代をめぐる諸説については、山崎元一［1984］を見よ。

（3）岡野潔［2004］を見よ。

（4）『続高僧伝』玄奘伝によれば、玄奘が六百三十年代前半にナーランダー寺に到着した時、シーラバドラは百六歳であった。年は百六歳であり、大衆によって重んぜられていたゆえに、正法蔵と呼ばれていた。

年百六歳、衆所重故、号正法蔵。（道宣『続高僧伝』巻四。T50, 451c）

この年齢の正確さはともかくとして、シーラバドラが六世紀中ごろには生まれていたことは疑われない。

さて、基によれば、ダルマパーラは二十九歳で引退し、三十二歳で没した。

三十二歳で大菩提寺において没した。

年三十二、而卒於大菩提寺。（基『成唯識論述記』巻一本。T43, 231c）

二十九歳で余命に限りがあるのを知り、無常を厭って、禅定を修習し、菩提樹を離れぬことを誓い、三年を終える年の間、禅定の余暇に、この註釈（＝『成唯識論』）を決裁した。

春秋二十有九、知息化之有期、厭無常、以禅習、誓不離於菩提樹、以終三載之年、禅礼之暇、注裁斯釈。（基『成唯識論掌中樞要』巻上本。T43, 608ab）

辯機によれば、シーラバドラが三十歳の時に、ダルマパーラは彼に外道を論破する役目を譲った。

南印度に外道がおり、千里の道を厭わずして、来て対論を求め、ただ〔仏教の名僧の〕出でまして論争の場に赴かれんことを願うのみであった。ダルマパーラは〔それを〕聞きおわって、衣をつかんで赴こうとした。門人のシーラバドラは後進のうち最もすぐれた人であった。〔彼は〕前に進み出て申し上げた。「どうして慌しく行こうとなさるのですか」。ダルマパーラは言った。「慧日（＝釈迦牟尼）が光を潜めてのち、伝燈はかすかに照らすのみであり、外道は蟻のごとく集まりつどい、異学は蜂のごとく飛びまわっている。ゆえにわたしは今、その立論を論破しようとするのだ」。シーラバドラは言った。「わたくしは〔これまで〕他の討論を聴聞させていただきましたので、外道を論破したいと存じます」。ダルマパーラは彼が俊敏であるのを知っていたので、充分であると見なした。この時、シーラバドラは三十歳であった。大衆は彼が若いのを軽んじ、ひとりでは無理だと恐れた。ダルマパーラは大衆の心が落ち着かないのを知って、そこでそれを解きほぐしてやるために言った。「高い才能を貴ぶ際には、歳を言わないものだ。今、彼（＝シーラバドラ）を見るに、そやつを論破することは必定である」。

南印度有外道、不遠千里、来求較論、唯願降迹、赴集論場。護法聞已、摂衣将往。門人戒賢者、後進之翹楚也。前進請曰、「何遽行乎」。護法曰、「自慧日潜暉、伝燈寂照、外道蟻聚、異学蜂飛。故我今者、将摧彼論」。戒賢曰、「恭聞餘論、敢摧異道」。護法知其後也、因而允焉。是時戒賢、年甫三十。衆軽其少、恐難独任。護法知衆心之不平、乃解之曰、「有貴高明、無云歯歳。以今観之、破彼必矣」。（『大唐西域記』巻八。T51, 914c）

Erich Frauwallner［1961］は基による伝承と辯機による伝承とを結合して、シーラバドラが三十歳の時、ダルマパーラは引退前の二十九歳であったと推測する（すなわち、ダルマパーラは彼の弟子シーラバドラより一歳年下である）。しかし、辯機による伝承においては、シーラバドラの若さが大衆によって問題視されている以上、この伝承においては、ダルマパーラはシーラバドラより年上であったはずである。それゆえに、Funayama Tōru［2000］は基による伝承と辯機による伝承とを区別することを提案する。基による伝承において、ダルマパーラが三十二歳で没したにせよ、辯機による伝承においては、ダルマパーラはさらに長生きしたはずである。ただし、どちらにせよ、ダルマパーラの生存年代が六世紀であることは疑われない。

（5）ターラナータは次のように説く。

ここで、「軌範師聖者アサンガが出家ののち法事を七十五年行ない、年は百五十まで生きる」と説かれた予言における一年は半年〔と換算されるべき〕である。法臘についてと同様に、三十年以上、世間利益を行ないたまうたのであるが、あるインド人が「四十年以上行ないたまうた」と認めている見解も見られる。軌範師ヴァスバンドゥは御歳百歳近く在世したまうて、聖者アサンガの在世においても多年にわたり世間利益を広く行ないたまい、聖者〔アサンガ〕を引き継いでは二十五年、世間利益を行ないたまうたのである。この大軌範師と〔第二十八代〕吐蕃王ラ・トトリ・ニェンツェン（lHa tho tho ri gnyan gtsan. 五世紀頃）とが同時代であると称されることのごときも承認される。

de la slob dpon ’phags pa thogs med kyis rab tu byung nas | chos kyi bya ba lo bdun cu rtsa lnga tsam mdzad | lo ni brgya dang lnga bcur ’tshe | gsungs pa’i lung bstan pa’i lo ni lo phyed yin cing | chos kyis ’tshe ba’i dbang du mdzad pa dang ’grig | lo sum cu lhag cig ’gro ba’i don nges par mdzad la | rgya gar pa kha cig bzhi bcu lhag mdzad par ’dod pa’i lugs kyang snang | slob dpon dbyig gnyen gyis dgung lo brgyar nye ba tsam bzhugs shing | ’phags pa thog med bzhugs pa’i dus nyid du’ang lo mang por ’gro ba’i don cher mdzad | ’phags pa’i rjes su lo nyi shu rtsa lnga tsam ’gro ba’i don mdzad do || slob dpon chen po ’di dang bod kyi rgyal po lha tho tho ri gnyan gtsan dus mnyam mo zhes grags pa ltar yang ’thad do ||（*Tāranātha* 98, 10–18）

（6）ターラナータは次のように説く。

弟君ヴァスバンドゥは、西蔵において、ある者が聖者アサンガの双子兄弟と認めたり、ある者が法兄弟と認めたりすることが見られるにせよ、聖者の国（インド）の賢者のうちではそのようには称されないのであって、その父なる者は三ヴェーダを具えたブラーフマナであり、軌範師聖者アサンガの出家の後の年にお生まれになって、これら二軌範師は同母兄弟なのである。

gcung dbyig gnyen ni | bod na 'ga' zhig 'phags pa thogs med kyi mtshe ma'i sku mched du 'dod pa dang | 'ga' zhig chos kyi sku mched du 'dod pa snang na'ang | 'phags yul mkhas pa la de (corr.: da) ltar ma grags te | 'di'i yab tu gyur pa ni bram ze rig byed gsum dang ldan pa cig yin la | slob dpon 'phags pa thogs med rab tu byung ba'i phyi lor 'khrungs te | slob dpon di gnyis yum gcig pa'i sku mched do ||（*Tāranātha* 92, 19–93, 1）

（7） 八つの論については、袴谷憲昭［1982］（再録：袴谷憲昭［2001］）を見よ。

（8） なお、フラウヴァルナーは指摘していないが、梁の僧祐（四四五—五一八）『薩婆多師資伝』（佚文）は『三法度論』の作者である世賢（僧祐『出三蔵記集』巻十所収の慧遠『三法度序』〔T55, 73a〕は「山賢」に作るが、木村英一（編）［1960: 285（n.9）］による）と、『中論』の註釈者である青目と、『百論』の註釈者である婆藪と、『阿毘曇心論』の註釈者である和修槃頭とを同一人物と見なしており、婆藪と和修槃頭とを同一人物と見なす点においてフラウヴァルナーの古師ヴァスバンドゥと符合する。吉蔵『中論序疏』（T42, 5a）の文「青目非天親」を註釈する際に、安澄『中論疏記』巻一本に次のようにある。

「青目」と言うのは、梁の時代の僧祐律師は『薩婆多伝』を作って、「婆秀槃陀は漢土のことばで青目と言い、奥深い論によく精通し、『三法度論』を作ったり、『中論』と『百論』と法勝『阿毘曇心論』とを註釈したりした」と言った。元康師は〔僧祐律師を〕論破して、「婆秀槃陀は単に婆藪般豆に他ならない。梵語の発音の軽重のせいで、これらは不同である。婆藪槃豆ならば菩薩であり、賓羅伽はとりもなおさず外道である」と言った。両説は不同であり、どちらが正しいかわからない。おおかたは恐らく僧祐律師の誤りであろう。ある人は解釈して「外道は賓頭羅伽と呼ばれ、今の菩薩は賓羅伽と呼ばれる」と言った。以上に准じて完全に知るとよい。

言「青目」者、梁時僧祐律師作『薩婆多伝』云、「婆秀槃陀、漢言青目、善通深論、造『三法度』、釈『中』『百』論及『法勝毘曇』」。元康師破云、「婆秀槃陀只是婆藪般豆。梵音軽重、故此不同。婆藪槃豆則是菩薩、賓羅伽乃是外道」。両説不同、未知就（↓孰）是。多恐祐律師錯。有人解云、「外道名賓頭羅伽、今菩薩名賓羅伽」。准之可悉。（T65, 7bc）

ここでは、唐の元康（生没年未詳）は『阿毘曇心論』の註釈者である和修槃頭が菩薩である婆藪般豆と同一人物であることを承認しながらも、僧祐を批判して、賓羅伽が外道であることを主張している。賓羅伽とは僧叡『中論序』（T30, 1a）において青目の原梵語として記される賓伽羅を指す（宋本・元本・明本は賓羅伽に作る。元康が見た『中論序』には賓羅伽とあったらしい）。賓羅伽が外道であることは、あるいは僧叡『中論序』が同箇所において青目を梵志と記すことによるかと思われるが、梵志とは単に青目がブラーフマナの生まれであったことを意味するにすぎず、必ずしも青目が外道であったことを意味しない。この文を含む『薩婆多師資伝』佚文については、船山徹［2000］を見よ。木村英一（編）［1960］については、船山徹［2000］の指示によった。

（9） 古師ヴァスバンドゥの著書についてフラウヴァルナー（Erich Frauwallner［1951: 54–55］）は次のように説く。

Vasubandhu the elder was probably born about the year 320 A. D. His home city was Puruṣapura, modern Peshāwar. His father, the Brahman Kauśika, filled the respected post of the state teacher（ 国 師 ）. He had two brothers, an elder one, Asaṅga, and a younger one, Viriñcivatsa. According to a secondary tradition he was born from the same mother as Asaṅga. In his yourth, Vasubandhu belonged to the school of the Sarvāstivādin and wrote numerous works (the tradition speaks of 500), which were soon forgotten and lost. One of them was perhaps a commentary to the Abhidharmasāra of Dharmaśrī, called Tsa a p'i t'an hsin. Later on he was converted by his brother Asaṅga to Mahāyāna and composed, according to tradition 500 Mahāyāna works, so that he received the name of Master of Thousand Manuals. To his Mahāyāna works belong a commentary to Āryadeva's Śataśāstra, a commentary to Maitreyanātha's Madhyāntavibhāga, and several works on Mahāyāna sūtras, such as the Daśabhūmikaśāstra, the Saddharmapuṇḍarīkopadeśa and the Vajracchedikāprajñāpāramitāśāstra, as well as the Bodhicittotpādanaśāstra. Wonderful Legends became soon attached to his activity in favour of Mahāyāna. He died before his brother Asaṅga, possibly about 380 A. D.

新師ヴァスバンドゥの著書についてフラウヴァルナー（Erich Frauwallner［1951: 55–56］）は次のように説く。

Vasubandhu the younger was born about 400 A. D. The tradition has nothing to say about his birth place and origin. We know only that Buddhamitra was his teacher. He himself belonged to the Sarvāstivāda school, but leaned more and more towards the Sautrāntika school. At the climax of his activity he enjoyed the favour of the Gupta ruler Skandhagupta Vikramāditya (c. 455–467). Especially Narasiṃhagupta Bālāditya (c. 467–473), whose preceptor he had been, summoned him after his accession to Ayodhyā, modern Oudh, and showered on him the highest honours. The first work, through which Vasubandhu the younger became famous, was the Paramārthasaptatikā, in which he confuted the Sāṃkhya teacher Vindhyavāsin, who had defeated his teacher Buddhamitra in a disputation. But his chief work was the Abhidharmakośa, in which he gave to the dogmatic of the Sarvāstivāda its definitive form. His own commentary to it shows, however, a strong leaning towards the Sautrāntika school. After the composition of the Abhidharmakośa he successfully defended himself against the attacks of the grammarian Vasurāta. But he refused on account of his old age a disputation with the Vaibhāṣika master Saṃghabhadra, who attacked his commentary to the Abhidharmakośa from the orthodox Vaibhāṣika point of view. He died around the year 480 A. D. in Ayodhyā, at the age of 80 years.

（10） フラウヴァルナー（Erich Frauwallner［1961: 132］）は次のように説く。

In my opinion, the mass of commentaries on the Sūtras and on the older Mahāyāna works belongs to the older Vasubandhu. Only a few works, especially the Viṃśatikā and Triṃśikā Vijñaptimātratāsiddhiḥ can claim the junior Vasubandhu as their author.

（11）　フラウヴァルナー（Erich Frauwallner［1961: 131］）は次のように説く。

The logician Vasubandhu, the author of Vādavidhiḥ, Vādavidhānam and Vādasāraḥ is the younger Vasubandhu.

（12）　松田和信［1996］を見よ。

（13）　さらに、松田和信［1984a］は真諦訳『決定蔵論』の帰敬偈（異訳の『瑜伽師地論』摂決択分中五識身相応地意地にない）が『縁起論』の帰敬偈であること、真諦訳『中辺分別論』の結びの二偈のうち第一偈が『阿毘達磨倶舎論』破我品と『縁起論』との結びの偈であること、第二偈が『阿毘達磨倶舎論』定品の結びの偈であることを指摘し、真諦が『阿毘達磨倶舎論』『縁起論』の作者と『中辺分別論』の作者とを別人と見なしていなかったことを示唆した。

（14）　たとえば、松本文三郎［1927: 249–257］、金炳坤［2009］。研究史については、金炳坤［2009］を見よ。

（15）　唐の智昇『開元釈教録』巻十四に次のようにある。

『大乗五陰論』一巻【ヴァスバンドゥ菩薩の作】。失訳【陳の大乗寺の所蔵目録のうちに出る。初訳である。新たに梁の時代の目録に附加しておく】。右のものは陳の〔大乗寺の〕目録において「陳の太建四年（五七二）五月に、沙門慧布が北地から齎した」と言われている。前訳と後訳（＝玄奘訳『大乗五蘊論』）との二つの訳があり、一つは存し、一つは欠けている。

『大乗五陰論』一巻【婆藪盤豆菩薩造】。失訳【出陳朝大乗寺蔵録。第一訳。新附梁録】。右陳録云、「陳太建四年五月、沙門慧布（＋従?）北将来」。前後両訳、一存一闕。（T55, 637b）

「沙門慧布が北地から齎した」とある慧布（五一八―五八七）は南朝の人である。唐の道宣『続高僧伝』巻七、慧布伝によれば、慧布は僧詮（―五五七／五五八）の弟子であり、彼と同じく僧詮の弟子であった慧勇（五一五―五八三）、智辯（慧辯。生没年未詳）、法朗（五〇七―五八一）とともに「詮公四友」と称されたが、しまいに北朝の鄴に来遊した。それについて次のようにある。

さらに六駄ぶんの章疏を筆写し、背負って江南に帰還し、いずれも法朗に送って、彼に講説させた。遺漏があったため、ふたたび北斉に行き、欠けていたものを広く筆写し、齎してまた法朗に委嘱した。

又写章疏六駄、負還江表。並遣朗公、令其講説。因有遺漏、重往斉国、広写所闕、齎還付朗。（T50, 480c）

『大乗五陰論』は、この時、慧布によって齎されたのである。なお、僧詮とその弟子たちの生没年については、米森俊輔［2005］の考証による。

第一部　勒那摩提・菩提流支訳ヴァスバンドゥ釈経論群の研究

第一章　訳出の背景

一　はじめに

序論において指摘したとおり、ヴァスバンドゥ釈経論群はその大半が勒那摩提、菩提流支、毘目智仙、般若流支による六世紀前半の元魏（北魏および東魏）における漢訳のかたちでしか現存せず、さらに、梵文や蔵訳として現存するインド仏教文献のうちに引用されることも極めて乏しい。

ただし、ヴァスバンドゥ著作群のうちでも『摂大乗論』『大乗荘厳経論頌』『辯中辺論頌』という古典的瑜伽師文献に対する註釈が大乗の綱要書という性格上もともと広範な読者を獲得できたのに対し、釈経論は特定の経を対象とする性格上かならずしも広範な読者を期待できなかったことは想像に難くない。おそらくは、ヴァスバンドゥ著作群のうちインド仏教圏においてよく流通したものは古典的瑜伽師文献に対する註釈であって、釈経論でなかったはずである。そのように推測してよいならば、ヴァスバンドゥ釈経論群がさほど現存せず、インド仏教文献のうちにあまり引用されないことは決して不思議なことでない。

むしろ、問題は、なぜ元魏においてヴァスバンドゥ釈経論群の大半が訳されたかということにある。元魏においては、その訳を行なわせるいかなる理由があったのだろうか。

二　訳者の周辺

勒那摩提・菩提流支の伝記はさほど明らかでない。唐の道宣（五九六―六六七）『続高僧伝』巻一、菩提流支伝によれば、勒那摩提は北魏の正始五年（五〇八）に来魏した。

当時さらに中天竺の僧、勒那摩提、北魏に宝意という人がおり、博識の豊かさは道理と実務とにまたがり、三十二音節のシュローカ（śloka）を一億シュローカ暗誦し、とりわけ禅観の方法に明るかったが、志は伝道にあり、正始五年に初めて洛陽に到達した。

于時又有中天竺僧勒那摩提、魏云宝意、博贍之富、理事兼通、誦一億偈、偈有三十二字、尤明禅法、意存遊化、以正始五年、初届洛邑。（T50, 429a）

ただし、これには異説もある。地論宗南道派の霊裕（五一八―六〇五）の事跡を彼の弟子である海雲（―六四六）が唐の貞観六年（六三二）に記した『霊裕法師灰身塔大法師行記』によれば、勒那摩提は北魏の太和二十二年（四九八）に来魏した（欠字の補いは文脈による）。

偉大な北魏の太和二十二年に及んで、中天竺の優迦城（未詳）に、勒那摩提、魏に宝意という大法師がいた。大小乗を兼学し、五明をつぶさに輝かせ、道を求めることに精励し、聖賢を軽んじたことはなく、悲をもって苦海を哀れみ、志は伝道にあり、ついにかの中天竺から『十地経論』を持ち来たって、この東夏（中国）に道を通し、この国の沙門慧光禅師に授けた。

暨大魏太和廿二年、□（中？）天竺優迦城有大法師、名勒那摩提、□□（魏云？）宝意、兼□□（大小？）乗、備照五明、求道精勤、聖賢未簡、而悲矜苦海、志存伝化、遂従彼中天、持『十地論』、振斯東夏、授此土沙□

□（門慧？）光禅師[一]。

あるいは、道宣は隋の費長房『歴代三宝紀』巻九（T49, 86b）において勒那摩提訳が「正始五年以来、洛陽の殿内において訳した」（「正始五年来、在洛陽殿内訳」）と記されることに基づいて、勒那摩提が正始五年に来魏したと主張したのであるまいか。もしそう理解してよいならば、むしろ太和二十二年に来魏したという伝承のほうが信頼に足ると考えられる。

　さらに、『続高僧伝』巻一、菩提流支伝によれば、菩提流支は北魏の永平元年（五〇八）に来魏した。

　菩提流支は北魏に道希といい、北天竺の人である。三蔵にあまねく通暁し、総持（陀羅尼）にとりわけ通達し、志は伝道にあり、〔仏道の〕広大な流れを見聞し、ついに仏道を身につけ、夜のうちに出立し、遠く葱嶺（パミール高原）の東に行き、北魏の永平年間の初めに、東夏（中国）に来遊した。

　菩提流支、魏言道希、北天竺人也。遍通三蔵、妙入総持、志在弘法、広流視聴、遂挟道宵征、遠莅葱左、以魏永平之初、来遊東夏。（T50, 428a）

ただし、あるいはこれも『歴代三宝紀』巻九（T49, 86b）において菩提流支訳が「北魏の永平二年から天平年間まで、その間全部で二十餘年の間、洛陽と鄴とにおいて訳した」（「従魏永平二年至天平年、其間凡歴二十餘載、在洛及鄴訳」）と記されることに基づいて、菩提流支が永平元年に来魏したと主張したのかもしれない（筆者は『続高僧伝』の菩提流支伝の菩提流支関連記事のうちに『歴代三宝紀』の範囲を超える情報を見出ださない）。ともかくは、少なくとも、永平二年までには来魏していたと考えられる。

　ここで、当時の仏教界の状況を顧みるに、勒那摩提や菩提流支らが来魏して翻訳事業を開始した時期が北魏にとって三十年ぶりの翻訳事業の再開時期に当たっていたことに気づかされる。『歴代三宝紀』巻九（T49, 85b）によれば、西域の沙門である吉迦夜が延興二年（四七二）に北臺において沙門統曇曜のために『雑宝蔵経』十三巻、『付法蔵因縁伝』六巻（あるいは四巻）、『称揚諸仏功徳経』三巻、『大方広菩薩十地経』一巻、『方便心論』二巻（あるいは一巻）の合計五部二十五巻を訳したのち、翻訳事業は途絶していた。そして三十年後、『歴代三宝紀』巻九（T49, 85c）によれば、南天竺の曇摩流支が洛陽において宣武帝のために景明二年（五〇一）に『如来入一切仏境界経』二巻、正始元年（五〇四）に『信力入印法門経』五巻、正始四年（五〇七）に『金色王経』一巻の合計三部八巻を訳し、それが久々の翻訳事業の再開となったのである。勒那摩提や菩提流支が翻訳事業を開始したのはそうした時期である。

三　訳出の契機

彼らの翻訳事業のうち、ヴァスバンドゥ釈経論群のみを簡単に紹介したい。『歴代三宝紀』巻九（T49, 86b）によれば、勒那摩提は『十地経論』十二巻と『妙法蓮華経論優波提舎』一巻とを訳した。このうち『十地経論』は現存しない。いずれも訳年が明らかでないが、唐の明佺『大周刊定衆経目録』巻六（T55, 407ab）と僧詳『法華経伝記』巻一（T51, 53a）とによれば、『妙法蓮華経論優波提舎』は正始五年（五〇八）における訳である。

さらに、『歴代三宝紀』巻九（T49, 86a）によれば、菩提流支は北魏の永平二年（五〇九）に『金剛般若波羅蜜経論』三巻、普泰元年（五三一）に『勝思惟梵天所問経論』十巻と『無量寿経優波提舎願生偈』一巻とを訳し、東魏の天平二年（五三五）に般舟寺において『文殊師利菩薩問菩提経論』（『伽耶頂経論』）二巻を訳し、かつ、訳年不明ながら『十地経論』十二巻と『妙法蓮華経憂波提舎』二巻とを訳した。ただし、唐の智昇『開元釈教録』巻六によれば、『無量寿経優波提舎願生偈』は北魏の永安二年（五二九）、永寧寺において訳されたと記され、『歴代三宝紀』との間に伝承の違いがある。『十地経論』と『妙法蓮華経憂波提舎』との訳年は記されないが、『歴代三宝紀』において引用される北魏の李廓『衆経録目』（後出）によれば、『十地経論』は少なくとも宣武帝の時代（四九九―五一五）において訳され、さらに、偽撰説がありながらも北魏の崔光の作と伝えられる[2]『十地経論序』（T26, 123b）によれば、『十地経論』は永平元年（五〇八）から同四年（五一一）初夏にかけて訳された。さらに、唐の明佺『大周刊定衆経目録』巻六（T55, 407ab）によれば、『妙法蓮華経憂波提舍』は（東魏の都）鄴において訳された。なお、『歴代三宝紀』が菩提流支訳として挙げるヴァスバンドゥ釈経論のうちには、般若流支訳との混同が見られるので、今は般若流支訳を省いて紹介した。

勒那摩提や菩提流支がインドにおいていかなる系統の経論を学んでいたかは、彼らの翻訳からだけでは推測しがたい。彼らが学んだ系統と異なる経論であっても、持ち込まれて翻訳を依頼されれば翻訳したであろうからである。もちろん、先に紹介した『霊裕法師灰身塔大法師行記』によれば、勒那摩提は『十地経論』の梵本を持って来魏したし、『金剛仙論』巻十（T25, 874c）を信ずるならば、菩提流支は『金剛般若波羅蜜経論』に関しヴァスバンドゥの来孫弟子であったから、彼らがそれらヴァスバンドゥ釈経論をインドにおいて学んでいたことは充分考えられるが、まず常識的に推測されるのは、彼らがインドにおいて学んだ経論のうち、ヴァスバンドゥ釈経論群はごく一部に過ぎなかったであろうということである。たとえば、先に紹介した『続高僧伝』巻一、菩提流支伝によれば、勒那摩提は三十二音節のシュローカ（śloka）を一億シュローカ暗誦していた。さらに、『歴代三宝紀』巻九において引用される北魏の李廓『衆経録目』[3]（散逸）によれば、菩提流支は一万筴もの梵本を有していた。

李廓『衆経録目』は〔次のように〕称している。三蔵法師の部屋の、梵文の経論の本は一万筴にもなったであろう。訳された経論の、筆受された草稿は一間の部屋を満たしていた。……

李廓『録』称。三蔵法師房内、婆羅門経論本可有万甲。所翻経論筆受草本満一間屋。……（T49, 86b）

ヴァスバンドゥ釈経論群はそれらのうちごく一部に過ぎなかったはずであるし、現実においても、彼らが訳した経論のうちヴァスバンドゥ釈経論群は一部を占めるに過ぎない。

しかるに、興味ぶかいことに、北魏においては、ヴァスバンドゥ釈経論群が訳される以前から、ヴァスバンドゥ釈経論群に対し、皇帝を始めとする北魏の仏教界が期待を寄せていたらしい。北魏における翻訳事業は曇摩流支によって再開され、それに少し遅れて勒那摩提と菩提流支が活動したのであるが、菩提流支訳の最初は『十地経論』であったと考えられる。『歴代三宝紀』巻九において引用される北魏の李廓『衆経録目』によれば、『十地経論』の訳出の初日には宣武帝自らが筆受として参加している。

『十地経論』十二巻【李廓『衆経録目』は〔次のように〕言っている。初訳である。宣武帝は親しく大極殿において一日自ら筆受したまい、のちにようやく沙門僧辯に付嘱なさった】。

『十地経論』十二巻【李廓『録』云。初訳。宣武皇帝御親於大殿上一日自筆受、後方付沙門僧辯訖了】。（T49, 86a）

このようなことは曇摩流支訳についてはは伝えられておらず、『十地経論』の訳出が皇帝を始めとする北魏の仏教界から期待を寄せられていたことが推測される。中国においてはそれまでヴァスバンドゥ著作が訳されたことはなかったのに、なぜヴァスバンドゥ釈経論群に対しそのような期待が寄せられたのであろうか。さらに、ヴァスバンドゥ著作は数多くあるというのに、なぜヴァスバンドゥ釈経論が初めに訳されたのであろうか。

その疑問を解く鍵は、おそらく、吉迦夜訳『付法蔵因縁伝』にある。先に紹介したとおり、『付法蔵因縁伝』は北魏における翻訳事業再開の三十年前に訳され、したがって、菩提流支の時代の北魏においてよく読まれていたと考えられる。周知のとおり、『付法蔵因縁伝』は二十四祖による付法を説くが、その記事の多くは西晋の安法欽訳『阿育王伝』や後秦の鳩摩羅什訳『龍樹菩薩伝』『提婆菩薩伝』など既存の漢訳からの転用であり、純粋な訳でない。おそらく、この文献のもととなった曇曜訳『付法蔵伝』そのものが純粋な訳でなかったと考えられる。ただし、既存の漢訳からの転用でない独自の記事については、吉迦夜が西域から伝えた情報に基づくと見なしてよい。そのような独自の記事として、第二十祖から第二十一祖への付法を説く際に、『付法蔵因縁伝』巻六に次のようにある。

〔鳩摩羅駄（*Kumāralāṭa）の弟子である〕尊者闍夜多（*Jayanta）はいよいよ入滅するにあたって、婆修槃陀（*Vasubandhu）という名の一比丘に告げた。「貴君は今、善く聴きなさい。昔、天人師は、偉大な法のために、無量の劫のあいだ苦行を修めることに勤めたまい、今すでに〔苦行を〕円満したまうて、諸有情を利益し安楽したまうた。わたしは嘱累を受け、心を尽くして〔法を〕護持してきたが、今、〔法を〕貴君に委嘱したい。深く心しなさい」。婆修槃陀は申し上げた。「教えを受けたまわりました」。これよりのち、経蔵を宣説し流通させ、多聞力や智慧や辯才という、そのような功徳によって自ら荘厳し、あらゆる経の意味を善く理解し、別々に宣説し、広く諸有情を教化した。なすべきことをなし終わったのち、そのとき命行を捨てて、次に摩奴羅（*Manoratha）という比丘に付嘱し、彼に無上なる勝れた法を流通させた。

尊者闍夜多臨当滅度、告一比丘名婆修槃陀、「汝今善聴。昔天人師、於無量劫、勤修苦行、為上妙法、今已満足、利安衆生。我受嘱累、至心護持、今欲委汝。当深憶念」。婆修槃陀白言、「受教」。従是以後、宣通経蔵、以多聞力智慧辯才如是功徳、而自荘厳、善解一切修多羅義、分別宣説、広化衆生。所応作已、便捨命行、次付比丘名摩奴羅、令其流布無上勝法。（T50, 321bc）

ここでは、摩奴羅の師である婆修槃陀の生涯が描かれている。『阿毘達磨倶舎論』において批判される一説について、ヤショーミトラ（Yaśomitra）の註釈（AKV 289, 6）はそれを「軌範師マノーラタの師である上座ヴァスバンドゥ」（sthaviro Vasubandhur ācāryaManorathopādhyāyaḥ）の説と指摘するが、摩奴羅の師である婆修槃陀は、この、マノーラタの師である上座ヴァスバンドゥと同一人物に他なるまい。ヤショーミトラの註釈はこの上座ヴァスバンドゥの他に古師ヴァスバンドゥ（vṛddhācārya Vasubandhu）に言及し、フラウヴァルナーは上座ヴァスバンドゥを古師ヴァスバンドゥと同一視する。(4) しかし、その同一視は誤りであって、じつは、古師ヴァスバンドゥが毘婆沙師（説一切有部）であるのに対し、上座ヴァスバンドゥは譬喩師（経量部）である。[5]

『付法蔵因縁伝』における婆修槃陀が譬喩師（経量部）である上座ヴァスバンドゥと同一人物であることは、以下の二つの理由によっても推測される。

α　婆修槃陀は鳩摩羅駄（Kumāralāta. クマーララータ。有名な譬喩師）の孫弟子である。

β　婆修槃陀が「経蔵」を宣説し流通させたことは、譬喩師（経量部）が説一切有部の論蔵に従わず、経蔵に従ったことに符合する。

すなわち、『付法蔵因縁伝』における婆修槃陀は古師ヴァスバンドゥでも新師ヴァスバンドゥでもないのであって、当然ながら、釈経論群の作者であるヴァスバンドゥであり得ない。

しかるに、傍線部において婆修槃陀が経の意味の解説者として紹介されているせいか、のちに北魏においてヴァスバンドゥ釈経論群が漢訳された際には、婆修槃陀はすぐに釈経論群の作者であるヴァスバンドゥと同一視されるようになった。[6]

そのことから推測するならば、数あるヴァスバンドゥ著作のうち釈経論群が最初に漢訳されたのは、北魏の仏教界が釈経論群の作者であるヴァスバンドゥを『付法蔵因縁伝』における婆修槃陀と同一視し、『付法蔵因縁伝』において紹介されている、婆修槃陀による経の意味の解説を読みたいと要望したからであるまいか。もしそのように理解してよいならば、ヴァスバンドゥ釈経論群の大半が元魏における漢訳としてしか現存しないことは、たまたま元魏においてそのような要望があったからであり、反対に、インドにおけるヴァスバンドゥ釈経論群の引用やチベットにおけるヴァスバンドゥ釈経論群の蔵訳が乏しいことは、それらの地域においてそのような要望がなかったからであると推測される。

四　おわりに

本章において述べてきたことがらは以下のとおりである。

1　『十地経論』の訳出の初日に宣武帝自らが筆受として参加したことから判るとおり、北魏においては、ヴァスバンドゥ釈経論群が訳される以前から、ヴァスバンドゥ釈経論群に対し、皇帝を始めとする北魏の仏教界が期待を寄せていたらしい。

2　その期待は北魏において三十年前に漢訳されて流通していた『付法蔵因縁伝』が婆修槃陀を経の意味の解説者として紹介していたことによるらしい。

3　ヴァスバンドゥ釈経論群の大半が元魏における漢訳のかたちでしか現存しないのは、たまたま元魏において婆修槃陀による経の意味の解説を読みたいという要望があったからであり、反対に、インドにおけるヴァスバンドゥ釈経論群の引用やチベットにおけるヴァスバンドゥ釈経論群の蔵訳が乏しいことは、それらの地域においてそのような要望がなかったからであるらしい。

註

（1）大内文雄［1997: 329］。

（2）偽撰説については、布施浩岳［1937］を見よ。

（3）『歴代三宝紀』巻九（T49, 87b）によれば、『衆経録目』は永平年間（五〇八―五一二）に勅命のもとに撰せられた。しかるに、『歴代三宝紀』巻十五（T49, 126a）によれば、『衆経録目』は永熙年間（五三二―五三四）に勅命のもとに撰せられた。

（4）Erich Frauwallner［1951: 21］。

（5）このことについては、福田琢［1998］を見よ。

（6）『付法蔵因縁伝』における婆修槃陀を釈経論群の作者であるヴァスバンドゥと同一視した早期の例として、曇鸞（四七六―五四二）と吉蔵（五四九―六二三）とが挙げられる。

婆藪を訳して天と言い、槃頭を訳して親と言い、この人を天親と呼ぶ。〔この人の〕事績は『付法蔵経』のうちにある。

訳婆藪云天、訳槃頭言親、此人字天親。事在『付法蔵経』。（曇鸞『無量寿経優婆提舎願生偈註』巻上。T40, 826c）

天親については『付法蔵因縁伝』のうちにその人がいる。

『付法蔵』中、天親有其人。（吉蔵『法華玄論』巻四。T34, 391b）

なお、日本の平安時代の永超『東域伝燈目録』（T55, 1162a）に「『仏本生論』一巻【勒那菩提三蔵従胡出来本也】」という文献が記載されている。翻訳であったように見えるが、現存せず、鎌倉時代の証真『止観私記』巻一本において引用されている。それによれば、『仏本生論』は『付法蔵因縁伝』における婆修槃陀を釈経論群の作者であるヴァスバンドゥと同一視していたらしい。この文献は偽作であったと考えてよい。

『仏本生記』は〔次のように〕言っている【勒那菩提三蔵が胡語から訳出した本である】。〝婆藪盤頭【当地では天親と呼ばれる】は『付法蔵因縁伝』のうち第二十番目の人であって、阿僧伽の弟であり、『十地経論』を作った〟【云云】。諸伝のうちにこの〔勒那菩提〕三蔵の名はない。

『仏本生記』云【勒那菩提三蔵自胡出来本】。婆藪盤頭【此云天親】是『付法』中第二十人、是阿僧伽弟、作『十地論』【云云】。諸伝中無此三蔵名。（DBZ22, 243b）

第二章　『金剛般若波羅蜜経論』

一　はじめに

『金剛般若波羅蜜経論』は『金剛般若波羅蜜経』（*Vajracchedikā Prajñāpāramitā*）に対する註釈であり、菩提流支訳と義浄訳との漢訳二本が現存する。

二　古師ヴァスバンドゥ著作との比較

この論は頌と長行とによって構成され、頌にのみ梵本が現存する。[1] 頌の作者については三つの伝承がある。

マイトレーヤの作と見なす伝承

智顗『金剛般若経疏』[2]

さらに、後魏の末の菩提流支訳の論本八十頌がある。マイトレーヤが頌を作り、ヴァスバンドゥの長行である。

又後魏末菩提流支訳論本八十偈。弥勒作偈、天親長行。（巻一。T33, 76a）

吉蔵『大乗玄論』教迹義[3]

さらに、マイトレーヤとヴァスバンドゥとは『〔金剛〕般若波羅蜜経』を註釈してやはり三身仏を明らかにした。

又弥勒天親釈『波若経』文亦明三仏。（巻五。T45, 63c）

遁倫『瑜伽論記』

マイトレーヤ菩薩はアサンガの素質に応じて、つねに夜分のうちに覩史多天から〔アサンガの〕瞑想のうちに降下し、五論の頌を説いた。第一は『瑜伽師地論』、第二は観行を分類するものであって『分別瑜伽論』と呼ばれ、第三は『大乗荘厳経論』、第四は『辯中辺論』、第五は『金剛般若波羅蜜経論』である。

慈氏菩薩随無著機、恒於夜分、従知足天、降於禅省、為説五論之頌。一『瑜伽論』、二分別観行名[(4)]『分別瑜伽論』、三『大荘厳論』、四『辯中辺』、五『金剛般若』。（巻一上。T42, 311b）

アサンガの作と見なす伝承

義浄訳『能断金剛般若波羅蜜多経論釈』の題下

アサンガ菩薩が頌を造った。

無著菩薩造頌。

現存梵本の後記

これは聖者アサンガ御前の御作である。

kṛtir iyam āryāsaṅgapādānām.

作者不明『*Bhagavatyāmnāyānusāriṇī*』[(5)]（『八千頌般若波羅蜜多』に対する十二世紀の註釈）

聖者アサンガ御前によって「数と、力と、種類とが、かつ、〔因果の〕連続が、勝れていることについては、たとえ探し求めても、あらゆる世間のうちで喩例にふさわしいものは得られない」*と言われたとおりである。

ji skad du 'phags pa thogs med kyi zhal snga nas gsungs pa | grangs dang mthu dang rigs rnams kyi || 'brel pa'i khyad par byed pa la || 'jig rten kun la dpyad nas ni || dpe yang rnyed pa ma yin no || zhes gsungs pa lta bu'o || (D no. 3811, Ba 85b1–2; P no. 5209, Ba 97a7–8)

＊これは第五十九頌に該当する（梵文は一部欠損）。

saṃkhyāprabhavajātīnāṃ saṃbandhasya viśeṣaṇe | ---------- [labh]yate ||

ヴァスバンドゥの作と見なす伝承

菩提流支訳『金剛仙論』

マイトレーヤ世尊はこの閻浮提の人を憐れんで、『金剛般若経義釈』と『地持論』とを造り、アサンガ比丘に付嘱して、彼に流通させた。しかるにマイトレーヤ世尊はただ長行形式の釈を造っただけであった。論主ヴァスバンドゥはアサンガ比丘のもとで習得し、さらにこの『経』と『論』（『金剛般若経義釈』）との意図を検討し、あらためて頌形式の論を造り、広く問いを設定して、この『経』を註釈して、全部で八十頌を有し、さらに〔八十頌に対し〕長行形式の釈（『金剛般若波羅蜜経論』）を造った。

弥勒世尊愍此閻浮提人、作『金剛般若経義釈』幷『地持論』、齎付無障礙比丘、令其流通。然弥勒世尊但作長行釈。論主天親既従無障礙比丘辺学得、復尋此『経』『論』之意、更作偈論、広興疑問、以釈此『経』、凡有八十偈、及作長行論釈。（巻十。T25, 874c）

もし頌の作者がヴァスバンドゥであるならば、われわれは『金剛般若波羅蜜経論』に対するヴァスバンドゥの作者性を論ずる際に頌を含めて論じなければならないが、もし頌の作者がヴァスバンドゥでないならば、われわれは単に長行を論じれば済むことになる。ゆえに、筆者はまず頌の作者が誰であるかを考察することから始めたい。以下においては、この頌を便宜的に『金剛般若波羅蜜経論頌』と呼ぶ。

さて、この頌をマイトレーヤの作と見なす伝承と、アサンガの作と見なす伝承とは、じつはいにしえのインドにおいては矛盾するものでなかったらしい。というのも、義浄は上記『能断金剛般若波羅蜜多経論釈』においてこの頌をアサンガの作と見なす伝承を継承しつつも、自著『略明般若末後一頌讃述』においてこの頌はアサンガがマイトレーヤから親しく受けたものであるという西域の伝承を紹介するからである。

しかるに西域の伝承は〔次のように〕言っている。アサンガ菩薩は昔、覩史多天のマイトレーヤ尊の所において、親しくこの八十頌を拝受し、般若のかなめの門を開き、瑜伽宗の道理に順じて、唯識の内容を明らかにし、ついに教えをインドに流通させた。

而西域相承云。無著菩薩昔於覩史多天慈氏尊処、親受此八十頌、開般若要門、順瑜伽宗理、明唯識之義、遂令教流印度。(T40, 783a)

ゆえに、そのかみのインドにおいては、マイトレーヤの作と見なす伝承と、アサンガの作と見なす伝承とは事実上異ならず、話者であるマイトレーヤを重視するか、記録者であるアサンガを重視するかの違いがあるにすぎなかったようである。

ただし、近代に入ると、マイトレーヤを実在の人物と見なす研究者と、マイトレーヤをアサンガの変名と見なす研究者との間に意見の相違が生じた(6)。マイトレーヤを実在の人物と見なす研究者がこの頌をマイトレーヤの作と見なすのに対し(7)、マイトレーヤをアサンガの変名と見なす研究者はこの頌をアサンガの作と見なす(8)。このほか、上記『金剛仙論』を最古の伝承として重視する研究者はこの頌をマイトレーヤの教え(『金剛般若経義釈』)に基づくアサンガとヴァスバンドゥとの合作と見なす(9)。

筆者は『金剛般若波羅蜜経論頌』『大乗荘厳経論頌』『辯中辺論頌』の作者を同一人物と考え、その作者マイトレーヤを実在の人物と見なす。『金剛般若波羅蜜経論頌』の用語や思想はマイトレーヤに帰される『大乗荘厳経論頌』『辯中辺論頌』の用語や思想と共通点を有し、さらに、アサンガやヴァスバンドゥが用いない用語や思想をも含む。したがって、『金剛般若波羅蜜経論頌』の作者は『大乗荘厳経論頌』『辯中辺論頌』の作者と同一人物であるし、その作者マイトレーヤはアサンガの変名ではありえない。以下においては、『金剛般若波羅蜜経論頌』『大乗荘厳経論頌』『辯中辺論頌』の共通点を列挙して、筆者の考えを述べてみたい。

【例1　虚妄分別】『大乗荘厳経論頌』『辯中辺論頌』といったマイトレーヤ文献において共有される特徴的な語として「虚妄分別」という語のあることが知られているが[10]、この語は『金剛般若波羅蜜経論頌』によっても共有される。

『大乗荘厳経論頌』XI.15; XI.40; XIV.35:　abhūta-parikalpa
『大乗荘厳経論頌』XI.31; XIII.17:　abhūta-kalpa
『辯中辺論頌』I.1; I.4:　abhūta-parikalpa
『辯中辺論頌』I.5:　abhūta-kalpa
『金剛般若波羅蜜経論頌』72:　abhūta-kalpa

【例2　界増長】『大乗荘厳経論頌』XI.73; XIII.22と『辯中辺論頌』V.8と『金剛般若波羅蜜経論頌』39とは「界増長」(dhātu-puṣṭi) という術語を共有する。この術語はきわめて珍しいものであって、初期瑜伽師文献においては、上記二頌に対するヴァスバンドゥの註釈を除けば、中国の伝承によってマイトレーヤに帰される『瑜伽師地論』本地分中菩薩地成熟品と、ヴァスバンドゥ『十地経論』[11]とにそれぞれ一回出るのみである。しかも、のちに本研究の結論において検討するとおり、ヴァスバンドゥは『十地経論』の帰敬偈において『十地経論』を、マイトレーヤによってアサンガに開示された『十地経』の意味の祖述と規定しているから、同論における「界増長」の用例についても、マイトレーヤに帰される可能性がある。『瑜伽師地論』は次のような定義を与えている。

　このうち界増長とは何か。本性として善法の種子が備わっていることに依拠して、先に善法を繰り返すゆえに、のちのちの善法の諸種子がさらに増長され、最も増長されて発生すること、それが界増長と言われるのである。

tatra dhātu-puṣṭiḥ katamā. yā prakṛtyā kuśala-dharma-bīja-saṃpadaṃ niśritya pūrva-kuśala-dharmābhyāsād uttarottarāṇāṃ kuśala-dharma-bījānāṃ paripuṣṭatarā paripuṣṭatamotpattiḥ, iyam ucyate dhātu-puṣṭiḥ.（BoBh 56, 23–25）

　ここでは、「界増長」における「界」が瑜伽師の種子説における「種子」に置き換えられて説明されている。「増長された界」を説示し、その際に「界」を「種子」に置き換えて説明することが、『雑阿含経』第四四四経（*Akṣarāśi-sūtra*）所出の「界」に対する『瑜伽師地論』摂事分の註釈において見出だされ、[12] おそらく「界増長」もまた『雑阿含経』第四四四経における「界」の用例を踏まえた術語である。この術語は上記のとおり『瑜伽師地論』古層部や『大乗荘厳経論頌』『辯中辺論頌』において見出だされるにせよ、アサンガやヴァスバンドゥの個人的著作においては見出だされない。おそらくはアサンガやヴァスバンドゥよりも古い世代の術語なのである。したがって、アサンガやヴァスバンドゥと異なる人物を頌の作者として想定すべきである。

【例3　法界（無漏界）における諸仏の非一非異】『大乗荘厳経論頌』IX.26; IX.77と『金剛般若波羅蜜経論頌』68とは法界（無漏界）における諸仏のありかたを一でも異でもないと規定する点において一致する。

『大乗荘厳経論頌』IX.26

無漏界において諸仏は一でもなく多でもない。〔諸仏の法身は〕虚空のように無身であるゆえに〔多ではない〕。〔後の仏の身が〕前の〔仏の〕身に引き続くゆえに〔一ではない〕。

buddhānām amale dhātau naikatā bahutā na ca |
ākāśavad adehatvāt pūrvadehānusārataḥ ||

『大乗荘厳経論頌』IX.77

〔仏の〕種姓はさまざまであるから、かつ、〔仏になるための福と智との資糧は〕無意味でないから、かつ、〔仏が他の有情を仏にならしめることは〕完全であるから、かつ、〔他の仏によって仏にならしめられなかったような〕最初の〔仏〕はありえないから、〔仏が〕一仏のみであることはない。かつ、〔諸仏の法身は〕別々でないから、無漏処において〔仏が〕多であることはない。

gotrabhedād avaiyarthyāt sākalyād apy anāditaḥ |
abhedān naikabuddhatvaṃ bahutvaṃ cāmalāśraye ||

『金剛般若波羅蜜経論頌』68

行くことなどは変化身により、諸仏は常に不動である。さらに、法界において彼が（＝諸仏が）住することは一でも異でもないふうに認められる。

gatyādayas tu nirmāṇair buddhās tv avicalāḥ sadā |
dharmadhātau ca tatsthānaṃ naikatvānyatvato matam ||

以上の三つの例によっては、単に諸頌の間の共通点を示したにすぎないが、以下の二つの例によっては、諸頌のみならず、それぞれに対するヴァスバンドゥ釈の間の共通点をも示してみたい。

【例4　無の有】『大乗荘厳経論頌』XIV.33と『辯中辺論頌』I.13と『金剛般若波羅蜜経論頌』11とは「無の有」という表現を共有し、(13) それぞれに対するヴァスバンドゥ釈はそれを「能取と所取との無の有」と註釈する点において一致する。

『大乗荘厳経論頌』XIV.33

さらに、それの無の有が、見所断から解脱しているのを〔見る〕。実に、その時、それによって見道が得られたと言われる。

tadabhāvasya bhāvaṃ ca vimuktaṃ dṛṣṭihāyibhiḥ |

labdho (corr. : labdhvā) darśanamārgo hi tadā tena nirucyate ||

『大乗荘厳経論』

その能取と所取との無の有、つまり法界が、見所断の煩悩から解脱しているのを見るのである。

tasya grāhyagrāhakābhāvasya bhāvaṃ dharmadhātuṃ (corr. : dharmadhātūn) darśanaprahātavyaiḥ kleśair vimuktaṃ paśyati.（MSABh 94, 23–24）

『辯中辺論頌』I.13ab

実に、二の無があり、無の有が空の特徴である。

dvayābhāvo hy abhāvasya bhāvaḥ śūnyasya lakṣaṇam |

『辯中辺論』

二すなわち所取と能取との無があり、さらに、その無の有が空性の特徴である。

dvaya-grāhya-grāhakasyābhāvaḥ, tasya cābhāvasya bhāvaḥ śūnyatāyā lakṣaṇam.（MAVBh 22, 23–23, 1）

『金剛般若波羅蜜経論頌』11ab'（経文「スブーティよ、かれら菩薩摩訶薩には〝法がある〟との想いが起こらないし、それと同じように〝法がない〟との想いも〔起こら〕ない」〔nāpi teṣāṃ Subhūte bodhisattvānāṃ mahāsattvānāṃ dharma-saṃjñā pravartate, evaṃ nādharma-saṃjñā. VChPP 31, 17–19〕に対する註釈）

すべては無だからであるし、かつ、無の有があるからである。

sarvābhāvād abhāvasya sadbhāvāt |

『金剛般若波羅蜜経論』（和訳は義浄訳から）

すなわち、能取と所取とである諸法は無であるから、「〝法がある〟との想いが起こらない」し、「〝法がある〟との想い」はない。それ（＝能取と所取と）の無である、法無我すなわち空性が有であるから、「〝法がない〟との想いもない」。

【菩提流支訳】有可取能取一切法無故、言「無法相」。以無物故。彼法無我空実有故、言「亦非無法相」。（T25, 783c）

【義浄訳】此謂能取所取諸法皆無故、「法想不生」、即「無法想」。彼之非有法無自性空性有故、「非無法想」。（T25, 876b）

【例5　見】『大乗荘厳経論頌』XI.37と『金剛般若波羅蜜経論頌』76とは「心」（「識」）と並べて「見」を説き、それぞれに対するヴァスバンドゥ釈は「見」を「心所法」と註釈する点において一致する。

『大乗荘厳経論頌』XI.37a

さらに、見を伴う心なるものが……

sadṛṣṭikaṃ ca yac cittam｜

『大乗荘厳経論』

「見」とは諸心所法である。

dṛṣṭiś caitasikā dharmāḥ.（MSABh 64, 10）

『金剛般若波羅蜜経論頌』76a（経文「星と眼病と灯火と」〔tārakā timiraṃ dīpaḥ. VChPP 62, 1〕に対する註釈）

見と相と識と。[14]

dṛṣṭir nimittaṃ vijñānam｜

『金剛般若波羅蜜経論』（和訳は義浄訳から）

ここでは、見は「星」のようであると観察されるべきである。すなわち、心所法は、太陽のような正智が輝いているうちは、たとえすでに〔心所法が〕出ていたとしても、〔心所法の〕光は〔正智の光に圧倒されて〕まったく消えてしまうからである。

【菩提流支訳】譬如「星宿」、為日所映、有而不現、能見心法、亦復如是。(T25, 797a)

【義浄訳】此中応観、見如「星宿」。謂是心法、正智日明、亦既出已、光全滅故。(T25, 884b)

なお、「見」を諸心所法の総称として用いることは、アサンガやヴァスバンドゥの個人的著作においては見出だされない。したがって、アサンガやヴァスバンドゥと異なる人物を頌の作者として想定すべきである。

以上、例4と例5とにおいて『大乗荘厳経論』『辯中辺論』『金剛般若波羅蜜経論』が同じ註釈を共有していることは、『金剛般若波羅蜜経論』の作者が『大乗荘厳経論』『辯中辺論』の作者たる古師ヴァスバンドゥと同一人物であることを裏づける。

これら五例は各頌の全体から見ればわずかな量にすぎないが、少なくともこれら五例を考慮するかぎり、『大乗荘厳経論頌』『辯中辺論頌』『金剛般若波羅蜜経論頌』は同一の思想傾向の持ち主(たち)によって著された可能性が高い。この点において、三頌をマイトレーヤに帰する遁倫『瑜伽論記』の伝承(前掲)に、筆者は信憑性を認めざるを得ない。特に、『金剛般若波羅蜜経論頌』が経の註釈という形式によって思想の自由の幅を狭められているということを考えると、これほど特徴的な思想が共有されていることは注目されるべきである。

『大乗荘厳経論頌』『辯中辺論頌』『金剛般若波羅蜜経論頌』の作者マイトレーヤが単数であるか複数であるかは、現時点においては判断しがたい。ただし、少なくともそれがアサンガの変名でないらしいことは、例2における「界増長」の用例や、例5における「見」の用例がアサンガの個人的著作において見出だされないことによって、支持される。このことに関連して、アサンガ『摂大乗論』X.37が仏の変化身と受用身とを無常(つまり有為)と規定しているのに対し、『金剛般若波羅蜜経論頌』21が受用身を有為でないと規定していることも、[15]この頌の作者をアサンガでないと見なす材料になりうる。

ともあれ、『金剛般若波羅蜜経論』の作者が『大乗荘厳経論』『辯中辺論』の作者たる古師ヴァスバンドゥと同一人物であることは例4と例5とによって裏づけられる。

三　新師ヴァスバンドゥ著作との比較

『金剛般若波羅蜜経論』は『釈軌論』との間に接点を有するので、以下においては両論を比較してみたい。

阿含においては釈迦牟尼仏によって化作された変化身が説かれているが、『釈軌論』は大乗経においては釈迦牟尼仏そのものも変化身であると主張し、その際、釈迦牟尼仏によって化作された変化身が自らを変化身と明かさないのと同様、釈迦牟尼も自らを変化身と明かさないのだと理屈づける[16]（以下、問いはヴァスバンドゥ、答えは声聞）。

〔質問。〕はたしてその仏の変化〔身〕は諸の所化に対して「わたしは仏の変化〔身〕であるが、仏でも菩薩でも決してないのである」とこのように語るのか。回答。違うのである。〔質問。〕自分は仏であると説示するのであろうが。回答。そうである。〔質問。〕何のためであるか。〔回答。〕仏の〔三十二〕相に対し、諸の所化をして喜・極喜・尊重・恭敬・信などの殊勝を生ぜしめるためである。〔結論。〕それと同様にして、仏の変化〔身〕であるかの釈迦牟尼も、もし自分は仏であるとも語り、諸声聞によってもそう受け取られるならば、そこにどうして不合理があろうか。

ci sangs rgyas kyi sprul pa de gdul ba rnams la ’di skad du | nga ni sangs rgyas kyi sprul pa yin gyi sangs rgyas sam byang chub sems dpa’ ni ma yin ni zhes gsung ngam | smras pa | ma yin no zhe na | nyid sangs rgyas yin par ston mod | smras pa de bzhin no zhe na | ci'i phyir yin | sangs rgyas kyi mtshan la gdul ba rnams dga' ba dang | rab tu dga' ba dang | gus pa dang | zhe sa dang | dad pa la sogs pa'i khyad par bskyed pa'i phyir ro zhe na | de bzhin du sangs rgyas kyi sprul pa śā kya thub pa 'di yang gal te nyid sangs rgyas yin par yang gsungs la | nyan thos rnams kyis kyang de bzhin du bzung na de la 'gal ba ci yod | (VY 241, 7–19)

それに対し、『金剛般若波羅蜜経論』に次のようにある（和訳は義浄訳から）。

『金剛般若波羅蜜経論頌』74

さらに、説教している諸如来は、自らを〝変化〔身〕である〟と、自らを解説しない。それゆえに、それは正しい説教である。

nirmito 'smīti cātmānaṃ kāśayantas tathāgatāḥ |
prakāśayanti nā[tmānam] tasmāt sā kāśanā satī ||

『金剛般若波羅蜜経論』

これによって何が示されたのか。諸如来は有情のために法を説教している変化〔身〕であるにせよ、自らを〝変化身である〟と解説しない、ということを明らかにするのである。そう〔解説〕するのは正しくない説教だからである。それゆえに、それは正しい説教である。というのは、もしそうしない〔で〝変化身である〟と解説する〕ならば、彼らに対し、所化の諸有情は極敬を生じないからである。これは多くの有情を利益することのため〔に敢えて〝変化身である〟と解説しないの〕である。

【菩提流支訳】此義云何。若化身諸仏説法時不言我是化身、是故彼所説是正説。若不如是、説者、可化衆生不生敬心。何以故。以不能利益衆生、即彼説是不正説。是故不説我是化仏。（T25, 796c）

【義浄訳】此何所陳。欲明如来雖為衆生宣揚法化而不自説我是化身。由作如是不正説故。為此名彼以為正説。

意道、若異此者、於彼、所化諸衆生輩不生極敬。斯乃為利多衆生事。(T25, 884b)

両論の内容はおおむね一致している。

以上の例によるかぎり、『金剛般若波羅蜜経論』の作者が『釈軌論』の作者と同じ新師ヴァスバンドゥであることはほぼ裏づけられる。

四　おわりに

本章において明らかにされたことがらは以下のとおりである。

1　『金剛般若波羅蜜経論』が頌と長行とによって構成されるうち、頌の作者がマイトレーヤ、アサンガ、ヴァスバンドゥのいずれであるかについてはこれまで議論があったが、実のところ、頌はマイトレーヤ『辯中辺論頌』『大乗荘厳経論頌』との間に思想上、用語上の共通点を有しており、マイトレーヤの作と考えられる。したがって、長行のみがヴァスバンドゥの作である。

2　古師ヴァスバンドゥとの接点については、『金剛般若波羅蜜経論』と『辯中辺論』『大乗荘厳経論』とは「無の有」と「見」とに対し同様な註釈を与えている。

3　新師ヴァスバンドゥとの接点については、『金剛般若波羅蜜経論』と『釈軌論』とは釈迦牟尼を変化身と見なすことに対し同様な註釈を与えている。

註

（1）　頌の梵文は Giuseppe Tucci［1956］に収録されている。

（2）　この文献が智顗の真作であるかは疑わしいが、この文献の説は吉蔵『金剛波若疏』によって批判されているので、吉蔵以前の作であることは確実である。佐藤哲英［1961: 408–412］を見よ。

（3）この文献の「八不義」が慧均（六世紀頃）『大乗四論玄義』八不義とおおむね同じであることは古来指摘されているから、この文献が吉蔵の真作であるかは疑わしいが、少なくとも南北朝から隋に至る三論宗の諸文献の集成であることは疑いない。

（4）底本に「所」とあるも甲本による。

（5）あまり有名でない本書については、磯田熙文［1994］を見よ。

（6）マイトレーヤを実在の人物と見なす研究者として宇井伯寿がおり、マイトレーヤをアサンガの変名と見なす研究者として山口益や長尾雅人らがいる。宇井伯寿［1952］（再録：宇井伯寿［1963］）、山口益［1951］（はしがき）、長尾雅人［1972］（再録：長尾雅人［1978］）。

（7）宇井伯寿［1955］（再録：宇井伯寿［1963］）。

（8）長尾雅人［1972］（再録：長尾雅人［1978］）。

（9）勝呂信静［1989: 55–56］。

（10）荒牧典俊［2002］。なお、荒牧は『辯中辺論頌』『大乗荘厳経論頌』の他に『法法性分別論頌』をもマイトレーヤ文献に含めるが、中国にまったく知られていない『法法性分別論頌』が初期瑜伽師文献であるか否かについては研究者の間で議論がある。小稿においてはこの議論に立ち入らず、研究者が一致してマイトレーヤ文献と認める『辯中辺論頌』『大乗荘厳経論頌』のみを利用する。

（11）界満足（T26, 185a）。khams rtas (P: brtas D) pa（D Ngi 230b1; P Ngi 291a6）。

（12）山部能宜［1987］。

（13）『辯中辺論頌』と『金剛般若波羅蜜経論頌』との関係については長尾雅人［1972］の指摘による。

（14）宇井伯寿［1963: 190］は「見相は見分、相分、そして識は識体を指すのであろう」と述べ、長尾雅人［1972］は「宇井博士も指摘するように、それは識の見分・相分・自体分に相当するであろう」と述べるが、筆者は彼らに賛成できない。

（15）このことは長尾雅人［1972］によって注目されている。

（16）先行訳として、本庄良文［1992: 111］を参照した。

第三章　『十地経論』

一　はじめに

『十地経論』は『十地経』(*Daśabhūmika-sūtra*) に対する註釈であり、菩提流支訳と蔵訳との二本が現存する。

二　古師ヴァスバンドゥ著作との比較

『十地経論』は『摂大乗論釈』との間に接点を有するので、以下においては両論を比較してみたい。『摂大乗論釈』の蔵訳 (D no. 4050; P no. 5551) のほか、漢訳として、便宜的に玄奘訳のみを用いる。

【例1〔増上〕意楽】『十地経論』と『摂大乗論釈』とは意楽 (āśaya) あるいは増上意楽 (adhyāśaya) を信 (śraddhā) および欲 (chanda) と定義する点において一致する。この定義は古師ヴァスバンドゥ以前の文献には見出しがたく、古師ヴァスバンドゥ独自の定義と考えられる。両論を対照すれば次のとおりである (和訳は蔵訳から)。

『十地経論』

このうち、増上意楽とは信と欲とである。

de la lhag pa'i bsam pa ni dad pa dang 'dun pa ste | (D Ngi 109b2; P Ngi 138b1–2)

深心者、信楽等。（巻一。T26, 126a）

このうち、増上意楽とは信と欲とである。

de la lhag pa'i bsam pa ni dad pa dang 'dun pa'o ‖（D Ngi 117b4; P Ngi 149a5）

深心者、悕欲故。（巻一。T26, 129b）

『摂大乗論釈』

意楽とは信と欲とである。

bsam pa ni dad pa dang 'dun pa'o ‖（D Ri 158a3; P Li 190a1）

此中意楽、謂信及欲。（巻六。T31, 350ab）

【例2　十地の理由】『十地経論』と『摂大乗論釈』とは十地の理由として十障を提示する点において一致する。この十障は古師ヴァスバンドゥ以前の文献には見出だしがたく（のちの『成唯識論』巻九〔T31, 52b–53c〕において転用された例はある）、古師ヴァスバンドゥ独自の説と考えられる。両論を対照すれば次のとおりである（和訳は蔵訳から。菩提流支訳と玄奘訳とを見るかぎりでは第四障と第五障とが一致しないようであるが、蔵訳を見るかぎりではそれらは一致している。おそらくは菩提流支訳に問題があるのであろう）。

『十地経論』（D Ngi 111b6–112a3; P Ngi 141b3–7; T26, 127a）	**『摂大乗論釈』**（D Ri 168a6–b2; P Li 203b6–204a3; T31, 358a）
〝なにゆえに諸菩薩の十地を安立するのか〟というならば、それ（＝十地）の十個の所対治分（*vipakṣa）の対治（*pratipakṣa）として十なのであり、〝それの所対治分とは何か〟というならば、 ci'i phyir byang chub sems dpa' rnams kyi sa bcu po (P : D	あるいは、それ（＝十地）の十種類の所対治分（*vipakṣa）ゆえに十地を安立するのであって、〝それの十種類の所対治分とは何か〟というならば、 yang na de'i mi mthun pa'i phyogs rnam pa bcu las sa (D : P

ad. de) dag rnam par gzhag (D : bzhag P) ce na | de mi mthun pa'i phyogs bcu po dag gi gnyen por (P : po D) bcu ste | de mi mthun pa'i phyogs rnams gang zhe na | 何故定説菩薩十地。対治十種障故。何者十障。	om. sa) bcur gzhag (D : bzhag P) ste | de'i mi mthun pa'i phyogs rnam pa bcu gang zhe na | 又所治障有其十種、故立十地。何等名為所治十障。
①異生性と、 so so'i skye bo nyid dang | 一者凡夫我相障。	①異生性と、 so so'i skye bo nyid dang | 一異生性。
②身などによって諸有情に対し邪行することと、 lus la sogs pas sems can rnams la log par sgrub pa dang | 二者邪行於衆生身等障。	②諦（*tattva. sic. for *sattva*）に対し身などによって邪行することと、 bden pa la lus la sogs pas phyin ci log tu sgrub pa dang | 二於諸有情身等邪行。
③聞と思と修との諸法を忘れることによって愚鈍なやりかたを有することと、 thos pa dang | bsam pa dang | bsgom pa'i chos rnams brjed (D : brjod P) pas mun pa'i tshul can nyid dang | 三者闇相於聞思修等諸法忘障。	③愚鈍であることとである。聞と思と修との諸法を忘れることである。 dbul ba nyid do ‖ thos pa dang | bsams pa dang | bsgoms pa brjed (corr. : brjod DP) pa nyid do (D : dang P) ‖ 三遅鈍性。於聞思修而有忘失。
④身見などのうちに含まれる、倶生の微細煩悩の現行。さらに、それは微細な行相であるから、かつ、自の作意を所縁とするから、かつ、現行が遠くまで行くから、微細であると知られるべきである。 'jig tshogs la lta ba la sogs pas bsdus pa lhan cig skyes pa'i nyon mongs pa phra mo kun tu (P : du D) 'byung ba de yang phra ba'i rnam pa yin pa'i phyir dang | rang gi yid la byed pa la dmigs pa yin pa'i phyir dang | kun tu (P : du D) 'byung ba ring du song ba yin pa'i phyir phra bar rig par bya ba dang |	④微細煩悩の現行であって、倶生の身見などのうちに含まれるのである。さらに、それは下等な行相であるから、かつ、作意を伴わない所縁であるから、かつ、現行が遠くまで行くから、微細であると知られるべきである。 nyon mongs pa phra ba kun tu rgyu ba ste | lhan cig skyes pa'i 'jig tshogs la lta ba la sogs pas bsdus pa'o ‖ de yang chung ba'i rnam pa nyid kyi phyir dang | yid la byed pa dang [mi] bcas pa'i dmigs pa nyid kyi phyir dang | kun tu spyod pa'i ring du song ba nyid [kyi phyir] ni phra ba yin par rig par

四者解法慢障。	bya'o ‖ 四微細煩悩現行、倶生身見等摂。此最下品故、不作意縁故、遠随現行故、応知是微細。
⑤下劣な乗による般涅槃と、 theg pa dman pas yongs su mya ngan las 'da' ba dang | 五者身浄我慢障。	⑤下劣な乗による涅槃と、 theg pa dman pas mya ngan las 'da' ba dang | 五於下乗般涅槃。
⑥麁相における現行と、 mtshan ma (D : mar P) rags pa kun tu (P : du D) 'byung ba dang | 六者微煩悩習障。	⑥麁相における現行と、 mtshan ma rgya chen po la kun tu spyod pa dang | 六麁相現行。
⑦細相における現行と、 mtshan ma phra ba kun tu (P : du D) 'byung ba dang | 七者細相習障。	⑦細相における現行と、 mtshan ma phra mo la kun tu spyod pa dang | 七細相現行。
⑧無相における発起加行と、 mtshan ma med pa nyid du mngon par 'du byed pa dang | 八者於無相有行障。	⑧無相における発起加行と、 mtshan ma med par mngon par 'du byed pa dang | 八於無相作行。
⑨有情利益を作すことに対する発起加行がないことと、 sems can gyi don bya ba la mngon par 'du byed pa med pa dang | 九者不能善利益衆生障。	⑨有情利益を作すことに対する発起加行がないことと、 sems can gyi don byed pa la mngon par 'du byed pa med pa dang | 九於饒益有情事不作行。
⑩諸法に対し自在性を得ないことである。 chos rnams la dbang (D : P ad. ba) ma thob pa'o ‖ 十者於諸法中不得自在障。	⑩得るべき法に対し自在性がないことである。 thob par bya ba'i chos la gtso bor bya ba med pa'o ‖ 十於諸法中未得自在。

以上の例によるかぎり、『十地経論』の作者が『摂大乗論釈』の作者と同じ古師ヴァスバンドゥであることはほぼ裏づけられる。

三　新師ヴァスバンドゥ著作との比較

『十地経論』は『阿毘達磨倶舎論』『縁起論』との間に接点を有するので、以下においては両者を比較してみたい。

【例1　縁起の定型句】『十地経論』においては比較的多くの部派仏教文献が引用されている。それらを表示すると次のとおりである。

	漢訳	蔵訳	出典
巻二「修多羅中」（mdo sde gzhan dag las）として引用される。	無常意識智。依止無常因縁法。（T26, 133b）	無常な縁に依拠する以上、識もかならず無常である。 rkyen mi rtag pa la brten pas rnam par shes pa yang mi rtag pa nyid do ‖（D Ngi 125a4; P Ngi 159b6）	若因若縁生諸識者、彼亦無常。無常因無常縁所生諸識、云何有常。（『雑阿含経』第十一経・第十二経。T2, 2a; 2b） Cf. yo pi hetu yo pi paccayo viññāṇassa uppādāya so pi anicco. aniccasambhūtam bhikkhave viññāṇaṃ kuto niccam bhavissati.（SN vol.III, 23）
巻二	慈者同与喜楽因果故。悲者同抜憂苦因果故。（T26, 134a）	ここでは、『烏陀夷経』（*Udāyi-sūtra*）のとおり、因を伴う喜と楽とを成就する意楽が慈である。	『中阿含経』大品、加楼烏陀夷経（取意）

		因を伴う苦と憂とを除去する意楽が悲である。 de la 'char ka'i mdo bzhin du bde ba dang yid bde ba rgyu dang bcas pa sgrub pa'i bsam pa ni byams pa'o ‖ sdug bsngal dang yid mi bde ba rgyu dang bcas pa bsal ba'i bsam pa ni snying rje'o ‖（D Ngi 126b6–7; P Ngi 161b2–3）	
巻二「修多羅中」(mdo sde'i tshig gis) として引用される。	如来是処非処智力問記。(T26, 135a)	処非処智力について如来に問いを問う。 gnas dang gnas ma yin pa shes pa'i stobs la de bzhin gshegs pa la zhu ba zhu'o ‖（D Ngi 129a7–b1; P Ngi 164b8）	比丘たちよ、如来のこの処非処智力について問いを問うたならば、どのようであれ、如来は処非処智力を知って観察して、行相を知って正しく現等覚してから、問いに答えを示したまうのである。 dge slong dag de bzhin gshegs pa'i gnas dang gnas ma yin pa mkhyen pa'i stobs 'di la dri ba dris pa na ji ltar yang de bzhin gshegs pas gnas dang gnas ma yin pa mkhyen pa'i stobs mkhyen cing gzigs te rnam pa mkhyen cing yang dag pa nyid du mngon par byang chub nas dris la lung ston par mdzad do ‖（P no. 5595, Thu 23a2–4） 『ウパーイカー』所引。説一切有部の『雑阿含経』の一部[*1]。

巻七 無記名で引用される。	所有受者皆是苦事。（T26, 164a）	何であれ受なるもの、それはこの世では苦である。 tshor ba gang ci yang rung ba de ni 'dir sdug bsngal ba'o ‖（D Ngi 189b6–7; P Ngi 243b5–6）	所有受皆悉是苦[*2]。（『雑阿含経』第四八五経。T2, 124a） yat kiṃcid veditam idam atra duḥkhasya.（AKBh 331, 5）
巻八 無記名で引用される。	（ナシ）	此れが有る際に彼が起こり、此れが生ずるゆえに彼が生ずる。 'di yod pas 'di 'byung 'di skyes pa'i phyir 'di skye ba ｜（D Ngi 200b1; P Ngi 255b1）	此有故彼有、此起故彼起。（『雑阿含経』第二九九経。T2, 85b） asmin satīdaṃ bhavaty asyotpādād idam utpadyate.（Nids 147［sūtra 14］）その他多数。
巻八 無記名で引用される。	所有受皆是苦。（T26, 170b）	何であれ受なるもの、それはこの世では苦である。 tshor ba gang ci yang rung de ni 'dir sdug bsngal ba'o ‖（D Ngi 201b5; P Ngi 256b7）	『雑阿含経』第四八五経（前掲）
巻十一 「『戒経』中」（so sor thar pa'i mdo las）として引用される。	自立他坐、不応為説法。（T26, 189c）	病気でないのに坐っている者に対し、立って法を説示しないと学ばれるべきである。 mi na bar 'dug pa 'greng ste chos mi bshad par bslab par bya'o ‖（D Ngi 239a1–2; P Ngi 302a6）	人坐己立、不為説法、除病、応当学。（『根本説一切有部戒経』。T24, 507a） 79｜na utthitā niṣaṇṇāyāglānāya dharmaṃ deśayiṣyāma iti śikṣā karaṇīyā.（PmS 51, 26–27）

＊1　経の全訳については本庄良文［2000: 60］（［5021］）を見よ。本庄良文［1997: 101］によれば、この経は『ウパーイカー』の別の箇所において『雑阿含経』道品・力門の末尾の経と呼ばれている。

＊2　並行経については、本庄良文［1988］を見よ。『阿毘達磨倶舎論』の該当箇所の訳については、櫻部建、小谷信千代［1999: 30］を

見よ。『釈軌論』『縁起論』もこの経を引用するが、『釈軌論』の該当箇所の訳については、本庄良文［1990］を見よ。『縁起論』の該当箇所の訳については、本庄良文［2001］を見よ。

ここでは特に『雑阿含経』の経文「此れが有る際に彼が起こり、此れが生ずるゆえに彼が生ずる」について検討したい。この経文は『瑜伽師地論』本地分中有尋等地において註釈されており、この経文に対する『阿毘達磨倶舎論』世間品と『縁起論』との註釈はその『瑜伽師地論』の註釈を敷衍している。(1)

『瑜伽師地論』

どうして「此れが有る際に彼が起こり」と言われるのか。不断なる縁から、それ（＝その縁）以外のものが生ずる、という意味においてである。どうして「此れが生ずるゆえに彼が生ずる」と言われるのか。無常なる縁から、それ（＝その縁）以外のものが生ずる、という意味においてである。

katham asmin satīdaṃ bhavatīty ucyate. aprahīṇāt pratyayāt tadanyotpādārthena. katham asyotpādād idam utpadyata ity ucyate. anityāt pratyayāt tadanyotpādārthena.（YBh 221, 16–17）

『阿毘達磨倶舎論』

次に、何のために世尊は「此れが有る際に彼が起こり、此れが生ずるゆえに彼が生ずる」との二門を説きたまうたのか。〔……〕不断と生とを知らしめるためにである、というのが諸軌範師である。〝無明が断ぜられない際には諸行は断ぜられず、他ならぬ此れ（＝無明）が生ずるゆえに〔諸行は〕生ずる〟というふうに、広説する。

kim arthaṃ punar Bhagavān paryāya-dvayam āha: asmin sati idaṃ bhavati asyotpādād idam utpadyata iti. [...] aprahīṇotpatti-jñāpanārtham ity ācāryāḥ. avidyāyām aprahīṇāyāṃ saṃskārā na prahīyante. tasyā evotpādād utpadyanta iti vistaraḥ.（AKBh 138, 28–139, 1; 139, 14–15）

『縁起論』

『瑜伽師地論』の徒は、不断かつ無常なる縁から生ずるという意味において（*aprahīṇāt pratyayād anityāt cotpādārthena）、〔「此れが有る際に彼が起こり、此れが生ずるゆえに彼が生ずる」という〕二句を説くのであって、「有る際に」とは不断について言われる。

rnal ’byor spyod pa’i sa pa dag na re ma spangs pa’i phyir dang | mi rtag pa’i rkyen las skye ba’i don gyis tshig gnyis smos te | yod na zhes pa ni ma spangs pa la bya ste |（D Chi 5a3; P Chi 5b2–3; 室寺義仁［1986: 61, 15–18］）

それに対し、『十地経』（DBhS 99, 17–100, 1）の経文「このうち、『無明を縁として諸行がある』とあるのは、無明を縁とすることは、諸行を不断ならしめることと、助成することとである」（tatrāvidyāpratyayāḥ saṃskārā iti, avidyāpratyayatā saṃskārāṇām anuccheda upastambhaś ca）を註釈する際に、『十地経論』に次のようにある。

このうち、種子の分位によっては行を断ぜしめない。此れ（＝種子の分位にある無明）が断ぜられないかぎりは〔行を〕断じないからである。果の分位によっては〔行を〕助成する。此れ（＝果の分位にある無明）が生ずることによって彼（＝行）が生ずるからである。この二つによって、「此れが有る際に彼が起こり、此れが生ずるゆえに彼が生ずる」という二種類の内容として、此れ（＝無明）が縁であることを説示するのであって、〔行から老死までという〕残りの諸支が〈自らの種族（＝後続の諸支）にとっての因〉として二種の内容によって縁であることになるのも、同じようにして関連づけられるべきである。

de la sa bon gyi gnas skabs kyis ni ’du byed rgyun mi ’chad par byed de | de ma spangs par mi spongs pa’i phyir ro || ’bras bu’i gnas skabs kyis ni rton (P : ston D) par byed de | de skyes pas de skye ba’i phyir ro || ’di gnyis kyis ni ’di yod pas ’di ’byung (P : D ad. ngo) | ’di skyes pa’i phyir ’di skye ba zhes bya ba don rnam pa gnyis kyis de’i rkyen nyid du yongs su ston te | yan lag lhag ma rnams kyi rang gi rigs kyi rgyus don rnam pa gnyis kyis rkyen nyid du ’gyur ba yang de bzhin du sbyar bar bya'o ‖ (D Ngi 200a7–b2; P Ngi 255a8–255b2)

是中子時者、令行不断。有二種義故、縁事示現。如是餘因縁分自生因二種義縁事応知。（巻八。T26, 169c）

『瑜伽師地論』が不断と無常とを説き、『縁起論』がそれに従うのに対し、『阿毘達磨倶舎論』と『十地経論』とはそれにやや変更を加えて不断と生とを説く。したがって、『阿毘達磨倶舎論』と『十地経論』とは共通の発想を有することが確認される。

【例2　十二支縁起】『縁起論』は、十二支縁起について、説一切有部の説であるいわゆる〝三世両重の因果〟を批判し、自説としていわゆる〝二世一重の因果〟を提示する。(2)

〔質問。〕この、十二支〔縁起〕の説示によって、まとめれば、何が説示されるのか。

〔回答。〕『分別〔縁起〕初勝法門〔経〕』に依拠して洞察されるとおりに、まとめれば、説示されるべきである。

①何によって、②いかにして、③何が引かれるのか。そして、他ならぬその引かれたものは、④何によって、⑤いかにして生ずるのか。そして、⑥生ずることは何であり、⑦それの過患は何であるのか。それら（①—⑦）が説示されるのである。

①　何によって引かれるのか、というならば、無明を縁とする行によってである。

②　いかにして引かれるのか、というならば、識のうちに〔業の〕習気が熏習されることによってである。

③　何が引かれるのか、というならば、後有（*punarbhava）の、名色と六処と触と受とがであって、適切に、順次・一時に生ぜられるべきだからである。他ならぬその引かれたものとは何か。かの、〔今世において〕識のうちに増長されたそれ（＝名色と六処と触と受と）の種子が、引かれたものである。

④　〔引かれたものを〕何によって生じさせるのか、というならば、すでに述べたとおりの説示の順序によって、前〔世〕において引かれたもの（＝名色と六処と触と受との種子）によってここ（＝今世）において生じ終わった

受を縁として生じ終わった愛なるものと、それ（＝愛）を縁とする取と〔によって〕である。

⑤　〔引かれたものは〕いかにしてその二つ（＝愛と取と）によって生ずるのか。かの識のうちに安住する業の習気をそれ（＝愛と取と）によって有ならしめるからである。識のうちには多くの種類の業の習気があるのであって、〔なぜなら、〕さまざまな行によって熏習されているからである。そののち第二に後有を生じさせる、特殊な取によって保持されるもの（＝業の習気）、それがここでは有と呼ばれるのである。

⑥　その、生ずることは何であるのか、というならば、その、名色などという引かれたもの（＝名色と六処と触と受との種子）、それの、未来〔世〕における生である。

⑦　それ（＝生ずること）がある場合の過患は何であるのか、というならば、老死であって、〔なぜなら、〕意にかなう若さと命とが壊れるからである。

yan lag bcu gnyis bstan pa ’dis mdor ci bstan zhe na | dang po’i bye brag rnam par ’byed pa’i chos kyi rnam grangs la brten pa byas nas ji ltar khong du chud pa mdor bstan par bya’o || [1] gang gis [2] ji ltar [3] ci zhig ’phen pa dang ’phangs (D : ’phongs P) pa de nyid [4] gang gis [5] ji ltar mngon par sgrub pa dang | [6] mngon par grub pa gang yin pa (corr. : DP ad. de) dang | [7] de’i nyes dmigs gang yin pa de dag bstan to || [1] gang gis (D : gi P) ’phangs zhe (P : she D) na | ma rig pa’i rkyen can ’du byed kyis so || [2] ji ltar ’phangs zhe (P : she D) na | rnam par shes pa la bag chags bsgos pa’i phyir ro || [3] ci zhig ’phen zhe na | yang srid pa pa’i ming dang gzugs dang skye mched drug dang | reg pa dang | tshor ba ste ci rigs par mthar gyis dang cig car ’byung bar bya ba’i phyir ro || ’phangs pa de nyid gang zhe na | rnam par shes pa la de’i sa bon yongs su brtas (P : rtas D) pa de nyid ’phangs pa yin no || [4] gang gis mngon par sgrub par byed ce na | ji skad du bstan pa’i rim gyis sngon ’phangs pas ’dir skyes pa’i tshor ba’i rkyen gyis sred pa skyes pa gang yin pa dang | de’i rkyen gyis len pa’o || [5] ji ltar de gnyis kyis mngon par sgrub ce na | rnam par shes pa de la las kyi bag chags gnas pa dag des srid pa byed pa'i phyir ro || rnam par shes pa la las kyi bag chags rnam pa mang du yod de | 'du byed sna tshogs kyis yongs su bsgos pa yin pa'i phyir ro || len pa'i bye brag gis yongs su zin pa gang gis 'di nas gnyis par yang srid 'byung bar byed pa de 'dir srid pa zhes bya'o || [6] mngon par grub pa de gang zhe na | ming dang gzugs la sogs pa 'phangs pa gang yin pa de ma 'ongs pa na skye ba'o || [7] de yod na nyes dmigs gang zhe na | rga shi yin te | yid du 'ong ba'i lang tsho dang srog zhig pa'i phyir ro ||（D Chi 52a2–b1; P Chi 60a3–60b3）

〝三世両重の因果〟においては、無明支と行支とが過去世、識支から有支までが現在世、生支と老死支とが未来世にある。しかし、〝二世一重の因果〟においては、無明支から有支までが現在世、生支と老死支とが未来世にある。それに対し、『十地経』第八地に次のようにある。

〝無明という縁によって諸行がある〟とは、それは前際（＝前世）に属する観待である。〝識から受まで〟とは、それは生じ終わった（＝現在の）観待である。〝愛から有まで〟とは、それは後際（＝来世）に属する観待である。そのあとにそれ（＝観待）の生起がある。

avidyāpratyayāḥ saṃskārā ity eṣā pūrvāntiky apekṣā. vijñānaṃ yāvad vedanety eṣā pratyutpannāpekṣā. tṛṣṇā yāvad bhava ity eṣāparāntiky apekṣā. ata ūrdhvam asyāḥ pravṛttiḥ.（DBhS 101, 6–8）

これは〝三世両重の因果〟とも〝二世一重の因果〟とも異なる奇妙な説であるが、おそらく、現在知られていない何らかの部派の十二支縁起解釈がその背景にあると考えられる。

『十地経論』はこれを次のように註釈する。

このうち、「〝無明という縁によって諸行がある〟とは、それは前際（＝前世）に属する観待である」とは、〔無明と諸行とが〕今世のせいで先に作られたからである。現在〔世〕は未来〔世〕にとっての前際である。「観待」という意味は〈原因〉という意味として知られるべきである。「〝識から受まで〟とは、それは生じ終わった（＝

現在〔世〕の）観待である」とは、前世の業なるもの、それの果たるこれら識などはここ（＝今世）において果として生じ終わったので、〔前世の業は〕後〔世〕において果を生ずる力を有しないからである。「〃愛から有まで〃」とは、それは後際（＝来世）に属する観待である」とは、後有（*punarbhava）を生ずることに一向に決定しているからである。「そのあとにそれ（＝観待）の生起がある」とは、観待から後有が生ずるからである。

de la ma rig pa'i rkyen gyis 'du byed rnams zhes bya ba de ni sngon gyi mtha' pa'i ltos (D : bltos P) pa zhes bya ba ni tshe 'di'i phyir sngar byas pa'i phyir ro || da ltar byung ba ni ma 'ongs pa'i sngon gyi mtha'o || ltos (D : bltos P) pa'i don rgyu'i don du rig par bya'o || rnam par shes pa nas tshor ba zhes bya ba'i bar de ni da ltar byung ba'i ltos (D : bltos P) pa'o zhes bya ba ni don gang la tshe rabs snga ma'i las gang yin pa de'i 'bras bu rnam par shes pa la sogs pa (D : P om. la sogs pa) de dag 'dir 'bras bur skyes (D : bskyed P) zin pas phyi ma la 'bras bu bskyed pa'i mthu med pa'i phyir ro || sred pa nas srid pa zhes bya ba'i bar de ni phyi ma'i mtha' pa'i ltos (D : bltos P) pa ste zhes bya ba ni yang srid pa mngon par 'grub par gcig tu nges par byed pa'i phyir ro || de phan chad du yang de dag rab tu 'byung ngo zhes bya ba ni bltos pa las yang srid pa mngon par 'grub pa'i phyir ro || (D Ngi 201a4–7; P Ngi 256a5–b1)

「無明縁行即是見過去世事」者、現在生是過去作故。現在果即是当来即是見過去世因義。「識乃至受是見現在世事」者、過去世中、随所有業、彼業得現在識等果報、復能得未来果報。「愛取有是見未来世事」者、復有生一往定故。「於是見有三世転」者、復有後世生転故。（巻八。T26, 170a）

まず、経文「〃無明という縁によって諸行がある〃」とは、それは前際（＝前世）に属する観待である」を、『十地経論』は「現在〔世〕は未来〔世〕にとっての前際である」と註釈する。すなわち、『十地経論』は無明支と行支とが過去世にあると註釈するのでなく、無明支と行支とが現在世にあると註釈するのである。

さらに、経文「〃愛から有まで〃」とは、それは後際（＝来世）に属する観待である」を、『十地経論』は「後有

（*punarbhava）を生ずることに一向に決定しているからである」と註釈する。「後有を生ずること」とは十二支縁起の生支を指す。『十地経論』は、愛支から有支までが未来世にあると註釈するのでなく、愛支から有支までが現在世において未来世の生支のための原因になると註釈するのである。

以上、結局のところ、『十地経論』は無明支から有支までが現在世にあり、生支から老死支までが未来世にあるという、いわゆる二世一重の因果として経文を註釈するのである。このことが『縁起論』と共通であることは言うまでもない。

なお、興味深いことに、基『成唯識論述記』巻八末に次のようにある。

『十地経論』巻八の十二支縁起から三世を経る縁起までが小乗に同じているのは、これは翻訳の誤りである。今、〔『十地経論』の〕梵本を調べてみるに、『瑜伽師地論』などと同じであり、ただ三際を言うのみである。すなわち、初際から中際が縁起し、中際から後際が縁起する。〝三世であって、〔無明支と行支との〕二つは過去世にあり、〔識支から受支までの〕五つは現在世にあり、〔愛支から有支までの〕三つは現在世にあり、〔生支と老死支との〕二つは未来世にある〟などというのではない。かの『〔十地〕経』の註釈はヴァスバンドゥによって作られたものである。ヴァスバンドゥが作った『縁起論』も三際を言っている。『瑜伽師地論』などのとおりである。今、三世とあるのは、これは翻訳者の私意である。

『十地論』第八巻十二縁生乃至経三世縁起同小乗者、此翻訳謬。今勘梵本、与『瑜伽』等同。但言三際。謂従初際、中際縁起、従中際、後際縁起。非謂三世、二在過去、五現在、三現在、二未来等。彼経之釈、世親所造。世親所造『十二因縁論』亦言「三際」。如『瑜伽』等。今三世者、此翻訳人意也。（T43, 528c）

基によれば、菩提流支訳『十地経論』においては三際（前際・中際・後際）が三世（過去世・現在世・未来世）と訳されてしまい、その結果、十二支縁起の無明支と行支とが過去世、識支から有支までが現在世、生支と老死支とが未来世となってしまっている。基はそれを批判して、『十地経論』の原意は『縁起論』と同じであると主張している。おそらく、玄奘によって、『十地経論』の作者と『縁起論』の作者とが同一人物であることが基に伝えられていたと推測される。

四　おわりに

本章において明らかにされたことがらは以下のとおりである。

1　古師ヴァスバンドゥ著作との接点については、『十地経論』と『摂大乗論釈』とは〔増上〕意楽と十地の理由とに対し同様な註釈を与えている。

2　新師ヴァスバンドゥ著作との接点については、『十地経論』と『阿毘達磨倶舎論』『縁起論』とは縁起の定型句に対し同様な註釈を与え、『十地経論』と『縁起論』とは十二縁起に対し同様な註釈（いわゆる〝二世一重の因果〟）を与えている。

このほか、すでに指摘されているとおり、(3)『十地経』のいわゆる「三界唯心」の経文に対する『十地経論』（T26, 169a; D Ngi 199a4–5; P Ngi 254a2–3）の註釈「三界に属するものはただ心の転変のみにすぎないからである」（一切三界唯心転故。khams gsum pa ni sems gyur pa tsam du zad pa'i phyir ro）が、『唯識三十頌』第一頌における独創的表現「識の転変」（vijñāna-pariṇāma）とよく似ていることが注目される。したがって、これも新師ヴァスバンドゥ著作との接点に加えてよい。

註

(1) 『瑜伽師地論』については、原田和宗［1996］の指摘による。
(2) 先行訳として、松田和信［1982］を参照した。
(3) 伊藤瑞叡［1988: 95–99］。

第四章　『妙法蓮華経憂波提舎』

一　はじめに

『妙法蓮華経憂波提舎』は『妙法蓮華経』（*Saddharmapuṇḍarīka-sūtra*）に対する綱要書的な註釈であり、勒那摩提訳と菩提流支訳との二本が現存する。本章においては、勒那摩提訳のみを用いる。(1)

二　古師ヴァスバンドゥ著作との比較

『妙法蓮華経憂波提舎』は『大乗荘厳経論』『摂大乗論釈』との間に接点を有するので、以下においては両者を比較してみたい。まずは『大乗荘厳経論』からである。

【例1　方便善巧】『大乗荘厳経論』と『妙法蓮華経憂波提舎』とは「方便善巧」（upāya-kauśalya）を兜率天から般涅槃までを示現することと註釈する点において一致する。まず『大乗荘厳経論』に次のようにある。

方便善巧を伴う者は〔雨〕雲のようである。兜率天に住することなどを示現することというかたちであらゆる有情の利益をなすことは、彼（＝方便善巧を伴う者）によるからである。あたかも〔雨〕雲によって器世間の繁栄すべてがあるのに似ている。

upāya-kauśalya-sahagato meghopamaḥ. sarvasattvārthakriyā-tad-adhīnatvāt tuṣita-bhavana-vāsādi-sandarśanataḥ, yathā meghāt sarva-bhājana-loka-saṃpattayaḥ.（ad MSA IV.20a. MSABh 17, 6–8）

それに対し、『妙法蓮華経』（SPS 29, 8）の文「さまざまな方便善巧」（vividhopāyakauśalya）を註釈する際に、『妙法蓮華経憂波提舎』に次のようにある。

「さまざまな方便善巧」とは、兜率天を降下することから、しまいには涅槃に入ることまでを示現するのである。

「種種方便」者、従兜率天退乃至示現入涅槃故。（T26, 15a）

『大乗荘厳経論』が「兜率天に住すること」を説くのに対し、『妙法蓮華経憂波提舎』は「兜率天を降下すること」を説き、両論はやや異なるように見える。しかし、菩提流支訳『十地経論』巻三（T26, 138c）においては『十地経』（DBhS 19, 11–12）の文「兜率天に住すること」（tuṣitabhavana-vāsa）と「降下すること」（cyavana）とのうち前者が省略され、後者が「兜率天を降下すること」（「従兜率天来下」）と訳されている。それを考慮するならば、『妙法蓮華経憂波提舎』における「兜率天を降下すること」は原梵文における「兜率天に住すること」が故意に「兜率天を降下すること」と改変された可能性が高い。

なお、勒那摩提訳『究竟一乗宝性論』巻四（T31, 843a）においては梵文（RGV 87, 17）の文「さらに、兜率天に生まれることや、そこから降下することを」（upapattiṃ ca tuṣiteṣu cyutiṃ tataḥ）が「兜率天を降下すること」（「従兜率陀退」）と訳されている。おそらく、勒那摩提や菩提流支には、成道は「兜率天を降下すること」から始まるという独自の考えがあったのであるまいか。

【例2　仏種姓】『大乗荘厳経論』と『妙法蓮華経憂波提舎』とはともに仏種姓の者が複数いることを主張し、両論の主張のうちには文章表現上の相似が確認される。『大乗荘厳経論』に次のようにある。

「仏は一人のみである」という、そのことは認められない。いかなる理由からか、というならば、〔仏〕種姓がさまざまにいるからである。というのも、仏種姓の諸有情は無辺にいるのである。ここで、「一人だけが現等覚した。他の者たちは現等覚しない」と、なぜそのようにいうのか。〔そのようであるならば、〕他の諸菩薩には現等覚がないゆえに、〔他の諸菩薩の〕福と智との資糧は無意味になってしまう。しかし、無意味になってしまうのは妥当でない。それゆえに、無意味でないという点からも、仏は一人のみでない。

> eka eva buddha ity etan neṣyate. kiṃ kāraṇam. gotrabhedāt. anantā hi buddhagotrāḥ sattvāḥ. tatraika evābhisaṃbuddho nānye 'bhisaṃbhotsyanta iti kuta etat. puṇyajñānasaṃbhāravaiyarthyaṃ ca syāt, anyeṣāṃ bodhisattvānām anabhisaṃbodhāt. na ca yuktaṃ vaiyarthyam. tasmād avaiyarthyād api naika eva buddhaḥ.（ad MSA IX.77. MSABh 48, 5–8）

それに対し、『妙法蓮華経憂波提舎』に次のようにある。

この、煩悩のない人（＝声聞の阿羅漢）は、慢[2]（*māna）によってあれこれの〔心という〕連続体[3]（*saṃtāna）の所作（*kṛtya）の区別を見、あれこれの仏種姓[4]（*buddha-gotra）の平等性（*samatā）を知らないゆえに、すなわち、この人の「わたしがこの法を現等覚した。彼は現等覚しない」という、それ（＝慢）を対治するために、〔仏は複数の〕諸声聞に授記すると知られるべきである。

> 是無煩悩人、染慢見彼此身所作差別、以不知彼此仏性法身平等故、即彼人我證此法彼人不得、対治此故、与諸声聞授記応知。（T26, 18a）

すなわち、両論の傍線部の内容はほぼ同じである。

【例3　六根清浄】『大乗荘厳経論』と『妙法蓮華経憂波提舎』とは『妙法蓮華経』法師功徳品の経文に対する註釈を含み、両論の註釈のうちには内容上の相似が確認される。まず、『大乗荘厳経論頌』IX.41およびそれに対する『大乗荘厳経論』に次のようにある。

五根の転換において、最勝の自在性が得られる。〔五根〕すべてが対象すべてに向かってはたらくことについてであり、千二百の功徳が生ずることについてである。(IX.41)

五根の転換において、二種類の最勝の自在性が得られる。五根すべてが五境すべてに向かってはたらくことについてであり、そこにおいてそれぞれ千二百の功徳が生ずることについてである。

pañcendriyaparāvṛttau vibhutvaṃ labhyate param |
sarvārthavṛttau sarveṣāṃ guṇadvādaśaśatodaye || IX.41

pañcendriyaparāvṛttau dvividhaṃ vibhutvaṃ paramaṃ labhyate. sarveṣāṃ pañcānāṃ indriyāṇāṃ sarvapañcārthavṛttau, tatra pratyekaṃ dvādaśaguṇaśatotpattau. (MSABh 41, 3–6)

これは、聖者における転依(āśraya-parāvṛtti. 所依の転換)を述べた一連の頌のひとつである。「五根すべてが五境すべてに向かって働くこと」とは、たとえば鼻が香に対してのみならず色・声・味・触に対しても働くようになることを指す。[5]「そこにおいてそれぞれ千二百の功徳が生ずること」とは、スティラマティ(Sthiramati)の複註(D no. 4034, Mi 126a5; P no. 5531, Mi 141b3–4)によれば『陀羅尼自在王経』『妙法蓮華経』などに出る説である。『妙法蓮華経』法師功徳品の経文に次のようにある。

誰か善男子あるいは善女人がこの法門を受持し、あるいは読み、あるいは誦し、あるいは解説し、あるいは書写するならば、かの善男子あるいは善女人は八百の眼功徳を得、千二百の耳功徳を得、八百の鼻功徳を得、千二百の舌功徳を得、八百の身功徳を得、千二百の意功徳を得るであろう。彼においてはこのような多くの百功徳によって、六根の集まりが清浄に、極清浄になるであろう。

yaḥ kaścit kula-putra vā kula-duhitā vemaṃ (corr.: text has *imaṃ* instead of *vā kuladuhitā vemaṃ*) dharma-paryāyaṃ dhārayiṣyati vācayiṣyati vā deśayiṣyati vā likhiṣyati vā, sa kula-putro vā kula-duhitā vāṣṭau cakṣur-guṇa-śatāni pratilapsyate dvādaśa-śrotra-guṇa-śatāni pratilapsyate 'ṣṭau ghrāṇa-guṇa-śatāni pratilapsyate dvādaśa-jihvā-guṇa-śatāni pratilapsyate 'ṣṭau kāya-guṇa-śatāni pratilapsyate dvādaśa-mano-guṇa-śatāni pratilapsyate. tasyaibhir bahubhir guṇa-śataiḥ ṣaḍ-indriya-grāmaḥ pariśuddhaḥ supariśuddho bhaviṣyati.（SPS 354, 1–6）

『大乗荘厳経論頌』IX.41においては五根が説かれ、五根すべてに千二百の功徳が生ずると説かれるが、『妙法蓮華経』においては六根が説かれ、耳根と舌根と意根とには千二百の功徳、眼根と鼻根と身根とには八百の功徳が生ずると説かれている。このあたりの相違の理由はよく判らない。末尾の文「六根の集まりが清浄に、極清浄になるであろう」に引き続き、同経においては六根清浄がそれぞれ説かれていく。

それに対し、六根清浄を註釈する『妙法蓮華経憂波提舎』に次のようにある。

一法門が常精進菩薩品（＝法師功徳品）において説示されるとは、すなわち、あるいは読み、あるいは誦し、あるいは解説し、あるいは書写して六根清浄を得るのである。『経』において「誰か善男子あるいは善女人がこの法門を受持し、あるいは読み、あるいは誦し、あるいは解説し、あるいは書写するならば、かの善男子あるいは善女人は八百の眼功徳を得、しまいには、千二百の意功徳を得るであろう」といわれているとおりである。

① このうち、六根清浄を得るとは、すなわち、異生が経の力によって、勝れた根のはたらきを得るのである。未だ初地という、菩薩の〔正性〕離生[6]（*bodhisattva-niyāma）に入っていないと知られるべきである。『経』において「父母から生じた清浄な肉眼によって、三千大千世界を見るであろう」かくかくしかじかといわれているとおりである。

② さらに、六根清浄とは、それぞれの根のうちにいずれも色を見たり、声を聞いたり、香と味と触と法とを知ったりするはたらきを具えることができると知られるべきである。眼によって見られるべきもの（＝色）を、香を嗅いで知ることができるのである。『経』において「諸天の王シャクラがヴァイジャヤンタ宮殿において遊

戯している際の、しまいには、法を説いている際の」といわれているとおりである。「香を嗅いで知る」とは、智者は境を鼻根によって知るからである。

一法門常精進菩薩品示現者、謂読誦解説書写等得六根清浄故。如『経』「若善男子善女人受持『法華経』若読若誦若解説若書写、是人当得八百眼功徳乃至千二百意功徳」故。此得六根清浄者、謂凡夫人以経力故得勝根用。未入初地菩薩位応知。如『経』「以父母所生清浄肉眼、見於三千大千世界」如是等。又六根清浄者、於一一根中、悉能具足見色聞声知香味触法等用応知。眼見者聞香能知。如『経』「釈提桓因在勝殿上五欲娯楽、乃至説法」。「聞香知」者、此是智境、鼻根知故。（T26, 19b）

まず、①においては、六根清浄が、異生の、勝れた根のはたらきであると註釈されている。引用は眼根清浄の次のような文からである。

彼はこのように、清浄な眼根によって、生まれつきの、父母から生じた肉眼によって、山と森と荒野とを含む三千大千世界を、内外とも、下は阿鼻大地獄から、上は有頂に至るまで、そのすべてを生まれつきの肉眼によって見るであろう。

sa evaṃ pariśuddhena cakṣur-indriyeṇa prākṛtena māṃsa-cakṣuṣā mātā-pitṛ-saṃbhavena tri-sahasra-mahā-sahasrāṃ loka-dhātuṃ sāntar-bahiḥ saśaila-vana-ṣaṇḍām adho yāvad avīciṃ mahā-nirayam upādāyopari ca yāvad bhavāgraṃ tat sarvaṃ drakṣyati prākṛtena māṃsa-cakṣuṣā.（SPS 354, 6–9）

次に、②においては、六根清浄が、一一の根の中においてすべての根のはたらきが備わることであると註釈されている。これはまさしく先の『大乗荘厳経論頌』IX.41c の「〔五根〕すべてが対象すべてに向かってはたらくこと」という説と同じであって、聖者の、転依後の六根が想定されているのに相違ない。引用は鼻根清浄の次のような文からである。

天の子の体の諸香を嗅ぐであろう。具体的には、諸天の王シャクラの体の香を嗅ぐであろう。ヴァイジャヤンタ宮殿において遊戯し、歓楽し、奉侍されている際の、あるいは、スダルマー天堂において三十三天の諸天に法を説いている際の、あるいは、遊戯のため園地に出かけている際の、それら（＝諸香）を知るのである。

devaputrātmabhāva-gandhān ghrāyati. tad yathā śakrasya devānām indrasyātmabhāva-gandhaṃ ghrāyati, taṃ ca jānite yadi vā vaijayante prāsāde krīḍantaṃ ramantaṃ paricārayantaṃ yadi vā sudharmāyāṃ deva-sabhāyāṃ devānāṃ trāyastriṃśānāṃ dharmaṃ deśayantaṃ yadi vodyāna-bhūmau niryāntaṃ krīḍanāya.（SPS 361, 3–5）

つまり、経に「シャクラが法を説いている際の体の香を嗅ぐ」とあるのを、説法の声を耳のみならず鼻によっても聞くというふうに理解するのである。

『大乗荘厳経論頌』IX.41dの「千二百の功徳が生ずること」という説は『妙法蓮華経』法師功徳品に基づいていた。『妙法蓮華経憂波提舎』の作者はそれを知っていたからこそ、法師功徳品の解釈に際し、『大乗荘厳経論頌』IX.41cの「〔五根〕すべてが対象すべてに向かってはたらくこと」という説を援用したのであろうか。それとも、そもそも「〔五根〕すべてが対象すべてに向かってはたらくこと」という説もまた上記の法師功徳品の鼻根清浄の文に基づいていたのであろうか（これについては、スティラマティは何も指摘していない）。いずれにせよ、『妙法蓮華経憂波提舎』の作者は『大乗荘厳経論頌』IX.41の成り立ちをよく知っていたと見える。

続いては、『摂大乗論釈』に移る。

【例4　声聞授記】『摂大乗論釈』と『妙法蓮華経憂波提舎』とは声聞授記に対する註釈を含み、両論の註釈のうちには文章表現上の相似が確認される。『摂大乗論』X.32においては、一乗を説くことの七つの理由を挙げる『大乗荘厳経論頌』XI.53が引用されている。そのうち第五の「二つの意楽を得るゆえに」(dvyāśayāpteḥ) について、『摂大乗論釈』は①一乗を説く仏の側の意楽と、②一乗を説かれる声聞の側の意楽との二つを挙げる。便宜上、蔵訳を後に譲り、ここでは第二の意楽について、漢訳三本を掲げる（和訳は笈多訳から。笈多訳は全体として蔵訳に近似しており、蔵訳と同様、梵文からの逐語訳であると考えられる）。

第二の意楽とは、たとえば『妙法蓮華経』において諸声聞が授記されるのは、〔仏が〕この〔第一の〕意楽を得るからであるが、〔諸声聞は〕ただ諸仏との法性平等意楽を得るにすぎず、未だ法身を得ていない。この平等意楽を得たことによって、〝仏の法性はわれわれの法性〔と同じ〕である〟と、このように思惟するのである。

【真諦訳】後名於法如平等意。諸声聞等人、如来於『法華経』中為其授記、已得仏意、但得法如平等意、未得仏法身。若得此法如平等意、彼作是思惟、〝如来法如即是我法如〟。（T31, 265c–266a）

【笈多訳】第二意者、如『法華経』中為声聞授記、得此意故、謂但得諸仏法如平等意、不得法身。由得此平等意故、作如是念、〝諸仏法如即是我等法如〟也。（T31, 319ab）

【玄奘訳】二法性平等意楽。謂諸声聞、『法華』会上、蒙仏授記、得仏法性平等意楽、未得法身。由得如是平等意楽、作是思惟、〝諸仏法性即是我法性〟。（T31, 378a）

『妙法蓮華経』において授記された声聞は諸仏との法性平等意楽を得、〝仏の法性はわれわれの法性〔と同じ〕である〟と思惟するが、未だ仏の法身を得ていない、というのが漢訳三本の大意である。

法性（*dharmatā）とは、多義的な語であるにせよ、この文脈においては、瑜伽師文献のこれと同様の文脈において説かれる法界（dharmadhātu）の同義語であり(7)、あらゆる有情のうちにある真如（tathatā）を指す。

法身（*dharmakāya）とは、瑜伽師文献においては、声聞と独覚とのうちになく、仏のうちにある仏身を指す。たとえば、『解深密経』に次のようにある(8)（和訳は蔵訳から）。

〔質問。〕世尊よ、声聞と独覚との転依なるもの、それも法身と呼ばれるのでしょうか。

〔回答。〕マンジュシュリーよ、呼ばれないのである。

〔質問。〕世尊よ、それなら、どのように呼ばれるのでしょうか。
〔回答。〕マンジュシュリーよ、解脱身なのであって、マンジュシュリーよ、解脱身によっては、諸如来および諸声聞独覚も平等、平等である。法身によっては、区別される。法身によって区別される場合、無量の殊勝な功徳によっても区別されるのであって、それについては、譬えることも容易でない。

bcom ldan ’das ci lags | nyan thos dang | rang sangs rgyas rnams kyi gnas gyur pa gang lags pa de’ang chos kyi sku lags par brjod par bgyi’am | ’jam dpal brjod par mi bya’o | bcom ldan ’das ’o na ci lags par brjod par bgyi | ’jam dpal rnam par grol ba’i lus yin te | ’jam dpal rnam par grol ba’i lus kyis ni de bzhin gshegs pa rnams dang | nyan thos dang | rang sangs rgyas rnams kyang mtshungs cing mnyam mo ‖ chos kyi skus ni khyad par du ’phags te | chos kyi skus khyad par du ’phags na yon tan gyi khyad par dpag tu med pas kyang khyad par ’phags pa yin te | de la ni dpe bya bar yang sla ba ma yin no ‖（SNS X, 2）

世尊、声聞独覚所得転依名法身不。善男子、不名法身。世尊、当名何身。善男子、名解脱身。由解脱身故、説一切声聞独覚与諸如来平等平等。由法身故、説有差別。如来法身有差別故、無量功徳最勝差別、算数譬喩所不能及。（巻五。T16, 708b）

しかるに、『摂大乗論釈』の蔵訳は、前出の漢訳三本と較べ、些か奇妙な訳となっている。

次に第二の意楽とは、『妙法蓮華〔経〕』における授記された声聞なるもの、彼らが仏によってすら法性平等を密意してのち、法身を得ることであると意楽してのち、平等性を密意することに随順する意楽を得ることは〝仏の法性を正しく得ることである〟といわれるのである。

【蔵訳】yang bsam pa gnyis pa ni gang dam pa’i chos pa dma dkar po las nyan thos lung bstan pa de dag gis ni sangs rgyas kyis kyang chos nyid mnyam pa nyid la dgongs nas | chos kyi sku thob pa nyid yin no zhes bsams nas mnyam pa nyid la dgongs pa dang | mthun pa'i bsam pa thob pa ni sangs rgyas kyi chos nyid yang dag par thob pa yin no zhes bya ba'o ‖（D no. 4051, Ri 187b2–3; P no. 5551, Li 229a1–3）

漢訳三本の大意は、『妙法蓮華経』において授記された声聞は諸仏との法性平等意楽を得、〝仏の法性はわれわれの法性〔と同じ〕である〟と思惟するが、未だ仏の法身を得ていない、というものであった。ところが、蔵訳においては、「諸仏との法性平等意楽」という重要な語が消えており、傍線部の内容も異なっている。これほど大きな違いは原梵文の違いによるとしか考えられない。『摂大乗論釈』の蔵訳が基づいた梵文のうちに混乱がきわめて多かったらしいことはよく知られており(9)、ここでも漢訳三本を信頼しておきたい。

それに対し、『妙法蓮華経憂波提舎』に次のようにある。

〔質問。〕かの諸声聞は本当に仏となるゆえに授記されたのか、それとも仏とならないのに授記されたのか。もし〔諸声聞が〕本当に仏となるならば、菩薩はなぜ無量の劫にわたって無量の功徳を修集するのか。もし仏とならないならば、どうして〔諸声聞に〕虚妄に授記したのか。

〔回答。〕かの授記された諸声聞は確定的な意楽を得たのであるが、法性を成就しているわけではない。如来は三つの平等性(10)によって一乗法を説くから、〝如来の法身と声聞の法身とは無区別である〟ということによって授記を与えたのであるが、〔声聞が〕修行の功徳を具足しているということによって〔授記を与えたの〕ではない。それゆえに、菩薩が功徳を具足しているのに対し、声聞は功徳を未だ具足していないのである。

彼声聞等為実成仏故与授記、為不成仏与授記也。若実成仏者、菩薩何故於無量劫修集無量功徳。若不成仏者、云何虚妄授記。彼声聞授記者、得決定心、非成就法性故。如来依三平等、説一乗法故、以〈如来法身与彼声聞法身無異〉、故与授記、非即具足修行功徳故。是故菩薩功徳具足、諸声聞人功未具足。（T26, 18a）

ここでの回答は先の『摂大乗論釈』漢訳三本の説とよく似ている。ただし、『摂大乗論釈』における「法性」は

『妙法蓮華経憂波提舎』において「法身」に、『摂大乗論釈』における「法身」は『妙法蓮華経憂波提舎』において「法性」になっている。そのせいで、『妙法蓮華経憂波提舎』の文「如来の法身と声聞の法身とは無区別である」は、法身が声聞と独覚とのうちになく、仏のうちにあるという瑜伽師文献の説に明らかに違反してしまっている。

『摂大乗論釈』漢訳三本における「法性」と「法身」との使い分けは蔵訳における使い分けと一致しているから、『摂大乗論釈』と『妙法蓮華経憂波提舎』との間の違いはおそらく『妙法蓮華経憂波提舎』の漢訳の際に起こったと考えられる。先に述べたとおり、瑜伽師文献においては、法身は声聞と独覚とのうちになく、仏のうちにのみあるが、如来蔵思想文献においては、法身があらゆる有情のうちにあることが説かれる。[11]『妙法蓮華経憂波提舎』の漢訳に参加した中国人はその時まで如来蔵思想文献の説に親しんできたので、法身が声聞と独覚とのうちにないという瑜伽師文献の説を理解できず、したがって、『妙法蓮華経憂波提舎』の原梵文における「法身」（*dharmakāya）を「法性」と改めて訳出し、それに合わせて、原梵文における「法性」（*dharmatā）（あるいは「法界」〔*dharmadhātu〕）をも「法身」と改めて訳出したのであるまいか。

ちなみに、『妙法蓮華経憂波提舎』の別の箇所においては、法身が声聞と独覚とのうちになく、仏のうちにあるという瑜伽師文献の説と同じ説が説かれている。『妙法蓮華経』（SPS 30, 5）の文「さらに、それら諸法は何という自性を持つか」（yat-svabhāvāś ca te dharmāḥ）を註釈する際に、『妙法蓮華経憂波提舎』に次のようにある。

> 「さらに、それら諸法は何という自性を持つか」というならば、一乗という自性を、である。一乗という自性とは、すなわち、諸仏如来に平等な法身である。諸声聞独覚乗はその平等な法身を自性とするものでない。
>
> 「何体法」者、唯一乗体故。一乗体者、謂諸仏如来平等法身。声聞辟支仏乗非彼平等法身之体。（T26, 17a)

このことから考えても、本来は、法身が声聞と独覚とのうちになく、仏のうちにあるというのが『妙法蓮華経憂波提舎』の趣意であったと考えられる。そうであるならば、『妙法蓮華経憂波提舎』は『摂大乗論釈』漢訳三本と一致することになるのである。

【例5　如来蔵】『摂大乗論釈』と『妙法蓮華経憂波提舎』とは如来蔵に対する註釈を含み、両論の註釈のうちには文章表現上の相似が確認される。『摂大乗論』II.26において説かれる四種清浄（自性清浄、離垢清浄、得此道清浄、生此境清浄）のうち、自性清浄を註釈する際に、『摂大乗論釈』に次のようにある（和訳は笈多訳から）。

自性清浄（*prakṛti-vyavadāna）とは、自性として清浄（*svabhāva-vyavadāna）なのである。自性（*svabhāva）とは真如（*tathatā）であり、共相（*sāmānya-lakṣaṇa）として、あらゆる有情のうちにある。それがあるゆえに、〈あらゆる法は如来蔵である〉（*sarvadharmās tathāgatagarbhāḥ）と言われるのである。

【真諦訳】由是法自性本来清浄、此清浄名如如。於一切衆生平等有、以是通相故。由此法是有故、説一切法名如来蔵。（T31, 191c）

【笈多訳】本性清浄者、是自体清浄、此自体即是真如。一切衆生皆有、以平等相故。由有此故、説一切法為如来蔵。（T31, 290b）

【玄奘訳】自性清浄者、謂此自性本来清浄、即是真如自性。実有一切有情、平等共相。由有此故、説一切法有如来蔵。（T31, 344a）

【蔵訳】rang bzhin gyis rnam par byang ba zhes bya ba ni ngo bo nyid kyis rnam par byang ba'i ngo bo nyid de | de yang de bzhin nyid du yod pa yin na (P : no D) sems can thams cad la spyi'i mtshan nyid kyis de ni yod pa nyid kyi phyir chos thams cad ni de bzhin gshegs pa'i snying po can zhes gsungs so ||（D no. 4050, Ri 151a1–2; P no. 5551, Li 180a6–7）

ここでは、自性清浄は真如であり、共相であり[(12)]、如来蔵であると説かれている。

それに対し、『妙法蓮華経憂波提舎』においては、三身仏のうち法仏について如来蔵が説かれている。

第三には法仏の菩提である。すなわち、自性涅槃は、常・恒・清涼・不変なる如来蔵である（*tathāgata-garbhaḥ prakṛti-parinirvāṇaṃ nityo dhruvaḥ śivaḥ śāśvataḥ)。

　三者法仏菩提。謂如来蔵、性浄涅槃、常恒清涼不変故。（T26, 18c）

勒那摩提訳の「性浄涅槃」という訳語は菩提流支訳『十地経論』巻二においても出、蔵訳の「自性涅槃」（rang bzhin gyis yongs su mya ngan las ’das pa. *prakṛti-parinirvāṇa）に対応する。『十地経』（DBhS 14, 11）の文「寂静かつ極寂静」（śāntaṃ praśāntam）を註釈する際に、『十地経論』に次のようにある（和訳は蔵訳から）。

　かの〔初地の〕智について離〔垢〕涅槃が説示されたが、自性涅槃が説示されていないので、それゆえに、それ（＝自性涅槃）をも説示するために、「寂静かつ極寂静」と言われるのである。このうち、「寂静」とは共相（*sāmānya-lakṣaṇa）を有する点で自性涅槃である。「極寂静」とは不共相を有する点で離〔垢〕涅槃であって、〔修行した者が〕観察することによって「寂滅」が「極寂滅」といわれるからである。

ye shes de’i bral ba’i yongs su mya ngan las ’das pa ni bstan zin la rang bzhin gyis yongs su mya ngan las ’das pa ni ma bstan te | de bas na de yang bstan pa’i phyir | zhi zhing rab zhi zhes gsungs so || de la zhi ba ni spyi’i mtshan nyid dang ldan pas rang bzhin gyis yongs su mya ngan las ’das pa nyid do || rab zhi ba ni spyi’i mtshan nyid ma yin pa dang ldan pas ’bral ba’i yongs su mya ngan las ’das pa ste | so so brtags pas zhi ba ni rab tu zhi ba zhes bya ba’i phyir ro || (D Ngi 125b1–2; P Ngi 159b4–7)

　彼智已顕方便壊涅槃、復示性浄涅槃、偈言「定滅」故。「定」者成同相、涅槃自性寂滅故。「滅」者成不同相、方便壊涅槃、示現智縁滅故。（巻二。T26, 133b）

この『十地経論』において自性涅槃が共相と規定されていることは、先の『摂大乗論釈』において自性清浄が共相と規定されていたことに呼応する。離〔垢〕涅槃が修行した者にのみある不共相であるのに対し、自性涅槃は修行しない者にもある共相なのであるが、離〔垢〕涅槃と自性涅槃との関係は上記の『摂大乗論』の四種清浄のうち離垢清浄と自性清浄との関係に等しい。自性涅槃と自性清浄とが近似する概念であることは一般に認められる所であろうから、自性涅槃を如来蔵と規定する『妙法蓮華経憂波提舎』は、自性清浄を如来蔵と規定する『摂大乗論釈』と、近似すると言ってよい。

あるいは、『妙法蓮華経憂波提舎』における「性浄涅槃」の原語が、『十地経論』における「性浄涅槃」の原語である「自性涅槃」（*prakṛti-parinirvāṇa）とは異なって、「自性清浄涅槃」（*prakṛti-vyavadāna-nirvāṇa）のような形であった可能性もあろう。そうであるならば、自性清浄涅槃を如来蔵と規定する『妙法蓮華経憂波提舎』は、自性清浄を如来蔵と規定する『摂大乗論釈』と、やはりよく一致することとなるのである。

以上の例によるかぎり、『妙法蓮華経憂波提舎』の作者が『大乗荘厳経論』『摂大乗論釈』の作者と同じ古師ヴァスバンドゥであることはほぼ裏づけられる。

三　新師ヴァスバンドゥ著作との比較

残念ながら、筆者は未だ『妙法蓮華経憂波提舎』のうちに新師ヴァスバンドゥ著作との接点を見出だすことに成功していない。

四　おわりに

本章において明らかにされたことがらは以下のとおりである。

1　古師ヴァスバンドゥ著作との接点については、『妙法蓮華経憂波提舎』と『大乗荘厳経論』とは方便善巧と仏種姓と六根清浄とに対し同様な註釈を与え、『妙法蓮華経憂波提舎』と『摂大乗論釈』とは声聞授記と如来蔵とに対し同様な註釈を与えている。

2　新師ヴァスバンドゥ著作との接点については、残念ながら、筆者は未だ『妙法蓮華経憂波提舎』のうちに接点を見出だすことに成功していない。

註

（1）菩提流支訳よりも勒那摩提訳のほうが梵文の原意に近いと思われることについては、大竹晋［2011］の『妙法蓮華経憂波提舎』解題を見よ。

（2）「染慢」の原梵語を *māna と想定する根拠は、『大乗荘厳経論』の以下のような用例である。

第五〔地〕においては〔心という〕連続体の区別に対する無慢がある。十の、清浄に対する心意楽の平等性によって、あらゆる〔心という〕連続体の平等性に参入するからである。

pañcamyāṃ saṃtāna-bhede nirmāṇo daśabhiś cittāśaya-viśuddhi-samatābhiḥ sarva-saṃtāna-samatā-praveśāt.（ad. MSA XX–XXI.15. MSABh 178,16–17）

（3）「身」の原梵語を *saṃtāna と想定する根拠は、直前の註における『大乗荘厳経論』の用例である。

（4）「仏性法身」という表現ははなはだ珍しいもので、漢訳インド仏教文献においては『妙法蓮華経憂波提舎』のほかには菩提流支の講義録『金剛仙論』にいくつか見られるだけである。つまり、「仏性法身」という表現はインド仏教になく、翻訳の際に不適切に加えられた表現である可能性が高い。菩提流支訳『十地経論』巻十（T26, 185a）の経文に「仏性」とあり、梵文（DBhS 144, 13）に「仏種姓」（buddha-gotra）とある。おそらく、今の『妙法蓮華経憂波提舎』における「仏性法身」も「仏種姓」（buddha-gotra）の訳と考えられる。

（5）これは決して荒唐無稽な説でなく、いわゆる共感覚（synesthesia）の経験に基づく説と考えられる。

（6）「菩薩位」の原梵語を *bodhisattva-nyāma と想定する根拠は、菩提流支訳『十地経論』巻二（初地）の以下のような用例である。

発心が起こるとともに、菩薩は異生地を超えるのであり、菩薩の〔正性〕離生に入るのであり……

yena cittotpādena sahotpannena bodhisattvo 'tikrānto bhavati pṛthagjana-bhūmim, avakrānto bhavati bodhisattva-nyāmam.（DBhS 16, 8–10）

菩薩生如是心、即時過凡夫地、入菩薩位……（巻二。T26, 135b）

（7）たとえば、『摂大乗論』III.11 において説かれる初地所得の三平等心性（有情との平等心性、菩薩との平等心性、仏との平等心性）のうち、仏との平等心性について、『摂大乗論釈』に次のようにある（和訳は笈多訳から）。

あらゆる仏との平等心性を得ることとは、諸仏の法界が己れの法界と無区別であることを見るからである。

【真諦訳】不見三世諸仏法界異自法界故、得諸仏心平等。（T31, 206c）

【笈多訳】得一切仏平等心者、見諸仏法界与己無差別故。（T31, 297b）

【玄奘訳】得一切仏平等心性者、見彼法界与己法界無差別故。（T31, 352b）

【蔵訳】sangs rgyas thams cad dang sems mnyam pa thob pa ni de dag dang chos kyi dbyings kyi bdag nyid tha mi dad par mthong ba'o ||（D no. 4051, Ri 159a4–5; P にこの文欠落）

さらに、『大乗荘厳経論頌』IV.9 において説かれる初地所得の四平等心性（諸法に対する平等心性、有情に対する平等心性、有情の所作に対する平等心性、仏たることに対する平等心性）のうち、仏たることに対する平等心性について、『大乗荘厳経論』に次のようにある。

仏たることに対する平等心性とは、彼（＝仏）の法界が己れ〔の法界〕と無区別であることを洞察するからである。

buddhatve samacittatā tad-dharmadhātor ātmany abheda-pratibodhāt.（MSABh 15, 25–26）

（8）なお、法身と解脱身とについては、『摂大乗論』I.48 をも見よ。

（9）たとえば、長尾雅人［1982: 50］を見よ。

（10）原文「三平等」は「乗平等」「世間涅槃平等」「身平等」（T26, 18a）を指す。乗の平等性（*yāna-samatā）、輪廻と涅槃との平等性（*saṃsāra-nirvāṇa-samatā）、〔心という〕連続体の平等性（*saṃtāna-samatā）。

（11）たとえば、『不増不減経』に次のようにある。

シャーリプトラよ、他ならぬこの法身が無辺の煩悩の殻に覆われ、輪廻の流れに運ばれ、無始の輪廻の趣の生死のうちに行き来するのが有情界と呼ばれるのである。

ayam eva Śāriputra dharma-kāyo 'paryanta-kleśa-kośa-koṭi-gūḍhaḥ saṃsāra-strotasohyamāno 'navarāgra-saṃsāra-gati-cyuty-upapattiṣu saṃcaran sattva-dhātur ity ucyate.（RGV 40, 16–18）

（12）自性清浄が共相であることは『辯中辺論』においても説かれている。

自相についての無顛倒によって、それ（＝自相についての顛倒）の対治として、無分別道を修習する。共相についての無顛倒によって、清浄自性を洞察する。

svalakṣaṇāviparyāsena tatpratipakṣenāvikalpaṃ mārgaṃ bhāvayati. sāmānyalakṣaṇāviparyāsena vyavadānaprakṛtiṃ pratividhyati.（MAVBh 76, 15–17）

第五章　『無量寿経優波提舎願生偈』

一　はじめに

『無量寿経優波提舎願生偈』は『無量寿経』（*The larger Sukhāvatīvyūha*）『阿弥陀経』（*The smaller Sukhāvatīvyūha*）両経に対する綱要書的な註釈であり[1]、菩提流支訳の一本のみが現存する。

二　古師ヴァスバンドゥ著作との比較

『無量寿経優波提舎願生偈』は『大乗荘厳経論』との間に接点を有するので、以下においては両者を比較してみたい。

まず、『大乗荘厳経論』教授教誡品（XIV）においては、地前の菩薩が、静慮が頂点に達した時、肉体を娑婆世界に留めたまま、精神を諸世界に飛ばして諸仏を供養し聞法することが説かれている[2]。

そののち、彼は身心について微細な軽安（軽やかさ）を得てから、作意を伴うと知られるべきである。次に、彼はそれら（＝軽安と作意と）を増大させつつ、

tataḥ sa tanukāṃ labdhvā praśrabdhiṃ kāyacetasoḥ |

vijñeyaḥ samanaskāraḥ punas tān sa vivardhayan ‖ XIV.15

増大が遠くまで至ることによって、彼は根本的な安住を得る。神通のためにそれ（＝安住）を浄化しつつ、最高の堪任性に至る。

vṛddhidūraṃgamatvena maulīṃ sa labhate sthitiṃ |
tāṃ śodhayann abhijñārtham eti karmaṇyatāṃ parām ‖ XIV.16

静慮において。神通を引き出したのち、彼は、無量の諸仏を供養するために、かつ、聴聞するために、諸世界に行く。

dhyāne 'bhijñābhinirhārāl lokadhātūn sa gacchati |
pūjārtham aprameyāṇāṃ buddhānāṃ śravaṇāya ca ‖ XIV.17

彼は無量の諸仏に無量の劫のあいだ親近したのち、心が彼らに親近することによって、最高の堪任性に至る。

aprameyān upāsyāsau buddhān kalpair ameyagaiḥ |
karmaṇyatāṃ parām eti cetasas tadupāsanāt ‖ XIV.18

とあるうち、〔「最高の堪任性に至る。静慮において」とは、〕「静慮において最高の堪任性に至る」というふうに繋げられるべきである。「無量の劫のあいだ」とは、「無量の僧祇のあいだ」である。これらの諸頌のうち、残りは理解しやすい。

iti karmaṇyatāṃ parāṃ dhyāna iti saṃbandhanīyam. kalpair ameyagair ity aprameyasaṃkhyāgataiḥ. śeṣam eṣāṃ ślokānāṃ gatārtham.（MSABh 92, 14–23; 小谷信千代［1984: 223–224］）

それに対し、『無量寿経優波提舎願生偈』においては、極楽世界に往生するための方法が以下のような「五念門」に分類され、最初の四つの門においては、娑婆世界において阿弥陀仏を礼拝し讃歎し、極楽世界への往生を作願したのち、肉体を娑婆世界に留めたまま、精神を極楽世界に飛ばして極楽世界と阿弥陀仏と諸菩薩とを観察していくことが説かれている。

1	礼拝門	阿弥陀仏を身業によって礼拝すること
2	讃歎門	阿弥陀仏を口業によって讃歎すること
3	作願門	極楽世界への往生を意業（奢摩他）によって作願すること
4	観察門	極楽世界と阿弥陀仏と諸菩薩とを智業（毘婆舎那）によって観察すること
5	廻向門	あらゆる有情とともに極楽世界に往生すること

両論の発想はおおむね近似すると考えられる。

次に、『大乗荘厳経論』教授教誡品においては、菩薩が五功徳を得ることが説かれていく。

そののち、彼は浄に先行する五功徳を得る。さらに、それゆえに、無上なる、浄の器たることに到る。

tato ’nuśaṃsān labhate pañca śuddheḥ sa pūrvagān |
viśuddhibhājanatvaṃ ca tato yāti niruttaram || XIV.19

①麁重の身が各刹那に消滅する。さらに、②身心はあらゆる面で軽安（軽やかさ）によって満たされる。

kṛtsnadauṣṭhulyakāyo (corr. : kṛtsnādausvalpakāyo) hi dravate ’sya pratikṣaṇam |
āpūryate ca praśrabdhyā kāyacittaṃ samantataḥ || XIV.20

③あらゆるところからの、諸法の、無区別なる顕現を知る。④浄（＝浄勝意楽地＝初地）に向けての無分別なる諸前兆を見る。

aparicchinnam ābhāsaṃ dharmāṇāṃ vetti sarvataḥ |
akalpitāni saṃśuddhau nimittāni prapaśyati || XIV.21

⑤あらゆるかたちによる、法身の円満のために、かつ、〔法身の〕浄化のために、智者は常にこのように原因の保持を行なう。

prapūrau ca viśuddhau ca dharmakāyasya sarvathā |
karoti satataṃ dhīmān evaṃ hetuparigraham || XIV.22

そののち、浄に先行する五功徳を得る。「浄に」とは、浄勝意楽地に、である。さらに、それらを得るゆえに、浄の器たることに到達する。「無上なる」とは、乗が無上だからである。「法身の円満のために、かつ、〔法身の〕清浄のために」とは、第十地における円満と、仏地における清浄とである。これら五功徳のうち三つ（①②③）は奢摩他に属するもの、二つ（④⑤）は毘婆舎那に属するものである。ここまでが世間的な証得である。

tataḥ śuddheḥ pūrvaṃgamān pañcānuśaṃsān labhate. śuddher iti śuddhyāśayabhūmeḥ. teṣāṃ ca lābhād viśuddhibhājanatvaṃ prāpnoti. niruttaraṃ yānānuttaryāt (corr. : yānānantaryāt). prapūrau ca viśuddhau ca dharmakāyasyeti daśamyāṃ bhūmau paripūrir buddhabhūmau viśuddhiḥ. eteṣāṃ pañcānāṃ anuśaṃsānāṃ trayaḥ śamathapakṣā dvau vipaśyanāpakṣau veditavyau. ato yāval laukikaḥ samudāgamaḥ.（MSABh 92, 24–93, 5; 小谷信千代［1984: 224］）

この五功徳はもともと『解深密経』分別瑜伽品において説かれるものである[3]（和訳は蔵訳から）。

〔質問〕世尊よ、菩薩はどの程度によって総法[4]（*saṃbhinna-dharma）を所縁とする奢摩他と毘鉢舎那とを得るようになるのでしょうか。

〔回答〕マイトレーヤよ、彼は五つの縁によって得るようになると知られるべきである。すなわち（*tad yathā）、

①作意の時、各刹那に麁重の所依すべてが消滅すること。さらに、②さまざまな想を捨て、法楽を楽しむことを得ること。③十方からの、諸法の、無量かつ無区別なる顕現を知ること。④所作円満を伴い、浄分（＝浄勝意楽地＝初地）に相応する無分別なる諸前兆がそこに生起すること。⑤あらゆるかたちによる、法身の獲得と、〔法身の〕円満と、〔法身の〕成就とのために、次から次へ、勝れたものから勝れたものへ、原因を保持することである。

> bcom ldan ’das byang chub sems dpa’ ji tsam gyis na ’dres pa’i chos la dmigs pa’i zhi gnas dang lhag mthong thob par ’gyur lags | byams pa de ni rgyu lngas thob par ’gyur bar rig par bya ste | ’di lta ste [1] yid la byed pa’i tshe skad cig skad cig la gnas ngan len gyi rten thams cad ’jig par byed pa dang | [2] ’du shes (corr. : byed) sna tshogs rnam par spangs te | chos kyi kun dga’ la dga’ ba ’thob pa dang | [3] chos snang ba phyogs bcur tshad med cing rnam pa yongs su ma chad pa yang dag par shes pa dang | [4] dgos pa yongs su grub pa dang ldan pa rnam par dag pa’i cha dang ’thun pa’i mtshan ma rnam par ma brtags pa rnams de la kun ’byung ba dang | [5] chos kyi sku ’thob pa dang | yongs su rdzogs pa dang yongs su ’grub par bya ba’i phyir | rgyu gong ma bas ches gong ma | bzang po bas ches bzang po yang dag par yongs su ’dzin par byed pa’o ||（SNS VIII, 15）

> 慈氏菩薩復白仏言。世尊、菩薩齊何名得縁総法奢摩他毘鉢舎那。仏告慈氏菩薩曰。善男子、由五縁故、当知名得。一者、於思惟時、刹那刹那、融銷一切麁重所依。二者、離種種想、得楽法楽。三者、解了十方無差別相無量法光。四者、所作成満、相応浄分無分別相恒現在前。五者、為令法身得成満故、摂受後後転勝妙因。（T16, 699a）

③の「諸法の、無区別なる顕現」（dharmāṇām aparicchinna ābhāsaḥ）というのが判りにくいが、『解深密経』によれば、「諸法」とは契経などの十二分教（契経、応誦、記別、諷誦、自説、因縁、譬喩、本事、本生、方広、希法、論議）を指し、

したがって、「無区別なる顕現」とは十二分教が一つのものとして顕現することを指す。『解深密経』分別瑜伽品に次のようにある（和訳は蔵訳から）。

〔質問〕世尊よ、「奢摩他と毘婆舎那とは別法[5]（*vibhinna-dharma）を所縁とする」と言われもしますし、「総法（*sambhinna-dharma）を所縁とする」と言われもしますが、別法を所縁とするものとは何でしょうか。総法を所縁とするものとは何でしょうか。

〔回答〕マイトレーヤよ、もし菩薩が、受持されたままの、思惟されたままの諸法のうち、契経などの法を別々に所縁とする奢摩他と毘婆舎那とを修習するならば、それが別法を所縁とする奢摩他と毘婆舎那とである。もしその契経などの法を一つに丸め、一つにまとめ、一つに集め、一まとまりにして、〝これらあらゆる諸法は真如に集うもの、真如に向かうもの、真如に入るもの、菩提に集うもの、菩提に向かうもの、菩提に入るもの、涅槃に集うもの、涅槃に向かうもの、涅槃に入るもの、転依に集うもの、転依に向かうもの、転依に入るものであり、これらあらゆる諸法は無辺無数の善法を言説によって言説するものである〟というふうに作意するならば、それが総法を所縁とする奢摩他と毘婆舎那とである。

bcom ldan ’das zhi gnas dang lhag mthong ni ma ’dres pa’i chos la dmigs pa zhes kyang bgyi | ’dres pa’i chos la dmigs pa zhes kyang bgyi na | ma ’dres pa’i chos la dmigs pa ni gang lags | ’dres pa’i chos la dmigs pa ni gang lags | byams pa gal te byang chub sems dpa’ ji ltar bzung ba dang bsam pa’i chos rnams las mdo’i sde la sogs pa’i chos so so la dmigs pa’i zhi gnas dang | lhag mthong sgom par byed pa de ni ma ’dres pa’i chos la dmigs pa’i zhi gnas dang lhag mthong yin no || gal te mdo sde la sogs pa’i chos de gcig tu bzlum pa dang | gcig tu bsdu ba dang | gcig tu brtul ba dang | phung po gcig tu byas te | chos ’di dag thams cad ni de bzhin nyid la gzhol ba | de bzhin nyid la ’bab pa | de bzhin nyid la bab pa | byang chub la gzhol ba | byang chub la ’bab pa | byang chub la bab pa | mya ngan las ’das pa la gzhol ba | mya ngan las ’das pa la ’bab pa | mya ngan las ’das pa la bab pa | gnas gyur pa la gzhol ba | gnas gyur pa la ’bab pa | gnas gyur pa la bab pa dag ste | chos ’di dag thams cad ni dge ba’i chos dpag tu med pa grangs med pa dag mngon par rjod pas rjod pa yin no snyam du yid la byed pa de ni | ’dres pa’i chos la dmigs pa’i zhi gnas dang lhag mthong yin no ‖（SNS VIII, 13）

世尊、如説「縁別法奢摩他毘鉢舎那」、復説「縁総法奢摩他毘鉢舎那」。云何名為縁別法奢摩他毘鉢舎那。云何復名縁総法奢摩他毘鉢舎那。仏告慈氏菩薩曰。善男子、若諸菩薩縁於各別契経等法、於如所受所思惟法、修奢摩他毘鉢舎那、是名縁別法奢摩他毘鉢舎那。若諸菩薩即縁一切契経等法、集為一団一積一分一聚、作意思惟、此一切法随順真如、趣向真如、臨入真如、随順菩提、随順涅槃、随順転依、及趣向彼、若臨入彼、此一切法宣説無量無数善法、如是思惟修奢摩他毘鉢舎那、是名縁総法奢摩他毘鉢舎那。（T16, 698c–699a）

それに対し、『無量寿経優波提舎願生偈』の五念門のうち第五門たる迴向門に次のようにある。

このようにして菩薩は、奢摩他と毘婆舎那とによる、別・総の修習[6]（*vibhinna-saṃbhinna-bhāvanā）によって、堪任性[7]（*karmaṇyatā）を成就し、心のうちに別・総の諸法（*vibhinna-saṃbhinna-dharmās）を如実に知るのである（*yathābhūtaṃ prajānāti）。

如是菩薩、奢摩他、毘婆舎那、広略修行、成就柔軟、心如実知広略諸法。（T26, 232c）

菩提流支訳における「柔軟」とは、先の『大乗荘厳経論頌』XIV.16における「堪任性」に他ならない。さらに、菩提流支訳における「広略諸法」とは、先の『解深密経』分別瑜伽品における「総法」「別法」に他ならない。

さて、先の『大乗荘厳経論頌』XIV.21cdに⑤「浄（＝浄勝意楽地＝初地）に向けての無分別なる諸前兆を見る」とあるとおり、『大乗荘厳経論』教授教誡品においては、この後、菩薩は真如（法身）を証得し、浄勝意楽地すなわち初地に至る。それに対し、『無量寿経優波提舎願生偈』においては、第四門たる観察門の「観察阿弥陀仏功徳荘厳」のうち、最後の「不虚作住持荘厳」に次のようにある。

虚しからざる所作の成就[8]（*abandhyakṛtyānuṣṭhāna）、という荘厳とは何か。偈に「〔誰かが毘婆舎那によって〕仏を観じたならば、〔仏の〕本願の力は折《おり》よく時期を見過ごすことなく、[9]すみやかに功徳の海（*guṇārṇava）を円満させる」といわれている。つまり、〔毘婆舎那によって〕かの仏を見（＝観じ）たならば、未だ浄勝意楽に至らない菩薩[10]（*anadhyāśayaśuddho bodhisattvaḥ / *aśuddhādhyāśayo bodhisattvaḥ）は絶対に〔他の〕浄勝意楽の諸菩薩の〔証得した平等な法身〕と区別ない平等な法身を証得する[11]〔ことによって浄勝意楽の菩薩となる〕。浄勝意楽の菩薩と、それより上の地の諸菩薩とが絶対に同じく寂滅を証得することは平等だからである。[12]

何者不虚作住持荘厳。偈言、「観仏本願力　遇無空過者　能令速満足　功徳大宝海」故。即見彼仏、未証浄心菩薩畢竟得平等法身与浄心菩薩無異。浄心菩薩与上地諸菩薩畢竟同得寂滅平等故。（T26, 232ab）

菩提流支訳に「未証浄心菩薩」「浄心菩薩」とある「浄心」とは浄勝意楽地すなわち初地を指すに他ならない。要するに、毘婆舎那によって阿弥陀仏を見たならば、阿弥陀仏の本願力によって、いまだ浄勝意楽地に至らない菩薩も必ず真如（法身）を証得し、浄勝意楽地に至るというのである。

ここで注目すべきなのは、菩薩を浄勝意楽地に至らせるものが阿弥陀仏の本願の力と規定されていることである。阿弥陀仏の本願とは往生を欲する者を極楽世界に往生させることであるから、『無量寿経優波提舎願生偈』は往生するためには浄勝意楽地に至ることが必要であると考えているらしいのである。『無量寿経』自体は無間業を作した者や法を誹謗した者以外は誰でも極楽世界に往生し得ると説くが、『大乗荘厳経論』（XII.18 の註釈）や『摂大乗論』（II.31）などの瑜伽師文献は凡夫が極楽世界に往生し得ないと説き、凡夫が極楽世界に往生し得るという『無量寿経』の説を、凡夫がそのまま往生し得るのでなく、凡夫が地上の菩薩となる別の時に往生するという意趣である「別時意趣」（kārāntarābhiprāya）と規定する。『無量寿経優波提舎願生偈』はその「別時意趣」説を踏まえている可能性が高い。『大乗荘厳経論』『摂大乗論』が「凡夫のうちは極楽世界に往生し得ない」というネガティヴな説きかたをしたのに対し、『無量寿経優波提舎願生偈』は「地上の菩薩になれば極楽世界に往生し得る」というポジティヴな説きかたをしたのであって、どちらも同じことを言っているのである。

最後に、偈の「功徳の海」は『大乗荘厳経論』教授教誡品の最終頌である『大乗荘厳経論頌』XIV.51において出る語である。

以上、常に善を集めることが満たされた彼は心のうちによく広大な三摩地へと赴いてのち、牟尼の常なる大教授を得た。最勝の有情は功徳の海の彼岸へ至った者となる。

iti satataśubhācayaprapūrṇaḥ suvipulaṃ etya sa cetasaḥ samādhim |
munisatatamahāvavādalabdho bhavati guṇārṇavapārago 'grasattvaḥ |

この語はこれに先立って『大乗荘厳経論頌』VI.10においても出、それに対する『大乗荘厳経論』（MSABh 24, 26）によれば、「功徳の海の彼岸」とは「仏位」（buddhatva）を意味する。

以上の例によるかぎり、『無量寿経優波提舎願生偈』の作者が『大乗荘厳経論』の作者と同じ古師ヴァスバンドゥであることはほぼ裏づけられる。

三　新師ヴァスバンドゥ著作との比較

『無量寿経優波提舎願生偈』は『阿毘達磨倶舎論』との間に接点を有するので、以下においては両論を比較してみたい。『無量寿経優波提舎願生偈』における五念門の第四門たる観察門の「観察彼仏国土功徳荘厳」のうち、「大義門功徳成就」に次のようにある。

大利益への門という功徳の円満[13]（*mahārtha-mukha-guṇa-sampad）とは、偈に「大乗の善根による〔世〕界は平等であり、欠点[14]（*avadya）の名称[15]（*nāmadheya）がない。女性と根欠と、二乗種姓とは受生しない」といわれている。国土（*kṣetra）という異熟（*vipāka）は、三つの欠点である過失（*doṣa）を離れていると知られるべきである。第一にはありかた（*bhāva）であり、第二には名称（*nāmadheya）である。ありかたは三種類である。第一には二乗の者であり、第二には女性（*strī）であり、第三には根欠の者（*vikalendriya）である。この三つ〔のありかた〕という過失がないゆえに、欠点を離れていると言われる。名称もまた三種類である。三つのありかたがないだけでなく、結局、二乗の者と女性と根欠の者との三つの名称すらも聞かれないので、名称という欠点を離れていると言われる。「平等であり」といわれるのは〔有情のありかたが〕平等[16]（*sama）だからである[17]。

大義門功徳成就者、偈言、「大乗善根界　等無譏嫌名　女人及根欠　二乗種不生」故。浄土果報離二種譏嫌過応知。一者体、二者名。体有三種。一者二乗人、二者女人、三者諸根不具人。無此三過故、名離譏嫌。名亦有三種。非但無三体、乃至不聞二乗女人諸根不具三種名、故名離名譏嫌。「等」者、平等一相故。（T26, 232a）

ここでは、極楽世界においては、女性と根欠の者と二乗の者とのありかたのみならず、名称すらないと説かれている。『無量寿経』においては、極楽世界において女性と根欠の者とがいないことだけが説かれている[18]。二乗の者がいないことは、すでに指摘されているとおり[19]、『瑜伽師地論』摂決択分中菩薩地において説かれている[20]。『無量寿経』そのものは極楽世界のうちに声聞の僧伽があると説いており[21]、『無量寿経優波提舎願生偈』は『瑜伽師地論』に随っているのである。

ところで筆者は興味ぶかいことに気づいた。『阿毘達磨倶舎論』においてPūrvācārya（「先旧軌範師」）説として言及される十一説の大半が『瑜伽師地論』『阿毘達磨集論』のような初期瑜伽師文献の説であることが、袴谷憲昭らの研究によって明らかにされつつあるが[22]、そのうち第六説は初阿僧祇劫を超えた菩薩のみが四つの過失を転じ二つの功徳を得るという説である。四つの過失と二つの功徳とは次のとおりである。

〔四つの過失〕
〈悪趣という過失〉(durgati-doṣa)
〈良家の生まれでないという過失〉(akulīnāta-doṣa)
〈根欠の者という過失〉(vikalendriya-doṣa)
〈女性のありかたという過失〉(strībhāva-doṣa)
〔二つの功徳〕
〈過去生を憶えていることという功徳〉(jātismaratā-guṇa)
〈不退の者であるという功徳〉(anivartaka-guṇa)

菩薩が四つの過失を転じ二つの功徳を得ることは『阿毘達磨大毘婆沙論』巻百七十六(T27, 887a)において部分的に説かれ(四つの過失を含む五つの劣事を転ずることが説かれる)、『雑阿毘曇心論』巻十一(T28, 961c)や『阿毘達磨順正理論』巻四十四(T29, 590bc)において完全に説かれる説一切有部の正統説であるが、Pūrvācārya説の独自性はその菩薩を第一阿僧祇劫を超えた菩薩と規定する点にある。第一阿僧祇劫を超えた菩薩とは大乗においては初地に至った菩薩であるが、袴谷はこのうち〈女性のありかたという過失〉を転ずることが『瑜伽師地論』本地分中菩薩地菩提品(BoBh 66, 9–10)において初地の菩薩について認められていることを指摘している。筆者の気づいた限りでは、初地の菩薩が〈悪趣という過失〉を転ずることも本地分中菩薩地成熟品(BoBh 60, 22–27)および地品(BoBh 253, 12–254, 2)において認められている。しかるに、その他の二つの過失と二つの功徳とについては、筆者はそれらを瑜伽師文献のうちに見出だすことができない。

筆者が気づいたことは、この、四つの過失を転じ二つの功徳を得ることがすべて『無量寿経』における極楽世界の描写のうちに見出だされるということである。すなわち、次頁の表のとおりである。

四つの過失、二つの功徳	梵文『無量寿経』
悪趣という過失（durgati-doṣa）	第二願 世尊よ、もしわたしのその仏国土において生まれることになる諸有情、彼らが次にそこから死して地獄か畜生か餓鬼境か阿修羅衆かに堕ちるようになるならば、そうであるかぎりは、わたしは無上正等覚を現等覚しないでありましょう。 sacen me Bhagavaṃs tatra buddha-kṣetre ye sattvāḥ pratyājātā bhaveyus te punas tataś cyutvā nirayaṃ vā tiryag-yoniṃ vā preta-viṣayaṃ vāsuraṃ vā kāyaṃ prapateyur mā tāvad aham anuttarāṃ samyak-saṃbodhim abhisaṃbudhyeyam.（SV 10, 23–11, 4）
良家の生まれでないという過失（akulīnāta-doṣa）	第四十二願 世尊よ、もしわたしが菩提に到達した際、わたしの名称を聞いてのち、それを聞くことに伴う諸善根によって、菩提の座に至るまで、諸有情が高貴な家の生まれを得ないようであるならば、そうであるかぎりは、わたしは無上正等覚を現等覚しないでありましょう。 sacen me Bhagavan bodhi-prāptasya, mama nāma-dheyaṃ śrutvā tac-chravaṇa-sahagatena kuśala-mūlena sattvā nābhijātakulopapattiṃ pratilabheran yāvad bodhi-maṇḍa-paryantaṃ, mā tāvad aham anuttarāṃ samyak-saṃbodhim abhisaṃbudhyeyam.（SV 42, 1–5）
根欠の者という過失（vikalendriya-doṣa）	第四十願 世尊よ、もしわたしが菩提に到達した際、わたしのその名称を聞いてのち、他の諸仏国土に生まれるであろう諸菩薩が根力（＝感覚能力）の曖昧さに陥るようであるならば、そうであるかぎりは、わたしは無上正等覚を現等覚しないでありましょう。 sacen me Bhagavan bodhi-prāptasya, taṃ mama nāma-dheyaṃ śrutvānyabuddhakṣetropapannā bodhisattvā indriya-bala-vaikalyaṃ nirgaccheyur mā tāvad aham anuttarāṃ samyak-saṃbodhim abhisaṃbudhyeyam.（SV 19, 14–17）
女性のありかたという過失（strī-bhāva-doṣa）	第三十五願 世尊よ、もしわたしが菩提に到達した際、あらゆるところから、不可量・不可算・不可思議・無量の諸仏国土における女性たちがわたしの名称を聞いてのち浄信を起こすでしょうし、菩

	提心を起こすでしょうし、女性のありかたを厭うでしょうが、もし皆が今生を離れ、再度の女性のありかたを得るようであるならば、そうであるかぎりは、わたしは無上正等覚を現等覚しないでありましょう。 sacen me Bhagavan bodhi-prāptasya samantād aprameyāsaṃkhyeyācintyātulyāparimāneṣu buddha-kṣetreṣu yāḥ striyo mama nāma-dheyaṃ śrutvā prasādaṃ saṃjanayeyur bodhi-cittaṃ cotpādayeyuḥ strī-bhāvaṃ ca vijugupsyeran jāti-vyativṛttāḥ samānāḥ saced dvitīyaṃ strī-bhāvaṃ pratilabheran mā tāvad aham anuttarāṃ samyak-saṃbodhim abhisaṃbudhyeyam.（SV 18, 9–15）
過去生を憶えていることという功徳（jāti-smaratā-guṇa）	第六願 世尊よ、もしわたしのその仏国土において生まれるであろう諸有情、彼らすべてが、果ては百千コーティ・ナユタ劫をも憶えていることによってすら、過去生を憶えているようにならないならば、そうであるかぎりは、わたしは無上正等覚を現等覚しないでありましょう。 sacen me Bhagavaṃs tasmin buddha-kṣetre ye sattvāḥ pratyājātā bhaveyus te cet sarve na jāti-smarāḥ (corr. : -smarā) syur antaśaḥ kalpa-koṭī-niyuta-śata-sahasrānusmaraṇatayāpi mā tāvad aham anuttarāṃ samyak-saṃbodhim abhisaṃbudhyeyam.（SV 11, 19–22）
不退の者であるという功徳（anivartaka-guṇa）	第四十六願 世尊よ、もしわたしが菩提に到達した際、その仏国土において、その他の諸仏国土において、諸菩薩がわたしの名称を聞き、彼らが名称を聞くとともに無上正等覚について不退の者にならないならば、そうであるかぎりは、わたしは無上正等覚を現等覚しないでありましょう。 sacen me Bhagavan bodhi-prāptasya, tatra buddha-kṣetre tad-anyeṣu buddha-kṣetreṣu ye bodhi-sattvā mama nāma-dheyaṃ śṛṇuyur yas te saha-nāma-dheya-śravaṇān nāvaivarttikā bhaveyur anuttarāyāḥ samyak-saṃbodher mā tāvad aham anuttarāṃ samyak-saṃbodhim abhisaṃbudhyeyam.（SV 21, 3–7）

あるいは、『阿毘達磨倶舎論』は、『無量寿経』の極楽世界を初地以上の菩薩の往生する世界と規定する瑜伽師の説を、Pūrvācārya 説として紹介したのでなかろうか。もしその可能性があるならば、あるいはこのことは『無量寿経優波提舎願生偈』の作者たる古師ヴァスバンドゥと、『阿毘達磨倶舎論』の作者たる新師ヴァスバンドゥとを結びつける状況証拠となり得るかもしれない。

四 おわりに

本章において明らかにされたことがらは以下のとおりである。

1 古師ヴァスバンドゥ著作との接点については、『無量寿経優波提舎願生偈』と『大乗荘厳経論』とは奢摩他と毘婆舎那とによって堪任性（karmaṇyatā）を得、諸法（十二分教）を知ってのち、浄勝意楽地すなわち初地に至るという説を共有している。

2 新師ヴァスバンドゥ著作との接点については、『無量寿経優波提舎願生偈』と『阿毘達磨倶舎論』とは初阿僧祇劫を超えた菩薩のみが四つの過失を転じ二つの功徳を得るという説を共有している。

註

（1）『無量寿経優波提舎願生偈』における『無量寿経』が『無量寿経』（*The larger Sukhāvatīvyūha*）『阿弥陀経』（*The smaller Sukhāvatīvyūha*）両経を指すことについては、大竹晋［2011］の『無量寿経優波提舎願生偈』解題および訳註を見よ。

（2）以下、先行訳として小谷信千代［1984: 158–163］を参照した。

（3）なお、スティラマティ（Sthiramati）の複註（小谷信千代［1984: 161–163］）は五功徳を「①麁重の身が各刹那に消滅する。さらに、②③身心はあらゆる面で軽安（軽やかさ）によって満たされる。④あらゆるところからの、諸法の、無区別なる顕現を知る。⑤浄（＝浄勝意楽地＝初地）に向けての無分別なる諸前兆を見る」というふうに数え（すなわち、身心の軽安を、②身の軽安と③心の軽安とに分けて数える）、残りの文「あらゆるかたちによる、法身の円満のために、かつ、〔法身の〕浄化のために、智者は常にこのように原因の保持を行なう」を五功徳に含めない。このスティラマティの理解は『解深密経』と一致せず、明らかに誤解である。

（4）「総法」の原梵語については、次註を見よ。

（5）「別法」「総法」の原梵語については、以下の『大乗荘厳経論頌』XI.10abc とそれに対する『大乗荘厳経論』が参考になる。

それ（＝作意）は総〔法〕を所縁とするものでもあり、それ（＝作意）は別〔法〕を所縁とするものでもある。〔総法を所縁とするものは〕五種類であり、〔別法を所縁とするものは〕七種類である。

saṃbhinnālambanaś cāsau vibhinnālambanaḥ sa ca |

pañcadhā saptadhā caiva

総〔法〕を所縁とするものは五種類であり、①経と、②まとめの諷誦と、③因縁と、④受持されたかぎりのものと、⑤説示されたかぎりのものとを所縁とするものである。別〔法〕を所縁とするものは七種類であり、①名を所縁とするものと、②句を所縁とするものと、③文を所縁とするものと、④補特伽羅無我を所縁とするものと、⑤法無我を所縁とするものと、⑥有色法を所縁とするものと、⑦無色法を所縁とするものとである。そのうち、⑥有色法を所縁とするものとは、身を所縁とするものである。⑦無色法を所縁とするものとは、受と心と法とを所縁とするものである。

saṃbhinnālambanaḥ pañcavidhaḥ sūtroddānagāthānidhāna(corr. : -nipāta-)yāvadudgrahītayāvaddeśitālambanaḥ. vibhinnālambanaḥ saptavidho nāmālambanaḥ padālambano vyañjanālambanaḥ pudgalanairātmyālambano dharmanairātmyālambano rūpidharmālambano 'rūpidharmālambanaś ca. tatra rūpidharmālambano yaḥ kāyālambanaḥ. arūpidharmālambano yo vedanācittadharmālambanaḥ.（MSABh 57, 3–8）

この『大乗荘厳経論頌』XI.10abc を含む、瑜伽師文献全般における「総法」の用例については、勝呂勝静［1989: 584–591］を見よ。

（6）「広略修行」の原梵語を *vibhinna-saṃbhinna-bhāvanā と想定する根拠は、『阿毘達磨雑集論』（ASBh 116, 8）における表現 saṃbhinna-bhāvanā である。玄奘訳『大乗阿毘達磨雑集論』巻十二「和合修」（T31, 752c）。

（7）「柔軟」の原梵語を *karmaṇyatā と想定する根拠は、菩提流支訳『法集経』巻五（T17, 639c）に「修行禅定、成就身心柔軟」とあり、蔵訳（P no. 904, Wu 81a3）に「諸静慮によって身心の堪任性（*parikarmaṇyatā）を成就するのである」（bsam gtan rnams kyis lus dang sems yongs su las su rung ba sgrub bo）とあることである。

（8）「不虚作住持」の「不虚作」の原梵語を *abandhyakṛtya と想定する根拠は、直後の註において引用される『大乗荘厳経論頌』XX–XXI.55 の「虚しからざる所作」（abandhyakṛtya）である。「作住持」の原梵語を *kṛtyānuṣṭhāna と想定する根拠は、菩提流支訳『十地経論』巻十二（T26, 198c; 199a）に「作住持」とあり、蔵訳（P no. 5492, Ngi 322b2; 323b7）に「所作の成就」(bya ba sgrub pa. *kṛtyānuṣṭhāna）とあることである。これは瑜伽師文献における四智のひとつ「成所作智」(kṛtyānuṣṭhāna-jñāna）の「成所作」に該当する。

（9）全体の文意については、以下の『大乗荘厳経論頌』XX–XXI.55 が参考になる。

一切有情を利益する所作に関し、御身は時期を見過ごすことがない。常に虚しからざる所作を持つおかたよ、忘失なきおかたよ、御身に帰命あれ。

sarvasattvārthakṛtyeṣu kālaṃ tvaṃ nātivartase |
abandhyakṛtya satatam asaṃmoṣa namo 'stu te ||

（10）「未證浄心菩薩」の原梵語を *anadhyāśayaśuddho bodhisattvaḥ もしくは *aśuddhādhyāśayo bodhisattvaḥ と想定する根拠は、菩提流支の時代の北魏に存した代表的な瑜伽師文献である曇無讖訳『菩薩地持経』における以下の用例である。

曇無讖訳『菩薩地持経』	**梵文**（BoBh）
未入浄心地菩薩（巻八。T30, 935b）	anadhyāśayaśuddho bodhisattvaḥ（190, 25–26）
未住浄心地菩薩（巻八。T30, 935b）	aśuddhāśayā bodhisattvāḥ（191, 17）
浄心菩薩（巻四。T30, 908a）	śuddhādhyāśayo bodhisattvaḥ（88, 12）

（11）「平等な法身」(chos kyi sku mnyam pa）は『摂大乗論』II.33 においても説かれる。全体の文意については、以下の『大乗荘厳経論頌』XIII.4 が参考になる。

そこから、彼は出世間の無上の智を得る。初地において、それ（＝初地）を自体とする一切諸菩薩と平等に。

tato jñānaṃ sa labhate lokottaram anuttaram |
ādibhūmau samaṃ sarvair bodhisattvais tadātmabhiḥ ||

（12）全体の文意については、以下の『大乗荘厳経論頌』XIV.31d とそれに対する『大乗荘厳経論』が参考になる。

他の諸仏子のとおりにでもある。

yathānye 'pi jinātmajāḥ |

そして、彼より他の諸菩薩との平等性による。彼ら〔諸菩薩〕によって現観されたとおりに、そのとおりに〔彼は〕現観するからである。

tad-anya-bodhisattva-samatayā ca, yathā tair abhisamitaṃ tathābhisamayāt.（MSABh 94, 16）

（13）「大義門功徳成就」の「大義門」については、菩提流支訳『十地経論』巻一（T26, 130b）に「四種義門」とあり、蔵訳（P no.5492, Ngi 151b7）に「四利益門」(don rnam pa bzhi'i sgo）とあるのが参考になる。

（14）「譏嫌」の原梵語を *avadya と想定する根拠は、以下の用例である。

菩提流支訳『十地経論』	梵文あるいは蔵訳
可譏嫌（巻二。T26, 135b） 無譏嫌（巻五。T26, 154a）	avadya（DBhS 16, 19） tshad zung du med pa（P no. 5492, Ngi 217b1）
菩提流支訳『大宝積経論』	**蔵訳**
諸譏嫌事（巻二。T26, 214b）	kha na ma tho ba（KPcom 91 [§ 17]）
菩提流支訳『法集経』	**蔵訳**
譏嫌（巻二。T17, 616b） 可譏嫌（巻二。T17, 617c） 可譏嫌（巻二。T17, 619a） 譏嫌（巻五。T17, 638a）	蔵訳になし。 kha na ma tho ba（P no. 904, Wu 23a6） kha na ma tho ba（P no. 904, Wu 26b1） smad pa（P no. 904, Wu 76a6）

（15）『無量寿経』梵本の第十六願に次のようにある。

世尊よ、もしわたしが菩提に到達した際、その仏国土において諸有情に悪しきものの名称すらあるならば、そうであるかぎりは、わたしは無上正等覚を現等覚しないでありましょう。

sacen me Bhagavan bodhi-prāptasya tasmin buddha-kṣetre sattvānām akuśalasya nāma-dheyam api bhaven mā tāvad aham anuttarāṃ samyak-saṃbodhim abhisaṃbudhyeyam.（SV 13, 14–16）

（16）「平等一相」の原梵語を *sama と想定する根拠は、菩提流支訳『法集経』巻三（T17, 622a）に「平等一相」とあり、蔵訳（P no.904, Wu 33b4）に「平等」(mnyam pa. *sama）とあることである。

（17）『無量寿経』梵本の第三願に次のようにある。

世尊よ、もしわたしのかの国土に生まれた諸有情、彼らすべてが一色すなわち金色でないならば、そうであるかぎりは、わたしは無上正等覚を現等覚しないでありましょう。

sacen me Bhagavaṃs tatra buddha-kṣetre ye sattvāḥ pratyājātās te ca sarve naikavarṇāḥ syur yad idaṃ suvarṇa-varṇāḥ, mā tāvad aham anuttarāṃ samyak-saṃbodhim abhisaṃbudhyeyam.（SV 11, 5–8）

（18）『無量寿経』梵本の第三十五願に次のようにある。

世尊よ、もしわたしが菩提に到達した際、あらゆるところから、不可量・不可算・不可思議・無量の諸仏国土における女性たちがわたしの名称を聞いてのち浄信を起こすでしょうし、菩提心を起こすでしょうし、女性のありかたを厭うでしょうが、もし皆が今生を離れ、再度の女性のありかたを得るようであるならば、そうであるかぎりは、わたしは無上正等覚を現等覚しないでありましょう。

sacen me Bhagavan bodhi-prāptasya samantād aprameyāsaṃkhyeyācintyātulyāparimāṇeṣu buddha-kṣetreṣu yāḥ striyo mama nāma-dheyaṃ śrutvā prasādaṃ saṃjanayeyur bodhi-cittaṃ cotpādayeyuḥ strī-bhāvaṃ ca vijugupsyeran jāti-vyativṛttāḥ samānāḥ saced dvitīyaṃ strī-bhāvaṃ pratilabheran mā tāvad aham anuttarāṃ samyak-saṃbodhim abhisaṃbudhyeyam.（SV 18, 9–15）

さらに、第四十願に次のようにある。

世尊よ、もしわたしが菩提に到達した際、わたしのその名称を聞いてのち、他の諸仏国土に生まれた諸菩薩が根力（＝感覚能力）の曖昧さに陥るようであるならば、そうであるかぎりは、わたしは無上正等覚を現等覚しないでありましょう。

sacen me Bhagavan bodhi-prāptasya taṃ mama nāma-dheyaṃ śrutvānyabuddhakṣetropapannā bodhisattvā indriya-bala-vaikalyaṃ nirgaccheyur mā tāvad aham anuttarāṃ samyak-saṃbodhim abhisaṃbudhyeyam.（SV 19, 14–17）

（19）たとえば向井亮［1976］を見よ。

（20）『瑜伽師地論』摂決択分中菩薩地に次のようにある（和訳は蔵訳から）。

〔質問。〕有情界無量など五無量と説かれたもの、そこにおいては、はたして、あらゆる世界が平等、平等なのか、それとも区別があると述べられるべきなのか。

回答。区別があると述べられるべきである。それらにおいても、清浄と不清浄とがあって、そのうち、清浄世界においては、那落迦たちもおらず、傍生たちもおらず、餓鬼たちもおらず、欲界もなく、色界もなく、無色界もなく、苦受もないのであり、それらにおいては菩薩の僧伽だけが住んでいるので、それゆえにそれら世界は清浄と言われ、それらには第三地に入った諸菩薩が願自在力によって受生するが、それらには異生あるいは異生でない諸声聞の受生はないのである。

〔質問。〕もしそれらには異生の諸菩薩あるいは異生でない諸声聞の受生がないならば、諸菩薩の語のうちに「ある諸菩薩がそれらに意によって願をなせば、彼らすべてはそれらに受生するであろう」とどうして語られているのか。

回答。善根を未だ積んでいない、懈怠あることを本性とする諸所化に対し、故意に語られたのであって、すなわち、他ならぬ彼らを鼓舞したならば、懈怠を捨て、諸善法に対して精進を始め、それによって、順次に、それらに受生するための法性を得る資格を持つ者となるからであり、そういうわけで、それがここでの故意と知られるべきである。

sems can gyi khams dpag tu med pa la sogs pa dpag tu med pa lnga zhes gang gsungs pa de la ci 'jig rten gyi khams thams cad mtshungs shing mnyam pa yin nam | 'on te bye brag yod par brjod par bya zhe na | smras pa | bye brag yod par brjod par bya'o || de dag kyang yongs su dag pa dang | yongs su ma dag pa ste | de la 'jig rten gyi khams yongs su dag pa dag na ni sems can dmyal ba rnams kyang med | dud 'gro rnams kyang med | yi dags rnams kyang med | 'dod pa'i khams kyang med | gzugs kyi khams kyang med | gzugs med pa'i khams kyang med | sdug bsngal gyi tshor ba yang med la | de dag na byang chub sems dpa'i dge 'dun 'ba' zhig gnas pas na | de'i phyir 'jig rten gyi khams de dag yongs su dag pa zhe bya ste | de dag tu byang chub sems dpa' sa gsum par chud pa rnams smon lam gyi dbang gis skye'i | de dag na so so'i skye bo'am | so so'i skye bo ma yin pa'i nyan thos rnams kyi skye ba med do || gal te de dag na so so'i skye bo'i byang chub sems dpa' rnams dang | so so'i skye bo ma yin pa'i nyan thos rnams kyi skye ba med na | byang chub sems dpa' rnams smras pa na | byang chub sems dpa' gang su dag de dag tu yid kyis smon par byed pa de dag thams cad ni de dag tu skye bar 'gyur ro zhes ci'i phyir smra zhe na | smras pa | gdul bya le lo dang ldan pa'i rang bzhin can dge ba'i rtsa ba ma bsags pa rnams la bsams nas smra ba yin te | 'di ltar de dag nyid spro bar gyur na | le lo spangs te dge ba'i chos rnams la brtson 'grus rtsom par byed cing | des rim gyis de dag tu skye ba'i chos nyid thob pa'i skal ba can du 'gyur ba'i phyir te | de ltar na 'di la bsam pa ni de yin par rig par bya'o || (D no. 4042, Zi 97b7–98a5; P no. 5539, 'I 109a1–b1)

問。如説五種無量、謂有情界無量等、彼一切世界、当言平等平等、為有差別。答。当言有差別。彼復有二種。一者清浄、二者不清浄。於清浄世界中、無那落迦傍生餓鬼可得、亦無欲界色無色界、亦無苦受可得、純菩薩僧於中止住、是故説名清浄世界。已入第三地菩薩、由願自在力故、於彼受生、無有異生及非異生声聞独覚若異生菩薩得生於彼。問。若無異生菩薩及非異生声聞独覚得生彼者、何因縁故、菩薩教中、作如是説。若菩薩等意願於彼、如是一切皆当往生。答。為化懈怠種類未集善根所化衆生故、密意作如是説。所以者何。彼由如是蒙勧励時便捨懈怠、於善法中、勤修加行、従此漸漸堪於彼生、当得法性。応知是名此中密意。（巻七十九。T30, 736c–737a）

（21）『無量寿経』梵本に次のようにある。

実にまた、アーナンダよ、かの阿弥陀如来には、量を把握できないほどの声聞の僧伽がある。
tasya khalu punar Ānandāmitābhasya tathāgatasyāprameyaḥ śrāvaka-saṃgho yasya na sakalaṃ pramāṇam udgṛhītum.（SV 28, 10–11）

（22）袴谷憲昭［1986］（再録：袴谷憲昭［2001］）。Pūrvācārya 説の研究史については袴谷憲昭［2001］を見よ。

第六章　『勝思惟梵天所問経論』

一　はじめに

『勝思惟梵天所問経論』は『勝思惟梵天所問経』(*Brahmaviśeṣacinti-paripṛcchā-sūtra*) に対する註釈であり、菩提流支訳の一本のみが現存する[1]。

二　古師ヴァスバンドゥ著作との比較

『勝思惟梵天所問経論』は『大乗荘厳経論』『金剛般若波羅蜜経論』との間に接点を有するので、以下においてはそれらを比較してみたい。

【例1　四法】　『大乗荘厳経論』『勝思惟梵天所問経論』はともに『勝思惟梵天所問経』四法品の文に対する註釈を含み、両論の註釈のうちには顕著な一致が認められる。『大乗荘厳経論』は同経から二つの経文を引用しているが、そのうち第一の経文に次のようにある（比較のため菩提流支訳『勝思惟梵天所問経』の訳文をも付す）。

〔以下の〕四つの諸属性によって伴われた諸菩薩が法を求める。①〝〔法は〕宝石である〟という想いによってであって、〔法が〕得がたいという意味によるのである。②〝〔法は〕薬である〟という想いによってであって、

〔法が〕煩悩の病いを静めるという意味によるのである。③〝〔法は〕財である〟という想いによってであって、〔法が〕失われないという意味によるのである。④〝〔法は〕涅槃である〟という想いによってであって、〔法が〕あらゆる苦を静めるという意味によるのである。

caturbhir dharmaiḥ samanvāgatā bodhisattvā dharmaṃ paryeṣanti. [1] ratna-saṃjñayā durlabhārthena. [2] bhaiṣajya-saṃjñayā kleṣa-vyādhi-praśamanārthena. [3] artha-saṃjñayā avipraṇāśārthena. [4] nirvāṇa-saṃjñayā sarva-duḥkha-praśamanārthena.（ad MSA XI.76. MSABh 75, 20–76, 2）

諸菩薩摩訶薩畢竟成就四法善求於法。何等為四。一者於法、生珍宝想、以難得故。二者於法、生妙薬想、療衆病故。三者於法、生財利想、以不失故。四者於法、生滅苦想、至涅槃故。是為四法。（巻一。T15, 65b）

『大乗荘厳経論』はこの経文を次のように註釈する。

というのも、〔三十二〕相は宝石のようなのであって、〔なぜなら、自身を〕端正にするものだからである。それゆえに、〔法は〕それ（＝端正）の原因であるゆえに、①「〝法は宝石である〟という想い」がある。〔法は〕無病の原因であるゆえに、②「〝〔法は〕薬である〟という想い」がある。〔法は〕神通自在の原因であるゆえに、③「〝〔法は〕財である〟という想い」がある。〔法は〕それ（＝神通自在）の尽きざることの原因であるゆえに、④「〝〔法は〕涅槃である〟という想い」があるのであって、〔涅槃においては〕尽きることに対する畏れがないことという意味によるのである。

[1] ratna-bhūtāni hi lakṣaṇāni, śobhākaratvāt. atas tad-dhetutvād dharma-ratna-saṃjñā. [2] ārogya-hetutvād bhaiṣajya-saṃjñā. [3] abhijñaiśvarya-hetutvād artha-saṃjñā. [4] tad-akṣaya-hetutvān nirvāṇa-saṃjñā kṣaya-nirbhayatārthena.（ad MSA XI.76. MSABh 76, 2–4）

それに対し、『勝思惟梵天所問経論』はこの経文を三とおりに註釈し、そのうち第一の註釈が『大乗荘厳経論』における註釈と符合する。

あたかも世間の人が自身の端正（*śobhā）を成就するために〔宝石が〕希有なる原因となるからこそ宝石を求めるように、そのように、菩薩は相円満（*lakṣaṇa-sampad）のために善法という原因に対し①「〝宝石である〟という想い」を生じ〝希有である〟という想いを生ずるからこそ諸法を求めるのである。あたかも世間の人が無病（*ārogya）のために薬草を求めるように、そのように、菩薩はあらゆる煩悩の病いを除去するために仏法に対し②「〝薬である〟という想い」を生ずるからこそ諸法を求めるのである。あたかも世間の人が富貴のために財を求めるように、そのように、菩薩は諸神通（*abhijñā）が不退を成就することを求めるために、〔すなわち、〕財（*artha）の失われないこと（*avipraṇāśa）を求めるために、仏法に対し③「〝財である〟という想い」を生ずるからこそ諸法を求めるのである。あたかも世間の人が賊などを離れ畏れがないこと（*nirbhayatā）を成就するために財を求めるように、そのように、菩薩はあらゆる諸障煩悩を離れ彼（＝諸障煩悩）をして菩薩を降伏せしめず菩薩があらゆる箇所について畏れがなくなることのために、〔すなわち、〕菩薩があらゆる箇所について畏れがなくなることとは、世間のあらゆる諸苦についてであり、あらゆる世間を超過し世間のあらゆる苦相を離れ寂静相を得ることを欲するために、〔すなわち、〕涅槃を得て畏れがないことを成就するために、仏法に対し④〝無苦である〟という想いを生ずるからこそ諸法を求めるのである。

如世間人以為成就自身端正作希有因故求珍宝、如是菩薩為諸相好快妙成就、於善法因、生於宝想、生希有想、故求諸法。如世間人為無病故求妙薬草、菩薩如是為断一切諸煩悩病、於仏法中、生妙薬想、故求諸法。如世間人為富貴故求於財利、菩薩如是為求諸通成就不退、為求義相令得不失、於仏法中、生財利想、故求諸法。如世間人為離賊等成就不畏故求財宝、菩薩如是為離一切諸障煩悩令彼不能降伏菩薩菩薩不畏一切諸処、菩薩不畏一切処者所謂世間一切諸苦、以為欲過一切世間離諸世間一切苦相得寂静相、為得涅槃成就不畏、於仏法中、生無

苦想、故求諸法。（巻一。T26, 341c）

とりわけ、「神通」（abhijñā）や「畏れがないこと」（nirbhayatā）のような、経文から直接導かれない特殊な註釈が両論において共有されていることに注目されたい。

次に、第二の経文に次のようにある（文中、「大法施を与える」とは偉大な説教をするとの意）。

〔以下の〕四つの諸属性によって伴われた諸菩薩が大法施を与える。①正法を摂持することによってであり、②自らの、智を鍛錬することによってであり、③善人の行為をなすことによってであり、④雑染と清浄とを説示することによってである。

caturbhir dharmaiḥ samanvāgatā bodhisattvā mahā-dharma-dānaṃ vitaranti. [1] saddharma-parigrahaṇatayā [2] ātmanaḥ prajñottāpanatayā [3] satpuruṣa-karma-karaṇatayā [4] saṃkleśa-vyavadāna-saṃdeśanatayā ca. （ad MSA XII.5. MSABh 78, 5–7）

諸菩薩摩訶薩畢竟成就四法善開法施。何等為四。一者守護法故、二者自益智慧亦益他人故、三者行善人法故、四者示人垢浄故。是為四法。（巻一。T15, 65b）

『大乗荘厳経論』はこの経文を次のように註釈する。

なぜならば、第一の〔属性〕によっては多聞なることがあるからであって、説教が広範になるのである。第二の〔属性〕によっては大智なることがあるからであって、他者たちの疑いを断ずるから、〔説教は〕疑いを断ずるものとなるのである。第三の〔属性〕によっては非難されざる行為があるからであって、〔説教は〕受け容れられるものとなるのである。第四の〔属性〕によっては〔説教は〕雑染相と清浄相との真実について二種類の〈真実を示すもの〉なのであって、それぞれ二つずつの諦によるのである。

ekena hi bāhuśrutyād viṣadā deśanā bhavati. dvitīyena mahāprājñatvāt saṃśayajahā pareṣāṃ saṃśaya-cchedāt.

tṛtīyenānavadyakarmatvād ādeyā. caturthena tattva-darśikā dvividhā saṃkleśa-lakṣaṇasya ca tattvasya vyavadāna-lakṣaṇasya ca dvābhyāṃ dvābhyāṃ satyābhyām.（ad MSA XII.5. MSABh 78, 7–10）

このうち少し判りにくいのが第四の「それぞれ二つずつの諦」であるが、スティラマティの複註（D no. 4034, Mi 227b3–4; P no. 5531, Mi 252b1–2）によれば、雑染相の真実は苦と集との二諦、清浄相の真実は滅と道との二諦であって、これらを合わせて「それぞれ二つずつの諦」と呼んだのである。

それに対し、『勝思惟梵天所問経論』はこの経文を次のように註釈する。

「大法施を与える」といわれるのは、①いかなる属性によって（*kena dharmeṇa）説くのか、②何のために（*kim artham）説くのか、③いかなる行為によって（*kena karmaṇā）説くのか、④どのように（*katham）説くのか、という、それら〔四つ〕のことがらについて説くためである。①いかなる属性によって説くのか、というならば、正法を摂持すること（*saddharma-parigrahaṇatā）によってであって、聞慧を得たとおりに、そのとおりに、法を説くのである。②何のために説くのか、というならば、得させるためにである。自ら誓願をなしすでに完成したので、内的に思惟し、他人のために説くのである。③いかなる行為によって説くのか、というならば、妙なる行為をなすこと（≒satpuruṣa-karma-karaṇatā）と、賢れた行為をなすこと（≒anavadya-karma-karaṇatā）とによってである。〔自分自身によって〕説かれた法のとおりに、そのとおりに、行為をなすのである。④どのように説くのか、というならば、雑染と清浄との法を説示することによってであり、〔すなわち、〕それぞれ二つずつの諦の相の順序を説示することによってである。

善開法施者、①以何法説、②以何義説、③依何事説、④云何而説、因彼事説故。①以何法説者、以法摂取法故。如得聞慧、如是説法。②以何義説者、以得義故。自作誓願、已畢竟故、内自思惟、為他人説。③依何事説者、以作妙事作賢事故。如所説法、如是作事。以諸言語不虚妄故。④云何而説者、示現染浄法故。示現二二諦法相

次第故。（巻二。T26, 342c）

最初の三つについては両論の間に文章上の完全な一致は認められないが、①は聞法の量が説法に比例すると註釈している点で一致し、②は自らの智の鍛練を他者に向けるものと註釈している点で一致し、③は善き行為を説法の正しさを保証するものと註釈している点で一致する。さらに、最後の第四は両論の間に著しい一致が確認される。

以上の例によるかぎり、『勝思惟梵天所問経論』の作者が『大乗荘厳経論』の作者と同じ古師ヴァスバンドゥであることはほぼ裏づけられる。同じ経文を註釈するにせよ、『大乗荘厳経論』の註釈より『勝思惟梵天所問経論』の註釈のほうが詳細であったが、そのことについては特に問題はあるまい。なぜなら、同じ『大乗荘厳経論頌』を註釈するにせよ、『大乗荘厳経論』の註釈より『摂大乗論釈』の註釈のほうが詳細であり（たとえば、『大乗荘厳経論頌』XI.53に対する『大乗荘厳経論』の註釈と、『摂大乗論』X.32所引の『大乗荘厳経論頌』XI.53に対する『摂大乗論釈』の註釈とを比較すれば一目瞭然である）、古師ヴァスバンドゥは必ずしもすべての著作において一貫した註釈をおこなっていたとは考えられないからである。

【例2　我・有情・命者・補特伽羅】『金剛般若波羅蜜経論』『勝思惟梵天所問経論』はともに「我」「有情」「命者」「補特伽羅」に対する註釈を含み、両論の註釈のうちには顕著な一致が認められる。まず、『金剛般若波羅蜜経』に次のようにある。

スブーティよ、或る者に〝我である〟との想いか、〝有情である〟との想いか、〝命者である〟との想いか、〝補特伽羅である〟との想いかが起こるならば、彼は「菩薩」と呼ばれるべきでない。

na sa Subhūte bodhisattvo vaktavyo yasyātma-saṃjñā pravarteta, sattva-saṃjñā vā jīva-saṃjñā vā pudgala-saṃjñā va pravarteta.（VChPP 29, 5–7）

『金剛般若波羅蜜経論』はこの経文を次のように註釈する（和訳は義浄訳から）。

別体として連続体として生ずるゆえに、かつ、命のかぎりとどまるゆえに、かつ、再び〔六〕趣のうちに繋がれるゆえに、「〝我である〟との想い」は四種類である。（第十頌）

pṛthagbhāvena saṃtatyā vṛtter ājīvitasthiteḥ |
punaś ca gatilīnatvād ātmasaṃjñā caturvidhā || 10

「〝我である〟との想い」（ātma-saṃjñā）は四種類であるとは、①「〝我である〟との想い」と、②「〝有情である〟との想い」と、③「〝命者である〟との想い」と、④「〝補特伽羅である〟との想い」とであって、四種類は不同である。ここでは、五蘊なる別体に対し、有情がいちいち①「〝我である〟との想い」を起こすのである。連続体として生ずることを見て、②「〝有情である〟との想い」を起こすのである。命のかぎりとどまることに対し、③「〝命者である〟との想い」を起こすのである。命根（*jīvitendriya）が滅してのち再び〔六〕趣に趣くことに対し、④「〝補特伽羅である〟との想い」を起こすのである。

【菩提流支訳】偈言。

差別相続体　不断至命住　復趣於異道　是我相四種

此義云何。明寿者相義故。何者是四種。一者我相、二者衆生相、三者命相、四者寿者相。我相者、見五陰差別、一一陰是我、如是妄取是名我相。衆生相者、見身相続不断、是名衆生相。命相者、一報命根不断住故、是名命相。寿者相者、命根断滅、復生六道、是名寿者相。（T25, 783b）

【義浄訳】頌曰。

別体相続起　至寿尽而住　更求於餘趣　我想有四種

我想四者、謂是我想、有情想、寿者想、更求趣想、四種不同。此於別別五蘊、有情自生断割、為我想故。見相続起、作有情想【薩埵是相続義】。乃至寿存、作寿者想。命根既謝転求後有、作更求趣想。（T25, 876ab）

続いて、『勝思惟梵天所問経』に次のようにある（和訳は蔵訳から）。

妄（*mṛṣā）とは何かというならば、我（*ātman）に対する執着（*grāha）と、有情（*sattva）に対する執着と、命者（*jīva）に対する執着と、補特伽羅（*pudgala）に対する執着と、断（*uccheda）に対する執着と、常（*śāśvata）に対する執着と、有（*bhava）に対する執着と、壊（*vibhava）に対する執着と、生（*utpāda）に対する執着と、滅（*vyaya）に対する執着と、輪廻（*saṃsāra）に対する執着と、涅槃（*nirvāṇa）に対する執着、これが妄と呼ばれる。

brdzun pa gang zhe na | bdag tu 'dzin pa dang | sems can du 'dzin pa dang | srog tu 'dzin pa dang | gang zag tu 'dzin pa dang | chad par 'dzin pa dang | rtag par 'dzin pa dang | 'byung bar 'dzin pa dang | 'jig par 'dzin pa dang | skye bar 'dzin pa dang | 'gag par 'dzin pa dang | 'khor bar 'dzin pa dang | mya ngan 'das par 'dzin pa de ni brdzun pa zhes bya'o || (P no.827, Phu 40a3–5)

梵天、何者是妄語。所謂著我、著衆生、著命、著丈夫、著人、著常見、著断見、著有見、著離有見、著生見、著滅見、著生死見、著涅槃見、梵天、是名妄語。（巻二。T15, 69a)

『勝思惟梵天所問経論』はこの経文を次のように註釈する。

このような諸句は、〔五蘊の〕いちいちの法に対し「執着」を起こすから、〔我と有情と命者と補特伽羅という〕同義語[2]（*paryāya）の連続[3]（*saṃdhi）があると知られるべきである。すなわち、一つの「我」（*ātman）があり、我があることを根本とし、根本である我に依拠するから、〔有情と寿者と補特伽羅という〕さまざまなものがある。我が不断（＝連続体）であるから「有情」（*sattva）と呼ばれる。〔我が〕命根（*jīvitendriya）によってとどまるから「命者」（*jīva）と呼ばれる。〔我が〕再び〔六〕趣に趣くから「補特伽羅」（*pudgala）と呼ばれる。

如是諸句、於一一法中、生「執著」故、以異異義相縛応知。謂有一「我」、我体是有、以為根本、依根本我、

故有種種。以我不断名為「衆生」。依命根住故名為「命」。数堕六道故名「丈夫」。（巻三。T26, 349a）

すなわち、「我」「有情」「命者」「補特伽羅」に対する両論の註釈はほぼ同じである。興味ぶかいことに、これらと同じような註釈は『十地経論』においても部分的に確認される。『十地経』（DBhS 37, 16）の語「命者となっているもの」（prāṇi-bhūta）を、『十地経論』は次のように註釈する（なお、蔵訳冒頭の srog chags dang 'byung po は不適訳。今は梵文の原意によって訳す）。

「命者となっているもの」という語（*grahaṇa）によっては、常（*śāśvata）でもなく断（*uccheda）でもない諸有情を説示するのであって、〔なぜなら、〕命根（*jīvitendriya）を備え、命のかぎりとどまるから〔常でなく〕、かつ、死者たちも業と煩悩との力によって再生するから〔断でないの〕である。

srog chags dang 'byung po smos (D : smon P) pas ni sems can rnams rtag pa ma yin pa chad pa ma yin pa yongs su ston te | srog gi (gis P) dbang po dang ldan pas tshe ji srid par gnas pa'i phyir dang | shi ba rnams kyang las dang nyon mongs pa'i (D : kyi P) dbang gis (D : gi P) yang 'byung ba'i phyir ro || (D Ngi 156a2–3; P Ngi 199b7–200a1)

言「衆生」者、示諸衆生非常非断、随命根因縁、乃至現得寿命住世、死則依業煩悩力、未来還生故。（巻四。T26, 146a）

さらに、『十地経』（DBhS 82, 17–83, 1）の語「〔苦蘊は〕無我、無有情、無命者、無養者、無補特伽羅である」（nirātmā niḥsattvo nirjīvo niṣposo niṣpudgalaḥ）を、『十地経論』は次のように註釈する（なお、「無有情」「無養者」はヴァスバンドゥが見た経文になかったらしい）。

苦蘊の無我性とは、勝義においてはそこ（＝苦蘊）にも我がなく、それ（＝苦蘊）も我でないからである。このように無我であるにせよ、①命根（*jīvitendriya）の力によってとどまることと、②幾度も（*punaḥ punaḥ）〔六〕趣（*gati）に趣くことによって、有情という連続体を常（*śāśvata）でも断（*uccheda）でもないものとして説示するために、そこ（＝苦蘊）において①命者と②補特伽羅とを仮設するし、それ（＝命者と補特伽羅と）に対する執着（*abhiniveśa）を廃棄するために、「無命者、無補特伽羅」と言われるのである。

sdug bsngal gyi phung po bdag med pa nyid ni don dam par de la yang bdag med pa dang | de yang bdag ma yin pa'i phyir ro ‖ de ltar bdag med du zin kyang srog gi dbang po'i dbang gis gnas pa dang | yang dang yang 'gro bar 'gro bas sems can gyi rgyun la rtag pa dang chad pa med par yongs su bstan pa'i phyir de la srog dang gang zag tu 'dogs par byed de | de la mngon par zhen pa spang ba'i phyir srog med pa gang zag med pa zhes gsungs so ‖（D Ngi 190b5–7; P Ngi 244b7–245a1）

五陰苦聚是無我事、是中自身無我及彼無我事第一義故無。然後無我依命根力住、数数受生、衆生身心相続非常非断故、説有命有衆生、破彼慢取意故、説「無命、無衆生」。（巻七。T26, 164bc）

以上の例によるかぎり、『勝思惟梵天所問経論』の作者が『大乗荘厳経論』『金剛般若波羅蜜経論』『十地経論』の作者と同じ古師ヴァスバンドゥであることはほぼ裏づけられる。

三　新師ヴァスバンドゥ著作との比較

残念ながら、筆者は未だ『勝思惟梵天所問経論』のうちに新師ヴァスバンドゥ著作との接点を見出だすことに成功していない。ただし、『勝思惟梵天所問経論』においては下記のような二つの部派仏教文献が引用されており、この論の作者が新師ヴァスバンドゥと同様に部派仏教文献に親しんでいたことが推測される。

	菩提流支訳	出典
【巻一】無記名で引用される。	所有諸受皆悉是苦。（T26, 339a）	所有受皆悉是苦。（『雑阿含経』第四八五経。T2, 124a） yat kiṃcid veditam idam atra duḥkhasya.（AKBh 331, 5）*
【巻二】「如『経』中説」として引用される。	身口等業、修行諸善、若生悪道、無有是処。（T26, 344a）	阿難、若身妙行、口意妙行、因此縁此、身壊命終、趣至悪処、生地獄中者、終無是処。（『中阿含経』巻四十七、心品、多界経。T1, 724b） Cf. aṭṭhānam etaṃ anavakāso yaṃ kāyasucaritasamaṅgī tannidānā tappaccayā kāyassa bhedā param maraṇā apāyaṃ duggatiṃ vinipātaṃ nirayaṃ uppajjeyya, n' etaṃ ṭhānaṃ vijjatīti pajānāti. [...] aṭṭhānam etaṃ anavakāso yaṃ vacīsucaritasamaṅgī ---pe--- yaṃ manosucaritasamaṅgī tannidānā tappaccayā kāyassa bhedā apāyaṃ duggatiṃ vinipātaṃ nirayaṃ uppajjeyya, n' etaṃ ṭhānaṃ vijjatīti pajānāti.（MN vol.III, 67）

* 並行経については、本庄良文［1988］を見よ。『阿毘達磨倶舎論』の該当箇所の訳については、櫻部建、小谷信千代［1999: 30］を見よ。『釈軌論』『縁起論』もこの経を引用するが、『釈軌論』の該当箇所の訳については、本庄良文［1990］を見よ。『縁起論』の該当箇所の訳については、本庄良文［2001］を見よ。

四　おわりに

本章において明らかにされたことがらは以下のとおりである。

1　古師ヴァスバンドゥ著作との接点については、『勝思惟梵天所問経論』と『大乗荘厳経論』とは『勝思惟梵天所問経』所説の四法に対し同様な註釈を与え、『勝思惟梵天所問経論』と『金剛般若波羅蜜経論』とは我と有情と寿者と補特伽羅とに対し同様な註釈を与えている。

2　新師ヴァスバンドゥ著作との接点については、残念ながら、筆者は未だ『勝思惟梵天所問経論』のうちに接点を見出だすことに成功していない。

註

（1）菩提流支訳は経の全体に対する註釈でなく、経の冒頭以下約三分の一（菩提流支訳『勝思惟梵天所問経』によって言えば、同経巻二の大悲法門の終わり〔T15, 73b〕まで）に対する註釈にすぎないが、それが本来のかたちによるのか、あるいは菩提流支訳の不完全性によるのかは、現時点において明らかでない。

（2）原文「異異義」の原梵語を*paryāya と想定する根拠は、菩提流支訳『十地経論』巻十一（T26, 190c）に「異異法」とあり、蔵訳（D Ngi 241a2; P Ngi 304b8）に「同義語」（rnam grangs. *paryāya）とあることである。

（3）「同義語の連続」という表現については、菩提流支訳『十地経論』巻十一（T26, 190b）に「次第不息無量衆多異名」とあり、蔵訳（D Ngi 240b1; P Ngi 304a4）に「尽きることを知らない、同義語の連続」（rnam grangs dag gi rgyun zad mi shes pa）とあるのを見よ。

第七章　『文殊師利菩薩問菩提経論』

一　はじめに

『文殊師利菩薩問菩提経論』（『伽耶山頂経論』）は『伽耶山頂経』（*Gayāśīrṣa-sūtra*）に対する註釈であり、菩提流支訳と蔵訳との二本が現存する。

二　古師ヴァスバンドゥ著作との比較

『文殊師利菩薩問菩提経論』は『十地経論』との間に接点を有するので、以下においては両論を比較してみたい。『文殊師利菩薩問菩提経論』は経文をごく簡潔に註釈するにとどまるが、『文殊師利菩薩問菩提経』に対するこの論の分けかたは『十地経』初地に対する『十地経論』の分けかたと似ており、その点において、この論と『十地経論』とを比較することが可能である。

『十地経論』初地の八分	『文殊師利菩薩問菩提経論』の九分
①序分（gleng gzhi. *nidāna） ②三昧分（snyoms par ’jug pa. *samāpatti） ③加分（byin gyis rlabs. *adhiṣṭhāna） ④起分（ldang ba. *utthāna） ⑤本分（bstan pa. *uddeśa） ⑥請分（bskur ba. *adhyeṣaṇā） ⑦説分（bshad pa. *nirdeśa） ⑧校量勝分（khyad par. *viśeṣa）	①序分（gleng gzhi. *nidāna） ②所応聞弟子成就分（mthun pa’i nyan pa po phun sum tshogs pa） ③三昧分（ting nge ’dzin. *samādhi） ④能観清浄分（rtogs pa po rnam par dag pa. *parīkṣitṛ-viśuddhi） ⑤所観法分（brtag par bya ba’i dngos po. *parīkṣya-vastu） ⑥起分（bzhengs pa. *utthāna） ⑦説分（bstan pa. *nirdeśa） ⑧菩薩功徳勢力分（byang chub sems dpa’i yon tan gyi mthu） ⑨菩薩行差別分（spyod pa rnam par dbye ba. *caryā-vibhāga）

ここでは両論の「三昧分」と「起分」とを比較する。

まず「三昧分」である。『十地経』（DBhS 4, 3–4）の文「大乗光明と名づけられる菩薩三摩地に入った」（mahāyāna-prabhāsaṃ nāma bodhisattva-samādhiṃ samāpadyate sma）を註釈する際に、『十地経論』に次のようにある。

「入った」とは、三摩地（*samādhi）に入ったことを説示するのであって、この法門を論理（*tarka）の境（*viṣaya. 対象）でないと説示するためである。

snyoms par zhugs so zhes bya ba ni ting nge ’dzin la snyoms par ’jug pa ston te | chos kyi rnam grangs ’di rtog ge’i spyod yul ma yin pa nyid du bstan pa’i phyir ro ||（D Ngi 104a5–6; P Ngi 131b4–5）

「入三昧」者、顕示此法非思量境界故。（巻一。T26, 124a）

それに対し、『文殊師利菩薩問菩提経論』に次のようにある。

ここで、三摩地（*samādhi）とは観察されるべき事物（*parīkṣya-vastu）〔である法界〕に対してであって、〈〔法界は三摩地の対象であるが〕論理（*tarka）の境（*viṣaya. 対象）でない〉と説示するためである。

de la ting nge ’dzin ni brtag par bya ba’i dngos po ste rtog ge’i yul ma yin par kun tu bstan pa’i phyir ro ||（D Ngi 72a2; P Ngi 90b5–6）

入三昧観察者、示現非是思量境界故。（巻上。T26, 328c）

すなわち、ほぼ同様な註釈であることが知られる。

次に「起分」である。『十地経』（DBhS 6, 7）の文「その三摩地から起きて」（tasmāt samādher vyutthāya）を註釈する際に、『十地経論』に次のようにある。

「その三摩地から起きて」といわれるのは、殊勝な力を得たことで三摩地の所作（*kriyā）が円満したから、かつ、説示の所作も準備されたから（*upasthitatvāt）であって、入定したままでは解説できないのである。

ting nge ’dzin de las langs nas zhes bya ba ni mthu’i khyad par thob pas ting nge ’dzin gyi bya ba yongs su rdzogs pa’i phyir dang | bshad pa’i bya ba yang nye bar gnas pa’i phyir te | mnyam par bzhag bzhin du ’chad mi nus so ||（D Ngi 111a2; P Ngi 140b1–2）

「即従三昧起」者、以三昧事訖故、又得勝力、説時復至、定無言説故。（巻一。T26, 126b）

それに対し、『文殊師利菩薩問菩提経論』に次のようにある。

三摩地の所作（*kriyā）が円満する一方で、説示の所作が準備されたから（*upasthitatvāt）、〔三摩地から〕起きることがあると知られるべきである。

ting nge ’dzin gyi (D : gyis P) bya ba ni yongs su rdzogs la bstan pa’i bya ba ni nye bar gnas pa’i phyir bzhengs par rig par bya’o ||（D Ngi 73a4; P Ngi 92a4）

以三昧事訖故、以説時至故、是故応起。（巻上。T26, 330a）

これについても、ほぼ同様な註釈であることが知られる。

三　新師ヴァスバンドゥ著作との比較

残念ながら、筆者は未だ『文殊師利菩薩問菩提経論』のうちに新師ヴァスバンドゥ著作との接点を見出だすことに成功していない。ただし、接点と見なすべきかもしれないものを一点だけ指摘しておきたい。すでに確認したとおり、『十地経論』『文殊師利菩薩問菩提経論』においては、法に対し「論理（*tarka）の境（*viṣaya. 対象）でない」という表現が用いられていた。このような表現は古師ヴァスバンドゥの『大乗荘厳経論』『辯中辺論』や新師ヴァスバンドゥの『唯識二十論』においても確認される。

『大乗荘厳経論』

この、このように偉大かつ甚深なる法は論理家たちの所行（gocara. 対象）でない。

nāyam evam udāro gaṃbhīraś ca dharmas tārkikāṇāṃ gocaraḥ.（MSABh 3, 10. ad MSA I.7）

『辯中辺論』

論理の所行（gocara. 対象）でないから〔『辯中辺論』は「秘められた内容あるもの」（gūḍhārtha）〕である。

tarkasyāgocaratvāt.（MAVBh 75, 17. ad MAV V.30）

『唯識二十論』

しかるに、全きかたちにおいてのそれ（＝唯識性〔vijñaptimātratā〕）はわたしのような者によっては思考することが不可能である。論理の境（viṣaya. 対象）でないからである。

sarvaprakārā tu sā mādṛśaiś cintayituṃ na śakyate. tarkāviṣayatvāt.（VVS 11, 1）

法に対する論理（tarka）の限界を認めることは古師ヴァスバンドゥと新師ヴァスバンドゥに先行する説一切有部の『根本説一切有部毘奈耶破僧事』や大乗の『二万五千頌般若波羅蜜多』においても現われる。

『根本説一切有部毘奈耶破僧事』

わたしのもとに証得された法は甚深であり、甚深なものとして顕現し、見がたく、洞察しがたく、論理を受けつけず、論理を受けつけない領域を有し、微細であり、鋭敏な賢者・智者によって理解されるべきものである。

adhigato me dharmo gambhīro gambhīrāvabhāso durdṛśo duravabodho ’tarkyo ’tarkyāvacaraḥ sūkṣmo nipuṇa-paṇḍita-vijña-vedanīyaḥ.（SBV I 128, 23–25）

『二万五千頌般若波羅蜜多』

じつに、この法は甚深であり、見がたく、洞察しがたく、論理を有せず、論理の領域を有せず、寂静であり、微細であり、賢者・智者によって理解されるべきものである。

gambhīro batāyaṃ dharmo durdṛśo duranubodho ’tarko ’tarkāvacaraḥ śāntaḥ sūkṣmaḥ paṇḍita-vijña-vedanīyaḥ.（PVSPP IV 116, 32–117, 1）

これら二つの文はかなり相似しており、声聞乗における表現が大乗によって継承されたと考えられる。古師ヴァスバンドゥや新師ヴァスバンドゥに先行する文献においては、法に対する論理の限界を認める際には、このような表現が一般的だったと見なしてよい。

古師ヴァスバンドゥと新師ヴァスバンドゥとに共通する「論理の境でない」「論理の所行でない」という表現は、先行する『根本説一切有部破僧事』や『二万五千頌般若波羅蜜多』における「論理を受けつけない領域を有し」「論理の領域を有せず」という表現と異なる。「領域」（avacara）という語の代わりに「境」（viṣaya）や「所行」（gocara）という語を用いるのが、古師ヴァスバンドゥと新師ヴァスバンドゥとに共通する語法なのである。「それ（＝論理）の境でない」という表現は大乗に対する表現として『大乗荘厳経論頌』I.17のうちに現れ、「論理の所行でない」という表現は真如に対する表現としてアサンガ『摂大乗論』（X.3）のうちに現われるから、この語法はそれらに由来するのかもしれない。したがって、「論理の境でない」「論理の所行でない」という表現は必ずしも古師ヴァスバンドゥと新師ヴァスバンドゥとに特徴的だというわけではないが、ともかくは両者に共通する表現としてここに記しておく。

なお、この他にも、すでに確認したとおり、『文殊師利菩薩問菩提経論』のうちに『十地経論』との接点があり、『十地経論』のうちに新師ヴァスバンドゥ著作との接点があることによって、間接的に、『文殊師利菩薩問菩提経論』と新師ヴァスバンドゥ著作とを関係づけることが可能である。

四　おわりに

本章において明らかにされたことがらは以下のとおりである。

1　古師ヴァスバンドゥ著作との接点については、『文殊師利菩薩問菩提経論』と『十地経論』とは三摩地とそこから起きることとに対し同様な註釈を与えている。

2　新師ヴァスバンドゥ著作との接点については、残念ながら、筆者は未だ『文殊師利菩薩問菩提経論』のうちに接点を見出だすことに成功していない。

第二部　毘目智仙・般若流支訳ヴァスバンドゥ釈経論群の研究

第一章　訳出の背景

一　はじめに

本研究第一部第一章においては、勒那摩提・菩提流支訳ヴァスバンドゥ釈経論群の訳出の背景にあったのが、『付法蔵因縁伝』の婆修槃陀の記事だったであろうことを推測した。『歴代三宝紀』巻九（T49, 86a）に拠るかぎり、菩提流支訳ヴァスバンドゥ釈経論群の最後を飾るのは東魏の天平二年（五三五）に鄴の般舟寺において訳された『文殊師利菩薩問菩提経論』（『伽耶頂経論』）二巻であり、これは記録に残るかぎり菩提流支の最後の訳でもある。その六年後に、毘目智仙や般若流支による訳が開始される。ここでは、毘目智仙・般若流支訳ヴァスバンドゥ釈経論群の訳出の背景について考察したい。

二　訳者の周辺

毘目智仙と般若流支とは師弟であった。般若流支は毘目智仙のすべての訳に参加し、のちに自ら訳した。毘目智仙の伝記については、唐の智昇『開元釈教録』巻六に次のようにある。

沙門毘目智仙は北印度の烏萇国（Udyāna）の人である。クシャトリヤの王族であり、釈迦族の末裔であった。かって、毘流離（Virūḍhaka）王が迦毘羅城（Kapilavastu）を破壊し、釈迦族を誅殺した。その時に四人の釈迦族の子弟がおり、逼迫させられたことに憤怒して、戒を犯すことを考慮せず、外に出て軍勢に抵抗した。毘流離はついに退却し、本国に帰還した。城中〔の釈迦族〕は〔四人を〕受け容れず、告げて言った。「われらは〔仏〕法による種族であり、いくさをしないことを誓っている。お前たちはかの軍勢を斥けたので、われらが一族でない」。放逐された以上、遠く諸国の客となったが、もともと聖者（仏陀）の種族の血筋であるので、〔諸国は〕競って宗家として彼らを立てた。四人の釈迦族の子弟は別れ、みな一国の王となった。今の烏萇や梵衍（Bāmyān）の王たちはみな彼らの後裔である。子孫は代々継承し、今に至るまで途絶えない。毘目智仙法師はその王族であり、三蔵にたいへん習熟し、阿毘達磨に最も堪能であり、瞿曇般若流支とともに魏の国に来遊したが、瞿曇般若流支は〔彼を〕尊敬し、師として仕えていた。孝靖帝の興和三年（五四一）、干支は辛酉に、鄴城のうち、金華寺において、瞿曇般若流支とともに『宝髻経四法憂波提舎』など五部[1]を訳した。沙門曇林が筆受し、驃騎大将軍・開府儀同三司・御史中尉である勃海（現在の河北省安定県）の高仲密が檀越となって要請し供養した。いずれも経の冒頭の序のうちに見られる。しかして毘目智仙法師は諸方に周遊して広く教化し、砂漠の危険を乗り越え、志は有情を利益することにあった。梵文をひもといたからには、多くの部数巻数があったはずである。ただし、わたしの見識は浅く狭いもので、閲覧はいまだ完全でない。見ることができた五部は上記のとおりである。後進のかたがもし〔別の部に〕遭遇して、幸いにも補完しようと望み、法門を誤謬なくしてくださるならば、どうしてよろしくないはずがあろうか。魏から唐に至るまで、経録は一つにとどまらないが、毘目智仙法師はいまだ編載されたことがなかった。弘法の名が著しくなることはなく、高行の跡が彰われることがなかったのである。傷ましいかな、悲しいかな。深く嘆くべきである。

沙門毘目智仙、北印度烏萇国人。刹利王種、釈迦之苗裔。曩者、毘流離王壊迦毘羅城、誅残釈種。当斯時也、有四釈子、忿其見逼、不思犯戒、出外拒軍。流離遂退、帰還本国。城中不受、告曰、「吾為法種、誓不行師。汝退彼軍、非吾族也」。既被放斥、遠投諸国。本是聖胤、競宗樹之。四釈支離、皆王一国。今烏萇梵衍王等並其後也。嗣胤相承、于今不絶。智仙法師即斯王種、妙閑三蔵、最善毘曇、与瞿曇流支、同遊魏境、而瞿曇流支尊事為師。以孝靖帝興和三年辛酉、於鄴城内、在金華寺、共瞿曇流支、訳『宝髻論』等五部。沙門曇林筆受、驃騎大将軍開府儀同三司御史中尉勃海高仲密為檀越啓請供養。並見経前序記。而智仙法師遊方弘化、踰越沙険、志在利生。既啓梵文、応多部巻。但余見浅狭、尋覧未周。所覩五経、件述如右。後進儻遇、幸希続補、使法門無謬、豈不善歟。自魏及唐、伝録非一、智仙法師未蒙編載。弘法之名莫著、高行之迹靡彰。傷哉悲哉。深可嗟矣。（T55, 543b）

この伝記は毘目智仙訳の諸論に付された曇林の序から多くの情報を得ているが、烏萇国の王族の祖についての記述は曇林の序のうちに見えない。曇林の序は毘目智仙が烏萇国の王族であったことを記すだけである。四人の釈迦族の子弟がそれぞれ烏仗那国、梵衍那国、呬摩呾羅国、商弥国の王族の祖となったことは『大唐西域記』巻六のうちに記されるから、[2]『開元釈教録』は『大唐西域記』によって烏萇国の王族の祖についての記述を補ったと考えられる。[3]

次に、般若流支の伝記については、『開元釈教録』巻六に次のようにある。

ブラーフマナである瞿曇般若流支は、魏のことばで智希と言い、中印度の波羅奈城（*Vārāṇasī）のブラーフマナ種姓の人である。若くして仏法を学び、経の趣旨にたいへん習熟し、頭の切れようは抜きん出ており、地方のことば（漢語）を理解し、〔北魏の〕孝明帝の熙平元年（五一六）に洛陽に来遊し、のちに〔東魏の〕都が鄴に遷ると、また同時に移っていった。孝靖帝の元象元年（五三八）、干支は戊午から、武定元年（五四三）、干支は癸亥に至るまで、鄴城のうち、金華寺と昌定寺との二寺や、尚書令・儀同三司である高公（高澄。五二一―五四九）の邸宅において、『得無垢女経』など十八部を訳し、沙門である僧昉と曇林、居士である李希義などが筆受した。

婆羅門瞿曇般若流支、魏云智希、中印度波羅㮈城浄志之種。少学仏法、妙閑経旨、神理標異、領悟方言、以孝明帝熙平元年、遊寓洛陽、後京師遷鄴、亦与時徙。以孝靖帝元象元年戊午、至武定元年癸亥、於鄴城内、在金華昌定二寺及尚書令儀同高公第内、訳『得無垢女』等経一十八部、沙門僧昉曇林居士李希義等筆受。（T55, 542c–543a）

この伝記は般若流支訳の諸経論に付された曇林の序から多くの情報を得ているが、来魏の年を熙平元年と記すことは曇林の序のうちに見えない。これに先立って、唐の道宣（五九六—六六七）『続高僧伝』巻一、菩提流支伝に付された般若流支の小伝（T50, 429a）も来魏の年を熙平元年と記している（ただし、道宣が挙げる般若流支訳の年と数とには毘目智仙訳との混乱が見られる）。

般若流支が瞿曇（Gautama）という姓付きで呼ばれ、ブラーフマナと記され、沙門と記されないのは、彼が在家信者（upāsaka. 優婆塞）だったからである(4)（そのことは後掲の『歴代三宝紀』の記述によって知られる）。

在家信者であった般若流支には少なくとも二人の息子がいた。長男である曇法智と、次男である曇皮とである。彼ら兄弟の姓である曇は般若流支の姓である瞿曇の略に他なるまい。法智については、隋の費長房『歴代三宝紀』以来、達摩闍那（*Dharmajñāna）と達摩般若（*Dharmaprajñā）との二つの音写が伝えられており、どちらが正しいかはっきりしない。曇法智は北斉において昭玄寺（沙門を管轄する機関であり、大統を一名、統を一名、都維那を三名置いた）の都維那(5)となり、北周の明帝の時代（五五七—五六〇）に北天竺烏場国出身の那連提耶舎（Narendrayaśas. 四九〇—五八九）の訳場において伝語を務めた。都維那であった以上、出家していたことが知られる。明帝の時代の鄴における那連提耶舎訳七部(6)に言及する際に、『歴代三宝紀』巻九に次のようにある。

昭玄寺の沙門都維那である、瞿曇般若流支の長男である達摩闍那、北斉に法智と言う人が伝語を務めた。

昭玄沙門都瞿曇般若流支長子達摩闍那、斉言法智、伝語。（T49, 87c）

さらに、曇法智は北周の武帝の廃仏（五七四―五七八）に際しては還俗して洋州の洋川郡（陝西省漢中市西郷県）の郡守を務め、隋においては在職のまま『仏為首迦長者説業報差別経』一巻（大正八〇番）を訳した。同経について、『歴代三宝紀』巻十二に次のようにある。

偉大な隋の『業報差別経』一巻【開皇二年（五八二）三月における訳。二回目の訳出である。『罪業報応経』と大同小異である】。右の一部一巻は、元魏の世のブラーフマナの在家信者であった瞿曇般若流支の長男である達摩般若、隋に法智と言う人が、家門は代々翻訳を続けており、高氏の北斉の末に昭玄寺の都維那となり、北斉が〔北周によって〕平定され、仏と法とがともに廃され、法智は僧官であったので俗官に転身し、洋州（現在の陝西省洋県）の洋川郡守に任命されたが、〔開皇元年（五八一）に〕偉大な隋が〔北周の〕禅譲を受けると、梵文を記した貝葉がただちに伝来し、仏教の太陽の再出を現わし、国の徳化に対する不思議な感応を示したので、勅令を下して法智を召し出し、ふたたび経を訳させた。ただちに大興善寺において訳出した。法智は隋語と梵語との二語にたいへん優れていたため、梵本を手に取っては自ら訳していき、伝語の手間をかけさせなかった。大興善寺の沙門である成都の釈智鉉[7]が文章を筆受し、内容のすじみちを順に詳しく明かした。日厳寺の沙門である趙郡（現在の河北省趙県）の釈彦琮[8]が序を作った。

大隋『業報差別経』一巻【開皇二年三月訳。是第二出。与『罪業報応経』大同小異】。右一部一巻、元魏世婆羅門優婆塞瞿曇般若流支長子達摩般若、隋言法智、門世已来、相伝翻訳、高斉之季、為昭玄都。斉国既平、仏法同毀、智因僧職、転作俗官、冊授洋州洋川郡守。大隋受禅、梵牒即来、顕仏日之重興、彰国化之冥応、降勅召智、還使訳経。即於大興善寺翻出。智既妙善隋梵二言、執本自翻、無労伝訳。大興善寺沙門成都釈智鉉筆受文辞、詮序義理。日厳寺沙門趙郡釈彦琮製序。（T49, 102b）

なお、曇法智に関する唐の諸経録の記述はすべて『歴代三宝紀』の記述の再生産にすぎないから、すべてこれを割愛する。道宣『続高僧伝』巻二、闍那崛多伝に付された曇法智の小伝（T50, 434c）もすべて『歴代三宝紀』に拠ったものであるが、道宣は曇法智を「優婆塞」として扱っている。そのことによるならば、おそらく、北周の廃仏に際して還俗した曇法智はその後再び出家することはなかったと推測される。

曇皮は隋の開皇二年（五八二）から五年（五八五）にかけて北天竺烏場国出身の毘尼多流支（Vinītaruci）の訳場と、那連提耶舎の訳場とにおいて伝語を務めた。長安の大興善寺における毘尼多流支訳二部に言及する際に、『歴代三宝紀』巻十二に次のようにある。[9]

給事中である李道宝と、般若流支の次男である曇皮との、二人が訳文を〔筆受に〕伝えた。

給事李道宝、般若流支次子曇皮、二人伝訳。（T49, 102c）

さらに、長安の大興善寺における那連提耶舎訳八部に言及する際に、『歴代三宝紀』巻十二に次のようにある。[10]

沙門である僧璨、明芬と、給事中である李道宝と、学士である曇皮ら、僧俗四人が、かわるがわる次々に訳文を伝えた。[11][12]

沙門僧璨、明芬、給事李道宝、学士曇皮等、僧俗四人、更遞度語。（T49, 103a）

この「僧俗」のうち、「僧」は僧璨と明芬とを指し、「俗」は李道宝と曇皮とを指すと考えられる。もしそうであるならば、曇皮もまた父や兄と同じく在家信者であったと見なしてよい。

三　訳出の契機

彼らの翻訳事業のうち、ヴァスバンドゥ釈経論群のみを簡単に紹介したい。毘目智仙・般若流支訳に付された序によれば、毘目智仙は興和三年（五四一）に鄴の金華寺において『転法輪経憂波提舎』一巻（八月十一日）と『宝髻経四法憂波提舍』一巻（九月一日）と『三具足経憂波提舍』一巻（九月十三日）とを訳し、般若流支は武定元年（五四三）に高澄（五二一―五四九）の邸宅において『順中論義入大般若波羅蜜経初品法門』二巻（八月十日）を訳した。『順中論義入大般若波羅蜜経初品法門』はアサンガに帰されるが、筆者の見るところ、ヴァスバンドゥ釈経論のひとつである可能性もあるため、本研究の対象のうちに含める。

毘目智仙や般若流支がインドにおいていかなる系統の経論を学んでいたかは、彼らの翻訳からだけでは推測しがたい。彼らが学んだ系統と異なる経論であっても、持ち込まれて翻訳を依頼されれば翻訳したであろうからである。ただし、同じくヴァスバンドゥ釈経論群を訳したにせよ、毘目智仙や般若流支が勒那摩提や菩提流支と異なるのは、毘目智仙や般若流支が釈経論群以外のヴァスバンドゥ著作をも訳した点である。毘目智仙は『業成就論』（『成業論』）を訳し、般若流支は『唯識論』（『唯識二十論』）を訳した[13]。第一部第一章において述べたとおり、勒那摩提や菩提流支がヴァスバンドゥ釈経論群を訳したのは、北魏の仏教界からの要望を受けてであったと考えられるが、見かたを変えれば、数あるヴァスバンドゥ著作群のうち、勒那摩提や菩提流支が釈経論群しか訳さなかったのは、彼らがもともと釈経論群以外のヴァスバンドゥ著作をさほど学んでいなかったからであるまいか。実のところ、たとえば菩提流支の唯識説は染汚意を認めない七識説であり、ヴァスバンドゥの八識説と異なるのである[14]。もしそのように理解してよいならば、毘目智仙や般若流支がヴァスバンドゥ釈経論群のみならず『業成就論』『唯識論』をも訳したのは、彼らがもともと釈経論群以外のヴァスバンドゥ著作をも広く学んでいたからであり、彼らがヴァスバンドゥ釈経論群を訳したのは、北魏の仏教界からの要望というよりも、彼ら自身がヴァスバンドゥ著作群全般を学んできたことに基づいていたと推測される。

四　おわりに

本章において述べてきたことがらは以下のとおりである。

1　勒那摩提や菩提流支はヴァスバンドゥ釈経論群以外のヴァスバンドゥ著作を訳しておらず、もともと釈経論群以外のヴァスバンドゥ著作をさほど学んでいなかったらしい。第一部第一章において述べたとおり、彼らがヴァスバンドゥ釈経論群を訳したのは、北魏の仏教界からの要望を受けてであったと推測される。

2　毘目智仙や般若流支はヴァスバンドゥ釈経論群以外のヴァスバンドゥ著作として『業成就論』『唯識論』を訳しており、もともと釈経論群以外のヴァスバンドゥ著作を広く学んでいたらしい。彼らがヴァスバンドゥ釈経論群を訳したのは、北魏の仏教界からの要望というよりも、彼ら自身がヴァスバンドゥ著作群全般を学んできたことに基づいていたと推測される。

註

（1）『転法輪経憂波提舎』一巻、『宝髻経四法憂波提舎』一巻、『三具足経憂波提舎』一巻、『業成就論』一巻、『廻諍論』一巻。

（2）『大唐西域記』巻六に次のようにある。
釈迦族の者四人はみずから畝を耕していたが、ただちに抗戦し、敵軍が退散したのち、〔迦毘羅〕城に入った。一族の人々は〝〔釈迦族は〕転輪王の血筋を継ぎ、法王（仏陀）の家門の子である。〔四人が〕みだりに凶暴なことを行なったのに、〔われわれは〕どうして殺害を許容できようか。家門を汚辱するものだ〟と考えて、親類の縁を切って遠くに追放した。四人は追い出されて、北のかた雪山に赴き、ひとりは烏仗那国の王となり、ひとりは梵衍那国の王となり、ひとりは呬摩呾羅国の王となり、ひとりは商弥国の王となった。代々その職を伝え、子孫は途絶えることがない。

釈種四人躬耕畎畝、便即抗拒、兵寇退散、已而入城。族人以為承輪王之祚胤、為法王之宗子、敢行凶暴、安忍殺害、汚辱宗門、絶親遠放。四人被逐、北趣雪山、一為烏仗那国王、一為梵衍那国王、一為呬摩呾羅国王、一為商弥国王。奕世伝業、苗裔不絶。
（T51, 901c）

（3）『大唐西域記』については、山口益［1951: 9］とそこに紹介されるラモット（Lamotte）の序文とによって知った。ラモットは『開元釈教録』が『大唐西域記』に拠ったとは考えていないが、筆者は前者が後者に拠ったと考えている。

（4）なお、われわれは般若流支訳『解脱戒経』（*Prātimokṣa-sūtra*）の冒頭（T24, 659a）に「〔この経は〕飲光部（Kāśyapīya）において誦出された」（「出迦葉毘部」）とあることに注目すべきかもしれない。『解脱戒経』そのものは出家戒であるが、飲光部の『解脱戒経』を訳出した以上、般若流支は飲光部において在家戒を受けた可能性がある。

（5）北斉の僧官については、たとえば山崎宏［1942］第二部第一章「南北朝時代に於ける僧官の検討」を見よ。

（6）『菩薩見実三昧経』十四巻（天統四年）、『月蔵経』十二巻（天統二年）、『月燈三昧経』十一巻（天保八年）、『大悲経』五巻（天保九年）、『須弥蔵経』二巻（天保九年）、『然燈経』一巻（天保九年）、『法勝阿毘曇論』七巻（河清二年）。すべて天平寺における訳。

（7）生没年および伝記不明。

（8）五五七―六一〇。道宣『続高僧伝』巻二、彦琮伝を見よ。

（9）『象頭精舎経』一巻（開皇二年二月）、『大乗方広総持経』一巻（開皇二年七月）。

（10）『大方等日蔵経』十五巻（開皇四年五月）、『力荘厳三昧経』三巻（開皇五年十月）、『大荘厳法門経』二巻（開皇三年正月）、『徳護長者経』二巻（開皇三年六月）、『蓮華面経』二巻（開皇四年三月）、『大雲輪請雨経』二巻（開皇五年正月）、『牢固女経』一巻（開皇二年十二月）、『百仏名経』一巻（開皇二年十月）。

（11）生没年不明。道世『法苑珠林』巻百は隋大興善寺沙門釈僧璨撰として『十種大乗論』一巻を載せる。

（12）生没年不明。道宣『続高僧伝』巻二十六、明芬伝を見よ。

（13）般若流支訳と伝えられる『唯識論』は宇井伯寿［1953: 91］によって菩提流支訳と推定されてきたが、華房光寿［1991］は経録と訳語との調査に基づいて、『唯識論』を般若流支訳と推測した。『唯識論』は一貫して四字句によって構成されているが、これは菩提流支訳のうちに確認されず、般若流支訳のうちに確認される特徴である。このことからも、華房光寿［1991］の推測は支持され得る。

（14）道基『摂大乗論義章』の佚文に次のようにある。

『摂大乗論義章』第一は〔次のように〕言っている。……菩提流支三蔵はただ七識を説くのみである。〔前六識に〕アーダーナ識を加えて第七識と規定する。八識〔を説くの〕でもなく九識〔を説くの〕でもない。

『摂論章』第一云。……流支三蔵唯説七識。加陀那識、而為第七。非八非九。（凝然『華厳孔目章発悟記』巻十六。DBZ122, 388b）

この七識説は菩提流支が『深密解脱経』という名のもとに訳した『解深密経』によると考えられる。『解深密経』の唯識説は染汚意を説かず前六識とアーダーナ識（＝アーラヤ識）とだけを説く七識説である。

第二章　『三具足経憂波提舎』『転法輪経憂波提舎』『宝髻経四法憂波提舎』

一　はじめに

『三具足経憂波提舎』は『集一切福徳三昧経』(*Sarvapuṇyasamuccayasamādhi-sūtra*)において説かれる三資糧に対する註釈であり、『転法輪経憂波提舎』は『力荘厳三昧経』(原題不明)において説かれる二加持に対する註釈であり、『宝髻経四法憂波提舎』は『大方等大集経』宝髻菩薩品(*Ratnacūḍa-paripṛcchā*)において説かれる四法に対する註釈である。「三具足経」「転法輪経」の「経」字は漢訳の際の付加と考えられ、『三具足経』『転法輪経』という経があったとは考えられない。そのことは『宝髻経四法憂波提舎』において「経」字のない『三善具足憂波提舎』という名のもとに『三具足経憂波提舎』が言及されることからも裏づけられる。これら三憂波提舎はいずれも毘目智仙訳としてのみ現存する。

これら三憂波提舎について容易に看取されることは、これらが互いに似通った性格を有する文献群だということである。

まず、これら三憂波提舎はいずれもそれぞれの経のごく一部のみに対する註釈であり、他のヴァスバンドゥ釈経論群がそれぞれの経の全体に対する註釈であるのと異なる。

さらに、これら三憂波提舎はいずれも最初に経文を提示し、次にそれに関するいくつかの質問を設定し、最後にそれらの質問に対する回答を提示するという構成を採っており、他のヴァスバンドゥ釈経論群における構成と異なる。さらに、これら三憂波提舎はいずれも先行する『菩提心憂波提舎』なる著作（現存しない）に詳説を譲っており、この著作に後続する姉妹作であったと考えられる。

以上の理由によって、本章においては三憂波提舎をまとめて検討したい。

二　古師ヴァスバンドゥ著作との比較

先に述べたとおり、これら三憂波提舎はいずれも先行する『菩提心憂波提舎』なる著作（現存しない）に詳説を譲っており、この著作に後続する姉妹作であったと考えられるから、この三憂波提舎が同一のヴァスバンドゥの作であることはまず確実である。しかし、残念ながら、筆者は現時点において三憂波提舎のうちにほかの古師ヴァスバンドゥ著作との接点を見出だすことに成功していない。

三　新師ヴァスバンドゥ著作との比較

『転法輪経憂波提舎』は『阿毘達磨倶舎論』との間に接点を有するので、以下においては両論を比較してみたい。四諦の三転十二行相について、『阿毘達磨倶舎論』賢聖品は毘婆沙師の解釈を提示したのち、ヴァスバンドゥ自らの解釈によって批判する。毘婆沙師とヴァスバンドゥとの解釈は三転を①「これは苦聖諦である。これは集聖諦である。これは滅聖諦である。苦の滅への道聖諦である」②「かの苦聖諦は遍知されるべきである。かの苦の集は断ぜられるべきである。かの苦の滅は証得されるべきである。かの苦の滅への道は修習されるべきである」③「かの苦聖諦は遍知された。かの苦の集は断ぜられた。かの苦の滅は証得された。かの苦の滅への道は修習された」と解釈する点において同じであるが、毘婆沙師が十二行相を三転のそれぞれに対する「眼が生じた。智、明、覚が生じた」という四行相の合計と解釈するのに対し、ヴァスバンドゥは十二行相を四諦のそれぞれに対する三転の合計と解釈する。

〔毘婆沙師の解釈：〕どのようにしてそれ（＝法輪）は三転十二行相であるのか。「これは苦聖諦である。それはまことに遍知されるべきである。それはまことに遍知された」という、それらが三転である。そして、それぞれの転に対する、「眼が生じた。智、明、覚が生じた」という、それらが十二行相である。他ならぬ諦ごとに〔三転十二行相が〕起きる。しかるに、〔それぞれの諦が〕三〔転〕十二〔行相〕を有する点で共通性があるゆえに、〔十二転四十八行相でなく、〕三転十二行相である。〔眼と色とから、しまいには意と法とに至る十二処を〕二と〔説くことや〕、〔五蘊と、その集と、滅と、滅への道と、味と、患と、離との三十五を知ることを〕七処善巧と説くことのごとし。さらに、これら〔三〕転によって、見道・修道・無学道が順番どおりに示されている。というのが毘婆沙師である。

〔ヴァスバンドゥ自らの解釈：〕もしそうであるならば、その場合、見道のみが三転十二行相なのではないのに、どうして〔毘婆沙師の別の解釈においては〕それ（＝見道）が法輪であると設定されるのか。それゆえに、この法門（＝三転の経文）がそのまま三転十二行相の法輪であるのが妥当である。さて、〔この法門は〕いかにして三転なのか。〔四〕諦に三度、転ずるからである。〔この法門は〕いかにして十二行相なのか。四諦を三とおりに行相づけるからである。①「苦である。集である。滅である。道である」というふうに、②「遍知されるべきである。断ぜられるべきである。証得されるべきである。修習されるべきである」というふうに、③「遍知された。断ぜられた。証得された。修習された」というふうに。

kathaṃ tat triparivartaṃ dvādaśākāraṃ ca. idaṃ duḥkham āryasatyam, tat khalu parijñeyam, tat khalu parijñātam ity ete trayaḥ parivartāḥ. ekaikasmiṃś ca parivarte cakṣur udapādi jñānaṃ vidyā buddhir udapādi ity ete dvādaśākārāḥ. pratisatyam eva bhavanti. trika-dvādaśaka-sādharmyāt tu triparivartaṃ dvādaśākāram. dvaya-sapta-sthāna-kauśalā-deśanāvat. ebhiś ca parivartair darśana-bhāvanā-śaikṣamārgā yathā-saṃkhyaṃ darśitā iti Vaibhāṣikāḥ. yady evaṃ na tarhi darśana-mārga eva triparivarto dvādaśākāra iti katham asau dharma-cakraṃ vyavasthāpyate. tasmāt sa evaṃ dharma-paryāyo dharma-cakraṃ triparivartaṃ dvādaśākāraṃ ca yujyate. kathaṃ ca punas triparivartam. satyānāṃ triḥ parivartanāt. kathaṃ dvādaśākāram. caturṇāṃ satyānāṃ tridhākaraṇāt. duḥkhaṃ samudayo nirodho mārga iti, parijñeyaṃ praheyaṃ sākṣātkartavyaṃ bhāvayitavyam iti, parijñātaṃ prahīṇaṃ sākṣātkṛtaṃ bhāvitam iti.（AKBh 371, 11–21）

それに対し、『転法輪経憂波提舎』に次のようにある。

「これは苦聖諦である。これは集聖諦である。これは滅聖諦である。苦の滅への道聖諦である」という、これらが第一転である。「かの苦聖諦は遍知されるべきである。かの苦の集は断ぜられるべきである。かの苦の滅は証得されるべきである。かの苦の滅への道は修習されるべきである」という、これらが第二転である。「かの苦聖諦は遍知された。かの苦の集は断ぜられた。かの苦の滅は証得された。かの苦の滅への道は修習された」という、これらが第三転である。これらによって三転が説かれた。このように、苦についての智と、集についての智と、滅についての智と、道についての智とがある。このように、苦諦について〔「これは苦聖諦である。かの苦聖諦は遍知されるべきである。かの苦聖諦は遍知された」という〕三転の智があり、それと同様に、集諦について、それと同様に、滅諦について、それと同様に、道諦について三転の智がある。具体的には（*tad yathā）、十二行相があると説かれる[1]。それはなぜか。以上のように、〔三種類の〕行相が異なっているので苦諦において三転の智があるし、〔三種類の〕行相が異なっているので集諦において、〔三種類の〕行相が異なっているので滅諦において、〔三種類の〕行相が異なっているので道諦において、すべて三転の智がある。このようにして、十二行相があると説かれる。

「此苦聖諦。此集聖諦。此滅聖諦。此苦滅道聖諦」。此第一転。「此苦聖諦応知。此苦集応断。此苦滅応證。此苦滅道応修」。此第二転。「此苦聖諦已知。此苦集已断。此苦滅已證。此苦滅道已修」。此第三転。此説三転。如是苦智、集智、滅智、道智。如是苦諦有三転智。如是集諦、如是滅諦、如是道諦有三転智。彼如是説、有十二行。何以故。如是異行於苦諦中有三転智。異行集諦、異行滅諦、異行道諦、皆三転智。此如是説有十二行。

三転十二行相に対するこの解釈は『阿毘達磨倶舎論』におけるヴァスバンドゥ自らの解釈と一致する。そして、他の瑜伽師文献のうちにこのような解釈は見受けられない。

四　おわりに

本章において明らかにされたことがらは以下のとおりである。
1　古師ヴァスバンドゥとの接点については、『三具足経憂波提舎』『転法輪経憂波提舎』『宝髻経四法憂波提舎』が同一のヴァスバンドゥの作であることが確認される。ただし、残念ながら、筆者は未だ三憂波提舎のうちに他の古師ヴァスバンドゥ著作との接点を見出だすことに成功していない。
2　新師ヴァスバンドゥとの接点については、『転法輪経憂波提舎』と『阿毘達磨倶舎論』とは三転十二行相に対し同様な註釈を与えている。

註

（1）原文「彼如是説……」。毘目智仙訳『業成就論』「彼如是説……」(T31, 778c) ＝蔵訳 'di ltar [...] zhes bya (KSP 13, 10–12) ＝玄奘訳『大乗成業論』「経言……」(T31, 783b)。

第三章　『順中論義入大般若波羅蜜経初品法門』

一　はじめに

般若流支訳としてのみ現存する『順中論義入大般若波羅蜜経初品法門』は、同論冒頭に付された曇林「翻訳の記」によれば、アサンガの作である。しかるに、少しのちの吉蔵（五四九―六二三）は、『中論序疏』において、これをヴァスバンドゥに帰している。

『順中論義入大般若波羅蜜経初品法門』はヴァスバンドゥによって作られたものである。

『順中論』是天親所作。（T42, 1c）

このことを吉蔵の思い違いとして処理することはたやすい。しかし、『大智度論』巻十八（T25, 190b–191a）のうちに著者名の提示なく引用されるラーフラバドラ（Rāhulabhadra. 三世紀頃）の『讃般若波羅蜜偈』（*Prajñāpāramitā-stotra*）を、『中観論疏』巻十末（T42, 168c）においてラーフラバドラの作と正確に指摘しているほどの吉蔵[1]は、インド仏教について、何らかの正確な情報源を有していた可能性がある。したがって、たとえ曇林の伝承と異なるにせよ、われわれは吉蔵の伝承をないがしろにするわけにはいかない[2]。

さらに、『順中論義入大般若波羅蜜経初品法門』は伝統的にナーガールジュナ『中論』に対する註釈と見なされてきたが、これが『中論』に対する註釈であるかどうかは検討を要する。『順中論義入大般若波羅蜜経初品法門』に次のようにある。

質問。執範師〔ナーガールジュナ〕は何のためにこの『〔中〕論』をお造りになったのか。回答。道理にしたがって『大般若波羅蜜』の意味に参入することによって、有情に、戯論である執着などを捨てさせるためにである。

問曰。阿闍梨意、為何義故、而造此論。答曰。依順道理入『大般若波羅蜜』義、為令衆生捨諸戯論取著等故。

（巻下。T30, 44c）

この文から推測するならば、『順中論義入大般若波羅蜜経初品法門』とは、『『中論』の内容（＝道理）にしたがうことによる、『大般若波羅蜜経』初品法門への参入』という意味かと考えられる。[4] もしそうであるならば、この論は『中論』に対する註釈というよりも、むしろ『大般若波羅蜜経』初品法門に対する註釈（正確には、綱要書）と見なされるのでなかろうか。そして、そのことは、この論の内容から考えても、決してあり得ぬことではないのである。したがって、われわれはこの論が『婆藪槃豆法師伝』のうちに次のように言及されるヴァスバンドゥの『般若波羅蜜多』註釈と同一である可能性を考慮しなければなるまい。[5]

アサンガ法師の死後、ヴァスバンドゥはようやく大乗の論を作り、諸大乗経を註釈した。『華厳』『涅槃』『法華』『般若』『維摩』『勝鬘』などの諸大乗経の論はすべて〔ヴァスバンドゥ〕法師によって作られたものである。

阿僧伽法師殂歿後、天親方造大乗論、解釈諸大乗経。『華厳』『涅槃』『法華』『般若』『維摩』『勝鬘』等諸大乗経論悉是法師所造。（T50, 191a）

ただし、これは『能断金剛般若波羅蜜多』に対する現存の二註釈を指すのかもしれず、即断はできない。以下においては、以上のことがらを念頭に置きながら、『順中論義入大般若波羅蜜経初品法門』を他のヴァスバンドゥ著作と比較してみたい。

二　古師ヴァスバンドゥ著作との比較

『順中論義入大般若波羅蜜経初品法門』は『大乗荘厳経論』『辯中辺論』との間に接点を有するので、以下においてはそれらを比較してみたい。

『順中論義入大般若波羅蜜経初品法門』は冒頭において『二万五千頌般若波羅蜜多』を引用するが、そのうちに次のようにある。

それはなぜかというならば、カウシカよ、あらゆる法は自性を欠くので空なのである。自性を欠くので空である法なるもの、それは無である。無であるもの、それは般若波羅蜜である。般若波羅蜜なるもの、それはいかなる法についても、取ることでなく、捨てることでなく、生ずることでなく、滅することでなく、断でなく、常でなく、一体なることでなく、異体なることでなく、来ることでなく、去ることでない。

何以故。憍尸迦、如一切法自体性空。若其彼法自体空者、彼法無体。若無体者、是名般若波羅蜜。若是般若波羅蜜者、彼無少法可取可捨、若生若滅、若断若常、若一義若異義、若来若去。（巻上。T30, 40a）

tathā hi Kauśika sarvadharmāḥ svabhāvena śūnyāḥ. yaś ca dharmaḥ svabhāvena śūnyaḥ so 'bhāvaḥ. yaś cābhāvaḥ sā prajñāpāramitā. yā prajñāpāramitā sā na kasyacid dharmasyāyūhalaṃ vā niryūhalaṃ votpādo vā nirodho vocchedo vā śāśvato vaikārthatā vā nānārthatā vāgamo vā nirgamo vā.（PVSPP II–III 115, 4–8）

ここでは、あらゆる法の生ずることなどを否定するための根拠として、あらゆる法が無（abhāva）であることが挙げられている。ここで説かれている、あらゆる法の生ずることなどの否定が、『中論』の帰敬偈において説かれている、有名な八つの否定と同じであることは言うまでもない。これ以降、『順中論義入大般若波羅蜜経初品法門』は、あらゆる法が無であることを根拠として、あらゆる法の生ずることなどを否定していくのである。

ところで、『般若波羅蜜多』において、あらゆる法の生ずることなどが否定されていることは、初期瑜伽師文献によれば、遍計所執性の次元においてのみ否定されているというふうに解釈される（言い換えれば、依他起性の次元においては、あらゆる法の生ずることなどは決して否定されていない）。そのような解釈が行なわれる代表的な例は『解深密経』無自性相品であるが、ここでは、わかりやすい例として『釈軌論』第四章を挙げる。

「あらゆる法は無自性であり、生じておらず、滅していない」かくかくしかじかという、そのことも〔『般若波羅蜜多』において〕説かれるべきである。それは何のためかというならば、愚者が遍計所執性を有と執着することを除去してやるためである。

本来的に眼が曇っている者たちに対し、この遍計所執性を有と執着することを除去してやるためにそれ（＝あらゆる法）が無であるというのと同様に、「それ（＝あらゆる法）はことばどおりの実体（＝遍計所執性）でない」というこの語も〔『解深密経』などにおいて〕必ず説かれるべきである。それは何のためかというならば、言われたことをわからない頭の持ち主たちが〝不可説（*nirabhilāpya）なる自体ある法〟（＝依他起性）を無と執着することを排除してやるためである。

chos thams cad ni ngo bo nyid med pa ma skyes pa ma ’gags pa zhes bya ba de lta bu la sogs pa ’di yang bshad par bya’o ‖ ci’i phyir zhe na | byis pas kun tu brtags pa’i ngo bo nyid yod pa nyid du ’dzin pa bsal ba’i phyir ro ‖ rang bzhin gyis mig skyon can du gyur pa dag la kun tu brtags pa’i rang bzhin de yod pa nyid du ’dzin pa bsal ba’i phyir de med pa nyid yin pa dang ’dra bar de sgra ji bzhin gyi don ma yin no zhes ’di skad kyang gdon mi za bar bshad par bya’o ‖ de ci’i phyir zhe na | mgo smos pa mi shes pa rnams brjod du med pa’i ngo bo’i chos med par ’dzin pa bsal ba’i phyir ro ‖ (VY 229, 12–20)

ここでは、あくまで遍計所執性の次元においてのみ、あらゆる法が無であることが主張され、依他起性の次元においては、あらゆる法が有であることが主張されている。
それに対し、『順中論義入大般若波羅蜜経初品法門』においては、表面上、三性説はまったく言及されないまま、あらゆる法が無であることが主張されている。それでは、この論においては、初期瑜伽師文献と異なって、依他起性の次元においてすら、あらゆる法が無であることが主張されているのであろうか。

この点を吟味するために、先に、初期瑜伽師文献である『大乗荘厳経論』を確認したい。「諸行は無常である。諸行は苦である。あらゆる法は無我である。涅槃は寂静である」という四法印について、『大乗荘厳経論』菩提分品に次のようにある。

次に、無常の意味から寂滅の意味までは何かというならば、答える。

諸智者にとって、この四〔法印〕は、①ないものという意味と、②無分別という意味と、他ならぬ③能遍計という意味と、④能分別の寂滅という意味とである。

諸菩薩にとって、①無常の意味とは、ないものという意味である。常にないもの、それは、彼らにとって、無常であり、遍計所執相なるものである。②苦の意味とは、虚妄分別（すなわち三界の心心所）という意味である。依他起相なるものである。③無我の意味とは、ただ能遍計のみという意味である。「他ならぬ」という語によって限定がある。〝遍計所執の我はないが、しかるに、ただ能遍計のみがある〟というふうに、〝無我の意味とは、遍計所執相の無という意味である〟と言われる。④寂静の意味とは、能分別の寂滅という意味である。涅槃は円成実相である。

kaḥ punar anityārtho yāvac chāntārtha ity āha.

asadartho vikalpārthaḥ (corr. : 'vikalpārthaḥ) parikalpārtha eva ca |
vikalpopaśamārthaś ca dhīmatāṃ tac catuṣṭayam || XVIII.81

bodhisattvānām [1] asadartho 'nityārthaḥ. yan nityaṃ nāsti tad anityaṃ teṣāṃ yat parikalpitalakṣaṇam. [2] abhūtavikalpārtho duḥkhārtho yat paratantralakṣaṇam. [3] parikalpamātrārtho 'nātmārthaḥ. evaśabdenāvadhāraṇam. parikalpita ātmā nāsti parikalpamātraṃ tv astīti parikalpitalakṣaṇasyābhāvārtho 'nātmārtha ity uktaṃ bhavati. [4] vikalpopaśamārthaḥ śāntārthaḥ pariniṣpannalakṣaṇaṃ nirvāṇam.（MSABh 149, 3–11）

ここでは、遍計所執性の次元において、「無常」という語は「ないもの」（asat）を意味すると説かれている。

それに対し、「声は無常である」（「声無常」。T30, 42a）という主張について対論者から提出される「作られたものたることゆえに（*kṛtakatvāt）」（「以造作故」。T30, 42a）という理由を批判する際に、『順中論義入大般若波羅蜜経初品法門』に次のようにある。

この無常なるもの（*anitya）は、ないもの（*asat）と呼ばれる。

此無常者、名為無物。（T30, 42b）

無常なるもの（*anitya）は、ないもの（*asat）である。

無常無物。（T30, 42c）

すなわち、これは『大乗荘厳経論』が遍計所執性の次元において説く無常の意味とまったく同じである。なお、『大乗荘厳経論』（MSABh 149, 11–12）は先の文の直後に「依他起相については、無常の意味は刹那滅という意味とも知られるべきである」（kṣaṇabhaṅgārtho 'py anityārtho veditavyaḥ paratantralakṣaṇasya）と述べ、遍計所執性の次元においてのみならず、依他起性の次元においても無常の意味を説く(6)（ad MSA XVIII.82–91）。さらに、『辯中辺論』は三性いずれの次元においても無常の意味を説く。

さらに、そこ（＝根本真実）において、無常性などはどのように知られるべきか。

無常の意味は、ないものという意味であり、生滅相であり、有垢無垢のありかたとして、根本真実において順番どおりにある。
根本真実とは、じつに、三性である。それら（＝三性）において、順番どおりに、無常の意味は、〔遍計所執性の次元における、〕ないものという意味と、〔依他起性の次元における、〕生滅という意味と、〔円成実性の次元における、〕有垢〔真如〕が無垢〔真如〕になることという意味とである。

kathaṃ ca tatrānityatāditā veditavyā.

asadartho hy anityārtha utpādavyayalakṣaṇaḥ || III.5cd

samalāmalabhāvena mūlatattve yathākramam | III.6ab

trayo hi svabhāvā mūlatattvam. teṣu yathākramam asadartho hy anityārtha utpādavyayārthaḥ samalāmalatārthaś ca. （MAVBh 38, 22–39, 3）

今、『順中論義入大般若波羅蜜経初品法門』は無常を「ないもの」と説くのみであるから、『大乗荘厳経論』『辯中辺論』が遍計所執性の次元において無常を「ないもの」と説くのに一致する。したがって、『順中論義入大般若波羅蜜経初品法門』は、無常なる声を含むあらゆる法が無であることを主張する場合には、たとえ明言しないにせよ、初期瑜伽師文献と同じように、あくまで遍計所執性の次元においてのみ、あらゆる法が無であることを主張していると推測され得る。

この論が、初期瑜伽師文献と異なって、依他起性が有であることを強調していない理由は明らかでない。ただし、この論の作者（ヴァスバンドゥか）は、『般若波羅蜜多』（や『中論』）においては遍計所執性が無であることのみが主張されていると理解して、敢えてあくまで『般若波羅蜜多』に忠実であろうとしたのでないかと想像することは可能である。参考までに、『般若波羅蜜多』を註釈する際に、依他起性が有であることを強調していないヴァスバンドゥ著作として、『金剛般若波羅蜜経論』がある。『金剛般若波羅蜜経』（VChPP 51, 21）の文「現在の心は不可得である」

(pratyutpannaṃ cittaṃ nopalabhyate)を註釈する際に、『金剛般若波羅蜜経論』は遍計所執性の心が無であることを主張するにとどまり、依他起性の心が有であることを強調していない(和訳は義浄訳から)。

現在〔の心〕は、遍計所執性としては無(*abhāva)であることによって〔不可得なの〕である。

【菩提流支訳】現在心虚妄分別故不可得。(巻下。T25, 792c)

【義浄訳】其現在者、即是遍計所執自性非有故。(巻中。T25, 881c)

『金剛般若波羅蜜経論』において三性説が用いられるのは、遍計所執性が無であることを主張するこの一例だけである。このことは、ヴァスバンドゥが『般若波羅蜜多』を註釈する際に、敢えてあくまで『般若波羅蜜多』に忠実に、依他起性が有であることを強調しないような事態がありえたことを示している。あるいは『順中論義入大般若波羅蜜経初品法門』についても、それと同じような事態が考えられるのであるまいか。

三　新師ヴァスバンドゥ著作との比較

『順中論義入大般若波羅蜜経初品法門』は『阿毘達磨倶舎論』『成業論』『唯識二十論』との間に接点を有するので、以下においては両者を比較してみたい。

【例1　有為法が原因によらず滅すること】〝有為法が滅することは原因によらない〟という説は説一切有部の『阿毘達磨大毘婆沙論』において譬喩師の説として登場し[7]、大乗瑜伽師の『阿毘達磨集論』『顕揚聖教論』『大乗荘厳経論』と、ヴァスバンドゥ『阿毘達磨倶舎論』『成業論』とにおいて継承された[8]。

このうち、『阿毘達磨倶舎論』においてのみ確認され、他の諸文献において確認されないのは、滅すること(vināśa)を無(abhāva)と同一視する解釈である。『阿毘達磨倶舎論』業品に次のようにある[9](質問は犢子部、回答はヴァスバンドゥ）。

〔質問。〕もしあらゆるものが瞬間的であることが成立するならば、他ならぬそのこと（＝身業は運動でないということ）がありえよう。

〔回答。〕それは成立しているに他ならない。

〔質問。〕どうしてか。

〔回答。〕有為〔法〕は必ず、

「滅するからである」（IV.2’d）。

じつに、諸有が滅することは原因なきものである。

〔質問。〕どういうわけでか。

〔回答。〕なぜなら、結果には原因があるが、しかるに、滅すること（vināśa）は無（abhāva）である。そして、無であるもの、それに対しては〔原因によって〕何がなされ得ようか。

syād etad eva yadi sarvasya kṣaṇikatvaṃ sidhyate. siddham evaitat. kutaḥ. saṃskṛtasyāvaśyaṃ
vyayāt || IV.2’d
ākasmiko hi bhāvānāṃ vināśaḥ. kiṃ kāraṇam. kāryasya hi kāraṇaṃ bhavati. vināśaś cābhāvaḥ. yaś cābhāvas tasya kiṃ kartavyam.（AKBh 193, 4–8）

それに対し、『順中論義入大般若波羅蜜経初品法門』は〃有為法が滅することは原因によらない〃という説を二度にわたって提示し、そこにおいては、『阿毘達磨倶舎論』と同様に、滅することを無と同一視する解釈が確認される。一度目は「声は無常である」（「声無常」。T30, 42a）という主張について対論者から提出される「原因によって壊れることゆえに」（「因縁壊故」。T30, 42a）という理由を否定する際に提示される。

〔声が〕原因によって壊れること（*bhaṅga）は妥当でない。〔そのことは〕成立しないからである。声が原因によって壊れることがどうして妥当であろうか。〔声は〕瞬間的だから（*kṣaṇikatvāt）、住しないからである。〔主張：〕〔壊れることは〕無（*abhāva）〔という意味〕である以上、どうして原因によって壊れることがあり得ようか。〔理由：〕〔無は〕生じたものでないからである。〔喩例：〕兎角のごとし。

因縁破壊、義不相応。不成就故。声因縁壊、云何相応。以念念故、以不住故。既是無物、何処得有因縁破壊。以不生故。猶如兎角。（巻上。T30, 43a）

ここでは、壊れることとは無という意味であ〔り、無は原因によらないのであ〕るから、壊れることは原因によらない、と説かれている。壊れることは滅することの言い換えに他ならない。

二度目は「断」（*uccheda）を否定する際に提示される。

〔断には〕原因がないからであり、〔断を〕滅すること（*vināśa）がないからである。いわゆる断（*uccheda）は〝滅すること〟（*vināśa）〝無〟（*abhāva）と呼ばれる。無には原因（*hetu）がないし、〔無を〕滅すること（*vināśa）がない。兎角のごとし。もし法が有（*bhāva）ならば、〔有の〕原因を言い得るし、〔有を〕滅することを言い得る。瓶のごとし。軌範師は次のように説きたまうた。すなわち、偈が説かれている。

原因を有する法なるもの、それは滅すること（*vināśa）を有すると見なされる。あたかも芽のように。滅することを滅することはありえない。それゆえに、滅することに原因はない。

これ（＝断）は、原因がないゆえに、ないとわかる。かつ、滅することがないゆえに〔、ないとわかる〕。貴君は心においてこのように真実を欲求し、断に執着すべきでない。

以無因故、以不滅故。所謂断者、名滅無体。無体無因、若或無滅。猶如兎角。若法有体、可得言因、可得言滅。其猶如瓶。師如是説。所謂偈言。

法有因有滅　彼可見如芽　滅中無滅者　是故無滅因
此無因故、則知是無。復不滅故。汝心如是欲求真実、不応著断。（巻下。T30, 47c）

ここでは、断とは滅することや無という意味であ〔り、無は原因によらないのであ〕るから、断は原因によらない、と説かれている。滅することを無と同一視することは『阿毘達磨倶舎論』の場合とまったく同じである。

なお、ここで引用される「軌範師」の偈の出典は不明である。ただし、『アビダルマディーパ』（*Abhidharmadīpa*）散文註における対論者の説（散文）とほぼ等しい。

およそ原因を有する実体なるもの、それらは無常であると見なされる。どのようにかというならば、あたかも芽のようにである。滅することを滅することはありえない。それゆえに、〔滅することは〕原因がないものである。[10]

ye hy arthātmāno hetumantas te khalv anityā dṛṣṭāḥ. katham. aṃkuravat. na vināśasya vināśo 'sti. tasmād ahetukaḥ.
（ADVPV 106, 20–22）

『順中論義入大般若波羅蜜経初品法門』において軌範師と呼ばれるのはおおむねナーガールジュナであるが、ここでの軌範師は彼とは考えられない。『縁起論』においてはアサンガが軌範師と呼ばれているから、[11]もし『順中論義入大般若波羅蜜経初品法門』がヴァスバンドゥの著作であるならば、ここでの軌範師はアサンガである可能性がある。

さらに、この偈において説かれる「滅することを滅することはありえない」ということは、『成業論』においても説かれている。以下の④を見られたい（和訳は蔵訳から）。

もし滅することが原因を有するものならば、

① 〔貴君ら正量部が〝滅することの原因を有しない〟と見なす〕心心所などもすべて〔滅することの〕原因を有しないものとならなくなってしまう。たとえば〔心心所が〕生ずること〔が原因を有するの〕と同じように。

② 〔貴君ら正量部が〝滅することの原因である〟と見なす〕無常性は〔貴君ら正量部が〝滅することの原因を

有しない〟と見なす〕それら（＝心心所）を離れては少しも証明されない。
③〔滅することの〕原因に区別があるのにもとづいて、〔本来、区別がないはずの〕それ（＝滅すること）に区別があることになってしまう。火と日光と氷と草などにもとづいて、熱変化に区別があるのと同じように。
④さらに、〔滅することは〕滅することを有するものになってしまう。〔原因を有する〕色など〔が滅することを有するの〕と同じように。
そういうわけで、滅することの原因は決してない。(12)

gal te 'jig pa rgyu dang ldan par gyur na ni [1] sems dang sems las byung ba la sogs pa 'ga' yang rgyu med par mi 'gyur te | dper na skye ba bzhin no || [2] mi rtag pa nyid ni de dag las gzhan par cung zad kyang ma grub bo || [3] rgyu'i khyad par las kyang de'i khyad par yod par 'gyur te | me dang | nyi ma dang | chab brom dang | rtswa la sogs pa las tshos byed skye ba bzhin no || [4] 'jig pa dang ldan par yang 'gyur te | gzugs la sogs pa bzhin no || de lta bas na 'jig pa'i rgyu ni 'ga' yang med do ||（KSP 7, 2–8）

又若滅法亦有因者、是則応無無因滅法心心所等。如待因生。滅亦応爾。非離心等別有無常、世共成立。又因異故、滅応差別。如火光雪酢等異故熟変差別。又已滅法応更可滅。許有因故。猶如色等。是故滅法決定無因。
（T31, 782a）

【例2 直接知覚】 直接知覚（*pratyaksa）という語は梵語において直接知覚と直接知覚対象との二つを意味しうる。以下、適宜、訳し分けることにする。経量部によれば、第一の瞬間において色境という対象があり、第二の瞬間において眼識がそれを直接知覚し、第三の瞬間において意識が〝これ（＝色境）はわが直接知覚対象である〟と判断する。しかし、第三の瞬間において〝これはわが直接知覚対象である〟と判断される時には、色境も、それを直接知覚する眼識も滅してしまっている。それゆえに、『唯識二十論』は対象が直接知覚対象であることは認められないと主張する。『唯識二十論』に次のようにある。

さらに、もし〝これ（＝色境）はわが直接知覚対象である〟というその直接知覚対象の知が〔意識とともに〕起こる時には、その時にはその〔眼識の〕対象〔である色境〕が見られない。意識によってのみ判断があるからであり、かつ、その時には〔対象を見る〕眼識が滅してしまっているからである。そうである以上、どうしてそれ（＝対象）が直接知覚対象であることが認められようか。なお、特に、瞬間的である〔五〕境については、その時（＝直接知覚対象の知が起こる時）には、かの色や、あるいは味などは滅してしまっているに他ならない。

yadā ca sā pratyakṣa-buddhir (corr. : text ad. na) bhavatīdaṃ me pratyakṣam iti tadā na so 'rtho dṛśyate. manovijñānenaiva paricchedāt, cakṣurvijñānasya ca tadā niruddhatvāt. iti kathaṃ tasya pratyakṣatvam iṣṭam. viśeṣeṇa tu kṣaṇikasya viṣayasya tadānīṃ niruddham eva tad rūpaṃ rasādikaṃ vā.（VVS 8, 29–9, 1）

それに対し、『順中論義入大般若波羅蜜経初品法門』に次のようにある。

この直接知覚とは、①知（*buddhi）もしくは②〔知の〕対象（*artha）を言うのである。そのことについて、わたしは今、解説することにしたい。

① もし〔直接知覚が〕知ならば、〝いかなるものが知であり、何についての直接知覚であるか〟が説かれるべきである。もし六境が〔知によって〕獲得されるというならば、〔〝直接知覚対象である〟と知る知が起こる瞬間においては、前瞬間において直接知覚対象であった六〕境はない以上、どうして〝直接知覚対象（*pratyakṣa）である〟と知り得ようか。瞬間的であるもの（*kṣaṇika. ＝六境）、それが直接知覚対象であること（*tasya pratyakṣatvam）はない。結局、〝直接知覚対象がある際には直接知覚対象であることがない〟ということを疑わないならば、殊勝である。〝直接知覚対象である〟と知る知、その知は直接知覚でない（＝推理である）。

② 〔対象は〕知の境（*viṣaya）であるから、〔直接知覚である〕知が成立しない以上、〝対象がある〟と説く人

は自己の主張を捨てることになる。どうして対象が直接知覚対象であること（*arthasya pratyakṣatvam）があろうか。

此現者名或知或物。此我今釈。若知、応説〝何者是知、是誰之現〟。若六境界是可得者、境界無故、云何可得知是現耶。有念念者、彼則無現。乃至不疑有現無現、是則為勝。知現之知、此知非現。知境界故、知不成故、説〝有物〟人則捨自法。物云何現。（巻下。T30, 50a）

ここで説かれていることは『唯識二十論』とほぼ同じである。他の初期瑜伽師文献のうちにはこのようなことは見られない。

以上の例によるかぎり、『順中論義入大般若波羅蜜経初品法門』の作者が『阿毘達磨倶舎論』『成業論』『唯識二十論』の作者と同じ新師ヴァスバンドゥであることはほぼ裏づけられる。

四　おわりに

本章において明らかにされたことがらは以下のとおりである。

1　『順中論義入大般若波羅蜜経初品法門』は『大般若波羅蜜経』に対するヴァスバンドゥの註釈である可能性がある。

2　古師ヴァスバンドゥとの接点については、『順中論義入大般若波羅蜜経初品法門』と『大乗荘厳経論』『辯中辺論』とは無常に対し同様な註釈を与えている。

3　新師ヴァスバンドゥとの接点については、『順中論義入大般若波羅蜜経初品法門』と『阿毘達磨倶舎論』『成業論』とは有為法が原因によらず滅することに対し同様な註釈を与えている。さらに、『順中論義入大般若波羅蜜経初品法門』と『唯識二十論』とは直接知覚に対し同様な註釈を与えている。

なお、『順中論義入大般若波羅蜜経初品法門』がヴァスバンドゥの著作である可能性については、同論における引用文献も注目される（引用文献については、本研究第三部第五章における訳註を見よ）。たとえば『釈軌論』第四章は『入楞伽経』偈頌品の偈を最も早期に引用していることで知られるが、『順中論義入大般若波羅蜜経初品法門』も偈頌品の偈を引用している。さらに、『阿毘達磨倶舎論』ほか一連の経量部的著作は『阿毘達磨大毘婆沙論』に対する広範な知識の上に成立していることで知られるが、『順中論義入大般若波羅蜜経初品法門』は『阿毘達磨大毘婆沙論』所出の説一切有部のヴァスミトラ（Vasumitra）の偈を引用している。このようなことも、あるいはヴァスバンドゥの著者性を裏づける状況証拠となり得るかと考えられる。

最後に一言したいのは、『順中論義入大般若波羅蜜経初品法門』において三支の論証式が頻繁に用いられることである。三支の論証式は新師ヴァスバンドゥに帰される『論軌』においては用いられるが、同じ新師ヴァスバンドゥに帰される『阿毘達磨倶舎論』においては用いられない。三支の論証式は古師ヴァスバンドゥに帰される釈経論群においてもやはり用いられないが、筆者は、『十地経論』の記述を通じて、彼は三支の論証式を知っていたのでないかと考えるようになった。『十地経』序分（DBhS 15, 9）の偈「喩例と相応し、伴い、音素を等しくする、勝れた法の声を説きたまえ」（udīrayiṣye vara-dharma-ghoṣaṃ dṛṣṭānta-yuktaṃ sahitaṃ samākṣaram）を註釈する際に、『十地経論』に次のようにある。

偈の後半「喩例と相応し、伴い、音素を等しくする、勝れた法の声を説きたまえ」によって何を示すのかというならば、〝何を説くのか〟といえば「勝れた法」〔を〕であり、〝何によってか〟というならば「声」〔によって〕であり、〝どのようにか〟といえば「喩例」および理由（*hetu）と相応してであり、〝何によってか〟といえば「音素」〔によって〕であって、そのすべてを善く説きたまえと示すのである。このうち、「伴い」といわれるのは、〝理由（*hetu）を伴い〟と知られるべきである。「音素を等しくする」ことは二とおりであって、①誰の何語であろうとそれと音素を等しく〔して説法〕すること、②増減なく適切なあらゆる文章（*pada）と音素（*akṣara）とによって意味がわかりやすい（*gatārtha）ことである。

tshigs su bcad pa'i phyed 'og ma | dpe ldan 'thad la yi ge mnyam pa yis | chos kyi (D : kyis P) dam pa sgras ni bshad par bya | zhes bya bas ci ston zhe (D : ce P) na | gang bshad pa ste chos kyi (D : kyis P) dam pa dang | gang gis shes na | sgra dang | ji lta bur zhe na | dpe dang | gtan tshigs dang ldan pa dang | gang la brten zhe (D : ce P) na | yi ge rnams la ste | de thams cad legs par bshad par bya'o zhes ston to || de la 'thad pa zhes bya ba ni gtan tshigs dang ldan par rig par bya'o || yi ge mnyam pa nyid ni rnam pa gnyis kyis te | su'i skad ci 'dra ba des yi ge mnyam pa dang | tshig dang yi ge mang nyung med par ran pa ji snyed dag gis don go ba'o ||（D Ngi 127b6–128a1; P Ngi 162b6–163a2）

下半偈「説上法妙音、喩相応善字」示現何事、以何事、云何事、依止何事。示現何事者、所謂「上法」。以何事者、謂「妙音声」。云何事者、「譬喩相応」。依止何事者、謂依止「善字」。我一切善説。又「相応」者、譬喩共相応。「善字」者有二種相。一随方言音善随順故、二字句円満不増不減与理相応故、言「善字」。（巻二。T26, 134b）

偈の「喩例と相応し、伴い、音素を等しくする、勝れた法の声」のうち、「伴い」は何を伴うのか明確でない[14]。それゆえに、『十地経論』は「理由を伴い」と説明している。『十地経論』は主張（pakṣa）に該当する「勝れた法の声」が喩例（dṛṣṭānta）と相応し理由（hetu）を伴うと述べているのであるから、ここではおそらく三支の論証式が念頭に置かれているのである。

ヴァスバンドゥ釈経論群において、三支の論証式は用いられない。ただし、彼は三支の論証式を知っており、知っていつつも用いなかっただけと考えられる。あるいは、『阿毘達磨倶舎論』においても、それと同じことが考えられるのでなかろうか。

註

（1）このことについては、宇井伯寿［1921］（再録：宇井伯寿［1924］）を見よ。

（2）ただし、吉蔵は『中辺分別論』に対する真諦の講義録であるらしい『十八空論』をもヴァスバンドゥに帰しており、その点において、彼が何らかの文献をヴァスバンドゥに帰することは必ずしも信頼できないと言われるかもしれない。アサンガ菩薩が造った『摂大乗論』とヴァスバンドゥが造った『十八空論』とはいずれも第八識は妄識であると言い、生死の根本であると考えている。

又『摂大乗論』阿僧伽菩薩所造及『十八空論』婆藪所造皆云八識是妄識、謂是生死之根。（吉蔵『法華玄論』巻二。T34, 380b）

ただし、その場合にも、彼が我々の知らない情報源を有していたこと自体は否定されない。

（3）「『大般若波羅蜜経』初品法門」の意味は定かでない。『順中論義入大般若波羅蜜経初品法門』においては、『大経』という名のもとに、『二万五千頌般若波羅蜜多』のさまざまな箇所が引用されているが、初品と呼ばれるべき同経冒頭部は引用されていない。あるいは、「初品法門」とは「〔あまたの法門のうち、初心者がまず入るべき〕最初の法門」程度の意味か。

（4）その場合、吉蔵以来の『順中論』という略称は妥当でなく、むしろ『順中論義』という略称が用いられるべきである。そういう観点から、筆者は敢えて『順中論』という略称を用いない。

（5）白館戒雲［1989］は『順中論義入大般若波羅蜜経初品法門』が『中論』に対するアサンガの註釈である場合に付随する問題点を次のように指摘する。

瑜伽行派の学僧アサンガが『中論』の注釈を書いたということはもう少し議論されるべきことのように思われる。少なくとも私にとっては次の二点が問題である。（1）アヴァローキタヴラタが『般若燈論釈』で列挙する『中論』に対する八つの注釈の中に『順中論』は含まれない。アサンガほどの人が注釈を書いたのであれば、その伝承は伝えられるはずであろう。（2）アサンガは自らの著作の中で一度もナーガールジュナのものを引用していない。もし彼が『中論』の注釈を書いたのであれば、他の著作の中でもナーガールジュナに関して何らかの言及があってよいであろう。このような点から、私は『順中論』の著者をアサンガにすることに躊躇を覚えるのである。

本研究において筆者が推測するとおり、もし『順中論義入大般若波羅蜜経初品法門』が『大般若波羅蜜経』に対するヴァスバンドゥの註釈であるならば、白館戒雲が指摘した問題点も解消されるのでなかろうか。ヴァスバンドゥは『十地経論』（T26, 170a; D Ngi

200b4; P Ngi 255b4）において『中論』（MMK XVIII.10）を引用しており、『三具足経憂波提舎』（T26, 359b）において『菩提資糧論』を引用している。なお、アサンガに帰される『顕揚聖教論頌』（T31, 584b）においては『中論』（MMK XXIV.8）が引用されているが、『顕揚聖教論頌』は漢訳としてのみ知られているので、梵文や蔵訳を主要な研究対象とする白館戒雲はそれに気づかなかったように見受けられる。

（6）該当箇所の和訳については、早島理［1988b］［1989a］［1989b］［1994a］［1994b］［1995a］［1995b］［1995c］［1995d］を見よ。

（7）『阿毘達磨大毘婆沙論』巻二十（T27, 103c）、巻二十一（T27, 105a）、『阿毘曇毘婆沙論』巻十二（T28, 85c–86a）。このことは原田和宗［1997: n.21］によって指摘された。

（8）『阿毘達磨集論』『顕揚聖教論』『大乗荘厳経論』『阿毘達磨倶舎論』『成業論』の該当箇所の和訳については、早島理［1988a］を見よ。

（9）先行訳として、舟橋一哉［1987: 6–7］、桂紹隆［2002］を参照した。

（10）先行訳として、三友健容［2007: 403］を参照した。

（11）該当箇所の和訳については、松田和信［1984b］を見よ。

（12）先行訳として、山口益［1951: 99–103］を参照した。

（13）『論軌』において三支の論証式が用いられることについては、Erich Frauwallner［1957］（Reprinted in: Erich Frauwallner［1982］）を見よ。漢文資料においても、基『因明入正理論疏』巻上に次のようにある。

　　ヴァスバンドゥ菩薩の『論軌』などは論証式が三〔支〕を有すると説く。第一は主張、第二は理由、第三は喩例である。

　　世親菩薩『論軌』等説能立有三。一宗、二因、三喩。（T44, 94a）

『阿毘達磨倶舎論』において論証式が用いられないことについて、桂紹隆［2002］は次のように指摘する。

　　恐らく『倶舎論』全体にわたって、ヴァスバンドゥは自己の主張を証明するために、あるいは対論者の主張を紹介するために論証式を構成することはないようである。……なお、『倶舎論』にまったく論証式が見られないとすれば、『倶舎論』の作者であるヴァスバンドゥが、果たして『論軌』『論式』『論心』など一連の問答法・討論術の書の著者と同じであるか否かが、問題になるであろう。

（14）ただし、「伴い」が何を伴うのか明確でないというのは、仏教梵語 sahita を「伴い」と解釈するヴァスバンドゥの立場における問題にすぎない。もし sahita を仏教梵語としてもっと一般的に「まとまった」と解釈するならば、このような問題は起こらない。sahita については、BHSD 588 を見よ。

付章　伝鳩摩羅什訳『発菩提心経論』

一　はじめに

本来、元魏漢訳ヴァスバンドゥ釈経論群を扱うはずの本研究が敢えて元魏漢訳でない『発菩提心経論』を扱うことには理由がある。すなわち、毘目智仙訳の三つの釈経論、『三具足経憂波提舎』『転法輪経憂波提舎』『宝髻経四法憂波提舎』は、若干の質問について、その回答をいずれも『菩提心憂波提舎』という著作に譲っている。この著作の名は現行の大蔵経においてヴァスバンドゥに帰され鳩摩羅什訳と記される『発菩提心経論』を想起させるが、実のところ、『発菩提心経論』のうちにその回答に該当する記述は見出だされない。ただし、あるいはそれは翻訳の際の省略に起因するのかもしれないから、ともかくは、同論が本当にヴァスバンドゥ釈経論であるか否かを検討する必要があるのである。

序論において紹介したとおり、『発菩提心経論』をヴァスバンドゥの作として承認した研究者としてオーストリアのフラウヴァルナーがいる。彼は同論をヴァスバンドゥ二人説の根拠のひとつとして積極的に活用した。すなわち、彼はヴァスバンドゥの作である『発菩提心経論』が鳩摩羅什（四世紀中葉―五世紀初頭）によって訳されたことを理由として、鳩摩羅什以前に古師ヴァスバンドゥが存在したことを主張したのである。

筆者は『発菩提心経論』を検討するうちに、この論がヴァスバンドゥの作でも鳩摩羅什訳でもなく、中国において複数の漢訳経典に基づいて作られた偽論であることに気づいた。本章においてはそのことを詳述し、ヴァスバンドゥ二人説に対する反証をひとつ追加してみたい。

二　『発菩提心経論』の来歴

『発菩提心経論』の来歴ははなはだ錯綜している。まず、大正蔵の校勘にしたがえば、『発菩提心経論』という題名は麗本によるにすぎず、宋本・元本・明本・宮本によれば、「経」字のない『発菩提心論』という題名が付いている。のちに確認するとおり、『発菩提心経論』という題名は唐の智昇『開元釈教録』以前に遡り得ず、『発菩提心論』という題名のほうが古いと考えられる。以下、順を追って経録を検討する。

まず、『発菩提心経論』が初めて経録のうちに現われるのは、五九四年に編纂された隋の法経等『衆経目録』においてである。同書巻五「大乗阿毘曇蔵録」のうちに次のようにある。

『発菩提心論』二巻。右一論是衆論失訳。（T55, 141c）

この『発菩提心論』二巻が現存の『発菩提心経論』二巻であることはまず確実である。すなわち、『発菩提心経論』は当初『発菩提心論』という題名のもとに失訳（訳者不明の訳）として現われたのである。ちなみに、五九四年は智顗（五三八―五九七）が『摩訶止観』を講義した年であるが、『摩訶止観』においても現存の『発菩提心経論』が『発菩提心論』という題名のもとに引用されている。[1] これは『発菩提心経論』の現存最古の引用例である。

さらに興味ぶかいのは、同『衆経目録』巻二「衆経偽妄」が疑経を挙げるうちに次のようにあることである。

『発菩提心経』一巻。（T55, 126c）

この『発菩提心経』一巻については不明であるが、題名と巻数とが前掲の失訳『発菩提心論』二巻と異なる以上、別の文献であったと考えられる。

現存の『発菩提心経論』が次に現われるのは、五九七年に編纂された隋の費長房『歴代三宝紀』においてである。同書巻十三「大乗阿毘曇失訳録」のうちに次のようにある。

『発菩提心論』二巻。(T49, 115a)

現存の『発菩提心経論』が『発菩提心論』という題名のもとに失訳として扱われることは先の法経等『衆経目録』の場合と同じである。

さらに、同書巻八が鳩摩羅什訳を列挙する際に次のようにある。

『発菩提心経』二巻【見李廓『録』】。(T49, 78a)

この『発菩提心経』二巻については不明であるが、先の法経等『衆経目録』における疑経『発菩提心経』一巻と同じである可能性がある(2)(なお、李廓『録』とは北魏の李廓『衆経録目』を指し、この経が少なくとも北魏において真経と見なされていたことが知られる)。いずれにせよ、鳩摩羅什訳に帰される以上、前掲の失訳『発菩提心論』二巻(すなわち現存の『発菩提心経論』)と別の文献であったと考えられる。

現存の『発菩提心経論』が次に現われるのは、隋の彦琮(五五七—六一〇)等『衆経目録』においてである。同書巻一「大乗論単本」のうちに次のようにある。

『発菩提心論』二巻。姚秦三蔵法師鳩摩羅什訳。(T55, 154a)

ここでは、先の法経等『衆経目録』と費長房『歴代三宝紀』とにおいて失訳と見なされていた『発菩提心論』(すなわち現存の『発菩提心経論』)が鳩摩羅什訳に帰されている。すなわち、彦琮等は、もともと失訳であったはずの『発菩提心論』二巻を、費長房『歴代三宝紀』において鳩摩羅什訳に帰されていた『発菩提心経』二巻と混同したのである。現存の『発菩提心経論』が鳩摩羅什訳に帰されるのは、この混同によると推測される。

さらに、同書巻四「疑偽」のうちに次のようにある。

『発菩提心経』一巻。(T55, 173b)

この『発菩提心経』一巻は法経等『衆経目録』においても疑経として記載されていた。

さらに、七三〇年以降に編纂された唐の智昇『開元釈教録』巻四「総括群経録上之四」が鳩摩羅什の訳を列挙するうちに次のようにある。

『発菩提心論』二巻【或云『発菩提心経』、亦云『経論』。見李廓『録』】。(T55, 513a)

ここでは、『発菩提心論』(すなわち現存の『発菩提心経論』)が経録上初めて『経論』という題名で呼ばれている。麗本において『発菩提心経論』という題名が用いられるのは、この『開元釈教録』によると推測される。

なお、『開元釈教録』巻十八「別録中疑惑再詳録第六」のうちに次のようにある。

『発菩提心経』一巻【今有両巻者、是其真経。此雖名同、巻多少異】。(T55, 675c)

この『発菩提心経』一巻は法経等『衆経目録』や彦琮等『衆経目録』においても疑経と記載されていた。それに対し「今有両巻者、是其真経」と記されるのは、現存の『発菩提心経論』二巻に他なるまい。「今有両巻」という書きかたから推測するならば、疑経である『発菩提心経』一巻は当時すでに散逸していたと考えられる。

以上の内容をまとめれば次頁の表のとおりである。

結論するならば、『発菩提心論』(すなわち現存の『発菩提心経論』)はもともと法経等『衆経目録』と費長房『歴代三宝紀』とにおいて失訳と見なされていた。そして、費長房『歴代三宝紀』においては、『発菩提心論』以外に、鳩摩羅什訳『発菩提心経』が記載されていた。彦琮等『衆経目録』はもともと失訳であったはずの『発菩提心論』を、費長房『歴代三宝紀』において鳩摩羅什訳に帰されていた『発菩提心経』と混同した。現存の『発菩提心経論』が鳩摩羅什訳に帰されるのは、この混同によると推測される。

	『発菩提心経』一巻	『発菩提心経』二巻	『発菩提心論』二巻（＝現存の『発菩提心経論』二巻）
法経等『衆経目録』	疑経	（ナシ）	失訳
費長房『歴代三宝紀』	（ナシ）	鳩摩羅什訳（李廓『魏世衆経録目』による）	失訳
彦琮等『衆経目録』	疑経	（ナシ）	鳩摩羅什訳
智昇『開元釈教録』	疑経	鳩摩羅什訳（李廓『魏世衆経録目』による）	鳩摩羅什訳（『発菩提心経』二巻と同一視）

さて、諸経録によるかぎり、この論がヴァスバンドゥに帰されたのは六九五年に編纂された明佺等『大周刊定衆経目録』以降のことである。同書巻六、巻十三に次のようにある。

『発菩提心論』一部二巻【三十二紙。天親菩薩造】。右後秦羅什於長安訳。(T55, 407b)

『発菩提心論』一部二巻【天親菩薩造。三十二紙】。(T55, 466c)

さらに、後の智昇『開元釈教録』巻十二はこの論をヴァスバンドゥに帰する伝承と、マイトレーヤに帰する伝承との二つがあったことを伝えている。

『発菩提心論』二巻【或云『発菩提心経』】。姚秦三蔵鳩摩羅什訳【単本。右此『発菩提心論』、『大周録』中、経論二録俱有其名。今以菩薩所造、編於論録。但存一本。或云天親菩薩所造、亦云弥勒菩薩所説。未詳孰是】。(T55, 609c)

以上のように、この論をヴァスバンドゥに帰することは唐以前において見出だされない。隋においては、この論はあくまで著者不明の失訳として現われたのである。

三　『発菩提心経論』と漢訳諸経との比較

先に述べたとおり、筆者は『発菩提心経論』を中国において複数の漢訳経典に基づいて作られた偽論と考えている。以下においては、『発菩提心経論』とその出典である漢訳経典とを逐一対照させてみたい。

[T32, 508c] **発菩提心経論巻上** **天親菩薩造** **後秦亀茲国三蔵鳩摩羅什訳** **勧発品第一**	**出典**
敬礼無辺際　去来現在仏　等空不動智　救世大悲尊	敬礼無辺際　去来現在仏　等空不動智　救世大悲尊（『付法蔵因縁伝』巻一。T50, 297a）
有大方等最上妙法、摩得勒伽蔵、菩薩摩訶薩之所修行。所謂勧楽修集無上菩提、能令衆生発深広心、建立誓願、畢定荘厳。①捨身命財、摂伏貪吝。②修五聚戒、化導犯禁。③行畢竟忍、調伏瞋礙。④発勇精進、安止衆生。⑤集諸禅定、為知衆心。⑥修行智慧、滅除無明、入如実門、離諸執著、宣示甚深空無相行、称讃功徳、使仏種不断。有如是等無量方便助菩提法清浄之門。当為一切上上善欲、分別顕示、悉令究竟阿耨多羅三藐三菩提。	（ナシ）
諸仏子、若仏弟子*受持仏語、能為衆生演説法者、応先称揚仏之功徳。衆生聞已、乃能発心、求仏智慧、以発心故、仏	是故舎利弗*、我諸弟子信受仏語、若為衆生演説法時、応先称揚仏之功徳。衆生聞已、或能発心、求仏智慧。以発心故、

種不断。 ＊大正蔵底本は「弟」を欠く。三本・宮本によってこれを加える。	仏種不断。(『仏説華手経』巻七。T16, 186c) ＊大正蔵底本は「功」を「神」に作る。三本・宮本によってこれを改める。
若比丘比丘尼優婆塞優婆夷念仏念法、又念如来、行菩薩道時、為求法故、阿僧祇劫受諸勤苦、以如是念、為菩薩説法乃至一偈、菩薩得聞是法、示教利喜、当種善根修習仏法、得阿耨多羅三藐三菩提、為断無量衆生無始生死諸苦悩故。	舎利弗、若我弟子比丘比丘尼優婆塞優婆夷念仏念法、亦念如来、為求法故、無量無辺阿僧祇劫受諸勤苦、以如是念、為菩薩説乃至一偈、又作是念、此諸菩薩或聞是法、示教利喜、当種善根修習仏法、得阿耨多羅三藐三菩提、為断無量無辺衆生無始生死諸苦悩故。(『仏説華手経』巻七。T16, 181b)
菩薩摩［509a］訶薩欲成無量身心、勤修精進、深発大願、行大方便、起大慈悲、求大智慧無見頂相、求如是等諸仏大法。	諸菩薩摩訶薩成就無量身心精進、深発大願、行大方便、起大智慧、成大勢力、求大無畏大覚明眼、求大慈悲及不虚行象王迴観師子奮迅無見頂相、求如是等諸仏大法。(『仏説華手経』巻六。T16, 173ab)
当知是法無量無辺、法無量故、福徳果報亦復無量。	(ナシ)
如来説言。如諸菩薩最初発心下劣一念福徳果報、百千万劫、説不能尽。況復一日一月一歳乃至百歳所習諸心福徳果報、豈可説尽。何以故。菩薩所行無尽、欲令一切衆生皆住無生法忍、得阿耨多羅三藐三菩提故。	舎利弗、如来了知諸菩薩等最初発心下劣＊一念功徳果報、百千万劫、説不能尽。況復一日一月一歳乃至百歳所集諸心功徳果報、豈可説尽。所以者何。菩薩摩訶薩求大智時、能起無量功徳因縁。舎利弗、諸菩薩等所行無尽、欲令一切衆生皆住無生法故。(『仏説華手経』巻六。T16, 173b) ＊大正蔵底本は「下劣」を「劣下」に作る。三本・宮本によってこれを改める。
諸仏子、菩薩初始発菩提心、譬如大海初漸起時、当知皆為下中上価乃至無価如意宝珠作所住処、此宝皆従大海生故、菩薩発心亦復如是、初漸起時、当知便為人天声聞縁覚諸仏菩薩一切善法禅定智慧之所生処。	舎利弗、譬如大海初漸起時、当知皆為有価無価摩尼宝珠作所住処、此宝皆従大海生故、菩薩発心亦復如是、初漸起時、当知便是諸智慧宝之所生処。(『仏説華手経』巻七。T16, 182a)

復次又如三千大千世界初漸起時、当知便為二十五有、其中所有一切衆生悉皆荷負作依止処、菩薩発菩提心亦復如是、初漸起時、普為一切無量衆生、所謂六趣、四生、正見邪見、修善習悪、護持浄戒、犯四重禁、尊奉三宝、謗毀正法、諸魔外道、沙門、梵志、刹利、婆羅門、毘舎、首陀、一切荷負作依止処。	舎利弗、譬如三千大千世界初漸起時、当知便為其中所有一切衆生作依止処、菩薩*初心亦復如是、初発阿耨多羅三藐三菩提心、当知便為無量衆生得智慧故。(『仏説華手経』巻七。T16, 182c) ＊大正蔵底本は「初心亦復」を欠く。三本・宮本によってこれを加える。
復次菩薩発心、慈悲為首。菩薩之慈無辺無量。是故発心無有斉限、等衆生界。譬如虚空無不普覆、菩薩発心亦復如是、一切衆生無不覆者。如衆生界無量無辺不可窮尽、菩薩発心亦復如是、無量無辺無有窮尽。虚空無尽故、衆生無尽。衆生無尽故、菩薩発心等衆生界。衆生界者、無有斉限。	菩薩之慈無量無辺。是修慈者、無有斉限、等衆生界。菩薩修慈、発心普覆。舎利弗、譬如虚空無不普覆、是菩薩慈亦復如是、一切衆生無不覆者。舎利弗、如衆生界無量無辺不可窮尽、菩薩修慈亦復如是、無量無辺無有窮尽。虚空無尽故、衆生無尽。衆生無尽故、菩薩修慈亦不可尽。(『大方等大集経』無尽意菩薩品。T13, 199b)
我今当承聖旨、説其少分。東方尽千億恒河沙阿僧祇諸仏世界、南西北方四維上[509b]下各千億恒河沙阿僧祇諸仏世界尽末為塵。此諸微塵皆不与肉眼作対。百万億恒河沙阿僧祇三千大千世界所有衆生悉共聚集共取一塵。二百万億恒河沙阿僧祇三千大千世界所有衆生共取二塵。如是展転取十方各千億恒河沙阿僧祇諸仏世界所有地種微塵都尽、是衆生界猶不可尽。譬如有人析破一毛以為百分、以一分毛、渧大海水、我今所説衆生少分亦復如是、其不説者如大海水。仮使諸仏於無量無辺阿僧祇劫広演譬喩、説亦不尽。菩薩発心悉能遍覆如是衆生。云何諸仏子是菩提心豈可尽也。	舎利弗、東方去此尽一恒沙仏之世界、南西北方四維上下皆一恒沙仏世界、作一大海、其水満溢、使一恒河沙等諸衆生聚集共以一毛、破為百分、以一分毛、渧取一渧、如是一恒河沙共取一渧、二恒河沙共取二渧、如是展転乃至尽此満大海水尽、是衆生界猶不可尽。菩薩慈心悉能遍覆如是衆生。舎利弗、於意云何。是修慈善根豈可尽耶。舎利弗言。実不可尽。唯善男子、是虚空性尚可得尽。菩薩慈心不可尽也。(『大方等大集経』無尽意菩薩品。T13, 199c)
若有菩薩聞如是説、不驚、不怖、不退、不没、当知是人決定能発菩提之心。仮令無量一切諸仏於無量阿僧祇劫讃其功徳、亦不可尽。何以故。是菩提心無有斉限不可尽故。有如是等無量利益。是故宣説為令衆生普得受行、発菩提心。	（ナシ）

発菩提心経論発心品第二

※この品に関しては、筆者は確実な出典をほとんど見出だせない。したがってこの品については文の掲載を省略する。
おそらくこの品のみはある程度の独創性を有すると推測される。

発菩提心経論願誓品第三

[510b] 菩薩云何発趣菩提。以何業行、成就菩提。発心菩薩住乾慧地、先当堅固発於正願、摂受一切無量衆生。我求無上菩提、救護度脱令無有餘、皆令究竟無餘涅槃。是故初始発心、大悲為首。以悲心故、能発転勝十大正願。何謂為十。①願我先世及以今身所種善根、以此善根、施与一切無辺衆生、悉共迴向無上菩提、令我此願念念増長、世世所生、常繫在心、終不忘失、為陀羅尼之所守護。②願我迴向大菩提已、以此善根、於一切生処、常得供養一切諸仏、永必不生無仏国土。③願我得生諸仏国已、常得親近随侍左右、如影随形、無刹那頃遠離諸仏。④願我得親近仏已、随我所応、為我説法、即得成就菩薩五通。⑤願我成就菩薩五通已、即能通達世諦仮名流布、解了第一義諦、如真実性、得正法智。⑥願我得正法智已、以無厭心、為衆生説、示教利喜、皆令開解。⑦願我能開解諸衆生已、以仏神力、遍至十方無餘世界、供養諸仏、聴受正法、広摂衆生。⑧願我於諸仏所受正法已、即能随転清浄法輪、十方世界一切衆生聴我法者、聞我名者、即得捨離一切煩悩、発菩提心。⑨願我能令一切衆生発菩提心已、常随将護、除無利益、与無量楽、捨身命財、摂受衆生、荷負正法。⑩願我能負荷正法已、雖行正法、心無所行、如諸菩薩行於正法、而無所行、亦無不行、為化衆

出典

（ナシ）

生、不捨正願。是名発心菩薩十［510c］大正願。此十大願遍衆生界、摂受一切恒沙諸願。	
若衆生尽、我願乃尽。而衆生実不可尽、我此大願亦無有尽。	如衆生尽、我願乃尽。……而衆生実不可尽、……我是諸願福徳亦不可尽。（『十住経』巻一。T10, 501c–502a）
復次布施是菩提因。摂取一切諸衆生故。持戒是菩提因。具足衆善満本願故。忍辱是菩提因。成就三十二相八十随形好故。精進是菩提因。増長善行於諸衆生勤教化故。禅定是菩提因。菩薩善自調伏能知衆生諸心行故。智慧是菩提因。具足能知諸法性相故。	善男子、捨財即是助菩提法。以調伏衆生故。持戒即是助菩提法。随其所願得成就故。忍辱即是助菩提法。三十二相八十種随形好具足故。精進即是助菩提法。具足一切諸事故。禅定即是助菩提法。其心当得善調伏故。智慧即是助菩提法。以知一切諸煩悩故。（『悲華経』巻五。T3, 198b）
取要言之、六波羅蜜是菩提正因。四無量心、三十七品、諸万善行共相助成。若菩薩修集六波羅蜜、随其所行、漸漸得近阿耨多羅三藐三菩提。諸仏子、求菩提者、応不放逸。放逸之行能壊善根。若菩薩制伏六根不放逸者、是人能修六波羅蜜。菩薩発心、先建至誠、立決定誓。立誓之人終不放逸懈怠慢緩。何以故。立決定誓、有五事持故。一者能堅固其心、二者能制伏煩悩、三者能遮放逸、四者能破五蓋。五者能勤修行六波羅蜜。	（ナシ）
如仏所讃。 如来大智尊　顕説功徳證　忍慧福業力　誓願力最勝	如来十力尊　虚空無辺際　忍慧福業力　誓願力最勝（『菩薩従兜術天降神母胎説広普経』巻二。T12, 1025c）
云何立誓。若有人来、種種求索、我於爾時随有施与、乃至不生一念慳吝之心。若生悪心、如弾指頃、以施因縁、求浄報者、我即欺誑＊十方世界無量無辺阿僧祇現在諸仏、於未来世、亦当必定不成阿耨多羅三藐三菩提。 ＊大正蔵底本は「誑」を欠く。三本・宮本によってこれを加える。	作是言。世尊、我於無量無辺百千万億阿僧祇劫、在在生処、為菩薩時、有諸乞士、在我前住、若求飲食、或以軟語、或以悪言、或軽毀呰、或真実言。世尊、我於爾時、乃至不生一念悪心。若生瞋恚、如弾指頃、以施因縁、求将来報者、我即欺誑十方世界無量無辺阿僧祇現在諸仏、於未来世、亦当必定不成阿耨多羅三藐三菩提。（『悲華経』巻八。T3,

	219ab)
若我持戒、乃至失命、建立浄心、誓無改悔。若我修忍、為他侵害、乃至割截、常生慈愛、誓無恚礙。若我修精進、遭逢寒暑王賊水火師子虎［511a］狼無水穀処、要必堅強其心、誓不退没。若我修禅、為外事所嬈、不得摂心、要必*繋念在境、誓不暫起非法乱想。若我修集智慧、観一切法如実性、随順受持、於善不善有為無為生死涅槃、不起二見。若我心悔、恚礙、退没、乱想、起於二見、如弾指頃、而以戒忍精進禅智求浄報者、我即欺十方世界無量無辺阿僧祇現在諸仏。於未来世、亦当必定不成阿耨多羅三藐三菩提。菩薩以十大願、持正法行、以六大誓、制放逸心、必能精勤修集六波羅蜜、成阿耨多羅三藐三菩提。 ＊大正蔵底本は「必」を欠く。三本・宮本によってこれを加える。	（ナシ）

発菩提心経論檀波羅蜜品第四	**出典**
云何菩薩修行布施。布施若為自利他利及二倶利。如是布施則能荘厳菩提之道。	布施若為自利他利及自他利、則具五陰。如是布施即能荘厳菩提之道。（『優婆塞戒経』巻四。T24, 1054a）
菩薩為欲調伏衆生令離苦悩、是故行施。修行施者、於己財物、常生捨心、於来求者、起尊重心、如父母師長善知識想、於貧窮下賤、起憐愍心、如一子想、随所須与、心喜恭敬。是名菩薩初修施心。修布施故。善名流布、随所生処、財宝豊盈。是名自利。能令衆生心得満足、教化調伏、使無慳吝。是名利他。以已所修無相大施、化諸衆生、令同己利。是名倶利。因修布施、獲得転輪王位、摂受一切無量衆生、乃至得仏無尽法蔵。是名荘厳菩提之道。	（ナシ）

施有三種。一以法施、二無畏施、三財物施。以法施者、勧人受戒修出家心、為壊邪見、説断常四倒衆悪過患、分別開示真諦之義、讃精進功徳、説放逸過悪。是名法施。若有衆生、怖畏王者師子虎狼水火盗賊、菩薩見已、能為［511b］救護、名無畏施。自於財物、施而不吝、上至珍宝象馬車乗繒帛穀麦衣服飲食、下至麨搏一縷之綖、若多若少、称求者意、随所須与。是名財施。	善男子、復有三施。一以法施、二無畏施、三財物施。以法施者、教他受戒出家修道白四羯磨、為壊邪見、説於正法、能分別説実非実等、宣説四倒及不放逸。是名法施。若有衆生、怖畏王者師子虎狼水火盗賊、菩薩見已、能為救済、名無畏施。自於財宝、破慳不吝、若好若醜、若多若少、牛羊象馬房舎臥具樹林泉井奴婢僕使水牛駝驢車乗輦輿瓶瓮釜鑊縄床坐具銅鉄瓦器衣服瓔珞燈明香花扇蓋帽履机杖縄索犁鎒斧鑿草木水石、如是等物、称求者意、随所須与。是名財施。（『優婆塞戒経』巻四。T24, 1054c）
財施復有五種。一者至心施、二者信心施、三者随時施、四者自手施、五者如法施。	善男子、有智之人、施有五種。一者至心施、二者自手施、三者信心施、四者時節施、五者如法求物施。（『優婆塞戒経』巻四。T24, 1054b）
所不応施復有五事。非理求財、不以施人。物不浄故。酒及毒薬、不以施人。乱衆生故。罝羅機網、不以施人。悩衆生故。刀杖弓箭、不以施人。害衆生故。音楽女色、不以施人。壊浄心故。取要言之、不如法物、悩乱衆生、不以施人。自餘一切能令衆生得安楽者、名如法施。	或時設以不浄物施。為令前人生喜心故。酒毒刀杖枷鎖等物、若得自在、若不自在、終不以施。不施病人不浄食薬。不劫他物、乃至一銭、持以布施。（『優婆塞戒経』巻四。T24, 1055a）
楽施之人復獲五種名聞善利。一者常得親近一切賢聖。二者一切衆生之所楽見。三者入大衆時人所宗敬。四者好名善誉流聞十方。五者能為菩提作上妙因。菩薩之人名一切施。一切施者、非謂多財、謂施心也。如法求財、持以布施、名一切施。以清浄心、無諂曲施、名一切施。見貧窮者、憐愍心施、名一切施。見厄苦者、慈悲心施、名一切施。居貧少財、而能用施、名一切施。愛重宝物、開意能施、名一切施。不観持戒毀戒田非田施、名一切施。不求人天妙善楽施、名一切施。志求無上大菩提施、名一切施。欲施、施時、施已不	楽施之人獲得五事。一者終不遠離一切聖人。二者一切衆生楽見楽聞。三者入大衆時不生怖畏。四者得好名称。五者荘厳菩提。善男子、菩薩之人名一切施。云何名為一切施也。恒以浄心、施於受者、名一切施。少物能施、名一切施。所愛之物、破慳能捨、名一切施。施不求報、名一切施。施時不観田以非田、名一切施。怨親等施、名一切施。菩薩施財、凡有二種。一者衆生、二者非衆生。於是二中、乃至自身、都不吝惜、名一切施。菩薩布施、由憐愍心、名一切施。欲施、

悔、名一切施。	施時、施已不悔。名一切施。（『優婆塞戒経』巻四。T24, 1054c–1055a）
若以華施、具陀羅尼七覚華故。若以香施、具戒定慧熏塗身故。若以果施、具足成就無漏果故。若以食施、具足命辯色力楽故。以衣服施、具清浄色除無慚愧故。以燈明施、具足仏眼照了一切諸法性故。以象馬車乗施、得無上乗具足神通故。以［511c］瓔珞施、具足八十随形好故。以珍宝施、具足大人三十二相故。以筋力僕使施、具仏十力四無畏故。	菩薩摩訶薩行施無量。所謂須食、与食。具足命辯色力楽故。……須衣、与衣。具清浄色除無慚愧故。須乗、与乗。得一切楽、具神通故。須燈、与燈。具足仏眼清浄故。須音楽者、施与音楽。具足天耳清徹故。須香、与香。身出具足微妙香故。須鬘、与鬘。具陀羅尼七覚華故。須塗香末香、悉施与之。具戒定慧熏塗身故。……須僕使者、皆給与之。自在智慧得具足故。若以金銀琉璃頗梨真珠珂貝璧玉珊瑚種種諸珍、用恵施者、具足大人三十二相故。能以種種瓔珞施者、具足八十随形好故。若以象馬車乗施者、具足大乗故。（『大方等大集経』無尽意菩薩品。T13, 189ab）
取要言之、乃至国城妻子頭目手足、挙身施与、心無吝惜。為得無上菩提度衆生故。菩薩摩訶薩修行布施、不見財物施者受者。以無相故。是則具足檀波羅蜜。	（ナシ）

発菩提心経論尸羅波羅蜜品第五	**出典**
云何菩薩修行持戒。持戒若為自利他利及二倶利、如是持戒則能荘厳菩提之道。	（檀波羅蜜品第四の冒頭を見よ）
菩薩為欲調伏衆生令離苦悩、是故持戒。修持戒者、悉浄一切身口意業。於不善行、心能捨遠。善能呵嘖、悪行毀禁。於小罪中、心常恐怖。是名菩薩初持戒心。修持戒故、遠離一切諸悪過患、常生善処。是名自利。教化衆生、令不犯悪。是名利他。以己所修、向菩提戒、化諸衆生、令同己利。是	（ナシ）

名俱利。因修持戒、獲得離欲、乃至漏尽、成最正覚。是名荘厳菩提之道。	
戒有三種。一者身、二者口、三者心。	（ナシ）
持身戒者、永離一切殺盗婬行、不奪物命、不侵他財、不犯外色、又亦不為殺等因縁及其方便、不以杖木瓦石傷害衆生。若物属他、他所受用、一草一葉、不与不取。又亦未嘗盱睞細色、於四威儀、恭謹詳審。是名身戒。	若物属他、他所受用、他所摂者、於是物中、一草一葉、不与不取。（『十住経』巻一。T10, 504b）
持口戒者、断除一切妄語両舌悪口綺語、常不欺誑、離間和合、誹謗毀呰文飾言辞、及造方便、悩触於人、言則至誠、柔軟忠信、言常饒益、勧化修善。是名口戒。	三為正言、言諦至誠、柔軟忠信。（『般泥洹経』巻下。T1, 187c）
持心戒者、除滅貪欲瞋恚邪見、常修軟心、不作過罪、信是罪業得悪果報、思惟力故、不造諸悪、於軽罪中、生極重想、設［512a］誤作者、恐怖憂悔、於衆生所、不起瞋悩、見衆生已、生愛念心、知恩報恩、心無慳吝、楽作福徳、常以化人、常修慈心、憐愍一切。是名心戒。	善男子、若有人能浄身口意、常修軟心、不作罪過、設誤作者、常生愧悔、信是罪業得悪果報、所修善事、心生歓喜、於小罪中、生極重想、設其作已、恐怖憂悔、終不打罵瞋悩衆生、先意語言、言輒柔軟、見衆生已、生愛念心、知恩報恩、心不慳吝、不誑衆生、如法求財、楽作福徳、所作功徳、常以化人、見窮苦者、身代受之、常修慈心、憐愍一切。（『優婆塞戒経』巻四。T24, 1052c）
是十善業戒。有五事利益。一者能制悪行。二者能作善心。三者能遮煩悩。四者成就浄心。五者能増長戒。若人善修不放逸行、具足正念、分別善悪、当知是人決定能修十善業戒。	善男子、是十善道有三事。一者能遮煩悩。二者能作善心。三者能増長戒。……若人善修不放逸行、具足正念、分別善悪、当知是人決定能修十善業道。（『優婆塞戒経』巻七。T24, 1071a）
八万四千無量戒品悉皆摂在十善戒中。是十善戒能為一切善戒根本、断身口意悪。	（ナシ）
能制一切不善之法、故名為戒。	何因縁故得名為戒。戒者名制。能制一切不善之法、故得名

	制。（『優婆塞戒経』巻七。T24, 1071b）
戒有五種。一者波羅提木叉戒、二者定共戒、三者無漏戒、四者摂根戒、五者無作戒。	善男子、或時有人具足一戒。所謂波羅提木叉戒。或具二戒。加定共戒。或具三戒。加無漏戒。或具四戒。加摂根戒。或具五戒。加無作戒。（『優婆塞戒経』巻七。T24, 1071bc）
白四羯磨、従師而受、名波羅提木叉戒。根本四禅、四未到禅、是名定共戒。根本四禅、初禅未到、名無漏戒。*守摂諸根、修正念心、見聞覚知色声香味触、不生放逸、名摂根戒。捨身後世、更不作悪、名無作戒。 ＊大正蔵底本は「守」を「収」に作る。三本・宮本によってこれを改める。	断身口意悪、故名戒戒。根本四禅、四未到禅、是名定戒。根本四禅、初禅未到、名無漏戒。捨身後世、更不作悪、名無作戒。守摂諸根、修正念心、見聞覚知色声香味触*、不生放逸、名摂根戒。（『優婆塞戒経』巻七。T24, 1071b） ＊大正蔵底本は「触」に「法」を加える。三本・宮本によってこれを除く。
菩薩修戒不与声聞辟支仏共、以不共故、名善持戒。善持戒故、則能利益一切衆生。	（ナシ）
持慈心戒。救護衆生、令安楽故。持悲心戒。忍受諸苦、抜危難故。持喜心戒。*勧楽修善、不懈怠故。持捨心戒。怨親平等、離愛恚故。持恵施戒。教化調伏諸衆生故。持忍辱戒。心常柔軟無恚礙故。持精進戒。善業日増、不退還故。持禅定戒。離欲不善、長禅支故。持智慧戒。多聞善根無厭足故。持親近善知識戒。助成菩提無上道故。持遠離悪知識戒。捨離三悪八難処故。 ＊大正蔵底本は「勧」を「歓」に作る。三本・宮本によってこれを改める。	持慈心戒。護衆生故。持悲心戒。能忍諸苦故。持喜心戒。心不懈怠故。持捨心戒。離愛恚故。持自省戒。心善分別故。持不求短缺戒。護他心故。持善摂戒。善守護故。持恵施戒。教化衆生故。持忍辱戒。心無恚礙故。持精進戒。不退還故。持禅定戒。長諸禅支故。持智慧戒。多聞善根無厭足故。持多聞戒。博学堅牢故。持親近善知識戒。助成菩提故。持遠離悪知識戒。*捨離悪道故。（『大方等大集経』無尽意菩薩品。T13, 190a） ＊大正蔵底本は「捨」を「遠」に作る。三本・宮本によってこれを改める。
菩薩之人持浄戒者、不依欲界、不近色界、不住無色界、是清浄戒。捨離欲塵、除瞋恚礙、滅無明障、是清浄戒。離断常［512b］二辺、不逆因縁、是清浄戒。不著色受想行識仮	是清浄戒不依欲界、不近色界、不住無色界。是清浄戒捨離欲塵、除瞋恚礙、滅無明障。是清浄戒不断不常、不逆因縁。……是清浄戒不取仮名、不住色相、不雑名色。是清浄戒不

名之相、是清浄戒。不繫於因、不起諸見、不住疑悔、是清浄戒。不住貪瞋痴三不善根、是清浄戒。不住我慢憍慢増上慢慢慢大慢、柔和善順、是清浄戒。利衰毀誉称譏苦楽、不以傾動、是清浄戒。不染世諦虚妄仮名、順於真諦、是清浄戒。不悩不熱、寂滅離相、是清浄戒。	繫於因、不起諸見、不住疑悔。是清浄戒不住貪瞋痴、不著善根。是清浄戒不悩不熱、寂滅離相。（『大方等大集経』無尽意菩薩品。T13, 190b）
取要言之、乃至不惜身命、観無常想、生於厭離、勤行善根、勇猛精進、是清浄戒。菩薩摩訶薩修行持戒、不見浄心、以離想故、是則具足尸羅波羅蜜。	（ナシ）

発菩提心経論羼提波羅蜜品第六	**出典**
云何菩薩修行忍辱。忍辱若為自利他利及二倶利、如是忍辱則能荘厳菩提之道。	（檀波羅蜜品第四の冒頭を見よ）
菩薩為欲調伏衆生、令離苦悩、故修忍辱。修忍辱者、心常謙下、一切衆生剛強憍慢、捨而不行、見麁悪者、起憐愍心、言常柔濡、勧化修善、能分別説瞋恚和忍果報差別、是名菩薩初忍辱心。修忍辱故、遠離衆悪、身心安楽、是名自利。化導衆生、皆令和順、是名利他。以己所修無上大忍、化諸衆生、令同己利、是名倶利。因修忍辱、獲得端政、人所宗敬、乃至得仏上妙相好、是名荘厳菩提之道。	（ナシ）
忍辱有三。謂身口意。	（ナシ）
云何身忍。若他加悪、侵毀撾打、乃至傷害、悉能忍受、見諸衆生危逼恐懼、以身代之、而無疲怠、是名身忍。	忍受諸苦、見危逼者、以身代*故。（『大方等大集経』無尽意菩薩品。T13, 191a） ＊大正蔵底本は「代」を「伐」に作る。三本・宮本によってこれを

	改める。
云何口忍。若見罵者、黙受不報、若見非理来呵嘖者、当濡語附順、若有加誣横生誹謗、皆当忍受、是名口忍。	若見罵者、黙受不報。善知音声如響相故。（『大方等大集経』無尽意菩薩品。T13, 191a）
云何意忍。見有瞋者、心不懐［512c］恨、若有触悩、其心不乱、若有譏毀、心亦無怨、是名意忍。	見有瞋者、心不懐恨。善知心法如幻相故。（『大方等大集経』無尽意菩薩品。T13, 191a）
世間打者有二種。一者実、二者横。若有罪過、若人慊疑、為彼所打、自応忍受、如服甘露、於彼人所、応生恭敬。所以者何。善能教誡、調伏於我、令我得離諸過罪故。若横加悪、傷害於我、当自思惟、我今無罪、当是過去宿業所招、是亦応忍。復応思念、四大仮合、五衆縁会、誰受打者。又観、前人如痴如狂、我当愍之、云何不忍。	（ナシ）
又罵者亦有二種。一実、二虚。若説実者、我応生慚。若説虚者、無豫我事。猶如響声、亦如風過、無損於我。是故応忍。又瞋者亦爾。他来瞋我、我当忍受。若瞋彼者、於未来世、当堕悪道、受大苦悩。以是因縁、我身若被斫截分離、不応生瞋。応当深観往業因縁、当修慈悲憐愍一切。	世間罵者亦有二種。一者実、二者虚。若説実者、実何所瞋。若説虚者、虚自得罵、無豫我事。我何縁瞋。若我瞋者、我自作悪。何以故。因瞋恚故、生三悪道。若我於彼、三悪道中、受苦悩者、則為自作、自受苦報。是故説言一切善悪皆因我身。（『優婆塞戒経』巻七。T24, 1073a）
如是小苦不能忍者、我即不能自調伏心。云何当能調伏衆生、令得解脱一切悪法、成無上果。	（ナシ）
若有智人楽修忍辱、是人常得顔貌端正、多饒財宝、人見歓喜、敬仰伏従。復当観察。若人形残、顔色醜悪、諸根不具、乏於財物、当知皆是瞋因縁得。以是因縁、智者応当深修忍辱。	善男子、若有智人楽修忍辱、是人常得顔色和悦、好楽喜戯、人見歓喜、覩之無厭。於受化者、心不貪著。智人見怨以悪来加、当発善願。願彼怨者、未来之世、為我父母兄弟親戚、莫於我所生憎怨想。復当観察。若人形残、顔色醜悪、諸根不具、乏於財物、当知皆従瞋因縁得。我今云何不修忍辱。以是因縁、智者応当深修忍徳。（『優婆塞戒経』巻七。T24,

	1073b)
生忍因縁有十事。一者不観於我及我所相、二者不念種姓、三者破除憍慢、四者悪来不報、五者観無常想、六者修於慈悲、七者心不放逸、八者捨於飢渇苦楽等事、九者断除瞋恚、十者修習智慧。若人能成如是十事、当知是人能修於忍。	善男子、若欲修忍、是人応当先破憍慢瞋心痴心、不観我及我所相種姓*常相。若人能作如是等観、当知是人能修忍辱。如是修已、心得歓喜。……善男子、生忍因縁有五事。一者悪来不報、二者観無常想、三者修於慈悲、四者心不放逸、五者断除瞋恚。善男子、若人能成如是五事、当知是人能修忍辱。（『優婆塞戒経』巻七。T24, 1073ab） ＊大正蔵底本は「姓」を「性」に作る。三本・宮本によってこれを改める。
菩薩摩訶薩修於清浄畢竟忍時、若入空無相無願無作、不与見覚、願作和合、不猗著空無相無願無作、是諸見覚、願作皆空、［513a］如是忍者、是無二相、是名清浄畢竟忍也。	云何名為畢竟忍耶。若入空寂、不与諸見和合、不倚著空、是諸見等亦復皆空、如是忍者、是無二相、是畢竟忍。若入無相、不与諸覚和合、不倚無相、是覚皆空、如是忍者、是無二相、是畢竟忍。若入無願、不与願合、不倚無願、是願皆空、如是忍者、是無二相、是畢竟忍。若入無作、不与作合、不倚無作、是作皆空、如是忍者、是無二相、是畢竟忍。（『大方等大集経』無尽意菩薩品。T13, 191b）
若入尽結、若入寂滅、不与尽*結生死和**合、不猗尽結、寂滅諸結、生死皆空、如是忍者、是無二相、是名清浄畢竟忍也。 ＊大正蔵底本は「尽」を欠く。三本・宮本によってこれを加える。 ＊＊大正蔵底本は「和」を欠く。三本・宮本によってこれを加える。	若入尽結、不与結合、不倚尽結、諸結皆空、如是忍者、是無二相、是畢竟忍。（『大方等大集経』無尽意菩薩品。T13, 191b）
若性不自生、不従他生、不和合生、亦無有出、不可破壊、不可壊者是不可尽、如是忍者、是無二相、是名清浄畢竟忍也。	若性不自生、不従他生、不和合生、亦無有出、不可破壊、不可壊者是不可尽、如是忍者、是畢竟忍。（『大方等大集経』無尽意菩薩品。T13, 191c）
無作非作、無所猗著、無分別、無荘厳、無修治、無発進、終不造生、如是忍者、是無生忍。如是菩薩修行是忍、得受	無作非作、無所倚著、無分別、無荘厳、無修治、無発進、終不造生、若無生者、是不可尽、如是忍者、是無生忍。無

記忍。	生忍者、是不出忍。不出忍者、是畢竟忍。如是菩薩修行是忍、得受記忍。（『大方等大集経』無尽意菩薩品。T13, 191c）
菩薩摩訶薩修行忍辱、性相尽空、無衆生故。是則具足羼提波羅蜜。 発菩提心経論巻上	（ナシ）

発菩提心経論巻下 **天親菩薩造** **後秦亀茲国三蔵鳩摩羅什訳** **毘梨耶波羅蜜品第七**	**出典**
云何菩薩修行精進。精進若為自利他利及二倶利、如是精進則能荘厳菩提之道。	（檀波羅蜜品第四の冒頭を見よ）
菩薩為欲調伏衆生、令離苦悩、故修精進。修精進者、於一切時、常勤修集清浄梵行、捨離怠慢、心不放逸、於諸艱難不饒益事、心常精勤、終不退没、是名菩薩初精進心。修精進故、能得世間出世間上妙善法、是名自利。教化衆生、令勤修善、是名利他。以己所修菩提正因、化諸衆生、令同己利、是名倶利。因修精進、獲得転勝清浄妙果、超越諸地、乃至速 [513b] 成正覚、是名荘厳菩提之道。	（ナシ）
精進有二種。一者為求無上道故、二者広欲抜済衆苦、而起精進。菩薩成就十念、乃能発心、勤行精進。云何十念。一者念仏無量功徳、二者念法不思議解脱、三者念僧清浄無染、四者念行大慈安立衆生、五者念行大悲抜済衆苦、六者念正	（ナシ）

定聚勧楽修善、七者念邪定聚抜令反本、八者念諸餓鬼飢渇熱悩、九者念諸畜生長受衆苦、十者念諸地獄備受焼煮。菩薩如是思惟十念、三宝功徳我当修集、慈悲正定我当勧励、邪定衆生三悪道苦我当抜済、如是思惟、専念不乱、日夜勤修、無有休廃、是名能起正念精進。	
菩薩精進復有四事。所謂修行四正勤道。未生悪法遮令不起、已生悪法速令除断、未生善法方便令生、已生善法修満増広。菩薩如是修四正勤道而無休息、是名精進。是勤精進能壊一切諸煩悩界、増長無上菩提正因。	世尊、菩薩摩訶薩能修六波羅蜜、誰為正因。善男子、若善男子善女人已生悪法為欲壊之、未生悪法為遮不起、未生善法為令速生、已生善法為令増広、勤修精進、是名精進。如是精進即是修行六波羅蜜之正因也。是勤精進能脱一切諸煩悩界。(『優婆塞戒経』巻七。T24, 1073c)
菩薩若能受於一切身心大苦、為欲安立諸衆生故、而不疲倦、是名精進。	(ナシ)
菩薩遠離悪時諂曲邪精進已、修正精進、所謂修信施戒忍定慧慈悲喜捨。欲作已作当作、至心常行精進無悔、於諸善法及抜済衆苦、如救頭然、心不退没、是名精進。菩薩雖復不惜身命、然為抜済衆苦救護正法、当応愛惜、不捨威儀、常修善法、修善法時、心無懈怠、失身命時、不捨如法、是名菩薩修菩提道勤行精進。	菩薩遠離邪精進已、修正精進、修信施戒聞慧慈悲、名正精進。至心常作、三時無悔、於善法所、不生知足、所学世法及出世法、一切皆名正精進也。菩薩雖復不惜身命、然為護法、応当愛惜、身四威儀、常修如法、修善法時、心無懈怠*、失身命時、不捨如法。(『優婆塞戒経』巻七。T24, 1073c) *大正蔵底本は「怠」を「息」に作る。宮本によってこれを改める。
懈怠之人不能一時一切布施、不能持戒・忍於衆苦・勤行精進・摂心念定・分別善悪。是故説言六波羅蜜因於精進而得増 [513c] 長。若菩薩摩訶薩精進増上、則能疾得阿耨多羅三藐三菩提。	善男子、懈怠之人不能一時一切布施、不能持戒・勤行精進・摂心念定・忍於悪事・分別善悪。是故我言六波羅蜜因於精進。(『優婆塞戒経』巻七。T24, 1074a)
菩薩発大荘厳而起精進復有四事。一者発大荘厳、二者積集勇健、三者修諸善根、四者教化衆生。	唯舎利弗、菩薩具足八事修行精進而不可尽。何等為八。①発大荘厳、而無有尽。②積集勇進、而不可尽。③修行諸善、

①云何菩薩発大荘厳。於諸生死、心能堪忍、不計劫数、於無量無辺百千万億那由他恒河沙阿僧祇劫、当成仏道、心不疲倦、是名不懈荘厳精進。 ②菩薩積集勇健、而起精進、若三千大千世界満中盛火、為見仏故、為聞法故、為安止衆生於善法故、要当従是火中而過、為調伏衆生、心善安止於大悲中、是名勇健精進。 ③菩薩修習善根、而起精進、如所発起一切善根、悉以迴向阿耨多羅三藐三菩提、為欲成就一切智故、是名修習善根精進。 ④菩薩教化衆生、而起精進、衆生之性不可称計、無量無辺、同虚空界、菩薩立誓、我当度之、無有遺餘、為欲化度、勤行精進、是名教化精進。	而不可尽。④教化衆生、而不可尽。〔……後半の四事省略……〕 ①云何菩薩荘厳無尽。於諸生死、心不疲倦、不計劫数、当成仏道、若干劫在、而作荘厳、若干劫在、不作荘厳、菩薩荘厳所経劫数不可称計、如従今日、至生死本、為一日一夜、如是三十日為一月、十二月為一歳、於是百千万歳、一発道心、一見如来、如是発心所見諸仏如恒沙数、於爾所仏辺、方得知一衆生心行、如是遍知一切衆生心之所行、猶不退没。是則名曰不懈荘厳無尽荘厳。…… ②云何菩薩勇進無尽。若三千大千世界満中盛火、為見仏故、要当従是火中而過。若為聞法教化衆生安止衆生於善法故、亦応如是従火中過。是名菩薩勇進無尽。…… ③云何菩薩修習無尽。如所発起一切善心、常願菩提、是名菩薩修習*無尽。何以故。以諸善根、迴向阿耨多羅三藐三菩提、初無尽故。……為欲成就一切智故、修習*善根。是名菩薩修習**無尽。 ④云何菩薩教化無尽。衆生之性不可称計、菩薩於中不応称計。……若菩薩聞作是説、不驚不怖不畏、当知是菩薩勤修精進。是名菩薩教化無尽。（『大方等大集経』無尽意菩薩品。T13, 192abc） ＊大正蔵底本は「習」を「集」に作る。元本・明本によってこれを改める。 ＊＊大正蔵底本は「習」を「集」に作る。意をもってこれを改める。
取要言之、菩薩修助道功徳助無上智慧、修集仏法、而起精進。諸仏功徳無量無辺、菩薩摩訶薩発大荘厳所行精進亦復如是無量無辺。菩薩摩訶薩修行精進、無離欲心、抜衆苦故、是則具足毘梨耶波羅蜜。	（ナシ）

発菩提心経論禅那波羅蜜品第八	出典
云何菩薩修習禅定。禅定若為自利他利及二倶利、如是禅定則能荘厳菩提之道。	（檀波羅蜜品第四の冒頭を見よ）
菩薩為欲調伏衆生、令離苦悩、故修禅定。修禅定者、善摂其心、一切乱想不令妄干、行住坐臥、係念在前、逆順観察髑髏項*背臂肘胸脇髖髀脛踝、安般数息、是名菩薩初修定心。[514a] 修禅定故、不受衆悪、心常悦楽、是名自利。教化衆生、令修正念、是名利他。以己所修清浄三昧、離悪覚観、化諸衆生、令同己利、是名倶利。因修禅定、獲得八解乃至首楞厳金剛三昧、是名荘厳菩提之道。 *大正蔵底本は「頂」を「項」に作る。三本・宮本によってこれを改める。	（ナシ）
禅定由三法生。云何為三。一従聞慧、二従思慧、三従修慧。従是三法、漸漸而生一切三昧。	是三昧……復有三種。一者従聞、二者従思、三者従修。従是三法、漸漸而生。（『優婆塞戒経』巻七。T24, 1074b）
云何聞慧。如所聞法、心常愛楽、復作是念、無礙解脱等諸仏法要因多聞而得成就。作是念已、於一切求法時、転加精勤、日夜常楽聴法、無有厭足。是名聞慧。	復作是念。無礙解脱等諸仏法以何為本。不離聞法為本。菩薩如是念已、一切求法時、転加精進、日夜常楽聴法、無有厭足。（『十住経』巻二。T10, 507b）
云何思慧。思念観察一切有為法如実相、所謂無常苦空無我不浄・念念生滅・不久敗壊、而諸衆生憂悲苦悩、憎愛所繫、但為貪恚痴火所然、増長後世苦悩大聚、無有実性猶如幻化。見如是已、於一切有為法、即生厭離、転加精勤、趣仏智慧、思惟如来智慧不可思議・不可称量・有大勢力・無能勝者・能至無畏安隠大城・不復転還・能救無量苦悩衆生、如是知見仏無量智、見有為法無量苦悩、志願進求無上大乗。是名思慧。	諸仏子、是菩薩摩訶薩以是十心、得入第三地、能観一切有為法如実相。所謂無常苦空無我不浄・不久敗壊・不可信相・念念生滅、又不生不滅・不従前際来・不去至後際・現在不住。菩薩如是観一切有為法真実相、知此諸法無作無起無来無去、而諸衆生憂悲苦悩、憎愛所繫、無有停積、無定生処、但為貪恚痴火所然、増長後世苦悩火聚、無有実性、猶如幻化。見如是已、於一切有為法、転復厭離、趣仏智慧。是菩薩知如来智慧不可思議・不可称量・有大勢力・無能勝者・

	無有雑相・無有衰悩憂悲之苦・能至無畏安隠大城・不復転還・能救無量苦悩衆生、如是見知仏智無量、見有為法無量苦悩、於一切衆生、転生殊勝十心。（『十住経』巻二。T10, 507ab）
云何修慧。従初骨観、乃至阿耨多羅三藐三菩提、皆名修慧。離欲不善法、有覚有観、離生喜楽、入初禅。滅覚観、内清浄、心一処、無覚無観、定生喜楽、入二禅。離喜故、行捨、心念、安慧、身受楽、諸賢聖能説「能捨常念受楽」、入三禅。断苦断楽故、先滅憂喜故、不苦不楽、行捨念浄、入四禅。過一切色相、滅一切有対相、不念一切別異相故、知無辺虚空、即入虚空無色定処。過一切虚空相、知無辺識、即入無色識［514b］定処。過一切識相、知無所有、即入無所有無色定処。過一切無所有処、知非有想非無想安隠、即入無色非有想非無想処。但随順諸法行故、而不楽著、求無上乗成最正覚。是名修慧。	従初骨観、乃至得阿耨多羅三藐三菩提、皆名三昧。（『優婆塞戒経』巻七。T24, 1074b） 菩薩如是能住明地、即離諸欲悪不善法、有覚有観、離生喜楽、入初禅。滅覚観、内清浄、心一処、無覚無観、定生喜楽、入二禅。離喜故、行捨、心念、安慧、身受楽、諸賢聖能説「能捨常念受楽」、入三禅。断苦断楽故、先滅憂喜故、不苦不楽、行捨念浄、入四禅。是菩薩過一切色相、滅一切有対相、不念一切別異相故、知無辺虚空、即入虚空無色定処。過一切虚空相、知無辺識、即入識無色定処。過一切識相、知無所有、即入無所有無色定処。過一切無所有処、知非有想非無想安隠、即入無色非有想非無想処。但随順諸法行故、而不楽著。（『十住経』巻二。T10, 507c–508a）
菩薩従是聞思修慧、精勤摂心、則能成就通明三昧禅那波羅蜜。	（ナシ）
復次菩薩修定復有十法行、不与声聞辟支仏共。何等十。一者修定無有吾我、具足如来諸禅定故。二者修定不味不著、捨離染心不求己楽故。三者修定具諸通業、為知衆生諸心行故。四者修定為知衆心、度脱一切諸衆生故。五者修定行於大悲、断諸衆生煩悩結故。六者修定諸禅三昧、善知入出過於三界故。七者修定常得自在、具足一切諸善法故。八者修定其心寂滅、勝於二乗諸禅三昧故。九者修定常入智慧、過諸世間到彼岸故。十者修定能興正法、紹隆三宝使不断絶故。	若菩薩摩訶薩以十六事修行禅定而無有尽、不与声聞辟支仏共。何等十六。①菩薩修定無有吾我、具足如来諸禅定故。②菩薩修定不味不著、不求己楽故。③菩薩修定行於大悲、断諸衆生煩悩結故。④菩薩修定増益諸禅観、見欲界諸過患故。⑤菩薩修定具諸通業、為知衆生諸心行故。⑥菩薩修定其心柔軟、於衆生中得自在故。⑦菩薩修定諸禅三昧善知入出、過於色界無色界故。⑧菩薩修定其心寂滅、勝於二乗諸禅三昧故。⑨菩薩修定更無有発、畢竟已作故。⑩菩薩修定

如是定者不与声聞辟支仏共。	無諸衰耗、善断除滅諸習気故。⑪菩薩修定常入智慧、過諸世間到彼岸故。⑫菩薩修定為知衆生心、度脱一切諸衆生故。⑬菩薩修定不断三宝種、具足無尽諸禅定故。⑭菩薩修定無有退失、其心常定無諸錯謬故。⑮菩薩修定而得自在、具足一切諸善法故。⑯菩薩修定内善思惟、断入出息得勝智故。舎利弗、是名菩薩以十六事修行禅定而無有尽、不与声聞辟支仏共。(『大方等大集経』無尽意菩薩品。T13, 194ab)
復次為知一切衆生煩悩心故、是故修集諸禅定法、助成住心、令此禅定住平等心。是名為定。如是等定則等於空無相無願無作。空無相無願無作等者、則衆生等。衆生等者、則諸法等。入如是等、是名為定。	唯舎利弗、菩薩若知一切衆生煩悩乱心、是故修集諸禅定法、助成住心。舎利弗、如是衆生煩悩心乱、菩薩於中、善修聚集、助成禅定、令此禅定住平等心。是名菩薩修行禅定。……如是等定則等於空。等於空者、則衆生等。衆生等者、則諸法等。入如是等、是名為定。如空等者、則無相等。無相等者、則無願等。無願等者、則無作等。無作等者、則衆生等。衆生等者、則諸法等。入如是等、是名為定。(『大方等大集経』無尽意菩薩品。T13, 194c)
復次菩薩雖随世行、不雑於世、捨世八法、滅一切結、遠離憒閙、楽於独処。菩薩如是修行禅定、心安止住、離世所作。	不雑於世、捨世八法、滅一切結、遠離憒閙、楽於独処。菩薩如是修行諸法、於諸禅定、心安止住、離世所作。(『大方等大集経』無尽意菩薩品。T13, 194c)
復次菩薩修定、具諸通智方便慧故。云何為通、云何為智。若見色相、若聞音声、若知他心、若念過去、若能遍至諸仏世界、是名為通。若知色即法性、解了音声心行性相寂滅三[514c]世平等、知諸仏界同虚空相、而不證滅尽、是名為智。	云何名為菩薩修定。具諸通智故。云何為通、云何為智。若見諸色相、是名為通。若知一切色尽法性而不證尽、是名為智。若聞音声是名為通解了三世一切音声無言辞相、是名為智。若知一切衆生心行、是名為通。若知心行悉皆滅尽不證於滅、是名為智。若念過去、是名為通。若知三世無有罣礙、是名為智。若能遍至諸仏世界、是名為通。若知仏界同虚空相、是名為智。(『大方等大集経』無尽意菩薩品。T13, 194b)

云何方便、云何為慧。入禅定時、生大慈悲、不捨誓願、心如金剛、観諸仏世界荘厳菩提道場、是名方便。其心永寂無我無衆生、思惟諸法本性不乱、見諸仏界同於虚空、観所荘厳同於寂滅、是名為慧。	入時受持、心如金剛、是名方便。思惟諸法本性不乱、是名為慧。……入時、遍観諸仏世界、是名方便。見諸仏界同於虚空、是名為慧。入時、荘厳菩提道場、是名方便。観所荘厳同於寂滅、是名為慧。（『大方等大集経』無尽意菩薩品。T13, 194c–195a）
是名菩薩修行禅定通智方便慧故差別。四事倶行、得近阿耨多羅三藐三菩提。菩薩摩訶薩修行禅定、無餘悪心、以不動法故、是則具足禅那波羅蜜。	（ナシ）

発菩提心経論般若波羅蜜品第九	**出典**
云何菩薩修習智慧。智慧若為自利他利及二倶利、如是智慧則能荘厳菩提之道。	（檀波羅蜜品第四の冒頭を見よ）
菩薩為欲調伏衆生、令離苦悩、故修智慧。修智慧者、悉学一切世間之事、捨貪瞋痴、建立慈心、憐愍饒益一切衆生、常念抜済、為作将導、能分別説正道邪道及善悪報、是名菩薩初智慧心。修智慧故、遠離無明、除煩悩障及智慧障、是名自利。教化衆生、令得調伏、是名利他。以己所修無上菩提、化諸衆生、令同己利、是名倶利。因修智慧、獲得初地乃至薩婆若智、是名荘厳菩提之道。	（ナシ）
菩薩修行智慧有二十心能漸建立。何謂二十。①当発善欲親近善友心、②捨離憍慢不放逸心、③随順教誨楽聴法心、④聞法無厭善思惟心、⑤行四梵行修正智心、⑥観不浄行生厭離心、⑦観四真諦十六聖心、⑧観十二因縁修明慧心、⑨聞諸波羅蜜念欲修集心、⑩観無常苦無我寂滅心、⑪観空無相	無尽意言。聞者具八十行。何等八十。欲修行、順心行、畢竟心行、常発起行、親近善友行、無憍慢行、不放逸行、恭敬行、随順教行、従善語行、数往法師所行、至心聴法行、善思惟行、不乱心行、勤進心行、生宝想行、起薬想行、除諸病行、念器行、進覚行、意喜行、入覚行、聞無厭行、増

無願無作心、⑫観陰界入多過患心、⑬降伏煩悩非〔515a〕伴侶心、⑭護諸善法自伴侶心、⑮抑制悪法令除断心、⑯修習正法令増広心、⑰雖修二乗常捨離心、⑱聞菩薩蔵楽奉行心、⑲自利利他随順増進諸善業心、⑳持真実行求一切仏法心。

長捨行、調智行、親近多聞行、発歓喜行、身軽悦行、心柔和行、聞無疲倦行、聞義行、聞法行、聞威儀行、聞他説行、聞所未聞行、聞諸通行、不求餘乗行、聞諸波羅蜜行、聞菩薩蔵行、聞諸摂法行、聞方便行、聞四梵行、聞念正智行、聞生方便行、聞無生方便行、観不浄行、思惟慈行、観因縁行、観無常行、観苦行、観無我行、観寂滅行、観空行、観無相行、観無願行、観無作行、作善行、持真実行、不失行、好悪住処防護心行、勤進無懈行、善分別諸法行、知諸煩悩非伴侶行、護諸善法自伴侶行、降伏煩悩非伴侶行、親近正法財行、断諸貧窮行、智者所讃行、欣楽利根行、衆聖所勧行、令非聖者生歓喜行、観諸諦行、観陰過患行、思量有為多過患行、思義行、不作一切悪行、自利利他行、随順増進諸善業行、進増上行、得一切仏法行。舎利弗、是名菩薩如其所聞具八十行。（『大方等大集経』無尽意菩薩品。T13, 195c–196a）

復次菩薩修行智慧、復有十法善思惟心、不与声聞辟支仏共。何謂為十。①思惟分別定慧根本、②思惟不捨断常二辺、③思惟因縁生起諸法、④思惟無衆生我人寿命、⑤思惟無三世去来住法、⑥思惟無発行、而不断因果、⑦思惟法空、而殖善不懈、⑧思惟無相、而度衆生不廃、⑨思惟無願、而求菩提不離、⑩思惟無作、而現受身不捨。

雖行於空、而植衆徳本、是菩薩行。雖行無相、而度衆生、是菩薩行。雖行無作、而現受身、是菩薩行。（『維摩詰所説経』巻中。T14, 545c）

復次菩薩復有十二善入法門。何謂十二。①善入空等三昧、而不取證。②善入諸禅三昧、而不随禅生。③善入諸通智、而不證無漏法。④善入内観法、而不證決定。⑤善入観一切衆生空寂、而不捨大慈。⑥善入観一切衆生無我、而不捨大悲。⑦善入生諸悪趣、而非業故生。⑧善入離欲、而不證離

舎利弗、菩薩摩訶薩行般若波羅蜜、具三十二事善入思惟。何等三十二。……〔最初の十四省略〕……善入不證空無相無願、善入生諸禅三昧、善入不随禅定生。善入生諸通智、善入不證無漏法、善入内観法、善入不證決定、善入思量有為法過患、善入不著有為法、善入観一切衆生無我而不捨大

欲法。⑨善入捨所欲楽、而不捨法楽。⑩善入捨一切戯論諸覚、而不捨方便諸観。⑪善入思量有為法多過患、而不捨有為。⑫善入無為法清浄遠離、而不住無為。菩薩能修一切善入法門、即能善解三世空無所有。若作是観、観三世空、智慧力故。若於三世諸仏所種無量功徳、悉以迴向無上菩提、是名菩薩善観三世方便。	悲、善入一切趣諸怖畏処、善入雖生諸趣非業故生、善入離欲、善入不證離欲法、善入捨所楽欲、善入不捨法楽、善入捨一切戯論諸覚、善入不捨方便諸観。舍利弗、是名菩薩行般若波羅蜜三十二事善入思惟。（『大方等大集経』無尽意菩薩品。T13, 196a）
復次雖見過去尽法不至未来、而常修善精進不懈。観未来法雖無生出、不捨精進願向菩提。観現在法雖念念滅、其心不忘発趣菩提。是名菩薩観三世方便。過去已滅、未来未至、現在不住、雖如是観心［515b］心数法生滅散壊、而常不捨聚集善根助菩提法、是名菩薩観三世方便。	復次雖見過去尽法不至未来、而常修善精勤不懈。観未来法雖無生出、不捨精進願向菩提。観現在法雖念念滅、其心不忘発趣菩提。如是方便、是名菩薩観三世方便。過去已滅、未来未至、現在不住。雖如是観心心数法生滅散壊、而常不捨聚集善根助菩提法。如是方便、是名菩薩観三世方便。（『大方等大集経』無尽意菩薩品。T13, 198a）
復次菩薩観一切善不善・我無我・実不実・空不空・世諦真諦・正定邪定・有為無為・有漏無漏・黒法白法・生死涅槃、如法界性、一相無相、此中無法可名無相、亦無有法以為無相、是則名為一切法印不可壊印。於是印中、亦無印相。是名真実智慧方便般若波羅蜜。	阿難、是則名為一切法印、不可壊印、不可変異。於是印中、亦無印相。（『仏説華手経』巻九。T16, 200c）
発菩提心菩薩摩訶薩応如是学、応如是行。如是行者、即近阿耨多羅三藐三菩提。菩薩摩訶薩修行智慧、心無所行、法性浄故。是則具足般若波羅蜜。	（ナシ）

発菩提心経論如実法門品第十	**出典**
若善男子善女人修習六波羅蜜、求阿耨多羅三藐三菩提者、応離七法。何等為七。一者離悪知識。悪知識者、所謂教人	舍利弗、若人発心求菩提者、応離四法。何謂為四。離悪伴党諸悪知識及不善行。是為初法所応離也。又舍利弗、若人

捨離上信・上欲・上精進・集衆雑行。二者離於女色貪著嗜欲・狎習世人而与執事。三者離於悪覚・自観形容貪惜愛重・染著守護謂可久保。四者離於瞋恚暴慢嫉忌・興起諍訟壊乱善心。五者離於放逸憍慢懈怠・自恃小善軽蔑於人。六者離於外道書論及世俗文頌綺飾言辞非仏所説不応讃誦。七者不応親近邪見悪見。如是七法所応遠離。如来説言、「不見更有餘法深障仏道」。如此七法、是故菩薩応当遠離。	発心求菩提者、応当離於貪著女相、不与世人共処同事。是第二法所応離也。又舎利弗、若人発心求菩提者、応当離於外道書論、謂裸形論・路伽耶論・末伽梨論、非仏所説不応親近聴受読誦。是第三法所応離也。又舎利弗、若人発心求菩提者、不応親近邪見悪見。是第四法所応離也。舎利弗、如来不見更有餘法深障仏道。如此四法、是故菩薩応当捨離。（『仏説華手経』巻八。T16, 188ab）
若欲疾得無上菩提、当修七法。何謂為七。一者菩薩当親近善知識。善知識者、所謂諸仏及諸菩薩。若声聞人能令菩薩住深法蔵諸波羅蜜、亦是菩薩善知識也。二者［515c］菩薩応当親近出家、亦当親近阿蘭若法、離於女色及諸嗜欲、不与世人而共従事。三者菩薩応当自観形如糞土、但盛臭穢、風寒熱血、無可貪著、日当就死、宜思厭離、精勤修道。四者菩薩応当常行和忍、恭敬柔順、亦勧*他人、令住忍中。五者菩薩応当修集精進、常生慚愧、敬奉師長、憐愍窮下、見厄苦者、以身代之。六者菩薩応当修習方等大乗諸菩薩蔵、仏所讃法、受持読誦。七者菩薩応当親近修習第一義諦、所謂実相、一相無相。若諸菩薩欲疾逮得無上菩提、応当親近如是七法。 ＊大正蔵底本は「勧」に「化」を加える。三本によってこれを除く。	又舎利弗、若欲疾得無上菩提、当修四法。何謂為四*。菩薩応当随善知識。善知識者、謂諸仏是。若声聞人能令菩薩住深法蔵諸波羅蜜、亦是菩薩善知識也。応当親近供給礼敬。又舎利弗、菩薩応当親近出家、亦応親近阿蘭若法、離女色故。又舎利弗、菩薩応当親近修習大空正見、離邪見故。又舎利弗、若諸菩薩欲疾逮得無上菩提、応当親近如是四法。（『仏説華手経』巻八。T16, 188b） ＊大正蔵底本は「謂為」を「為謂」に作る。宮本によってこれを改める。
復次若人発菩提心、以有所得故、於無量阿僧祇劫、修集慈悲喜捨布施持戒忍辱精進禅定智慧、当知是人不離生死、不向菩提。何以故。	（ナシ）
有所得心、及諸得見、陰界入見、我見、人見、衆生見、寿命見、慈悲喜捨施戒忍進定智等見、取要言之、仏法僧見、及涅槃見、如是有所得見。	及諸得見、陰界入見、我見、人見、衆生之見、舎利弗、取要言之、仏法僧見、及涅槃見、如是皆名有所得見。（『仏説華手経』巻七。T16, 184c）

即是執著心。執著者、是名邪見。所以者何。邪見之人輪転三界、永離出要。是執著者、亦復如是、永離出要、終不能得阿耨多羅三藐三菩提。	（ナシ）
若人発菩提心、応当観察是心空相。何等是心、云何空相。心名意識、即是識陰、意入意界。心空相者、心無心相、亦無作者。何以故。是心相空、無有作者、無使作者。若無作者、則無作相。	応当観察是心空相。舎利弗、何等是心、云何空相。舎利弗、心名意識、即是識陰。意入意界。心空相者、心無心相、亦無作者。何以故。若有作者、則有彼作、而此人受。若心自作、則自作自受。舎利弗、是心相空、無有作者、無使作者。若無作者、則無作相。（『仏説華手経』巻七。T16, 184c）
若菩薩解了如是法者、於一切法、即無執著、無執著故、於諸善悪、解無果報、於所習慈、了無有我、於所習悲、了無衆生、於所習喜、了無有命、於所習捨、了無有人、雖行布施、不見施物、雖行持戒、不見［516a］浄心、雖行忍辱、不見衆生、雖行精進、無離欲心、雖行禅学、無除悪心、雖行智慧、心無所行。	善男子、云何菩薩具足於忍。如是菩薩住於法時、不見諸法、如微塵相貌、逆順観行、於諸法中、解無果報、於所習慈、了無有我、於所習悲、了無衆生、於所習喜、了無有命、於所習捨、了無有人、雖行布施、不見施物、雖行持戒、不見浄心、雖行忍辱、不見衆生、雖行精進、無離欲心、雖行禅定、無除悪心、雖行智慧、心無所行。（『悲華経』巻九。T3, 222c）
於一切縁、皆是智慧、而不著智慧、不得智慧、不見智慧。行者如是修行智慧、而無所修、亦無不修、為化衆生、現行六度、而内清浄。行者如是善修其心、於一念頃所種善根福徳果報無量無辺、百千万億阿僧祇劫不可窮尽、自然得近阿耨多羅三藐三菩提。	（ナシ）

発菩提心経論空無相品第十一	**出典**
往昔一時仏在迦蘭陀竹林、与諸大衆無量集会。爾時世尊頒*宣正法、告諸大衆。	（ナシ）

＊大正蔵底本は「頒」を「斑」に作る。元本・明本によってこれを改める。

如来所説諸法無性空無所有、一切世間所難信解。何以故。色無縛、無解、受想行識無縛、無解、色無相、離諸相、受想行識無相、離諸相、色無念、離諸念、受想行識無念、離諸念、眼色耳声鼻香舌味身触意法亦復如是無取、無捨、無垢、無浄、無去、無来、無向、無背、無闇、無明、無痴、無慧、非此岸、非彼岸、非中流、是名無縛。	舎利弗、如来所説諸法無性空無所有、一切世間所難信解。何以故。舎利弗、是法無想、離諸想、無念、離諸念、無取、無捨、無戯論、無悩熱、非此岸、非彼岸、非陸地。（『仏蔵経』巻上。T15, 783b）
無縛故空、空名無相、無相亦空、是名為空。	（ナシ）
空名無念、無念亦空。是名為空。空念亦空、是名為空。空中無善無悪、乃至亦無空相。是故名空。	舎利弗、空名無念、是名為空。空念亦空、是名為空。舎利弗、空中無善、無悪、乃至亦無空想。是故名空。（『仏蔵経』巻上。T15, 784c）
菩薩若如是知陰界入性、即不取著、是名法忍。菩薩如是忍故、得授記忍。諸仏子、譬如菩薩仰書虚空、悉写如来十二部経、経無量劫、仏法已滅、求法之人無所見聞、衆生顛倒、造悪無辺、復有他方浄智慧人、憐愍衆生、広求仏法、行到於此、見空中字、文画分明、即便識之、読誦受持、如所説行、広演分別、利益衆生、此書空者、識空字人可思議不。[516b] 而得宣伝、修習受持、引導衆生、令離繋縛。	（ナシ）
諸仏子、如来説言、過去世時、求菩提道、得値三十三億九万八千諸仏、爾時皆為転輪聖王、以一切楽具、供養諸仏及弟子衆、以有所得故、不得授記。	舎利弗、我念過世求阿耨多羅三藐三菩提、値三十億仏、皆号釈迦牟尼。我時皆作転輪聖王、尽形供養、及諸弟子、衣服飲食臥具医薬、為求阿耨多羅三藐三菩提。而是諸仏不記我言、「汝於来世当得作仏」。何以故。以我有所得故。（『仏蔵経』巻下。T15, 797a）

於後、復値八万四千億九万辟支仏、亦以四事、尽形供養。	舎利弗、我念過去於万劫中無有仏出。爾時初五百劫、有九万辟支仏。我尽形寿、悉皆供養衣服飲食臥具医薬、尊重讃歎。次五百劫、復以四事、供養八万四千億諸辟支仏、尊重讃歎。(『仏蔵経』巻下。T15, 797b)
過是以後、復値六百二十万一千二百六十一仏、爾時皆為転輪聖王、以一切楽具、尽形供養、諸仏滅後、起七宝塔、供養舎利、後仏出世、奉迎勧請、転正法輪、供養如是百千万億諸仏、是諸如来皆於空法中説諸法相、以有所得故、亦不得授記。	舎利弗、我念過世亦於第七百阿僧祇劫中得値六百二十万諸仏、皆号見一切義。我時皆作転輪聖王、以一切楽具、尽形供養、及諸弟子。亦不記我。以有所得故。(『仏蔵経』巻下。T15, 797c)
如是展転、乃至得値然燈仏興、見仏聞法、即得一切無生法忍、得是忍已、乃得授記。	如是展転、乃至見定光仏、乃得無生忍。即記我言、「汝於来世過阿僧祇劫、当得作仏、号釈迦牟尼如来・応供・正遍知・明行足・善逝・世間解・無上士・調御丈夫・天人師・仏・世尊」。(『仏蔵経』巻下。T15, 797c–798a)
然燈如来於空法中説諸法相、度脱無量百千衆生、而無所説、亦無所度。牟尼世尊興出於世、於空法中、説有文字、示教利喜、普得受行、而無所示、亦無受行。当知*是法性相尽空、書者亦空、識者亦空、説者亦空、解者亦空、従本来空、未来亦空、現在亦空、而諸菩薩積集万善、方便力故、精勤不懈、功徳成満、得阿耨多羅三藐三菩提。此実甚難不可思議。於無法中、説諸法相、於無得中、説有得法。如此之事、諸仏境界、以無量智、乃可得解、非是思量所能得知。新発意菩薩誠心敬仰、愛楽菩提、信仏語故、漸能得入。云何為信。信観四諦、除諸煩悩妄見結縛、得阿羅漢。信観十二因縁、滅除無明、生起諸行、得辟支仏。信修四無量心六波羅蜜、得阿耨多羅三藐三菩提。是名信忍。衆生於無始生死、取相執著、[516c] 不見法性。当先観察自身五陰仮名衆生、是	以無量智、乃可得解、非以思量所能得知。(『仏蔵経』巻上。T15, 783b)

中無我、無有衆生。何以故。若有我者、我応自在、而諸衆生常為生老病死之所侵害、不得自在。当知無我。無我即無作者、無作者亦無受者。法性清浄、如実常住。如是観察未能究竟、是名順忍。菩薩修信順忍已、不久当成最上法忍。

＊大正蔵底本は「知」を「如」に作る。宮本によってこれを改める。

発菩提心経論功徳持品第十二	**出典**
菩薩具足修無相心、而心未曾住於作業。是菩薩於諸業相、知而故作、為修善根、求菩提故、不捨有為、為諸衆生、修大悲故、不住無為、為一切仏真妙智故、不捨生死、為度無辺衆生令無餘故、不住涅槃、是名菩薩摩訶薩深心求阿耨多羅三藐三菩提。	菩薩具足如是作相、而心未常住於作業。是菩薩於諸業相、知而故作。云何菩薩知而故作。為諸善根故、為諸衆生修大悲故、不離有為、為一切仏真妙智故、不随生死。是名菩薩摩訶薩毘梨耶波羅蜜而不可尽。(『大方等大集経』無尽意菩薩品。T13, 194a)
諸仏子、菩薩成就十法、終不退失無上菩提。何謂為十。一者、菩薩深発無上菩提之心、教化衆生、亦令発心。二者、常楽見仏、以己所珍、奉施供養、深種善根。三者、為求法故、以尊敬心、供養法師、聴法無厭。	復次阿難、菩薩摩訶薩若成四法、終不忘失無上菩提、諸天龍神皆来勧助、常不離於衆聖福田。若無諸聖、便於衆会自為福田。何謂為四。①菩薩摩訶薩勤行不懈、教化衆生、令発無上菩提之心。②勤行不懈、供奉如来、為求法故。③以尊敬心、供奉法師。④若見衆生恐畏苦悩、施以無畏。阿難＊、菩薩若成是四法者、世世不失菩提之念。(『仏説華手経』巻九。T16, 196c) ＊大正蔵底本は「難」を「離」に作る。宮本によってこれを改める。
四者、若見比丘僧壊為二部、互起諍訟、共相過悪、勤求方便、令其和合。	又舎利弗、菩薩若見比丘僧壊為二部、衆諍訟瞋恚、互相過悪、菩薩爾時勤求方便、令其和合。是第三法。(『仏説華手経』巻九。T16, 193b)
五者、若見国土邪悪増上、仏法欲壊、能読誦説、乃至一偈、令法不絶、専心護法、不惜身命。	又舎利弗、菩薩若見仏法欲壊、能読誦説、乃至一偈、令法不絶、勤行修集、為護法故、敬養法師、専心護法、不惜身

	命。是第四法。(『仏説華手経』巻九。T16, 193b)
六者、見諸衆生恐畏苦悩、為作救護、施以無畏。	(三つ前の欄の経文の④に該当)
七者、発勤修行、求如是等方等大乗甚深経法諸菩薩蔵。八者、得是法已、受持読誦、如所説行、如所説住。九者、自住於法、亦能勧導、令多衆生入是法中。十者、入法中已、能為解説、示教利喜、開悟衆生。	阿難、菩薩有四法、聞所説法、達其意趣、能得智慧、得堪受法、得堅固念、具足義法。何謂為四。発勤修行、求如是等甚深経法、得是法已、如所説住、自住於法、亦能勧導、令多衆生入是法中、入法中已、能為解説、示教利喜。(『仏説華手経』巻九。T16, 198b)
菩薩成就如是十法、於無上菩提、終不退失。菩薩応当如是修行此経。如是 [517a] 経典不可思議、所謂能生一切大慈悲種。是経能開悟引導具縛衆生、令其発心。是経能為向菩提者而作生因。是経能成一切菩薩無動之行。是経能為過去未来現在諸仏之所護念。	(ナシ)
若有善男子善女人、欲勤修集無上菩提、当広宣流布如是経典。於閻浮提、使不断絶、令無量無辺衆生得聞是経。若有善男子善女人聞是経者、是諸人等悉得猛利不可思議大智慧聚不可称量福徳果報。	於閻浮提、広宣流布是妙経典、令不断絶、復令無量無辺衆生得聞是経、当令是等悉得猛利不可思議大智慧聚不可称量福徳之報。(『金光明経』巻二。T16, 344c)
所以者何。是経能開無量清浄慧眼、能令仏種相続不断、能救無量苦悩衆生、能照一切無明痴闇、能破四魔及諸魔業、能壊一切外道邪見、能滅一切煩悩大火、能消因縁生起諸行、能断慳貪破戒瞋恚懈怠乱意愚痴六極重病、能除業障報障法障煩悩障諸見障無明障智障習障。取要言之、此経能令一切悪法消滅無餘、能令一切善法熾然増長。若有善男子善女人、聞是経已、歓喜愛楽、生希有心、当知是人已曾供養無量諸仏深種善根。所以者何。此経是三世諸仏之所履行。是故行者得聞是経、当自慶幸獲大善利。若有書写読誦此経、当知	(ナシ)

此人所獲福報無量無辺。所以者何。此経所縁無辺故、興発無量大誓願故、摂受一切諸衆生故、荘厳無上大菩提故、所獲福報亦復如是無有限量。若能解其義趣、如説修行、一切諸仏於阿僧祇劫、以無尽智、説其福報、亦不能尽。若有法師、説是経処、当知是中便応起塔。何以故。是真実正法所出生処故。是経随在国土城邑聚落寺廟精［517b］舎、当知是中即有法身。若人供養香花伎楽懸繒幡蓋歌唄讃歎合掌恭敬、当知是人已紹仏種。況復具足受持経者。是諸人等成就功徳智慧荘厳、於未来世、当得授記、決定当成阿耨多羅三藐三菩提。

発菩提心経論巻下

四　おわりに

以上の対照によって、『発菩提心経論』が中国において複数の漢訳経典に基づいて作られた偽論であることが明らかになったと思われる。現時点において知られるかぎり、この論が基づく経は東晋の失訳『般泥洹経』、姚秦の竺仏念訳『菩薩従兜術天降神母胎説広普経』、姚秦の鳩摩羅什訳『十住経』『仏説華手経』『仏蔵経』『維摩詰所説経』、北涼の曇無讖訳『優婆塞戒経』『金光明経』『悲華経』、宋の智厳共宝雲訳『大方等大集経』無尽意菩薩品、北魏の吉迦夜共曇曜訳『付法蔵因縁伝』であり、成立の上限は『付法蔵因縁伝』が訳された四七二年となる。先に紹介したとおり、成立の下限はこの論を初めて記載した隋の法経等『衆経目録』が完成された五九四年となる。

先に確認したとおり、『発菩提心経論』は初め『発菩提心論』と呼ばれていたが、のちには『発菩提心経』という別個の経と混同されて『発菩提心経』とも呼ばれるようになり、しまいには経と論との二つを兼ねて『発菩提心経論』と呼ばれるようになった。論が経と混同されたり、経と論との二つを兼ねて経論と呼ばれたりすることは甚だ奇妙であるが、そのことはあるいはこの論の内容に起因するのかもしれない。この論においては、文の途中に、しばしば「如来説言……」「我今当承聖旨、説其少分……」「如仏所讃……」という引用を示す語があって、この論が経に対する論であることを証明しているが、ただしその一方で、文の途中に、引用と断らぬまま、しばしば「諸仏子……」という呼びかけがあって、この論がそのまま経であるかのような印象をも与えている。まとめれば次のとおりである。

勧発品第一	「如来説言……」(509a) 「我今当承聖旨、説其少分……」(509a)
発心品第二	「諸仏子……」(510a)
願誓品第三	「諸仏子……」(510c) 「如仏所讃……」(510c)
如実法門品第十	「如来説言……」(515b)
無相品第十一	「往昔一時仏在迦蘭陀竹林、与諸大衆無量集会。爾時世尊頒宣正法、告諸大衆……」(516a) 「諸仏子……」(516b)
功徳持品第十二	「諸仏子……」(516c)

このような奇妙なことがどうして起こったのか、現時点においては明らかでなく、今後の検討が望まれる。

註

（1）両者を対比すれば、次のとおりである（便宜上、和訳を省略する）。

現存の『発菩提心経論』巻下	『摩訶止観』巻三下
諸仏子、譬如菩薩仰書虚空、悉写如来十二部経、経無量劫、仏法已滅、求法之人無所見聞、衆生顚倒、造悪無辺、復有他方浄智慧人、憐愍衆生、広求仏法、行到於此、見空中字、文画分明、即便識之、読誦受持、如所説行、広演分別、利益衆生、此書空者、識空字人可思議不。而得宣伝、修習受持、引導衆生、令離繫縛。（T32, 516ab）	『発菩提心論』云。譬如有人、見仏法滅、以如来十二部経、仰書虚空、宛然具足、一切衆生無有知者、久久之後、更有一人、遊行於空、見経嗟咄、云何衆生不知不見、即便写取、示導衆生。（T46, 31c）

（2）北魏出身の慧遠『大乗義章』教迹義のうちには、この経に対する言及らしきものが存在する。かの『発菩提心経』などにおいては、発心が宗である。

彼『発菩提心経』等、発心為宗。（『大乗義章』巻一。T44, 466c）

第三部　訳註研究

第一章　毘目智仙・般若流支訳の翻訳上の特色一斑

以下においては、あくまで本研究第三部の訳註研究に関わる限りにおいて、毘目智仙・般若流支訳の翻訳上の特色一斑を挙げる。

毘目智仙・般若流支訳のうち、梵文が完全に現存するものは『迴諍論』ひとつにすぎない（『唯識論』は梵文が現存する『唯識二十論』の訳であるにせよ、ほとんど創作と言っていいほどの意訳である）。したがって、翻訳上の特色を抽出するに足る複数の有意な例を取り出すことは容易でないが、ただし、たとえば『三具足経憂波提舎』のうちには梵文が現存する『瑜伽師地論』本地分中菩薩地からの転用があり、『転法輪経憂波提舎』のうちには梵文が現存する『ラリタヴィスタラ』からの引用があるので、それらを併用することによって些かなりとも特色を抽出してみたい。

【四字句による構成】　まず、たとえば同じ元魏の勒那摩提・菩提流支訳と較べて明らかに目に付くのは、毘目智仙・般若流支訳が全体を通じてほぼ完全に四字句によって構成されていることである。おそらくは、このことは毘目智仙・般若流支訳の筆受者である曇林の個性によると考えられる。

その際に問題視されるのは、毘目智仙・般若流支訳において、四字句を作るために、主として「如是」という語の強引な付加が見られることである。たとえば次のような例がある。

離貪垢者、心不狭小、如是捨施。自手多施。無吝垢者、不存富楽、如是捨施。（『三具足経憂波提舎』。T26, 362b）

tatra mātsarya-mala-vinayo ’rthāgrāha(corr. : cittāgraha)-parityāgāt sannidhi-mala-vinayo bhogāgraha-parityāgād veditavyaḥ.（BoBh 92, 25–26）

このうち、慳貪という垢を調伏することは財物（梵文底本：「心」）を執着することを捨てることとして、吝嗇という垢を調伏することは富楽に執着することを捨てることとして知られるべきである。

このうち、下線を付した二つの「如是」は梵文になく、明らかに四字句を作るための強引な付加である。毘目智仙・般若流支訳においては、このたぐいの「如是」が、本来原梵文にあったはずの「如是」と混じり合って、却って原意の把握を阻害していることがしばしばある。

「如是」に関してさらに眼を惹くのは「如是如是」という表現である。これは主として原梵文の evam eva を evam evam と誤解したことによると考えられるが、単に四字句を作るために、たとえ原梵文に evam すなわち「如是」としかなくても、敢えて「如是如是」と訳した場合もあるようである。

毘目智仙訳『迴諍論』（T32）	**梵文**（VV）
如是如是（15c）	evam eva（45, 5）
如是如是（16c）	iti（48, 16）
如是如是（16c）	evam（48, 23）
如是如是（17a）	evam eva（50, 19）
如是如是（17a）	evam（51, 15）
如是如是（18a）	evam（56, 13）
如是如是（18a）	evam eva（57, 12）

如是如是（18c）	evam（59, 12）
如是如是（18c）	evam eva（60, 8）
如是如是（19b）	evam eva（65, 4）
如是如是（19b）	evam eva（65, 15）
如是如是（19c）	eva (R evam)（66, 14）
如是如是（20c）	evam eva（71, 17）
如是如是（21a）	evam（73, 8）

このほか、特に問題があるわけではないが、「乃至」と訳されることが多い yāvat が「諸如是等」と訳されることも、四字句を作るためであると考えられる。

諸如是等、不善処擯、令住善処、相応饒益。（『三具足経憂波提舍』。T26, 363b）

yāvad evākuśalāsthānāt vyutthāpya kuśale sthāne saṃniyojanārtham.（BoBh 97, 23）

まさしく結局は、不善の場所から抜け出させ、善なる場所に結びつけてやるためである。

【語順】 毘目智仙・般若流支訳における語順はしばしば原梵文のままである。たとえば、以下の例における「此」は漢文としては主題語なのであろうが、梵文の「そのことについて」(atra) を機械的に訳したものに他ならない。

毘目智仙訳『迴諍論』（T32）	**梵文**（VV）
此我今説（15c）	atra vayaṃ brūmaḥ（45, 6–7）

此我今説（16a）	atra vayaṃ brūmaḥ（45, 6–7）
此我今説（17a）	atra vayaṃ brūmaḥ（50, 9）
此我今説（17b）	atra brūmaḥ（51, 17）
此我今説（19c）	atrocyate（66, 18）
此我今説（20a）	atrocyate（68, 4）

【意訳】　毘目智仙・般若流支訳における意訳は少なくないが、特徴的なものとして、梵文の「世尊」（bhagavat）が自由に「如来」と訳されることが挙げられる。「諸仏如来」と訳される場合もあるが、これはおそらく四字句を作るためであると考えられる。

般若流支訳『唯識論』（T31）	**梵文**（VVS）
如来（66b）	bhagavat（5, 20）
如来（66c）	bhagavat（5, 23）
如来（66c）	muni（5, 26 [k. 9]）
如来（66c）	bhagavat（6, 1）
如来（66c）	bhagavat（6, 3）
諸仏如来（67a）	buddhās（6, 18）
諸仏如来（67a）	bhagavat（6, 23）
如来（69b）	bhagavat（10, 12）

仏（70a）	buddha（10, 25 [k.21]; 10, 26）
諸仏（70a）	buddha（11, 3）
諸仏如来（70a）	buddhā bhagavantaḥ（11, 4）

なお、すべての原梵語を推測することは不可能であるから、第三部の訳註研究においては、原梵語が「世尊」（bhagavat）と推測される場合にも特にそのように訳しはしなかった。

【不適訳】　毘目智仙・般若流支訳における不適訳はかなり多いが、特徴的なものとして、梵文の「……するため」（……-artham）を「饒益」と訳することが挙げられる。

諸如是等、不善処擯、令住善処、相応饒益。（『三具足経憂波提舎』。T26, 363b）
yāvad evākuśalāsthānāt vyutthāpya kuśale sthāne sanniyojanārtham.（BoBh 97, 23）
まさしく結局は、不善の場所から抜け出させ、善なる場所に結びつけてやるためである。

有諸地天、知波羅奈欲転法輪有大饒益、置大円殿種種荘厳広博厳麗、其殿縦広七百由旬。（『転法輪経憂波提舎』。T26, 358c）
bhaumai-devair vārāṇasyāṃ ṛṣi-patane mṛga-dāve dharma-cakra-pravartanārthaṃ tathāgatasya mahā-maṇḍala-mātro 'dhiṣṭhito 'bhūt citro darśanīyo vipulo vistīrṇaḥ sapta-yojana-śatāny āyāmo vistāreṇa.（LV 413, 1–3）
土地の諸天によって、ヴァーラーナシーのうちリシパタナなる鹿林において、転法輪のために、きらびやかで、うるわしく、広く、のびやかで、直径七百ヨージャナに達する、大円殿が置かれた。

第三部の訳註研究においては、梵文の原意に即して、これらを「……するため」（……-artham）と訳した。

第二章 『三具足経憂波提舎』訳註

T26・359a

『三具足経憂波提舎』*1翻訳之記　一巻

施戒聞「三」備摂衆行。是以如来説名「具足」。法門深邃、浅識未窺、天親菩薩、慈心開示。唯顕「経」*2義、弗釈章句。是故名為「憂波提舎」。昔出中国、今現魏都。三蔵法師毘目智仙、婆羅門人瞿曇流支、愛敬法人沙門曇林、於鄴城内、在金華寺、興和三年、歳次辛酉、月建在戌、朔次庚午、十三日訳。千百十言。驃騎大将軍開府儀同三司御史中尉渤海高仲密、啓請供養、守護流通。

『三具足経憂波提舎』翻訳の記　一巻

施と戒と聞との「三」はあまたの修行を完全に含む。そこで如来は「具足」と説きたまうた。法門は深々としており、浅はかな見識によっては窺い知れないので、ヴァスバンドゥ菩薩は慈しみの心をもって開示したまうた。ただ「経」の正しい意味を明らかにするにとどまり、文章を註釈することはない。それゆえに「憂波提舎」と呼ばれる。昔、中央の国（＝インド）において撰述され、今、魏の都において訳出された。三蔵法師である毘目智仙と、ブラーフマナ（brāhmaṇa）である瞿曇般若流支と、法を敬愛する人である沙門曇林とが、鄴城のうち、金華寺において、興和三年（五四一）、干支は辛酉の、九月のうち、一日の干支が庚午である十三日に訳した。千百十字である(1)。驃騎大将軍・開府儀同三司・御史中尉である渤海（現在の河北省安定県）の高仲密（高慎）が請うて供養し、守護し流通させた。

原文校訂

＊1　大正蔵底本を含むあらゆる本は「優」に作る。意をもってこれを改める。

＊2　大正蔵底本は「経」を欠く。元本・明本によってこれを加える。

註

（1）原文「千百十言」。他の経論に対する序においては、曇林は「○○○言」という語を常に「○○○字」という意味において用いているから、ここでも「千百十言」は「千百十字」と解釈されざるを得ないが、現実には七千五百字を超える。あるいは「千百十」は量の多いことを表わす表現か。

三具足経憂波提舎【有釈論、無経本】

元魏天竺三蔵毘目智仙等訳

如是我聞一時、婆伽婆住毘舎離大林精舎、与大比丘僧大菩薩衆倶。爾時世尊告無垢威徳大力士言。「善男子、菩薩有三具足。何等為三。一者施具足、二者戒具足、三者聞具足。善男子、此是菩薩三種具足」。世尊

三具足経憂波提舎【『三具足経憂波提舎』という註釈があるだけで、『三具足経』という経は訳されていない。】

元魏の天竺三蔵毘目智仙らの訳

次のようにわたしが聞いたある時、世尊（*Bhagavat）はヴァイシャーリーの大林精舎にとどまっておられ、甚大なる比丘僧伽（*bhikṣu-saṃgha）および甚大なる菩薩衆（*bodhisattva-gaṇa）と一緒であった。その時、世尊はヴィマラテージャス（*Vimalatejas）大力士におっしゃった。「良家の息子よ、菩薩に三資糧がある。三とは何かというならば、一つめは施資糧（*dāna-saṃbhāra）、二つめは戒資糧（*śīla-saṃbhāra）、三つめは聞資糧（*śravaṇa-

説已、無垢威徳大力士聞心生歓喜。
又彼比丘彼諸菩薩聞世尊説皆悉讃歎。

如是菩薩三種具足、我今解釈。

saṃbhāra）である。良家の息子よ、これが菩薩の三資糧である[1]」。世尊が説き終わってのち、ヴィマラテージャス大力士は聞いて心のうちに歓喜を生じた。さらに、かの諸比丘とかの諸菩薩とは世尊の説を聞いてみな讃歎した。

このような、菩薩の三つの資糧（*saṃbhāra）について、わたしは今、説くことにしたい。

註

（1）『集一切福徳三昧経』（*Sarvapuṇyasamuccayasamādhi-sūtra*）。
de skad ces gsol ba dang | bcom ldan 'das kyis tshan po che chen po dri med pa'i gzi brjid la 'di skad ces bka' stsal to || rigs kyi bu gsum po 'di dag ni bsod nams nye bar rton pa dang | bsod nams kyi tshogs dang | bsod nams 'du ba dang | bsod nams rgyas pa dang | bsod nams mi zad pa dang | bsod nams bsam gyis mi khyab pa pa dang | bsod nams rgya mtsho yin te | gsum gang zhe na | 'di lta ste | sbyin pa'i tshogs dang | tshul khrims kyi tshogs dang | thos pa'i tshogs so ||（P no. 802, Du 86a6–7）
仏告離垢威。「菩薩有三事、逮無尽福徳如大海、度*難思議功祚不廃。何謂三。一曰好喜布施、二曰護持禁戒、三曰博聞不惓。是為三」。（竺法護訳『等集衆徳三昧経』巻上。T12, 976b. ＊大正蔵底本は「度」を「慶」に作る。三本・宮本によってこれを改める）
爾時仏告浄威力士。「善男子、有於三法、為福徳柱、福徳荘厳、福徳来集、福徳増広、福徳無尽、福徳大海、福徳叵思。何等三。謂一布施荘厳、持戒荘厳、多聞荘厳」。（鳩摩羅什訳『集一切福徳三昧経』巻上。T12, 993a）

〔総問〕

以何義故、彼無垢勝無量具足、勤進正出、相好厳身、過百千日光明世

いかなるわけで、かの無垢なる、殊勝なる無量の資糧（*saṃbhāra）によって精進したまうてのち〔三界を〕正しく出でたまい、相好によって飾られた

359b

尊而説是経。偈言。

無量種具足　出身三界主
第一勝相集　超日光牟尼
何所饒益故　説此修多羅

身を有したまい、百千の日輪の光明を超えたまう世尊[1]はこの経を説きたまうたのか。偈が説かれる。

無量の資糧によって三界を出でたまえる主、偉大な相[2]の集まりである身、日輪の光明を超えたまう牟尼は、何のために（*kim artham）、この経を説きたまうたのか。

註

（1）参考：『勝思惟梵天所問経』（*Brahmaviśeṣacinti-paripṛcchā*）。
bcom ldan 'das kyi sku ni blta bas chog mi shes pa kha dog nyi ma bye ba khrag khrig brgya stong pas lhag pa lags te | bcom ldan 'das bdag ni de bzhin gshegs pa'i sku blta ba'am brtag par nus pa 'di ni ngo mtshar to snyam bgyid do ‖（P no. 827, Phu 24b3–4）
世尊、如来身相超百千万日月光明。我自惟念。若有衆生能見仏身及思惟者、甚為希有。（菩提流支訳『勝思惟梵天所問経』巻一。T15, 62c）

（2）原文「第一勝」。般若流支訳『第一義法勝経』「此釈迦子六波羅蜜具足大人第一勝人」（T17,881b）＝蔵訳 shā kya'i sras 'di'i che ba nyid ni rgya che ba'o（P no. 912, Shu 39b6）。

〔別問〕

世尊何故遊毘舎離大林精舍。

〔1〕世尊はなにゆえヴァイシャーリーの大林精舎にとどまっておられたのか。

以何義故、名為「世尊」。

〔2〕いかなるわけで「世尊」と呼ばれるのか。

何故世尊遊毘舎離大林精舎、不於餘処。

為善男子説此菩薩三種具足、以何因縁而説如是三種具足、不多不少。

又復云何菩薩為当唯有如是三種具足、為当更有餘法具足。若此説三、『大海慧経』云何相避。彼説菩薩四十具足。所謂「菩薩布施具足」乃至「菩薩方便具足」。

『弥勒解脱修多羅』中言、「善男子、菩薩満足無量具足」。

更有大乗修多羅中彼処世尊為菩薩説無量具足。彼云何避。

又復聖者龍樹已説偈言。

浄道皆具足　餘人不能説
仏無量智慧　故能説具足
仏無辺功徳　具足是善根
若如是菩提　有無量具足

〔3〕なにゆえ世尊はヴァイシャーリーの大林精舎にとどまっておられ、餘処においてでないのか。

〔4〕良家の息子のためにこの菩薩の三資糧を説きたまうたのは、いかなる理由によってこのような三資糧を説きたまい、多くもなく少なくもないのか。

〔5〕さらにまた、はたして菩薩にはただこのような三資糧があるだけであろうか、それとも、あらためて他の資糧があるのであろうか。もしここで三〔資糧〕が説かれる〔のみ〕ならば、『大海慧経』をいかにして回避するのか。かしこにおいては菩薩の四十資糧が説かれている。すなわち、「菩薩の施資糧」から「菩薩の方便資糧」[1]までである。

『弥勒解脱修多羅』においては「善男子よ、菩薩は無量の資糧を伴うのである」[2]と言われている。

さらに、世尊が菩薩のために無量の資糧を説きたまうたような大乗経がある。それをいかにして回避するのか。

さらにまた、聖者ナーガールジュナによって偈が説かれている。

〝菩提（*bodhi）にとっての資糧をすべて有する〟と、他の人は説くことができない。仏という、無量の智慧ある者のみが〝資糧を〔すべて〕有する〟と説くことができる。仏の無辺の功徳にとって、資糧は善根である。もしそうであるならば、菩提にとって、無量の資糧がある。[3]

若餘処説「菩薩則有無量具足」、此修多羅云何相避。「善男子」者是種姓義。何故菩薩名為種姓。此義須説。

餘処において「菩薩について無量の資糧がある」と説かれているもの、その経をいかにして回避するのか。

〔6〕「良家の息子」（*kula-putra）とは種姓を有する者（*gotrin）という意味である。なにゆえに菩薩は種姓を有する者と言われるのか。そのことが説かれるべきである。

以何義故名為具足。

施具足者、何故名施、有幾種施。

戒具足者、何故名戒、有幾種戒。

聞具足者、何故名聞、有幾種聞。

又復施戒二具足漏、聞具足者則是不漏。以何因縁、以漏不漏二種具足、得一切智不漏之法。此義須説。

〔7〕いかなるわけで資糧と呼ばれるのか。

〔8〕施資糧とは、なにゆえに施と呼ばれ、何種類の施があるのか。

〔9〕戒資糧とは、なにゆえに戒と呼ばれ、何種類の戒があるのか。

〔10〕聞資糧とは、なにゆえに聞と呼ばれ、何種類の聞があるのか。

〔11〕さらにまた、施資糧と戒資糧との二つは有漏であり、聞資糧は無漏である。いかなる理由によって、有漏と無漏との二資糧によって、一切智者性（*sarvajñatā）という無漏の法を得るのか。そのことが説かれるべきである。

又施具足幾種因縁、戒聞具足幾種因縁。

又復世尊説三具足、何故初施中戒後聞。此意須説。

〔12〕さらに、施資糧に何種類の原因があり、戒資糧と聞資糧とに何種類の原因があるのか。

〔13〕さらにまた、世尊が三資糧を説きたまうたのは、なにゆえ初めが施であり、中ごろが戒であり、後が聞であるのか。その意図が説かれるべきである。

以要言之、世尊示現云何施具足、

〔14〕まとめれば、世尊は施資糧とは何であり、戒資糧とは何であり、聞

云何戒具足、云何聞具足。

資糧とは何であると示したまうたのか。

註

（1） 出典不明。この『大海慧経』の文は現存の『海慧所問経』（*Sāgaramati-paripṛcchā*）のうちにない。『三具足経憂波提舎』においては後にもう一回『大海慧経』が引用されるが、その文も現存の『海慧所問経』のうちにない。

（2） 『弥勒解脱修多羅』（*Maitreya-vimokṣa*）は『大方広仏華厳経』入法界品（*Gaṇḍavyūha*）のマイトレーヤ章を指す（『大乗集菩薩学論』〔*Śikṣāsamuccaya*〕などが *Maitreya-vimokṣa* という名のもとにマイトレーヤ章を引用している）。
以上、じつに、良家の息子よ、一切智者性を目ざす心を起こすことは、これらの、そして他の、無量乃至不可説不可説の殊勝な諸功徳によって伴われているのである。無上正等覚に対し心を起こしたこれらの諸有情もまたそのような功徳の法によって伴われていたし、伴われるようになるであろう。
iti hi, kulaputra, ebhiś cānyaiś cāpramāṇair yāvad anabhilāpyānabhilāpyair guṇaviśeṣaiḥ samanvāgataḥ sarvajñatācittotpādaḥ. te 'pi sattvā evaṃguṇadharmasamanvāgatā bhūtāś ca bhaviṣyanti ca yair anuttarāyāṃ samyaksaṃbodhau cittāny utpāditāni. （GVS 406, 32–407, 3）

（3） 『菩提資糧論』。
何能説無闕　菩提諸資糧　唯独有諸仏　別得無辺覚（達磨笈多訳『菩提資糧論』巻一。T32, 517c）
仏体無辺徳　覚資糧為根　是故覚資糧　亦無有辺際（同右）

359c
此皆作難。我今解釈。
何故世尊、施戒聞等無量無垢、不可称量布施具足、身如虚空、住無垢法、而説是経。彼義今説。偈言。

〔総答〕

これらはすべて質問である。わたしは今、説くことにしたい。
なにゆえに、施と戒と聞とが無量無垢でいらっしゃり、不可量なる捨身（*tyāga）を具えたまい、身は虚空のごとく、無垢法のうちに安住したまう世尊はこの経を説きたまうたのか。そのことについて、今、説くことにしたい。

第一施戒聞　寂正行苦身
如空勝法持　具足善光明
人天礼牟尼　第一世間覚
無垢除三苦　何義説此経

此義今説。発菩提心、学菩薩業相応饒益、一切智人示現此義、〝菩薩既発菩提心已、次満施等三種具足。此菩薩業[*1]。非唯発心而能證得阿耨多羅三藐三菩提〟。偈言。

若発菩提心　悲衆生苦悩
彼相応善業　仏説此勝経

又復何義、仏説此経。為怯弱者、除怯弱故。為彼始行菩薩行者、聞〝修無量種種法故、爾乃獲得阿耨多羅三藐三菩提〟、生怯弱心、仏知彼意、為除怯弱饒益彼故、而説是経、

偈が説かれる。

施と戒と聞とが最高でいらっしゃり、寂静なる正行（＝捨身）によって身を苦しめたまい、虚空のごとく、殊勝な法のうちに安住したまい、善光明を具えたまい、人と天とによって敬礼される牟尼、最高の世間の覚者、無垢でいらっしゃり、〔苦苦と壊苦と行苦との〕三苦を除去したまうたかたは、何のためにこの経を説きたまうたのか。

〔1〕そのことについて、今、説くことにしたい。菩提心を起こした者を、菩薩業を学ぶことと結びつけてやるために（*samyojanārtham）、一切智者（*sarvajña）は〝菩薩は菩提心を起こしおわって、次に施などという三資糧を満たす。これは菩薩業である。ただ〔菩提〕心を起こすだけでは無上正等覚（*anuttarā samyak-saṃbodhiḥ）を証得できるのでない〟という、このことを示したまうた。偈が説かれる。

菩提心を起こしおわって、有情の苦悩を悲しむ者。彼を善業と結びつけてやるために、仏はこの経(1)を説きたまうた。

〔2〕さらにまた、何のために（*kim artham）仏はこの経を説きたまうたのか。怯弱なる者に対し、怯弱を除去してやるためである。かの、菩薩行を始めたばかりの者は〝無量のさまざまな法を修習することによって、ようやく無上正等覚を獲得する〟と聞いて、怯弱心を生ずるから、仏は彼の心を知りたまい、彼に怯弱を除去してやるために（*-artham）、〝良家の息子よ、菩

言〝善男子、菩薩唯有三種具足〟。世尊示言、〝汝勿怯弱。若我広説、過不可数菩薩具足、以要言之、三具足摂〟。偈言。

若有諸仏子　畏経無量劫
怯弱於善法　久遠得菩提
如来自然智　安慰饒益彼
是故第一覚　説此修多羅

又復何義、仏説此経。〝菩薩欲得趣一切智第一勝舎、須資糧乗及道方便〟、示現此義。〝大導師言、若汝欲得趣一切智第一勝舎、須道資糧、取施具足。若須所乗、取戒具足。知道方便、取聞具足〟、示現此義。偈言。

360a ◁仏子若欲趣　一切智勝舎
彼人楽相応　道資糧等覚
世尊饒益彼　説此修多羅

薩にはただ三資糧があるのみである〟という、この経を説きたまうた。世尊は〝怯弱になってはいけない。もしわたしが広く説くならば、不可数を超える（*asaṃkhyeya-tara）菩薩の資糧があるが、まとめれば、三資糧のうちに含まれる〟と示したまうたのである。偈が説かれる。

　善法に対して怯弱であり、〝無量劫を経て、久遠ののちに〔無上正等〕覚を獲得する〟ということを畏れる諸仏子なるもの。彼を慰さめてやるために（*-artham）、それゆえに、如来、自生者（*svayaṃbhū）、最高の覚者はこの経を説きたまうた。

〔3〕さらにまた、何のために（*kim artham）仏はこの経を説きたまうたのか。〝一切智者性（*sarvajñatā）という偉大な家[2]に趣くことを得たいと望む菩薩は、食糧と、乗り物と、道中の手段とを願う〟という、このことを示したまうたのである。〝大導師は〝もし貴君が一切智者性という偉大な家に趣くことを得たいと望み、道中の食糧（*pathyadana）を願うならば、施資糧を手に入れなさい。もし乗り物を願うならば、戒資糧を手に入れなさい。道中の手段を願うならば、聞資糧を手に入れなさい〟とおっしゃった〟という、このことを示したまうたのである。偈が説かれる。

　一切智者性という偉大な家に趣きたいと望む仏子なるもの。彼は道中の食糧などについての知識と結びつくことを願う。世尊は彼のために（*-artham）この経を説きたまうた。

又復何義、仏説此経。菩薩悕望境界生智、三種具足、不解其因、覚因饒益、世尊已示、〝若汝欲得境界生智、非唯悕望、汝応修満三種具足。若施具足、当得境界。若戒具足、汝当得生。若聞具足。汝当得智〟。偈言。

菩薩若悕望　善微妙境界
欲勝生不劣　第一増上智
示現因饒益　世尊説是経

又復何義、仏説此経。菩薩欲得過五怖畏、不解其因、覚因饒益。何等為五。一者不活畏、二者悪名聞畏、三者死畏、四者悪道畏、五者大衆威徳畏。世尊已示、〝若汝欲得過五怖畏、応当修満三種具足。若施具足、離不活畏悪名聞畏。若戒具足、則離死畏、離悪道畏。若聞具足、則離大衆威徳怖畏〟。偈言。

〔4〕さらにまた、何のために（*kim artham）仏はこの経を説きたまうたのか。菩薩が境界と受生と智とを望み、三資糧という、その原因を理解していないのに対し、原因を覚らせてやるために（*-artham）、世尊は〝もし貴君が境界と受生と智とを得たいならば、望むだけでなく、修習によって三資糧を満たすべきである。施資糧によっては、境界を得るであろう。戒資糧によっては、受生を得るであろう。聞資糧によっては、智を得るであろう〟と示したまうたのである。偈が説かれる。

菩薩がもし善微妙なる境界を望み、下劣でない殊勝な受生と、最高の増上智とを望むならば、原因を示してやるために（*-artham）、世尊はこの経を説きたまうた。

〔5〕さらにまた、何のために（*kim artham）仏はこの経を説きたまうたのか。菩薩が五怖畏を超えることを得たいと望み、そのことの原因を理解していないのに対し、原因を覚らせてやるためである（*-artham）。五とは何か。第一には不活畏（*ājīvikā-bhaya）、第二には悪名聞畏（*aśloka-bhaya）、第三には死畏（*maraṇa-bhaya）、第四には悪道畏（*durgati-bhaya）、第五には大衆威徳畏（*parṣac-chāradya-bhaya）である[3]。世尊は〝もし貴君が五怖畏を超えることを得たいと望むならば、修習によって三資糧を満たすべきである。施資糧によって、不活畏と悪名聞畏とを離れる。戒資糧によって、死畏を離れ、悪趣畏を離れる。聞資糧によって、大衆威徳畏を離れる〟と示したまうたので

第一善逝子　欲離種種畏
智慧人覚示　第一広勝因
是故牟尼尊　説此修多羅

又復何義、仏説此経。為彼疑者、断疑義故。彼大衆中、有人、有天、有阿修羅、有龍夜叉鳩槃荼等[*2]、見聞世尊勝身口意不可思議、生如是心、〝不知世尊幾種具足獲得此三不可思議〟。是故世尊為断此疑、已説是経、言〝善男子、菩薩修行三種具足〟。此已示現、〝世尊往昔、発菩提心、三具足満。是故得三不可思議〟。偈言。

360b
若人天修羅　龍鳩槃荼等[*3]
◁聞仏勝功徳　而不解其因
牟尼断彼疑　故為説是経

又復何義、仏説此経。菩薩生於如来種姓法種性中、相応示現。世尊已

ある。偈が説かれる。

最高なる善逝子（*sugatātmaja. ＝菩薩）がさまざまな怖畏を離れたいと望むのに対し、智慧ある人（＝仏）は最高の、偉大な原因を示したまう。
それゆえに牟尼尊はこの経を説きたまうた。

〔6〕さらにまた、何のために仏はこの経を説きたまうたのか。疑う者に対し、疑いを断じてやるためである。かの大衆のうち、人や天や阿修羅や龍や夜叉や鳩槃荼などは、世尊の殊勝な身口意の不可思議を見聞してのち、次のように、〝世尊はどれだけの資糧によってこの三不可思議を得たまうたのかわからない〟という心を起こす。それゆえに世尊はこの疑いを断ずるために、この経を説きたまうて、〝良家の息子よ、菩薩は三資糧を修習するのだ〟とおっしゃった。これは〝世尊はむかし菩提心を発したまうて、三資糧を満たしたまうた。それゆえに三不可思議を得たまうた〟と示したまうたのである。偈が説かれる。

仏の殊勝な功徳を聞いてのち、それの原因を理解しない、人や天や阿修羅や龍や鳩槃荼などなるもの。牟尼は彼らの疑いを断じてやるために、この経を説きたまうた。

〔7〕さらにまた、何のために仏はこの経を説きたまうたのか。如来種姓という法性[4]（*dharmatā）のうちに生まれた菩薩に対し、〔法性と〕相応して

示、〝若人得生婆羅門姓、若刹利姓、如是之人、法性相応〟。若離法種、是則卑劣。彼人若生如来種姓、不離法性。若生法性如来種姓、以満施等三種具足。若不満足、是則卑劣。是故如来如是教言、〝汝満具足、莫後卑劣〟。偈言。

若生善逝姓　離過大富楽
天人所礼讃　牟尼王令彼
不離自法義　説此無垢経

又復何義、仏説此経。若人自謂、〝行於大乗、第一堅固〟、是大衆生唯口教言、〝欲護世間一切衆生、学菩薩行、修諸功徳〟、而無真実。彼如是人如説如行相応饒益、是故如来為説此経、令彼人知修一切行。如来世尊為彼人説、〝非此菩提唯言語得。多種苦行、乃得成就。我云何得。我於往昔、為取菩提一切行智、悕望利

いることを示したまうたのである。世尊は〝ブラーフマナ種姓あるいはクシャトリヤ種姓のうちに生まれた者、彼は法性と相応している〟と示したまうた。もし法性を離れるならば、卑賤な者である。彼はもし如来種姓のうちに生まれたならば、法性を離れない。もし法性である如来種姓のうちに生まれたならば、施などという三つの資糧を満たす。もし満たさないならば、卑賤な者となる。それゆえに如来は次のように〝資糧を満たせ。のちに卑賤な者となるな〟と教えたまうたのである。偈が説かれる。

もし善逝種姓に生まれたならば、過失を離れ、大富楽を有し、天と人とによって礼讃される。牟尼王は彼を自らの軌道(5)（＝法性）から離れさせないために、この無垢なる経を説きたまうた。

〔8〕さらにまた、何のために（*kim artham）仏はこの経を説きたまうたのか。自ら〝大乗を行ずることについて最高に堅固である〟と言う者、その摩訶薩（*mahāsattva）がただ口で〝世間のあらゆる有情を護るために、菩薩行を学び、諸功徳を修習したい〟と言うのみであり、まことではないとしよう。彼を、説かれたとおりに行ずること（*yathāvādi-tathākāritva）と結びつけてやるために（*saṃyojanārtham）、それゆえに如来はこの経を説きたまうて、彼にあらゆる行を修習することを知らせたまうた。如来世尊は彼のために〝この菩提はただ言うだけで得られるのではない。多くの種類の苦行によって、ようやく成就を得るのである。わたしはいかにして得たであろうか。わ

益一切衆生、彼彼生処、種種苦行、及種種捨。所謂種種美味飲食、種種騎乗、坐臥等処、園林池水、戯楽之処、宅舎田業、城邑聚落、宝荘厳具、冠髻真珠、及毘琉璃、金宝瓔珞、衆宝金剛、諸荘厳具、白象牛馬水牛輦輿、荘厳之具、幷及所乗諸牛馬等、僮僕導従、皆以捨施。

過去久遠、我爾時作一切荘厳見王身時、城邑聚落、国土山川、海畔大地、幷及人民、一切樹林、種種苗稼、及諸薬草、無量華果、鮮浄妙宝、種種荘厳、諸粟豆等、満蔵財宝、布施貧窮。

360c 又復本作善牙童子、我於爾時、所愛妻子、捨施不吝。

又復往昔作善王時、満宮婇女、有十千数、捨施不吝。

たしはかつて菩提と一切種智（*sarvākārajñatā）とを手に入れるために、あらゆる有情を利益したいと望み、あちこちの受生の場において、さまざまに苦行し、さまざまに喜捨した。すなわち、さまざまな美味しい飲み物や食べ物や、さまざまな乗り物[6]（*yāna）や、寝台（*śayana）や座具（*āsana）や、森や池や川[7]や、遊園地[8]（*udyāna）や、家[9]（*gṛha）や荘園や、都城（*nagara）や聚落（*grāma）や、宝石の装飾品や、冠や、真珠（*muktā）や、琉璃（*vaiḍūrya）や、金や、宝石の首飾りや、宝石類と金剛石との装飾品や、白象や牛や馬や水牛が牽く装飾つきの車や、乗用の牛や馬などや、従者をすべて喜捨した。

遠い過去に、わたしがその時、一切荘厳見王となった時、都城（*nagara）や聚落（*grāma）や、国土や山川や、海畔や大地や、人々や、あらゆる樹林や、さまざまな苗や、もろもろの薬草や、無量の果実や、きれいな宝石や、さまざまな装飾品や、もろもろの穀類など、蔵を満たす財宝を、貧窮する者に布施した[10]。

さらにまた、かつて善牙（*Sudaṃṣṭra）童子となった時、わたしはその時、愛する妻と子とを喜捨して惜しまなかった[11]。

さらにまた、かつて善（*Śubha）王となった時、後宮を満たす十千数の宮女を喜捨して惜しまなかった[12]。

又復往作宝髻王時、直閻浮提、上身宝髻、妙荘厳冠、脱施不吝。

又復往作迦施王時、上身愛分、捨施不吝。

又復往作無怨勝王、捨身耳鼻、施而不吝。

又復往作月光王時、如青蓮華、無垢平満、広長好眼、蓮華面上、自手挑施。

又復往作華徳王時、白浄無垢、猶如雪堆、及君陀華、乳色歯鬘、挑施不吝。

又復往作善面王時、広妙長薄、清浄無垢、如蓮華葉、口中舌根、自手抜施。

又復往作給求者王、一切世間貧窮乞人憶念我者、令彼心喜、以一切珠金等珍宝、巧作自身、宝手用施。

又復往作知足王時、以手足施。

さらにまた、かつて宝髻（*Ratnacūḍa）王となった時、閻浮提に値する、上半身の宝髻や、素晴らしい荘厳ある冠を喜捨して惜しまなかった[13]。

さらにまた、かつて迦施王となった時、上半身の愛しい部分〔である心臓〕を喜捨して惜しまなかった[14]。

さらにまた、かつて無怨勝王となった時、〔おのれの〕身の耳や鼻を喜捨して惜しまなかった[15]。

さらにまた、かつて月光（*Candraprabha）王となった時、青蓮華のように無垢で満々として切れ長の良い眼を、蓮華のような顔から自らの手で取り出して喜捨した[16]。

さらにまた、かつて華徳王となった時、積雪や白水仙（*kumuda）のように白浄無垢な、乳色の歯の連なりを取り出して惜しまなかった[17]。

さらにまた、かつて善面王となった時、広くて長くて薄い、清浄無垢な、蓮の葉のような、口の中の舌根を、自らの手で抜いて喜捨した[18]。

さらにまた、かつて給求者王となった時、あらゆる世間において貧窮する乞者のうちわたしを憶念する者、彼の心を喜ばせるため、あらゆる珠や金などという宝石によって、自らを巧みに作りなし、宝石の手によって喜捨した[19]。

さらにまた、かつて知足王となった時、手や足を喜捨した[20]。

又復往昔、曾作光金閻浮提王、捨手足指、以用布施。

又復往昔、作求善語大富王時、以愛法故、用手足抓、挑自身肉、捨以布施。

又復往昔、作示一切饒益王子、自捨身血、給与病人。

又復往作利益仙王、割肉截足、捨以布施。

又復往作居素摩王童子之時、破自身骨、脂髄布施。

又復往昔、作尼囉拏童子之時、捨心布施。

又復往作降悪王時、捨大小腸乳肚肝肺胞腎胃胆脾脂頭脳、以用布施。

又復往作浄蔵王時、捨自身皮、以用布施。

又復往作金脇鹿王、捨身皮施。

さらにまた、かつて光金（*Kāñcanavarṇa）という閻浮提王となった時、手や足の指を喜捨した[21]。

さらにまた、かつて求善語（*Subhāṣitaṃgaveṣin）大富王となった時、法を愛するゆえに、手足の爪でもって自らの肉を掻き取って喜捨した[22]。

さらにまた、かつて示一切饒益（*Sarvārthadarśin）王子となった時、自ら〔おのれの〕身の血を喜捨して、病人に与えた[23]。

さらにまた、かつて利益仙王となった時、肉を裂き、足を切り取って喜捨した[24]。

さらにまた、かつて居素摩（*Kusuma）王子となった時、自らの骨を砕き、髄を喜捨した[25]。

さらにまた、かつて尼囉拏童子となった時、心臓を喜捨した[26]。

さらにまた、かつて降悪王となった時、大腸や小腸や乳や腹や肝臓や肺や膀胱や腎臓や胃や胆臓や脾臓や脂や頭脳を喜捨した[27]。

さらにまた、かつて浄蔵王となった時、自らの皮を喜捨した[28]。

さらにまた、かつて金脇（Suvarṇapārśva）鹿王となった時、自らの皮を喜捨した[29]。

又復往作光明王時、一切身分、分分捨施。

又復往作成就一切饒益導主、一切愛物、皆悉捨施、臨被殺者、復捨自身、而救済之。

又復往昔、身作僕使、捨身供給一切衆生。

又復往昔、作求善語大富王時、高
361a 千肘山、在上捨身、投大火聚、為善説句法因縁故。

又復往作一切施王、尽割身肉、称用施与、為救怖畏来帰我者。

又復往作不吝王時、於被殺者、自捨己身、救護饒益。

又復往作大悲長者、若入城内、獄中繋者、放令得脱。

又復往昔作象王時、自身作橋、度諸衆生。

又復往作魚亀瞿陀、受一切苦、自

さらにまた、かつて光明王となった時、肢体（*aṅga）のすべてをそれぞれ喜捨した。[30]

さらにまた、かつて成就一切饒益（*Sarvārthasiddhi）導主となった時、あらゆる愛しき物をすべて喜捨し、殺されるはめに陥った者に対しては、さらに自らを喜捨し、彼を救った。[31]

さらにまた、かつて下僕となった時、〔おのれの〕身を喜捨してあらゆる有情に与えた。[32]

さらにまた、かつて求善語（*Subhāṣitaṃgaveṣin）大富王となった時、善く説かれたことばのためには、高き千ハスタ（*hasta）もの山の上から身を大火聚のうちに身を投げた。[33]

さらにまた、かつて一切施（*Sarvadada）王となった時、身の肉をことごとく割き、用いて喜捨し、怖畏ゆえにわがもとに来た者を救った。[34]

さらにまた、かつて不吝王となった時、殺されるはめに陥った者に対しては、自らおのれの身を喜捨して、救った。[35]

さらにまた、かつて大悲ある長者となった時、城内に入った際に、獄中に繋がれている者を放免した。[36]

さらにまた、かつて象王となった時、自らを橋にして、諸有情を渡した。[37]

さらにまた、かつて魚や亀や蜥蜴（*godha）となった時、あらゆる苦を受身忍耐。

又復往作師子鹿王、不惜筋脈、救済大衆、不護自身、救怨家命。

又復往作悲心仙時、然自身臂、失道衆生、作明示道。

又復往作説忍仙時、臠割我身、我救彼怨。

又復往作不休息堅等住菩薩、他入我舍、侵我妻婦、有自在力、能忍不瞋。

又復往昔作熊身時、畏失命人、来至我所、我皆安慰、自捨愛身。

又復往昔作上仙時、心愛正法、以正法倹、無法渇法、愛正法故、破身取皮、取血取骨、書写法言。

又復往昔作王童子、為病人故、自捨己命、与作第一難得之薬、而施与之。

又復往作勝福徳王、於破乱世、財

けたが、自ら忍耐した[38]。

さらにまた、かつて獅子王や鹿王となった時、筋や血管を惜しまずに大衆を救済し、自らを護らずに敵の命を救った[39]。

さらにまた、かつて悲心ある仙人となった時、自らの臂を燃やして、道に迷った有情のために、明かりを作って道を示した[40]。

さらにまた、かつて説忍（*Kṣāntivādin）仙となった時、わが身を解体されても、わたしはかの敵を救った[41]。

さらにまた、かつて不休息堅等住菩薩となった時、他者がわたしの家に入り、わたしの妻を犯しても、自在力があったのにかかわらず、耐え忍ぶことができ、怒らなかった[42]。

さらにまた、かつて熊となった時、命を失うことを恐れる人がわがもとに来た際には、わたしはすべて慰めて、自ら愛しい身を喜捨した[43]。

さらにまた、かつて上仙となった時、心のうちに正法を愛し、正法によってつつましくし、法がなければ法に渇き、正法を愛するゆえに、身を裂いて皮を取り、血を取り、骨を取り、法のことばを書写した[44]。

さらにまた、かつて王子となった時、病人のために、自らおのれの命を捨て、最高に得がたい薬を作って、それを与えた[45]。

さらにまた、かつて勝福徳（*Adīnapuṇya）王となった時、乱れた世におい

物傾尽、近怨家所、自縛己身、以利益他、饒益安楽。

又復往作摩那婆時、在深山中、見有餓虎、睡寤飢急、自捨己身、施令飽満。

又復往作精進比丘、発勤精進一切智智求相応行、衆生淳熟、護正法故、一切苦悩、種種欺陵、能忍不瞋。

又復往昔作堅鉀時、一正遍知、正像法中、勤苦持戒。

如是八万四千之身、如是阿僧祇那由他百千苦悩、我皆作来。我以悕求一切智智、為欲利益一切衆生。然我不曾退菩提心、不堕大乗、不捨本願、不緩大鉀、於菩薩業、不生怯弱、不曾捨離檀波羅蜜、不曾捨離尸波羅蜜、
361b 不曾退堕羼提波羅蜜、不曾破壊毘梨耶波羅蜜、不曾放捨禅波羅蜜、不疲

て、財物を傾け尽くし、敵に近づいて、自らおのれの身を縛り、他者を利益し、安楽にした(46)。

さらにまた、かつて摩那婆（*mānava）となった時、深山において、餓えた虎が眠りから覚めて飢えが急であるのを見、自らおのれの身を喜捨して満腹させた(47)。

さらにまた、かつて精進比丘となった時、一切智者（*sarvajña）の智（*jñāna）を求めることに相応する行に精進することに勤め、有情を成熟させることと、正法を護ることとのために、あらゆる苦悩と、さまざまな欺きとを、忍耐できて怒らなかった(48)。

さらにまた、かつて堅鉀となった時、一なる正等覚のために（?）、正法期と像法期とにおいて、持戒に努めた(49)。

このように八万四千の身によって、このように阿僧祇・那由他・百千の苦悩を、わたしはすべてなしてきた。わたしは一切智者の智を求めるために、あらゆる有情を利益したいと望んだ。しかして、わたしは菩提心から退いたことがなく、大乗から堕したことがなく、本願を捨てたことがなく、大いなる鎧（*mahā-saṃnāha）を緩めたことがなく、菩薩業に対し怯弱を生じたことがなく、布施波羅蜜を捨てたことがなく、戒波羅蜜を捨てたことがなく、忍辱波羅蜜を退いたことがなく、精進波羅蜜を破ったことがなく、禅波羅蜜を捨てたことがなく、般若波羅蜜を修習することに疲倦したことがなく、摂事

倦修般若波羅蜜、不捨摂法、修行一切菩薩之道、具足清浄、不錯不謬、堅住一切菩薩之地、不倦一切菩薩三昧三摩跋提、教諸衆生、発菩提心、不生疲倦、聚集一切菩提分法、非不得恩、発行一切菩薩之行、堅住不退、心常欲満一切菩薩諸願法門、不生畏懼、聚集修行一切功徳、不生怯弱。何以故。一切世間最勝之処一切所有学与無学辟支仏智所不能證、所不能入、不能観察。此仏法名彼不易得。若小功徳和集修行、則不能得。小善根者不能得故〟。如是若人有此宗願、〝我当成仏、是故翹勤修行精進、如功徳法聚集修行、我於此処、悕望欲得〟、如是義故、仏説此経。

原文校訂

＊1　大正蔵底本は「提」に作る。明本によってこれを改める。

＊2・3　大正蔵底本は「茶」に作る。三本によってこれを改める。

（*saṃgraha-vastu）を捨てず、あらゆる菩薩道を修行し、清浄を具えて錯まらず謬まらず、あらゆる菩薩地に堅く住し、あらゆる菩薩の三昧（*samādhi）と三摩跋提（*samāpatti）とに疲倦せず、諸有情に菩提心を発するよう教えることに疲倦を生じず、あらゆる菩提分法を集めることに恩を得ぬことはなく、あらゆる菩薩行を発することに堅く住して退かず、心のうちに常にあらゆる菩薩の諸願法門を円満したいと望んで畏怖を生ぜず、あらゆる功徳を集める修行に怯弱を生じなかった。それはなぜか。あらゆる世間の最高の地位とあらゆる有学（*śaikṣa）と無学（*aśaikṣa）と独覚との智によっては証得することができないもの、入ることができないもの、観察することができないものなのである。この仏法（*buddha-dharma. 仏の属性）は彼らにとって得られやすくないものと呼ばれる。もしわずかばかりの功徳を集める修行ならば、〔この仏法を〕得ることができない。わずかばかりの善根によっては得ることができないからである〟と説きたまうた。そういうわけで、〝わたしは仏となりたい。それゆえに、功徳を集める修行のとおり、努めて修行に精進し、わたしはそれを得たいと望む〟というこの表明を持つ者、彼のために、仏はこの経を説きたまうたのである。

註

（1） 原文「勝経」。般若流支訳『正法念処経』巻四十七「勝修多羅」（T17, 280b） = 蔵訳 mdo rnams（P no. 953, Ru 149a1）

（2） 原文「第一勝」。般若流支訳『第一義法勝経』「此釈迦子六波羅蜜具足大人第一勝人」（T17, 881b） = shā kya'i sras 'di'i che ba nyid ni rgya che ba'o（P no. 912, Shu 39b6）

（3） この箇所は『十地経』（*Daśabhūmika-sūtra*）初地に拠る。

そういうわけで、皆さん、勝者のお子たちよ、諸菩薩には、この歓喜菩薩地を得ると同時に、これら諸畏なるもの、すなわち、この不活畏や悪名聞畏や死畏や悪趣畏や大衆威徳畏なるものが起こるのであり、それらすべてが遠離されるのである。

tathā hi bhavanto jinaputrā bodhisattvasyāsyāḥ pramuditāyā bodhisattvabhūmeḥ saha pratilambhena yānīmāni bhayāni bhavanti, yad idam ājīvikābhayaṃ vā, aślokabhayaṃ vā, maraṇabhayaṃ vā, durgatibhayaṃ vā, parṣacchāradyabhayaṃ vā, tāni sarvāṇi vyapagatāni bhavanti.（DBhS 17, 10–13）

（4） 参考：『阿毘達磨雑集論』。bodhisattva-dharmatā gotram.（ASBh 103, 7）「種姓とは、菩薩の法性である」。

（5） 原文「法義」。毘目智仙訳『業成就論』「法義」（T31, 781a） = 蔵訳 tshul（KS 31, 14） = 玄奘訳『大乗成業論』「理教」（T31, 786b）

（6） 原文「種種騎乗」。

般若流支訳『正法念処経』巻三十一「種種騎乗」（T17, 183c） = 蔵訳 bzhon pa mang ba（P no. 953, Yu 244b4）

般若流支訳『正法念処経』巻三十一「騎乗」（T17, 183a） = 蔵訳 bzhon pa（P no. 953, Yu 241b7）

（7） 原文「園林池水」。般若流支訳『正法念処経』巻四十「園林池水」（T17, 237b） = 蔵訳 nags dang nye ba'i nags（P no. 953, Ru 47a8）

（8） 原文「戯楽之処」。

般若流支訳『毘耶娑問経』巻上「樹林中戯楽之処」（T12, 227b） = 蔵訳 kun dga' ra ba dang skyed mos tshal dang nags tshal（P no. 760 [49], 'I 295a8）

般若流支訳『毘耶娑問経』巻下「樹林中戯楽之処」（T12, 229a） = 蔵訳 nags tshal sdug po（P no. 760 [49], 'I 299a5）

般若流支訳『毘耶娑問経』巻下「戯楽之処」（T12, 230c） = 蔵訳 skyed mos tshal（P no. 760 [49], 'I 303b5）

般若流支訳『毘耶娑問経』巻下「戯楽之処」（T12, 231a） = 蔵訳 bskyed mos tshal（P no. 760 [49], 'I 304b1）

般若流支訳『毘耶娑問経』巻下「戯楽之処」（T12, 231b） = 蔵訳 bskyed mos tshal（P no. 760 [49], 'I 305a7）

般若流支訳『毘耶娑問経』巻下「戯楽之処」（T12, 231c） = 蔵訳 bskyed mos tshal（P no. 760 [49], 'I 305b8）

般若流支訳『正法念処経』巻二十三「流水河池戯楽之処」（T17, 136a） = 蔵訳 chu bsil ba'i tshogs 'bab chu dang chu bo（P no. 953, Yu

93b7）
般若流支訳『正法念処経』巻三十六「戯楽之処」（T17, 211a）＝蔵訳 bskyed mos tshal（P no. 953, Yu 315a1）
般若流支訳『正法念処経』巻三十七「勝妙堂舎戯楽之処」（T17, 220a）＝蔵訳 gzhal yas khang rnams（P no. 953, Ru 5a6）

（9） 原文「宅舎」。般若流支訳『正法念処経』巻三十三「宅舎」（T17, 191b）＝蔵訳 khyim（P no. 953, Yu 265a4）

（10） 未詳。

（11） 参考：『大宝積経』護国菩薩会（*Rāṣṭrapāla-paripṛcchā*）。caratā ca purā jagadarthe madri pativrata tyakta saputrā | duhitāpy anapekṣya-d-asaṃgha āsi nṛpātmajo yada sudaṃṣṭraḥ ||（RPP 22, 17–18）「さらに、先に、世間を利益するために行ずる者として、スダンシュトラ王子であった時、忠実なマドリーが息子ともども喜捨され、娘をも顧みず、結ぼれがなかった」。以下、『大宝積経』護国菩薩会の本生話の並行話については、岡田真美子［1991］を見よ。

（12） 参考：『大宝積経』護国菩薩会。strīṇām sahasram abhirūpāḥ kāñcanamuktibhūṣitaśarīrāḥ | tyaktā pūrvabhaveṣu caratā me āsi yadā śubho nṛpati pūrve ||（RPP 23, 7–8）「前生において、行ずる者として、かつてシュバ王であった時、金や真珠で飾られた身を持つ、みめよき、わが女たち千人が喜捨された」。

（13） 参考：『大宝積経』護国菩薩会。puṣpair varair api ca gandhaiḥ kāñcanamuktikāpravara śrīmān | tyaktaś ca me makuṭa pūrva āsi nṛpo yadā ratanacūḍaḥ ||（RPP 23, 9–10）「かつて、ラトナチューダ王であった時、花と最高の香とによって〔飾られ〕、金と真珠とが素晴らしい、光輝ある、わが冠が喜捨された」。菩提流支訳『仏説仏名経』巻九「捨頂上宝天冠、幷剝頭皮而与。如勝上身菩薩、及宝髻天子等」（T14, 166c）。

（14） 参考：菩提流支訳『仏説仏名経』巻九「我学過去未来現在菩薩摩訶薩修行大捨破胸出心施於衆生。如智勝菩薩、及迦尸王等」（T14, 166c）。

（15） 参考：菩提流支訳『仏説仏名経』巻九「捨耳鼻。如無怨菩薩、及勝去天子等」（T14, 166c）。

（16）『大宝積経』弥勒菩薩所問会（*Maitreya-paripṛcchā*）。
阿難、乃往古昔時有国王、名為月光。端正殊妙、諸相具足、見者歓喜。従園苑出、見一盲人貧窮乞匃、生悲愍心、便問之言。汝何所須。我当施汝、或飲食衣服荘厳資具金銀摩尼及諸珍宝、随汝所欲、皆当与之。爾時盲人即以偈頌、而白王言。

大王猶日月　光明照世間　具足勝功徳　不久生天上
一切浄妙色　我今悉不見　願王起慈悲　施我所愛眼

爾時大王即以偈頌、告盲人言。

汝速来取眼　令汝得安楽　願我当来世　得仏清浄眼
我行菩薩道　一切皆当捨　若我不施汝　是則違本願

爾時月光王即取利刀、自挑其眼、与彼盲人、随意所用、不生一念悔恨之心。阿難当知、爾時月光王者豈異人乎、即我身是。（菩提流志訳『大宝積経』巻百十一、弥勒菩薩所問会。T11, 631ab）

kun dga' bo sngon byung ba 'das pa'i dus na | rgyal po zla 'od ces bya ba | gzugs bzang ba | mdzes pa | blta na sdug pa | kha dog bzang po rgyas pa mchog dang ldan pa | rgyal po 'byor pa chen po dang | rgyal po mthu chen po dang ldan pa zhig yod pa de bskyed mos tshal du 'gro ste | grong bar du phyin pa dang | mi mig med pa | long ba dbul po | bkren pa | slongs mo byed pa zhig mthong ngo ‖ mthong nas kyang de snying rje bar gyur to ‖ de nas mi de rgyal po zla 'od ga la ba der song ste phyin nas | 'di skad ces smras so ‖ lha khyod ni skyid do ‖ lha khyod ni dgyes so ‖ bdag ni sdug bsngal lo ‖ long ngo ‖ mig ma mchis so ‖ dbul lo ‖ bkren no ‖ slongs mo ba'o ‖ mgon ma mchis so ‖ kun dga' bo de nas rgyal po zla 'od kyis mi de yang mthong | tshig kyang thos nas du ste | mchi ma zag bzhin du de la 'di skad ces smras so ‖ kye mi khyod la ci dgas | khyod la bza' ba dang | btung ba dang | bzhon pa dang | rgyan dang | gser dang | nor bu dang | mu tig dang | rin po che sna tshogs sbyin par bya'am | khyod la gang dgos pa de smros shig ‖ mi des smras pa | bdag la mig 'tshal na | bdag la mig bstsal dug sol | kun dga' bo de nas rgyal po zla 'od des rang gi mig phyung ste | mi de la byin no ‖ kun dga' bo de nas zla 'od kyi rang gi mig phyung ste | mi de la byin yang | de'i sems la 'gyod pa med par gyur to ‖ kun dga' bo de'i tshe de'i dus na | rgyal po zla 'od ces bya bar gyur pa de gzhan zhig yin pa snyam du khyod dogs shing | yid gnyis za'am | the tshom za na de ltar mi blta'o ‖ de ci'i phyir zhe na | nga nyid de'i tshe de'i dus na rgyal po zla 'od ces bya bar gyur to ‖（P no. 760 [41], 'I 93b6–94a4）

参考：菩提流支訳『仏説仏名経』巻九「捨眼布施。如愛作菩薩、及月光王等」（T14, 166c）。

（17）未詳。

（18）参考：菩提流支訳『仏説仏名経』巻九「捨舌布施。如不退菩薩、及善面王等」（T14, 166c）。

（19）未詳。

（20）未詳。

（21）参考：『大宝積経』護国菩薩会。mayi tyaktam aṅguli udārā sattvahitārtham eva caratā me | jālāracitā vimalaśuddhā kāñcanavarṇa pārthiva yadāsīt ‖（RPP 24, 1–2）「カーンチャナヴァルナ王であった時、他ならぬ有情利益のために行ずる者として、わがもとにおいて、網目によって飾られた、無垢な、清浄な、金色の、わが指が喜捨された」。菩提流支訳『仏説仏名経』巻九「捨手足指。如堅精進菩薩、及金色王等」（T14, 167a）。

（22）参考：菩提流支訳『仏説仏名経』巻九「捨手足甲。如不可尽菩薩、及求善法天子等」（T14, 167a）。『ラリタヴィスタラ』

（*Lalitavistara*）第十三章の本生話リストにおいてSubhāṣitaṃgaveṣin（LV 170, 22）という名のみが出る。

（23）『大宝積経』弥勒菩薩所問会。

乃往古昔時有太子、名見一切義。端正殊妙、諸相具足、見者歓喜。出遊園苑、見一病人受諸重苦、生悲愍心、便問之言。汝今此病、豈無有薬能療治耶。爾時病人即以偈頌、白太子言。

　我病薬難求　世間不可得　国王亦無有　何況病悩者
　通達於諸論　善説医方者　雖欲為療治　其薬難可得

爾時太子復以偈頌、告病人言。

　金銀摩尼珠　乃至於象馬　所求皆当説　為汝除憂悩

爾時病人復以偈頌、白太子言。

　若飲太子血　我必得安楽　願生歓喜心　施我無憂悩

爾時太子復以偈頌、告病人言。

　我為諸衆生　墜堕無間獄　多劫猶能忍　何況於身血

爾時太子即取利刀、刺身出血、令彼病人、随意所用、不生一念悔恨之心。阿難当知、爾時太子見一切義者、豈異人乎。今我身是。
（菩提流志訳『大宝積経』巻百十一、弥勒菩薩所問会。T11, 630c）

kun dga' bo sngon byung ba 'das pa'i dus na | rgyal bu gzhon nu nor thams cad sbyin pa zhes bya ba | gzugs bzang ba | mdzes pa | blta na sdug pa | kha dog bzang po rgyas pa mchog dang ldan pa | rgyal po'i 'byor pa chen po dang | rgyal po'i mthu chen po dang ldan pa zhig yod pa de bskyed mos tshal du 'gro ste | grong bar du phyin pa dang | gnod pas nyen cing sdug bsngal la | nad tshabs chen pos btab pa'i mi zhig mthong ngo || mthong nas kyang de snying rje bar gyur te | de mi de ga la ba der song ste phyin nas 'di skad ces smras so || kye mi khyod ci sdug bsngal lam | des smras pa | lha bdag ni nad kyis btab bo || des smras pa | kye mi khyod kyi nad cis zhi bar 'gyur | khyod la ci sbyin | des 'di skad ces smras so || gal te bdag gis lha khyod kyi lus las ci tsam gyis tshim par 'gyur ba'i khrag gcig btung du thob pa lta na | bdag gi nad zhi bar 'gyur ro || kun dga' bo de nas rgyal bu gzhon nu nor thams cad sbyin pa des mtshon rnon po blangs te | rang gi lus phug nas khrag gzags te | mi de la btung bar byin no || kun dga' bo des de 'thungs ma thag tu mi de'i nad sos par gyur to || kun dga' bo rgyal bu gzhon nu nor thams cad sbyin pas rang gi lus phug ste | khrag thams cad gzags kyang 'gyod pa'i sems gcig kyang med de | kun dga' bo de'i tshe de'i dus na rgyal bu gzhon nu nor thams cad sbyin par gyur pa de gzhan zhig yin pa snyam du khyod dogs shing yid gnyis za'am | the tshom za na de ltar mi blta'o || de ci'i phyir zhe na | nga nyid de'i tshe de'i dus na rgyal bu gzhon nu nor thams cad sbyin pa zhes bya bar gyur to ||（P no. 760 [41], 'I 92b7–93a6）

参考：『大宝積経』護国菩薩会。vyādhyāturaṃ ca naram īkṣya svaṃ rudhiraṃ pradattam api me 'bhūt | nirvyādhitaḥ sa ca kṛto me prāgbhava sarvadarśi yadabhūvam ||（RPP 24, 7–8）「さらに、わが前生においてサルヴァダルシンであった時、病に苦しむ人を観察して、わが、自らの血が喜捨され、そして、彼は病を治された」。

（24）未詳。

（25）『大宝積経』弥勒菩薩所問会。

阿難、乃往古昔時有太子、名曰妙花。端正殊勝、諸相具足、見者歓喜。従園苑出、見一病人身体羸痩、生悲愍心、便問之言。汝今此病、豈無有薬能療治耶。爾時病人即以偈頌、白太子言。

世雖有良医　無薬療我病　唯願生慈愍　為我除憂悩

爾時太子即以偈頌、告病人言。

我為利世間　一切咸施与　身分及珍宝　須者皆当説

爾時病人復以偈頌、白太子言。

譬如大薬王　随意療衆病　亦如日月光　普照諸世間

若能出身髄　遍塗於我身　是病乃消除　長夜得安楽

爾時太子復以偈頌、告病人言。

若有諸衆生　砕我身出髄　為利於世間　心不生憂悩

爾時太子即自砕身、取其骨髄、与彼病人、随意所用、不生一念悔恨之心。阿難当知、爾時妙花太子豈異人乎。今我身是。（菩提流志訳『大宝積経』巻百十一、弥勒菩薩所問会。T11, 631a）

kun dga' bo sngon byung ba 'das pa'i dus na | rgyal bu gzhon nu me tog ches bya ba | gzugs bzang ba | mdzes pa | blta na sdug pa | kha dog bzang po rgyas pa mchog dang ldan pa | rgyal po'i 'byor pa chen po dang | rgyal po'i mthu chen po dang ldan pa zhig yod pa de bskyed mos tshal gyi sar 'gro ste | grong bar du phyin pa dang | skye rbab kyi nad kyis btab pa'i mi gnod pas nyen pa | sdug bsngal ba | nad tshabs chen po zhig mthong ngo || des de mthong nas kyang snying rje bar gyur te | de mi de ga la ba der song nas 'di skad ces smras so || kye ci zhig gis mi khyod kyi nad 'di zhi bar 'gyur | khyod la ci zhig sbyin | des 'di skad ces smras so || gal te bdag gis lha khyod kyi lus las ci tsam gyis tshim par 'gyur ba'i rkang thob pa lta na bdag gi nad zhi bar 'gyur ro || de nas rgyal bu gzhon nu me tog de tshim zhing mgu la yid rangs te | rab tu dga' nas bde ba dang yid bde ba skyes te | rang gi lus brdungs nas rkang brus te | mi de'i lus la bskus so || kun dga' bo bskus ma thag tu mi de'i nad sos par gyur to || kun dga' bo rgyal bu gzhon nu me tog gis rang gi lus brdungs te | rkang gzags kyang sems la 'gyod pa med par gyur to || kun dga' bo de'i tshe de'i dus na rgyal bu gzhon nu me tog ces bya bar gyur pa de gzhan zhig yin pa snyam du khyod dogs shing yid gnyis za'am | the tshom za na de ltar mi blta'o || de ci'i phyir zhe na | nga nyid de'i the de'i dus na rgyal bu gzhon nu me tog ces bya bar gyur to ||（P no. 760 [41], 'I 93a7–93b5）

参考：『大宝積経』護国菩薩会。hitvā svam asthi ca śarīrād vyādhikṛśasya majja mayā dattam | na ca sattva tyakta maya jātu āsi nṛpo yadā kusuma nāma ||（RPP 24, 9–10）「さらに、クスマという王であった時、身のうちから自らの骨を砕いてのち、わたしによって、病でやつれた者に対し、髄が与えられた。そして、有情はわたしによって決して見捨てられなかった」。

（26）未詳。

（27）参考：菩提流支訳『仏説仏名経』巻九「捨大腸小腸肝肺脾腎。如善徳菩薩、及自遠離諸悪王等」（T14, 166c）。

（28）参考：菩提流支訳『仏説仏名経』巻九「捨身皮膚。如清浄蔵菩薩、及金色天子、金色鹿王等」（T14, 167a）。

（29）直前の註の「金色鹿王」に該当する。『根本説一切有部毘奈耶破僧事』（SBhV II 96, 14–100, 28. 義浄訳、巻十五。T24, 175a–176b）。

（30）未詳。

（31）参考：『大宝積経』護国菩薩会。sarva svakośam api tyaktva jīvita tyakta me priya manāpam | naru mokṣito vyasanaprāpta āsi nṛpo 'rthasiddhi yada pūrvam ||（RPP 24, 11–12）「かつてアルタシッディ王であった時、あらゆるおのれの宝庫をすら喜捨してのち、わが愛しく好ましい命が喜捨され、苦境に陥った人が解放された」。

（32）未詳。

（33）参考：『大宝積経』護国菩薩会。śailataṭād anapekṣya śarīraṃ protsṛjataś ca subhāṣitahetoḥ | kāye na ca me na ca jīve bodhinimittam avekṣya babhūva ||（RPP 22, 3–4）「さらに、善く説かれたことがらのためには、顧みることなく岩山の崖から身を投げたのであり、私にとっては、菩提のためには、身をも命をも顧みることがなかった」。菩提流支訳『仏説仏名経』巻九「為求法故、入大火坑。如精進菩薩、及求妙法王精進等」（T14, 167a）。『ラリタヴィスタラ』（*Lalitavistara*）第十三章の本生話リストにおいて Subhāṣitaṃgaveṣin（LV 170, 22）という名のみが出る。

（34）参考：菩提流支訳『仏説仏名経』巻九「捨肉及髄。如安隠菩薩、及一切施王等」（T14, 166c）。

（35）未詳。

（36）『大宝積経』富楼那会。

我念過去作賈客主、名為吉利、入於大海、取大珍宝、安隠而出、還達本国。是人入城、到家門前、是時城中、多有乞児、囲繞在前、作如是言、「善来安隠、吉利大檀越。我等欲有所乞。若見許者、我等当乞」。目連、爾時吉利語諸乞人、「汝等可乞我所有物。能以相与、無所貪惜」。時諸乞人語吉利言、「汝従大海所得宝物、尽以与我。我等若爾皆得吉利」。如是目連、吉利即時、以諸珍宝、尽与乞児。凡有八十億摩尼珠、一一皆直百億両金。目連、是吉利以是多物施已、心無有異、不生疑悔。爾時吉利、以多宝物、与乞人已、不入其家、復還至海、採取珍宝、入海之後、倍得宝物。過八十歳、還到本国、欲入城時、見犯罪人、殺者執縛、打悪声鼓、街巷唱令、将至殺処、加以刑戮。時応死者遥見吉利、作是言、「賈客主、施我無畏、救我死罪、与我寿命。汝是大檀越賢善好人」。吉利聞已、語応死者、「咄人、我今施汝無畏、救汝死罪」。即至殺者所、人人皆与一摩尼珠価直一億両金。「汝今小住、待我今者至王辺還」。爾時吉利疾至王所、白言大王、「我欲以好珍宝、買此人命」。王答吉利、「是人罪不可恕、不可得買。若必欲買、汝所有物、尽以与我、并自伏死、乃可得脱」。目連、爾時吉利聞已歓喜。「我得大利、得満所願。能救此人、免於死罪、即以居家所有財物及於大海所得珍宝無量千億金銀宝物、皆送与王、白大王言、「可放此人。我所有物尽現在此」。王受物已、語殺者言、「将吉利殺」。答言、「爾諾」。受王命已、即縛吉利、将至殺処、右手挙刀、欲斫吉利、手直不下、驚怪恐怖、即将吉利、白王此事。目連、王聞此語、即自執刀、欲殺吉利、挙刀欲斫。其王即時、両臂落地、得大哀悩、発声而死。目連、汝謂爾時吉利賈客主豈異人乎。勿作是念。即我身是。爾時王者即調達痴人是。（菩提流志訳『大宝積経』巻七十九、鳩摩羅什訳富楼那会、大悲品。T11, 453c–454b. 梵文・異訳なし〔蔵訳は鳩摩羅什訳からの重訳〕）

（37）『大宝積経』富楼那会。

復次目連、過去久遠、雪山王辺、有五百群象。於中有一大象王為主。体貌可愛、大力有智。時是象群、宿出在山、嶮隘難之処、唯有一道。爾時猟師見此象群、即夜於嶮道中、大作坑埳、作是念。此諸群象当堕此中、得属於我、随我所取。夜作坑已、駆逐群象、向嶮道坑。群象欲出、見有大坑、不能得過。目連、時象群主以身横在、坑上為橋、使五百群象於脊上過。群象過已、作勢踊跳。爾時山神説是偈言。

悪人作深坑　中有智象王　度彼亦自度　唐労作深坑

目連、汝謂爾時象王利根大力者豈異人乎。勿作是念。即我身是。時五百群象今五百比丘、為調達所壊者是。爾時猟者調達等五百比丘是。所謂蹇陀達多、迦楼羅提舍、三聞陀達多、拘迦梨、提婆達多。（菩提流志訳『大宝積経』巻七十九、鳩摩羅什訳富楼那会、大悲品。T11, 454b. 梵文・異訳なし〔蔵訳は鳩摩羅什訳からの重訳〕）

（38）参考：『大宝積経』護国菩薩会。bodhicariṃ caramāṇahu pūrvaṃ matsya babhūva yadā jalacarī | tyakta mayāśraya sattvahitāya bhakṣita prāṇisahasraśatebhiḥ ‖（RPP 26, 7–8）「かつて水中を行く魚であり菩提行を行じていた時、わたしによって、有情のために、体が喜捨され、幾千百もの生き物によって食べられた」。tārita pañcaśatam vaṇijānāṃ sāgaram adhyagatāś ca anāthāḥ | taiś ca hataḥ kṣudhitaiś ca tadāhaṃ kacchapayonigato 'pi ca maitraḥ ‖（RPP 26, 5–6）「慈しみある亀に生まれていた際も、海に出て寄る辺なかった商人たち五百人が救われた。されども、その時、飢えていた彼らによってわたしは殺された」。mā bhūt pipīlikavadho me tyakta varāśrayo 'pi canapekṣya | na ca citta kampita tadā me tyakta pūrvabhaveṣu godha yada āsīt ||（RPP 25, 7–8）「前生において蜥蜴であった時、蟻を殺すまいと、ためらいなくわが麗しき体すら喜捨された。その時、喜捨され、わが心は動じなかった」。

（39）未詳。

（40）『大宝積経』富楼那会。

目連、於過去世、有賈客衆、夜行失道、入於邪径、夜黒闇故、不知所趣、皆作是言、「我等失道、無救無帰、無所依止。誰諸衆生、若天若龍、若夜叉神、若人非人、示導我等、令得正道。誰能憐愍饒益我等、於此夜闇邪隘道中、与我光明」。目連、爾時空林沢中、有外道仙人、草菴中住、於夜闇中、聞諸賈客悲喚音声、而作是言、「今諸賈客、夜闇於此空林中失道。若我不救、則為非理。是諸賈客、或為虎狼師子大象野牛諸悪獣等悩害奪命。目連、仙人即時、以大音声、告諸賈客、「汝等勿畏。我今相救。当作光明、示汝正道」。爾時仙人安慰告諸賈客已、即以疊衣纒裹両臂、以油遍灌、以火然之、与諸賈客、光明示道。目連、時諸賈客皆作是念、「今此仙人甚為希有。為我等故、不惜身命」。目連、時是仙人、以臂光明、照示賈客道已、於諸衆生、悲心転増、作是念、「我得阿耨多羅三藐三菩提時、邪道衆生、為作法明、示以正道」。目連、我於爾時、雖然両臂、身心不異。何以故。目連、深心菩薩於求他利、不貪身命。以浄心布施因縁、臂還平復、無有瘡瘢。諸賈客等即得正道。至天明旦、見仙人両臂無有瘡瘢、生希有心、「今是仙人有大神力、能於竟夜然其両臂、為照我等、使得正道、然其手臂都不焼然。必成大行、必有大徳」。目連、時諸賈客語仙人言、「善哉仙人、能為第一難行苦行。今以是行、欲願何事」。仙人答言、「諸賈客、我以此事、願得阿耨多羅三藐三菩提已、当度汝等於生死苦邪道衆生、為説正道」。時諸賈客心大歓喜、皆作是言、「我等当以何事報此仙人」。仙人言、「汝等当共専行善法、慎勿放逸」。諸賈客言、「敬従所誨」。諸賈客等恭敬歓喜於是別去。目連、汝謂爾時外道仙人為諸賈客然臂照道、豈異人乎。勿作是念。即我身是。諸賈客者、今千二百五十比丘是。

（菩提流志訳『大宝積経』巻七十九、鳩摩羅什訳富楼那会、大悲品。T11, 451ab. 梵文・異訳なし〔蔵訳は鳩摩羅什訳からの重訳〕）

（41）岡田真美子［1991］が列挙する〈忍耐仙〉の並行話を見よ。

（42）未詳。

（43）『根本説一切有部毘奈耶破僧事』(SBhV II 104, 12–108, 27. 義浄訳、巻十五。T24, 177a–178b)。そこにおいては熊ジャータカが二つ語られているが、『三具足経憂波提舎』はその両方について述べているようである。

（44）参考：失訳『仏説菩薩本行経』巻下「優多梨仙人時、為一偈故、剝身皮為紙、折骨為筆、血用和墨」(T3, 119b)。

（45）『大宝積経』富楼那会。

復次目連、過去久遠、於此閻浮提中、大病劫至、衆生普為大病所悩。爾時閻浮提王、名摩醯斯那、有八万四千大城。王於此中、威勢自在。時王最大夫人懐妊。若以身手、触諸衆生、病皆除差。月満産男、生已即言、「我能治諸病人」。又亦生時、閻浮提内、諸天鬼神皆共唱言、「今王所生便是人薬」。以是音声普流聞故、字為人薬。時人皆将病人、示此王子。諸病人至、王子手触。若以身触、即皆得差、安隠快楽。如是展転、閻浮提内、皆将病人、以示王子。王子手触、病皆除差、安隠快楽。目連、人薬王子、於千歳中、如是治病、後則命終。命終之後、諸病人来、聞其已死、憂愁涕泣。誰復度我病痛苦悩。諸病人言、「人薬王子、於何焼身」。問知所在、趣其焼処、出骨擣末、以塗其身、即皆得差、作是唱言、「人薬王子、於今猶能治諸病人」。目連、如是因縁、治諸病人、骨漸消尽、骨尽之後、至然身処、取地灰炭、各塗其身、病皆得差。目連、如是人薬王子、於大病劫、以是方便、治諸病人。目連、汝謂爾時人薬王子豈異人乎。勿作是念。即我身是。（菩提流志訳『大宝積経』巻七十九、鳩摩羅什訳富楼那会、大悲品。T11, 451bc. 梵文・異訳なし〔蔵訳は鳩摩羅什訳からの重訳〕）

参考：失訳『仏説菩薩本行経』巻下「摩休沙陀太子時、以薬、除衆生病」(T3, 119b)。

(46)『ラリタヴィスタラ』(*Lalitavistara*) 第十三章の本生話リストにおいて Adīnapuṇya (LV 170, 15) という名のみが出る。

(47)『ディヴィヤ・アヴァダーナ』(*Divyāvadāna*) 第三十二話、『ジャータカ・マーラー』(*Jātakamālā*) 第一話ほか。

(48) 未詳。

(49) 未詳。

以何義故名「世尊」者、彼義今説。言「世尊」者、供養義故。

復有餘義。如『菩提心憂波提舎』、彼説応知。

〔別答〕

〔1 ナシ[1]〕

〔2〕いかなるわけで「世尊」と呼ばれるのか。そのことについて、今、説くことにしたい。「世尊」と言われるのは、供養〔を受けることに値する〕という意味によるのである。

さらに別のわけがある。『菩提心憂波提舎』[2]なる、かしこにおいて説かれているとおりに知られるべきである。

何故世尊遊毘舍離大林精舍不餘処者、彼義今説。如是難者、則不相応。随在何処、彼一切処皆有此難。若在餘処、不離此難。

更有餘義。如『菩提心憂波提舎』、彼説応知。

以何因縁而説如是三種具足不多少者、彼義今説。以有三分相対義故。

以此三種、対治貪嫉破戒愚痴。以施具足、対治貪嫉。以戒具足、対治破戒。以聞具足、対治愚痴。

又復示現三種福徳。施具足者、示施福徳。戒具足者、正（示?）行（戒?）福徳。聞具足者、示修福徳。

又復有義、一切衆生、随順淳熟、
361c 施戒具足。一切衆生、既淳熟已、然後能聞、聞已観察、相応淳熟。如是

〔3〕なにゆえ世尊はヴァイシャーリーの大林精舎にとどまっておられ、餘処においてでないのか。そのことについて、今、説くことにしたい。そのような質問は適切でない。どこにとどまっておられようとも、そのすべてに対してその質問がありうる。もし餘処にとどまっておられても、その質問をまぬがれない。

さらに別のわけがある。『菩提心憂波提舎』[3]なる、かしこにおいて説かれているとおりに知られるべきである。

〔4〕いかなる理由によってこのような三資糧を説きたまい、多くもなく少なくもないのか。そのことについて、今、説くことにしたい。三つ組みとの相同性があるからである。

α　この三〔資糧〕によって、貪と破戒と痴とを対治する。施資糧によって、貪を対治する。戒資糧によって、破戒を対治する。聞資糧によって、痴を対治する。

β　さらにまた、三福徳を示す。施資糧によって、施福徳を示す。戒資糧によって、戒福徳を示す。聞資糧によって、修習福徳を示す[4]。

γ　さらにまた、あらゆる有情について、成熟に随順して、施資糧と戒資糧とがある。〔三資糧は〕あらゆる有情が〔施と戒とによって〕すでに成熟しおわって、しかるのちに聞くことができ、聞きおわって観察し、成熟する

随順一切衆生淳熟相応。是故説三。

又復有義、二種具足、一切仏法聚集住処、得不乱法。依止不乱、則聞具足。如法正覚、一切仏法、皆具足得。如是一切仏法聚集住処。如是因縁、是故説三。

為当唯有三種具足、為当更有餘法具足、彼義今説。如是三種総摂具足。若仏広説無量具足、皆此中摂。若『大海慧修多羅』中、彼言「世尊、菩薩所有一切具足、福徳具足智具足摂、応如是知。何以故。世尊、菩薩若修福徳具足、以是因縁、尊勝富貴、復能令他尊勝富貴。智具足故、口説善語、一切衆生聞者歓喜」。彼施与戒福徳具足。聞智具足。如是無違。

何故菩薩名種姓者、彼義今説。

ことと結びついている。このように、〔三資糧は〕あらゆる有情の成熟に随順することと結びついている。それゆえに三〔資糧〕を説くのである。

δ　さらにまた、〔施資糧と戒資糧との〕二資糧によって、あらゆる仏法の集まりのうち、不乱法を得る。不乱法に依拠して、聞資糧がある。法のとおりに正覚し、あらゆる仏法はすべて完全に得られる。このようにして、あらゆる仏法の集まりがある。このような理由があるので、それゆえに三〔資糧〕を説くのである。

〔5〕ただ三資糧があるだけであろうか、それとも、あらためて他の資糧があるのであろうか。そのことについて、今、説くことにしたい。このような三〔資糧〕は資糧をすべて含む。もし仏によって無量の資糧が広説されたとしても、すべてこのうちに含まれる。『大海慧修多羅』なる、かしこにおいて「世尊よ、菩薩のあらゆる資糧は、福資糧と智資糧とのうちに含まれると知られるべきです。それはなぜかというならば、世尊よ、菩薩がもし福資糧を修習したならば、その理由によって、富貴となり、さらに他の者たちを富貴にすることができます。智資糧によって、口に善語を説き、あらゆる有情は聞けば歓喜します[5]」と言われているとおりである。施と戒とは福資糧である。聞は智資糧である。そういうわけで、相違しない。

〔6〕なにゆえに菩薩は種姓を有する者と言われるのか。そのことについて、今、説くことにしたい。

有師説言、〝有四種家如来生処〟。如偈説言。

諦捨寂静慧　此四真勝家
正遍知家生　師説言種姓

又善方便是菩薩父、般若波羅蜜是菩薩母。如彼『無垢名称経』説。

般若菩薩母　方便以為父
一切衆導師　無不由是生

菩薩般若波羅蜜者持故如母、方便生者如父生子。如父母故、説言種姓。如是種姓父母二種相似義故。

又奢摩他毘婆舎那、如是種姓、生正遍知。一切姓中、此門第一。一切善法是姓是門。如『経』中説。「仏正法中、二法双行。彼奢摩他父、毘婆舎那母」。彼二法種姓。偈言。

① ある師は〝如来が生まれる処である四つの家（*kula）がある〟と説く。偈が説かれているとおりである。

諦（*satya）と捨（*tyāga）と寂静（*upaśama）と慧（*prajñā）と、これらが四つの最勝居処（*paramāny adhiṣṭhānāni）である。正等覚者（*samyaksaṃbuddha）は〔その〕家（*kula）から生まれる。師は〔その家を〕種姓と説く。[6]

② さらに、方便善巧は菩薩の父であり、般若波羅蜜は菩薩の母である。かの『無垢名称経』において説かれているとおりである。

般若波羅蜜は諸菩薩にとって愛しい者たる母であり、方便善巧は諸導師が生まれるための父である。[7]

菩薩にとって般若波羅蜜は愛しい者（*māriṣa）であるからあたかも母のようであり、〔諸導師が〕生まれるための（*yato jāyanti）方便善巧はあたかも子が生まれるための父のようである。父母のようであるから種姓と言われる。このように、種姓と父母との両者の相似性によるのである。

③ さらに、奢摩他と毘婆舎那という、それらが種姓であって、正等覚者（*samyak-saṃbuddha）を生ずる。あらゆる種姓のうち、この門が最勝である。あらゆる善法は種姓であり門である。『経』において「仏の正法において、二つの法が双行する。かの奢摩他は父であり、毘婆舎那は母である」と説かれているとおりである。その二法が種姓である。偈が説かれている。

362a

毘婆舎那母　奢摩他為父
生一切菩薩　因毘婆舎那
◁奢摩他等故　有一切正覚

又復有義、諸仏菩薩現前正住三昧大悲、此二法是如来種姓。因此二法生於如来。諸仏菩薩現前正住三昧為父、大悲為母。又復如是、此仏菩薩現前正住三昧為父、忍菩薩母。此是種姓。偈言。

仏菩薩現前　正住三昧父
若大悲戒忍　是菩薩之母

此偈明何義。

説菩薩種姓之義。

以何義故、名具足者、彼義今説。推覓衆物、処処将来、挙掌積聚、計挍備辦、増益和集、故名具足。

又復多法和集之義、故名具足。

又復有義、荷擔菩提、故名具足。


毘婆舎那は母であり、奢摩他は父であり、あらゆる菩薩を生ずる。毘婆舎那と奢摩他とによって、あらゆる正覚者（*saṃbuddha）がある。[8]

④　さらにまた、諸仏菩薩現前正住三昧（*[pratyutpanna-]buddha-bodhisattva-saṃmukhāvasthita-samādhi）と大悲（*mahā-karuṇā）との、この二法が如来の種姓である。この二法によって如来を生ずる。諸仏菩薩現前正住三昧が父であり、大悲が母である。さらにまた、それと同様に、この諸仏菩薩現前正住三昧が父であり、〔無生法〕忍（*kṣānti）が菩薩の母である。これが種姓である。偈が説かれている。

諸仏菩薩現前正住三昧が父であり、大悲と〔無生法〕忍とが菩薩の母である。[9]

この偈は何を明らかにするのか。

菩薩の種姓を説くのである。
〔7〕いかなるわけで資糧と呼ばれるのか。そのことについて、今、説くことにしたい。[10] 多くのものを求めて、あちこちから将来して、手のひらで積み上げて、計量して備え、集まりを増やすゆえに、資糧と呼ばれる。
あるいは、多くの（*saṃbahula）諸法が集められているゆえに、資糧（*saṃbhāra）と呼ばれる。

あるいは、菩提（*saṃbodhi）を荷うこと（*bhāra）ゆえに、資糧（*saṃbhāra）

如外道斎、大会具足、初取羊等、将来営辦、如是菩提、如前具足、後菩提覚。

又復多法説名具足。如薬和集、乃得成散、如是具足。


又復有義、前種姓法、堅持不失、復向彼岸。如大船舶、先和集已、後向宝洲。

又復有義、正円非邪、如観察耳、如是之義、故名具足。

又復常修一切勝行、故名具足。

又具足者、欲得出過、荷負重擔、出到度義、荷負重擔、不懈怠義、三界過義、故名具足。

又具足者、平等集(養?)修、平等円*1修、平等行修、平等起修、平等作修、平等持修、平等拄修、平等養

と呼ばれる。あたかも外道の潔斎の大会が完全に遂行される場合、初めに羊などを取って、将来してのち営むように、そのように、菩提については、前に資糧があるとおりに、後に菩提を覚るのである。

あるいは、多くの(*saṃbahula)諸法が資糧(*saṃbhāra)と呼ばれる。あたかも薬が集められて、それから合成されたり分散されたりするように、そのように資糧はある。

あるいは、先に種姓という法を堅持して失わず、さらに彼岸に向かうのである。あたかも大船舶が先に具えられてのち宝石の島に向かうごとくである。

あるいは、正しくて誤りなく、あたかも観察されたとおり、そのとおりであるゆえに、資糧と呼ばれる。

あるいは、常に(*saṃtatyā)あらゆる勝行を修習(*bhāvanā)するから資糧(*saṃbhāra)と呼ばれる(11)。

さらに、資糧は、出過(*samatikrama)を得たいと望み重荷(*bhāra)を負って出離することという意味、重荷を負うことに懈怠しないことという意味、三界を出過することという意味によって資糧(*saṃbhāra)と呼ばれる。

さらに、資糧は、①平等(*sama)なる、養の修習(*bhāvanā)と、②平等なる、円の修習と、③平等なる、行の修習と、④平等なる、起の修習と、⑤平等なる、作の修習と、⑥平等なる、持の修習と、⑦平等なる、拄の修習と、

（集？）修、故名具足。
等養修者、於諸衆生、猶如医師、消息病者、療治衆病。
等円*2修者、六波羅蜜、如乗船舶。
等行修者、如大乗説。
等起修者、菩薩修学、如学射等、先正足住。
等作修者、巧作一切菩薩諸業、如巧作師。
等持修者、常無常等、如称平等。
362b
等拄修者、一切菩薩能拄法舎◁、如堂麁柱。
等集修者、一切白法、如蜜蜂集。
如是等義故名具足。
又自田義、若和合義、若或多義、若別異義、若或広義、若寛博義、若

⑧平等なる、集の修習とによって資糧（*saṃbhāra）と呼ばれる。
①平等なる、養の修習とは、諸有情に対し、あたかも医師が病者を調べ、諸病を治療することのようである。
②平等なる、円の修習とは、六波羅蜜であって、あたかも船に乗ることのようである。
③平等なる、行の修習とは、大乗において説かれるとおりにである。
④平等なる、起の修習とは、菩薩が修学するのは、弓などを学ぶ者が先に正しく足を落ち着けるようである(12)。
⑤平等なる、作の修習とは、あらゆる菩薩業を巧みに作りなすのであり、あたかも巧みな作り手のようである。
⑥平等なる、持の修習とは、常と無常となどについて、平等と称することである。
⑦平等なる、拄の修習とは、あらゆる菩薩は法の家を拄《ささ》えることができるのであり、あたかも堂の大柱のようである。
⑧平等なる、集の修習とは、あらゆる白法（*śukla-dharma）をあたかも蜜蜂のように集めるのである。
これらの意味によって資糧と呼ばれる。

さらに、自田という意味、あるいは和合という意味、あるいは多という意味、あるいは別異という意味、あるいは広という意味、あるいは寛博という

或勝義、若堅固義、若牢固義、若和集義、若和合義、若或物義、若或財義、若或取義、若積聚義、若或慚義、若或愧義、故名具足。

何故名施、彼義今説。若破貪貧、得大富楽福徳具足、是故名施。

施有幾種。彼義今説。略有三種。何等為三。一者資生施、二者無畏施、三者法施。

資生施者、謂飲食等種種捨施。彼資生施、色香味勝、浄潔如法。遠離貪垢、無慳吝垢。離貪垢者、心不狭小如是捨施。自手多施。無吝垢者、不存富楽如是捨施。

無畏施者、謂能救済師子虎黿王賊水等如是諸畏。

何者法施。倒説法者、為之正説、

意味、あるいは勝という意味、あるいは堅固という意味、あるいは牢固という意味、あるいは和集という意味、あるいは和合という意味、あるいは物という意味、あるいは財という意味、あるいは取という意味、あるいは積聚という意味、あるいは慚という意味、あるいは愧という意味によって資糧と呼ばれる。

〔8〕〔8・1〕なにゆえに施と呼ばれるのか。そのことについて、今、説くことにしたい。もし貪と貧とを破り、大富楽と福資糧とを得るならば、それゆえに施と呼ばれる[13]。

〔8・2〕何種類の施があるのか。そのことについて、今、説くことにしたい。まとめれば、三種類ある。三とは何か。第一には財施（*āmiṣa-dāna)、第二には無畏施（*abhaya-dāna)、第三には法施（*dharma-dāna）である。

① 財施とは、すなわち、飲食などのさまざまな施である。財施はすぐれており、法にかなって清浄である。慳貪という垢と、吝嗇という垢とを調伏したのち施する。このうち、慳貪という垢を調伏することは財物を執着することを捨てることとして、吝嗇という垢を調伏することは受用を執着することを捨てることとして知られるべきである。

② 無畏施とは、獅子や虎や海獣や王や盗賊や水などの諸畏から救済することとして知られるべきである。

③ 法施とは、無顚倒なる説法と、道理にかなった論議と、学処を受けさ

次第学句、教彼正取。

広説則有無量種種。聖無尽意説、「不可量菩薩施業。所謂、菩薩須食与食、即是布施一切衆生色力寿命安楽辯才」。

又菩薩施心濁等過皆悉遠離。彼濁心施有十四種。一者心濁、二者先妬、三者嫉心、四者慢心、五者不減慢、六者瞋心、七者簡択、八者疑心、九者悩害、十者乱心、十一者先名、十二者依准上法選日時等次第行施、十三者懈怠、十四者先為報力（施?）、如是等法能染心故、名為濁心。

心体有濁、故名為濁。

先妬施者、得富楽少、眷属不愛。

先嫉施者、雖得富楽、不楽勝報、惟喜下劣。坐臥床敷、止宿等処、食飲富楽、貪著不離。

先慢施者、雖得富楽、生下劣姓、

せることとである。

〔8・3〕広くは、無量の種類（*ākāra）がある。聖者アクシャヤマティ（*Āryākṣayamati）は「菩薩の施のはたらきは無量である。すなわち、菩薩が食べ物を求める者に食べ物を与えるのは、あらゆる有情に容色と力と寿命と安楽と辯才とを与えるためである」[15]と説いている。

〔8・4〕さらに、菩薩の施は心濁などという過失をすべて遠離している。かの、心を濁す施は十四種類である。第一には心濁、第二には妬を先とする〔施〕、第三には嫉を、第四には慢を、第五には慢を減じないことを、第六には瞋を、第七には選択を、第八には疑を、第九には悩害を、第十には乱心を、第十一には名誉を先とする〔施〕、第十二には上法に準拠して日時などを選んで順次にする施、第十三には懈怠による〔施〕、第十四には見返りを求めることを先とする施である。これらの諸法（＝施）は心を汚すゆえに、心を濁す〔施〕と呼ばれる。

① 心そのものに濁があるから、〔心〕濁と呼ばれる。

② 妬を先として施する者は、わずかな富楽を得、眷属から愛されない。

③ 嫉を先として施する者は、富楽を得るにせよ、殊勝な異熟を望まず、ただ下劣なものを喜ぶ。寝台（*śayana）や座具（*āsana）、住まい（*āgāra）、食べ物や飲み物の富楽に対し、貪著して離れない。

④ 慢を先として施する者は、富楽を得るにせよ、下劣な種姓のうちに生

362c 心不正直。

先不減慢而布施者、後受報時、依他得活。如事王人、伎児使卒、誑惑之人、防邏戍護、種種駆使、平准市官、当門守戸、放牧畜獣、承事太子、下賤官人、恐哧他等、博戯等人、捔力相撲、如是種種、広設方便、強力取物。復有踴躍劫賊之人。如是等業、以自利益。

先瞋施者、後得大力畜生等身師子虎豹蛇蟒熊羆猴等中生。

簡択施者、後得報時、治生田業、作子林子、若種林人、作林等人、得少果報、以自存活。

先疑施者、後得果報、富楽不常。

先悩施者、雖得富楽、生夷人中、若隘狭処、若災孽地、辺地生等。

乱心施者、得富楽少、或不得果。

まれ、心が正直でなくなる。

⑤　慢を減じないことを先として施する者は、のちに異熟を受ける時、他者に依存して生活するようになる。たとえば王に仕える人である、踊り子、召使、幻術師、警護者がさまざまに駆使されたり、市場の役人、門番、家畜を放牧する人、太子に仕える人、卑賤な役人、他者の恐喝などや博打などをする人、相撲を取る人という、このようなさまざまな人が広く手段を設けて力づくで物を取ったりするようなものである。さらに、喜び勇んで盗賊をなす人がいる。このような業によって、自らを利益する。

⑥　瞋を先として施する者は、のちに大力の畜生などの身を得、獅子や虎や豹や大蛇や熊や猿などのうちに受生する。

⑦　選択して施する者は、のちに異熟を受ける時、田を作る仕事を営んだり、林を世話する者、すなわち林を植える人もしくは林を作る人などとなったりして、わずかな見返りを得、自分で生活する。

⑧　疑を先として施する者は、のちに異熟を受ける時、富楽が恒常でない。

⑨　悩害を先として施する者は、富楽を得るにせよ、野蛮人のうちに生まれ、あるいは狭苦しい地、あるいは災害地、辺境の地に生まれることなどがある。

⑩　乱心によって施する者は、わずかな富楽を得るか、あるいは結果を得

先名施者、雖得富楽、得財富已、而復喜失。

依准上法選日時等次第施者、雖受富楽、勤苦難得。

懈怠施者、後受富楽、雖得不常。

先為報施、後雖得報、難得而少。

如是初過、菩薩如是、皆悉観察、既観察已、自心清浄、浄心生已、遠離濁心、離濁心已、正信相応、悲等功徳、相応和合、自手施与。先信布施、得好方処、種姓力色、受勝富楽、眷属自在、名聞辯才、安楽色命、他不欺陵、為人讃歎、第一自在、勝坐臥処、止宿等処、堂舎荘厳、飲食衣服、塗香衆香、色声味触、得如是等、富楽住処。

ない。

⑪ 名誉を先として施する者は、富楽を得るにせよ、財富を得おわって、ふたたび喜びが失せる。

⑫ 上法に準拠して日時などを選んで順次に施する者は、富楽を受けるにせよ、勤苦するし、得がたい。

⑬ 懈怠によって施する者は、のちに富楽を得るが、得るにせよ、恒常でない。

⑭ 見返りを求めることを先として施する者は、のちに見返りを得るにせよ、得がたく、少ない。

このような当初の過失を、菩薩はそのままにすべて観察し、すでに観察しおわって、自らの心が清浄となり、清浄心が生じおわって、濁心を遠離し、濁心を遠離しおわって、正信と相応し、悲などという功徳と相応し、自らの手によって施する。先に信によって施するので、〔のちに来世において、〕好ましい場所や、種姓や力や容色を得、すぐれた富楽を受け、眷属に対し自在であり、名聞や辯才があり、容姿や生命が安楽であり、他者によって欺かれず、人によって讃歎され、最高に自在であり、すぐれた寝台(*śayana)や座具[16](*āsana)と、住まい(*āgāra)と、[17]屋敷の荘厳と、飲み物と食べ物と、衣服と、塗香と多くの抹香と、色と声と味と触という、そのような富楽の住処を得る。

何故名戒。彼義今説。若能寂静非法律儀悪不善法、能生善道、能得三昧、如是名戒。

戒有幾種。彼義今説。略有三種。謂律儀戒、摂善法戒、摂衆生戒。彼所謂戒。

律儀戒者、菩薩正取七衆律儀。所謂比丘・比丘尼・式叉摩那・沙弥・沙弥尼・優婆塞・優婆夷戒。出家在
363a
家、如是次第、皆律儀摂。

何者菩薩摂善法戒。菩薩所有善法及戒皆正聚已、然後修集大菩提善、若身若口若意等善、如是略説摂善法戒。又復菩薩何所依止。依戒、住戒、然後修聞、次修思惟、後奢摩他毘婆舎那、専一楽行。如尊長前、正面言語、先礼拝已、後起合掌、時時常爾。如是時時、如是尊長、敬重供給。常

〔9〕〔9・1〕なにゆえに戒と呼ばれるのか、そのことについて、今、説くことにしたい。もし悪戒と悪趣とを寂静にすることができ、善趣を生ずることができ、等持を得ることができるならば、そういうわけで戒と呼ばれる。[18]

〔9・2〕戒は何種類あるのか、そのことについて、今、説くことにしたい。まとめれば、三種類である。すなわち、律儀戒（*saṃvara-śīla）と、摂善法戒（*kuśala-dharma-saṃgrāhakaṃ śīlam）と、饒益有情戒（*sattvānugrāhakaṃ śīlam）とである。それらがいわゆる戒である。

〔9・2・1〕このうち[19]、菩薩の律儀戒とは何か。七衆の別解脱律儀を受けることである。苾芻と苾芻尼と正学と勤策男と勤策女と近事男と近事女との戒である。そういうわけで、これ〔＝戒〕は、出家と在家との分において、適切に知られるべきである。

〔9・2・2〕このうち[20]、菩薩の摂善法戒とは、誰か菩薩が戒律儀を受けおわってのち、大菩提のために、あるいは身によって、あるいは口によって、あるいは意によって、あらゆる善を集めること、そのことが、まとめれば、摂善法戒と呼ばれる。さらに、それは何か。ここで、菩薩は戒に依拠してのち、戒に安住してのち、聞について、思について、止観の修習について、独りを楽しむことについて、修練をなす。そのように、時あるごとに、尊師たちに対し挨拶と礼拝と起立と合掌とをなすことをなす者である。そのように、時あるごとに、まさにその尊師たちに対し尊敬を起こすことをなす者である。

於病者、悲心供給。若聞善語、讃言善哉。於功徳人、説実功徳。生如是心、普為十方、如彼十方一切衆生一切福徳勤心、随喜、喜心生已、然後口説。於他一切犯触己者、皆能忍受。一切所修身口意善皆悉願取阿耨多羅三藐三菩提。時時種種、供養三宝、一切種種、設供養已、口発正願。相応精進常護善分。身不放逸、口誦学句、意念発行。蔵護根門、食惟知足。初夜後夜、覚寤相応。親近善人、依善知識。自識己錯、犯過識知。見已知改。犯仏菩薩諸福徳人、尽心懺悔。如是等分摂取善法、得善法已、守護増長。若如是戒、是名菩薩摂善法戒。

何者菩薩摂衆生戒。彼要略説、有十一種、此義応知。何等十一。

病者たちに対し、敬礼したのち、悲によって看病をなす者である。そのように、善く説かれたことがらに対し「善い」と言うことを与える者である。功徳ある補特伽羅たちに対し、まことの賞讃を取り出す者である。そのように、あらゆる有情の、十方におけるあらゆる福徳を求める意楽について、浄心を起こしてのち、ことばを語りつつ、随喜する者である。そのように、他者たちのあらゆる違反に対し、思択してのち、忍受する者である。そのように、身と口と意とによって作されたあらゆる善を、無上正等覚に向け廻向する者である。さらに、時あるごとに、さまざまな正願と、あらゆる種類の、偉大な、三宝への供養とをなす者である。さらに、常に善分に対し、取り組んでおり、精進を始めている。身と口とによって不放逸にとどまる者であり、諸学処を念と知と行とによって守る者である。根について門を護る者であり、享受について分量を知る者である。初夜と後夜とにおいて覚醒に取り組む。善人に親近し、善知識に依拠する。さらに、己れの誤謬を知る者であり、過失を見る者である。さらに、知りおわって、過失を見てのち、慎む者である。さらに、誤謬を犯した際には、諸仏菩薩と諸同法者とのもとで、心を尽くして懺悔する者である。このようなたぐいの諸善法を、獲得し守護し増長させるための戒なるもの、それが菩薩の摂善法戒と呼ばれる。

〔9・2・3〕このうち、[21] 菩薩の饒益有情戒とは何か。それは、まとめれば、十一行相であると知られるべきである。十一行相とは何か。

一者、種種饒益、衆生種種因縁、同事相応。

二者、衆生病不病等、種種諸苦、供給伴等。

三者、世間出世間義、如彼法説先、示方便先、示道理。

四者、報衆生恩、不忘恩報、随所宜護、随報供給。

五者、師子虎王水火賊等種種畏処、護諸衆生。

六者、諸親善友亡失富楽、憂悲殃罪、能為除遣。

七者、貧窮苦悩乞匃衆生、一切所
363b 須、皆悉給与。行善之人、依正捨法、功徳摂取。

八者、先語問訊、後語問訊、応時而往。

九者、若他呼喚、取食飲等、世間

① 利益と結びつけられた、さまざまな、有情の諸所作について、同伴者のありかたがある。諸有情の、次々に起こる病などの諸苦について、看病するなどの、同伴者のありかたがある。

② 世間と出世間との諸利益について、法を教えることを先とし、方便を教えることを先とし、道理を教えることがある。

③ 恩を与えてくれた諸有情に対し、恩を知ることを守る者には、ふさわしい恩返しの遂行がある。

④ さらに、さまざまな、獅子や虎や王や水や火や盗賊などという、さまざまな畏怖のもとから諸衆生を護ることがある。

⑤ 財と親族とを失った者たちに対し、憂いを除去してやることがある。

⑥ 生活用品が欠乏した諸有情に対し、道理にかなって、あらゆる生活用品を供給することがある。

⑦ 正しく所依を与えることで、法によって集団（gaṇa. 原漢文「功徳」[*guṇa]）を統率する。

⑧ 話しかけることや話し合うことや挨拶することによって時あるごとに近づくことによって、他者から食べ物や飲み物などを受け取る場合、世間的な利益に従ってふるまう場合、呼び出された者が往ったり来たりする場合、

饒益、彼此往来、以要言之、一切所有不饒益事、不可愛行、皆悉捨離、心随順転。

十者、自実功徳、心生歓喜、公白正取、畢竟唱説。以潤益心、若治若擯、若罰若黜、或時駆遣、諸如是等、不善処擯、令住善処、相応饒益。

十一者、以神通力、示地獄等、毀呰不善、令入仏法、教化衆生、令其歓喜、得未曾有。

又復聖者無尽意説六十七種。謂「於一切諸衆生所、不起悩害」如是等故。

又『菩薩蔵修多羅』中、広説無量如来戒故。

又復此戒無量無辺功徳和集。如是功徳、今説少分。所謂(1)戒名出家人

まとめれば、あらゆる、利益にならないものと結びつけられた、意にかなわないことがらの現行を離れることによって、心が随転することがある。

⑨ さらに、まことの諸功徳について、秘密裡に、あるいは明白に、顕揚することによって、喜ばせることがある。

⑩ 柔和なる利益安楽増上意楽によって伴われた内心によって、調伏の行為や、あるいは訶責や、あるいは処罰や、あるいは擯斥がある。まさしく結局は、不善の場所から抜け出させ、善なる場所に結びつけてやるためである。

⑪ さらに、神通の力によって地獄などという諸趣の直接知覚を示すことによって、不善から離れさせることがあるし、さらに、仏の聖教に入らせるために、引き寄せることがあり、喜ばせることがあり、希有と思わせることがある。

〔9・2・4〕さらにまた、聖者アクシャヤマティ（*Āryākṣayamati）は六十七種類を説いている。すなわち「あらゆる有情を害しないこと」[22]かくかくしかじかである。

〔9・2・5〕さらに、『菩薩蔵修多羅』においては無量の如来戒が広く説かれている[23]。

〔9・2・6〕さらにまた、この戒は無量無辺の功徳によって伴われている。そのような功徳について、今、少しだけ説くことにしたい[24]。すなわち、

戒、如大富人、身少喜楽。(2)於善法中、増長如母。(3)於悪法中、能護如父。(4)如在俗人有財物故、一切饒益皆悉成就、出家人戒亦復如是、正導如是。(5)如人正行、則無衰損。(6)如善人所、報恩具足。(7)如世間人、愛惜身命。(8)又如勝智、世所讃歎。(9)如順*3王語、求解脱人、護戒亦爾。(10)欲求解脱、当帰依仏、欲生善道、当帰依戒。(11)安身之本、戒是第一、知識。(12)遇悪、善友不捨、戒亦如是、欲自利益、至死不捨。(13)如女慚愧、世人荘厳。(14)如人勝行、不諂為最。(15)如梵行中、見柔和勝。(16)如欲大貴、不幻為本。(17)如不放逸、多饒功徳、欲證勝法、依観察得、如近善友、初中後時。悕望学人、時節如海、不可得過。(18)如諸衆生依地而住、依戒住持一切勝法。(19)如水能潤一切種子、

(1)戒とは出家の人の戒について言われ、あたかも富貴な人のもとに年少にして喜楽があるようである。(2)〔戒が〕善法を増長することはあたかも母のようである。(3)〔戒が〕悪法より守護することはあたかも父のようである。(4)あたかも在俗の人に財物（*artha）があるように、そのように、出家の人に戒があるゆえにあらゆる利益（*artha）がすべて成就する。(5)あたかも人の正行のように、〔戒は〕損害をなくす。(6)あたかも報恩のように、〔戒は〕善人のもとに具足するものである。(7)あたかも身の命のように、〔戒は〕世間の人が愛惜するものである。(8)さらに、あたかも勝れた智のように、〔戒は〕世間によって讃歎される。(9)あたかも王のおことばに随順するように、そのように、解脱を求める人は戒を護持する。(10)〔あたかも〕解脱を求めるならば、仏に帰依すべきである〔ように〕、善趣に生じたいと望むならば、戒に帰依すべきである。(11)〔あたかも〕身を安んじるための根本〔のように〕、智者は戒を第一とする。(12)あたかも危難に遇っても善友が見捨てないように、そのように、自利を望む者を、戒は死に瀕しても見捨てない。(13)あたかも女にとっての慚愧のように、〔戒は〕世間の人を荘厳する。(14)あたかも人の善行が不誑（*aśāṭhya）をかなめとするように〔、戒は功徳のかなめである〕。(15)あたかも柔和さが正見の根本であるように、〔戒は〕梵行の〔根本〕である。(16)あたかも重職を望むことが不諂（*amāyā）を根本とするように〔、大人の法は戒を根本とする〕。(17)あたかも不放逸のように、〔あたかも〕殊勝な

戒能津潤善法種子、如火成根、如風
363c 能令分分開張。⒇如行住物、空為◁無
障、欲證果人。戒如堅瓶、戒如宝蔵。
㉑如随所欲搆[*4]得之牛、如食資糧、如
人因杖、得行住等。㉒如息依命、如
（戒？）命慧勝。㉓如国有王、人所
依止。㉔如軍有将、功徳軍衆、戒是
統将。㉕如婦女人、一切楽行、皆因
夫主。㉖如行道人所有資糧、若行天
道、戒是資糧。㉗如曠野行、主将善
導、行善法者、戒是前導。㉘如大海
船、若人方便渡生死海、以戒為船。
㉙如病人薬[*5]、煩悩病者、戒為良薬。
㉚如戦闘処所有器杖、共魔王戦、以
戒遮防。㉛如潤親友不可得捨、戒是
賢聖。㉜如大闇中燈為照明、未来大
闇以戒為燈。㉝如過度河等因橋而渡、
出三悪道諸方便中、戒最為大。㉞如
清涼舎能離大熱、煩悩大熱、戒能清

法を証得したいと望んでのち観察によって得ることのように、あたかも初中後時善なる友に近づくことのように、〔戒は〕多くの功徳がある。学ぼうと望む者は、あたかも海のように、〔戒を〕過ぎ越すことができない。⒅あたかも諸有情が地に依って住するように、あらゆる善法は戒に依って住する。⒆あたかも水があらゆる種子を潤すことができるように、戒は善法の種子を潤すことができる。あたかも火が根を成育させるように、あたかも風がだんだんに伸張させるように。⒇あたかも行ったり留まったりする物にとって虚空が無障礙であるように、戒は果を証得する人を迎え入れる。あたかも堅い瓶のように、あたかも宝石の庫のように。㉑あたかも欲するままに得られた荷牛のように、あたかも食糧のように、あたかも人が杖によるように、〔戒によって〕行ったり留まったりできる。㉒あたかも命が息によるように、慧命は戒による。㉓あたかも国にとって王がいるように、人にとって〔戒は〕所依である。㉔あたかも軍にとって将がいるように、功徳の軍にとって戒は将である。㉕あたかも妻がすべて夫の思いどおりになるように、〔戒は〕あらゆる楽をもたらす。㉖あたかも道を行く際に食糧があるように、天趣に行く際には戒が食糧である。㉗あたかも曠野を行く際に統率者が善導するように、善法を行ずる際には戒が先導する。㉘あたかも大海に船があるように、人が方便によって生死の海を渡ろうとする際には戒が船である。㉙あたかも病人にとっての薬のように、煩悩の病にとっては戒が良薬である。㉚あたか

涼。(35)如怖畏者帰依健児執刀杖者、畏悪道人、戒是帰依。

(36)菩薩之人、如住実家、善凡夫人、如（戒?）自己物。(37)菩薩之人、如住捨家、行道之人、如（戒?）所行道。(38)菩薩之人、如住家家、得果之人。(39)能為他説、菩薩之人、如住慧家。(40)不動之人、平坦清浄。

(41)如諂捨直、(42)如貪捨施、(43)如嫉心人捨不嫉心、如幻偽人心不観察、如沈審人捨離高心、如謹慎人捨放逸過、(44)如王（五?）有（色?）眼

も戦場における武器のように、魔王との戦いにおいては戒によって防御する。(31)あたかも親友が見捨てることをし得ないように、戒は賢聖である。(32)あたかも大闇において灯火が照らすように、未来の大闇においては戒が灯火である。(33)あたかも河などを渡る際に橋によって渡るように、三悪道を出るための諸方便においては戒が最大である。(34)あたかも涼しい家が大熱を離れることができるように、煩悩の大熱を戒が涼しくできる。(35)あたかも畏怖する者が刀杖を持つ者たる勇者に帰依するように、悪趣を畏怖する人にとっては戒が帰依処である。

(36)あたかも菩薩が諦居処（*satyādhiṣṭhāna）にとどまるように、異生は戒を自己の物として善美する。(37)あたかも菩薩が捨居処（*tyāgādhiṣṭhāna）にとどまるように、道を行ずる人は戒を行ぜられるべき道とする。(38)あたかも菩薩が寂静居処（*upaśamādhiṣṭhāna）にとどまるように、果を得た人は〔戒をよく修習する〕。(39)あたかも菩薩が慧居処（*prajñādhiṣṭhāna）にとどまるように、〔戒を護持する人は〕他者に説くことができる。(40)〔あたかも菩薩が清浄無垢であるように、〕不動の人は〔戒を〕清浄にする。

(41)あたかも諂（*śāṭhya）が正直さを捨離しているように、(42)あたかも貪が布施を捨離しているように、(43)あたかも嫉ある人が不嫉を捨離しているように、あたかも誑（*māyā）ある人が心において観察しないように、あたかも考え深い人が高ぶりを捨離しているように、あたかも慎みある人が放逸とい

（境？）、無眼闇人、非其境界、(45)八聖道分解脱相応、不観察人去之甚遠。

(46)如阿羅漢愛涅槃法、如（戒？）人自愛。(47)如仏出世、次第善転。(48)如住正法、則住果證。(49)如仏世尊、利益自他。(50)如僕事主、物時方処、皆須相応。(51)如人獲得須陀洹果、則心安隠、如得良時、造作不悔。(52)如菩薩願、終得解脱。(53)如良善田、種善種子、生長広収。(54)如時方則因縁具足。(55)智色愛楽、自多（他？）受用。(56)如善根熟、則有勢力。(57)如自
364a 善行、自心歓喜。(58)如人無罪、此世来世、則無所畏。(59)如勇健人所依正行。(60)戒如正行、善喜自修。(61)如修慈者、善心安楽。(62)如修喜者、心常慶悦。(63)如修悲者、心則正信。(64)如修捨者、心常随順。(65)四種正法、如

う過失を捨離しているように、(44)あたかも五色という対象が眼のない盲人にとって対象でないように、(45)〔あたかも〕八聖道分が〔ない人は〕解脱と相応する〔ことがないように〕、観察のない人は〔戒を〕遠ざかっている。

(46)あたかも阿羅漢が涅槃法を愛するように、自らを愛する人は戒を愛する。(47)あたかも仏が世間にお出ましになるように、〔戒は〕連続して善いことを起こさせる。(48)あたかも〔仏の威神力が〕正法を久住させるように、〔戒は〕果の証得を久住させる。(49)あたかも仏世尊のように、〔戒は〕自他を利益する。(50)あたかも従僕が国主に仕え、〔国主が〕知ろしめす時の国のように、〔戒は〕すべてかならずうまくいくようにする。(51)あたかも人が預流果を得るように、〔戒は〕心を安隠にする。あたかも良いことをなし得た時に、おこないを悔いないように。(52)あたかも菩薩の願のように、〔戒は〕しまいに解脱を得る。(53)あたかも良田のように、〔戒は〕善い種子を蒔けば、生長したのち広く収穫される。(54)あたかも時期と方角と〔を知ること〕によって〔行ないの〕原因が備わるように〔、戒は正行の原因である〕。(55)〔あたかも〕智と容色（*rūpa）とが愛楽されるように、〔戒は〕自他によって受用される。(56)あたかも善根が成熟すれば勢力があるように〔、戒は勢力を得させる〕。(57)あたかも自らの善行によって、自らの心が歓喜するように〔、戒は歓喜させる〕。(58)〔戒は〕あたかも罪なき人が今世と来世とにおいて無所畏であるようである。(59)〔戒は〕あたかも壮健な人の所依たる正行のようであ

実諦信。(66)如世間法障礙寂静、随順楽行。(67)如因聞故則得辯才。(68)如巧語人則無所畏。(69)如智明人則有名称。(70)如善語人不可破壊。(71)如法順法、能成就證得明解脱。(72)正覚之人正道如幢。(73)如有智人則能修禅、如（戒？）伴修道。(74)如健因縁則無所畏。(75)如山饒宝饒功徳宝。(76)如海住処多饒希有、如来弟子、戒如大海、是入道行。(77)如信得果、如覚知者依道理行。

る。(60)あたかも正行のように、戒は喜ばれ、自分から修習される。(61)あたかも慈〔定〕を修習する者のように、〔戒によって〕心は安楽になる。(62)あたかも喜〔定〕を修習する者のように、〔戒によって〕心は常に悦ばしくなる。(63)あたかも悲〔定〕を修習する者のように、〔戒によって〕心は正信する。(64)あたかも捨〔定〕を修習する者のように、〔戒によって〕心は常に随順する。(65)〔あたかも実語、軟語、不綺語、不両舌語という〕四種正法が真実として信ぜられる〔ように、戒は信ぜられる〕。(66)あたかも世間法が障礙を寂静にするように、〔戒は〕楽行に随順する。(67)あたかも聴聞によって辯才を得るように〔、戒は言説の原因である〕。(68)あたかも巧みに語る人が無所畏であるようであるように〔、戒は無所畏の原因である〕。(69)あたかも智の明らかな人に名声があるように〔、戒は名声の原因である〕。(70)あたかも話のうまい人が破滅させられないように〔、戒は救ってくれる〕。(71)あたかも法随法〔行〕のように、〔戒は〕明らかな解脱を証得することを成就させることができる。(72)あたかも無上正等覚（*anuttarā samyak-saṃbodhiḥ）のように、〔戒は〕正覚者（*saṃbuddha）の表徴（*liṅga）である。(73)あたかも定によって智があるように、戒は修道を伴っている。(74)あたかも剛健という理由によって無所畏になるように〔、戒によって無所畏になる〕。(75)あたかも山に宝石（*ratna）が多くあり、品質ある宝石（*guṇa-ratna）が多くあるように〔、戒に功徳が多くある〕。(76)あたかも海という住処に希有なるものが多くある

(78)雖曰無水、猶能洗浴。(79)無根茎葉、而生香物。(80)不穿不瑩、非金非宝、非是真珠、而是荘厳。(81)雖非境界、而能生於後世楽報。(82)世間人天修羅魔梵一切沙門婆羅門等之所讃歎。(83)非因他楽、是得天道涅槃方便。(84)如済不邪、無有泥溺、離石礓*6石、如是可渡、渡信河済*7。(85)如財物等、離種種過。(86)如離過道、資糧柴薪、水及水泉、正直不迴、不高不下、悪虫蛇蝎、青蠅蚊子、寒熱賊等、悪物離道。(87)如不須犁不種不熟、饒種種田。(88)雖無種樹無薬無林、而得美果、味如甘露。(89)不在高原、不下湿生、非餘人作、又無人取*8、常新華鬘、不乾不燥。(90)如善冷水、淋灌却熱。(91)雖

ように、如来の弟子にとって、戒はあたかも大海のようであり、道に入るための行である。(77)〔戒によって〕信じたままに果を得る。あたかも智者が道理ある行ないによって〔果を得るように〕。

(78)〔戒は〕水がないと言われるにせよ、それでも洗浴させることができる。(79)〔戒は〕根と茎と葉とがないにせよ、香りある物を生ずる。(80)〔戒は〕穿たれもせず磨かれもせず、金でも宝石でもなく、真珠でもないにせよ、荘厳具である。(81)〔戒は五欲の〕境でないにせよ、後世における安楽な異熟を生ずることができる。(82)〔戒は〕世間の、人と天と阿修羅と魔と梵天とあらゆる沙門と婆羅門となどによって讃歎される。(83)〔戒は〕他のものによらずに安楽であり、天趣と涅槃とを得るための方便である。(84)〔戒は〕あたかも〔河を〕渡す際に妨げがなく、泥がなく、石がなく、小石がないように、そのように渡すことができ、信という河を渡すものである。(85)〔戒は〕あたかも財物などがさまざまな過失を離れているようである。(86)〔戒は〕あたかも過失を離れている道が、食糧と燃料とを有し、川と泉とを有し、まっすぐで曲がりくねらず、上り下りせず、悪虫や蛇や蝎や、青蠅や蚊や、寒さ熱さや賊などという悪しきものが道から離れているようである。(87)〔戒は〕犁を使わず種をまかず実らないにせよ、さまざまな地を豊かにする。(88)〔戒は〕樹を植えもせず薬草もなく林もないにせよ、甘露のような味わいの、おいしい果実を得る。(89)〔戒は〕高原にもありはせず、低湿地にも生じはせず、他の

不防護、不器仗闘。(92)不与財物、不令怖畏、而得楽具。(93)常得富楽、離諍闘処。(94)如大宝山、価直無量、不出於海。(95)過大衆畏・命畏・罰畏・不活畏・悪道等畏。(96)如影随身、此世後世、常与身倶。

此如是等種種功徳戒相応故。

何故名聞、彼義今説。謂不善法寂
364b 静相応。若不能爾、則非義語。修多羅等十二部経言語説法。是故名聞。

聖無尽意説八十種。謂「欲修行、順心行」等。

人によって栽培されず、さらに、人によって採取されることもないが、常に新しい花飾りであり、干からびもせず乾きもしない。(90)〔戒は〕あたかも善く冷えた水のように、灌げば熱を冷ます。(91)〔戒は〕防護しないにせよ、武器によっては闘われない。(92)〔戒は〕財物を与えずとも、怖畏させずとも、愛楽されることの備わることを得る。(93)〔戒は〕常に富貴（*aiśvarya）を得、諍いを離れる場所である。(94)〔戒は〕あたかも大いなる宝石が、無量の価値を有し、山や海から産出されないようである。(95)〔戒は〕大衆威徳畏（*parṣac-chāradya-bhaya）と死畏（*maraṇa-bhaya）と不名聞畏（*aśloka-bhaya）と不活畏（*ājīvikā-bhaya）と悪趣畏（*durgati-bhaya）とを出過する。(96)〔戒は〕あたかも影が身に随うように、今世においても来世においても、常に身と倶にある。

このようなさまざまな功徳が戒と相応しているのである。

〔10〕〔10・1〕なにゆえに聞と呼ばれるのか。そのことについて、今、説くことにしたい。すなわち、不善法を寂静ならしめることと結びついているのである。もしそうできないならば、無意味な語である。経などの十二部経は言語による説法である。それゆえに聞と呼ばれる。

〔10・2〕〔何種類の聞があるのか。〕聖者アクシャヤマティ（*Āryākṣayamati）は八十種類を説いている。すなわち、「欲という行相（*chandākāra）、意楽という行相[25]（*āśayākāra）」などである。

以何義故、漏与不漏二種具足、得一切智不漏法者、彼義今説。智慧観察唯一味故。如蜜蜂王。譬如蜂王、種種異物、皆作一味、菩薩亦爾、漏与不漏二種具足、以智慧力、皆為一味。又願方便令漏不漏二種具足得一切智不漏之法。

如『宝積経』、仏言「迦葉、譬如諸方四維等処所有大河幷及眷属一切水聚、入大海已、彼一切水平等一味、所謂鹹味、如是迦葉菩薩如是以種種門、集諸善根願菩提故、一切一味、所謂皆是一切智味」。

施戒聞等幾因縁者、彼義今説。施具足者、二種因縁。一離貧窮、二得大富。戒具足者、二種因縁。一離悪道、二生善道。聞具足者、二種因縁。謂離愚痴、得大智慧。

〔11〕いかなる理由によって、有漏と無漏との二資糧によって、一切智者性という無漏法を得るのか。そのことについて、今、説くことにしたい。一つの味を智慧によって観察するからである。蜜蜂の王のごとし。あたかも蜜蜂の王がさまざまな異なる物をすべて一つの味にするように、そのように、菩薩は有漏と無漏との二資糧を、智慧の力によって、すべて一つの味にする。さらに、願という方便によって有漏と無漏との二資糧に一切智者性という無漏法を得させる。

『宝積経』において仏が「カーシャパよ、たとえばいろいろな方々における諸大河における水蘊が大海に入ったならばすべて一つの味すなわち塩味になるように、そのように、カーシャパよ、菩薩の、さまざまな方面から積集された善根はさとりのために迴向されたならばすべて一つの味すなわち一切智者の味となるのである」[26]とおっしゃったとおりである。

〔12〕施と戒と聞とは何種類のことにとって原因であるのか。そのことについて、今、説くことにしたい。施資糧は二種類のことにとって原因である。第一には貧窮を離れること、第二には富貴（*aiśvarya）を得ることである。戒資糧は二種類のことにとって原因である。第一には悪趣（*durgati）を離れること、第二には善趣（*sugati）に受生することである。[27]聞資糧は二種類のことにとって原因である。すなわち、愚痴を離れることと、大智慧を得るこ

又復菩薩三種具足自他利益。施摂衆生、摂衆生已、令住戒聞。如是具足他利益行。自利成就阿耨多羅三藐三菩提。如是具足自利益行。

説三具足、何故初施中戒後聞。彼義今説。依漸次義、示現仏法如彼大海。譬如大海次第漸深、仏法亦爾、初説布施、中戒、後聞。

又復有義、在家菩薩食等施已、彼後時聞出家功徳、聞已深信、捨家出家、既出家已、方得浄戒、以住戒故、離世間業、得無上聞。是故在後説聞具足。

又復有義、上生次第。菩薩最初自他饒益。是故行施。彼布施已、次行何者、如是思惟、世尊説戒。及持戒
364c 人、復有何者、次第相応。此則説聞。

ことである。

さらにまた、菩薩の三資糧は自利と利他とである。施によって有情を摂取し、有情を摂取しおわって、戒と聞とに安住させる。このような資糧は利他行である。自利として無上正等覚（*anuttarā samyak-saṃbodhiḥ）を現等覚する。このような資糧は自利行である。

〔13〕三資糧を説きたまうたのは、なにゆえ初めが施であり、中ごろが戒であり、後が聞であるのか。そのことについて、今、説くことにしたい。順序によって、仏法が大海のようであることを示すのである。あたかも大海が順次に深くなるように、そのように、仏法においては初めに施を、中ごろに戒を、後に聞を説きたまうたのである。

さらにまた、在家の菩薩は食べ物などを施しおわって、そののちに出家の功徳を聞き、聞きおわって深く信じ、家を捨てて出家し、出家しおわって、ようやく浄戒を得、戒のうちに住するゆえに、世間の業を離れ、無上の聞を得る。それゆえに、後に聞資糧を説きたまうたのである。

さらにまた、次々に生じていく順序によるのである。菩薩は最初に自他を利益するので、それゆえに施を行ずる。彼は施しおわって、〝次に何を行ずるのか〟とこのように思惟するので、世尊は戒を説きたまうた。持戒の人にさらにまた順次に結びつくべき何があるのか。そこで、聞を説きたまうたの

以要言之、施具足者世尊示現檀波羅蜜、戒具足者尸波羅蜜、聞具足者忍進禪慧波羅蜜示*9。

又復有義、施戒示現福徳具足、聞智具足。

又復有義、施戒具足示障礙道、聞具足者示無礙道。

三具足経論憂波提舎

である。

〔14〕まとめれば、世尊は、施資糧は布施波羅蜜であると示したまい、戒資糧は戒波羅蜜であり、聞資糧は忍辱波羅蜜と精進波羅蜜と禅波羅蜜と般若波羅蜜とであると示したまうた。

さらにまた、施〔資糧〕と戒〔資糧〕とによっては福資糧（*puṇya-saṃbhāra）を、聞〔資糧〕によっては智資糧（*jñāna-saṃbhāra）を示したまうた。

さらにまた、施資糧と戒資糧とによっては愛着を伴う道（*sasaṅgo mārgaḥ）を示したまい、聞資糧によっては愛着のない道（*asaṅgo mārgaḥ）を示したまうた(28)。

三具足経論憂波提舎

原文校訂

＊1・2　大正蔵底本は「負」に作る。金蔵広勝寺本（『中華大蔵経』巻二七、六一八番）によってこれを改める。
＊3　大正蔵底本は「慎」に作る。三本によってこれを改める。
＊4　大正蔵底本は「磬」に作る。金蔵広勝寺本（『中華大蔵経』巻二七、六一八番）によってこれを改める。
＊5　大正蔵底本は「大」に作る。三本によってこれを改める。
＊6　大正蔵底本は「得」に作る。三本によってこれを改める。
＊7　大正蔵底本は「可」に作る。金蔵広勝寺本（『中華大蔵経』巻二七、六一八番）によってこれを改める。
＊8　大正蔵底本は「穿」に作る。三本によってこれを改める。

＊9　大正蔵底本は「爾」に作る。三本によってこれを改める。

註

（1）〔別問1〕「世尊はなにゆえヴァイシャーリーの大林精舎にとどまっておられたのか」に対する答えがなければならないが、欠けている。

（2）現存しない。

（3）直前の註を見よ。

（4）施性・戒性・修性の三福業事を指すと思われる。以下の経文を見よ。

三福業事がある。施性と戒性と修性とである。

trīṇi puṇya-kriyā-vastūni. dāna-mayaṃ śīla-mayaṃ bhāvanā-mayam.（SS 81. [III.33]）

（5）出典不明。この『大海慧経』の文は現存の『海慧所問経』（*Sāgaramati-paripṛcchā*）のうちにない。『三具足経憂波提舎』においては先にも一回『大海慧経』が引用されていたが、その文も現存の『海慧所問経』のうちになかった。

（6）この箇所は『十住毘婆沙論』入初地品に並行する。

有人言。是四功徳処、所謂諦捨滅慧。諸如来従此中生故、名為如来家。（鳩摩羅什訳『十住毘婆沙論』巻一。T26, 25b）

なお、この説は以下の経文に拠る。

四居処がある。四とは何かというならば、慧居処と諦居処と捨居処と寂静居処とである。

(catvāry adhiṣṭhānāni. kata)māni catvāri. prajñādhiṣṭhānaṃ satyādhiṣṭhā(naṃ tyāgādhiṣṭhānaṃ upaśamādhi)(ṣ)ṭh(ā)n(a)m.（SS 101 [IV.16]）

以下、註（9）まで、華房光寿［1996］を見よ。

（7）この箇所は『十住毘婆沙論』入初地品に並行する。

有人言。般若波羅蜜及方便是如来家。如『助道経』中説。

智度無極母　善権方便父　生故名為父　養育故名母

一切世間以父母為家。是二似父母、故名之為家。（鳩摩羅什訳『十住毘婆沙論』巻一。T26, 25b）

なお、『助道経』とは『菩提資糧論』の次のような偈を指す。

智度以為母　方便為父者　以生及持故　説菩薩父母（達磨笈多訳『菩提資糧論』巻三。T32, 529a）

ただし、『三具足経憂波提舎』は『菩提資糧論』でなく『維摩詰所説経』（*Vimalakīrtinirdeśa*）の偈を引用している。

prajñāpāramitā mātā bodhisattvāna māriṣa |
pita copāyakauśalyaṃ yato jāyanti nāyakāḥ ||（VKN 79, 20–21）
智度菩薩母　方便以為父　一切衆導師　無不由是生（鳩摩羅什訳『維摩詰所説経』巻中。T14, 549c）
慧度菩薩母　善方便為父　世間真導師　無不由此生（玄奘訳『説無垢称経』巻四。T14, 576a）

（8）この箇所は『十住毘婆沙論』入初地品に並行する。
有人言。善慧名諸仏家。従是二法、出生諸仏。是二則是一切善法之根本。如『経』中説、「是二法倶行、能成正法。善是父、慧是母」。是二和合名為諸仏家。如説。
菩薩善法父　智慧以為母　一切諸如来　皆従是二生（鳩摩羅什訳『十住毘婆沙論』巻一。T26, 25bc）
なお、引用されている経文の出典は不明である。

（9）この箇所は『十住毘婆沙論』入初地品に並行する。
有人言。般舟三昧及大悲名諸仏家。従此二法生諸如来。此中般舟三昧為父、大悲為母。復次般舟三昧是父、無生法忍是母。如『助菩提』中説。
般舟三昧父　大悲無生母　一切諸如来　従是二法生（鳩摩羅什訳『十住毘婆沙論』巻一。T26, 25c）
なお、『助菩提』とは『菩提資糧論』の次のような偈を指す。
諸仏現前住　牢固三摩提　此為菩薩父　大悲忍為母（達磨笈多訳『菩提資糧論』巻三。T32, 529a）

（10）以下、原梵文においてはsaṃbhāraに対する語呂合わせ的な語義解釈が行なわれていたはずであるが、漢文からそれを復元することはできない。和訳に付した還元梵語はきわめて暫定的なものにすぎない。

（11）この箇所は『大乗荘厳経論』菩提分品と相似する。
常に修習に赴いてはますます善を将来することとなるもの、それがあらゆる利益を成就するものたる、勇者における資糧である。
これは資糧（saṃbhāra）の語義解釈と作用とである。samとは常に（saṃtatyā）である。bhāとは修習に赴いては（bhāvanām āgamya）である。raとはますます将来すること（bhūyo bhūya āhāraḥ）である。自利と利他とを成就するから、あらゆる利益を成就するものとは作用である。
saṃtatyā bhāvanām etya bhūyo bhūyaḥ śubhasya hi |
āhāro yaḥ sa saṃbhāro vīre sarvārthasādhakaḥ ||（XVIII.40）
etat saṃbhāra-nirvacanaṃ karma ca. sam iti saṃtatyā. bhā iti bhāvanām āgamya. ra iti bhūyo bhūya āhāraḥ. sarvārthasādhaka iti karma,

svaparārthayoḥ sādhanāt.（MSABh 140, 3–7）

（12）この箇所は『大方広仏華厳経』入法界品と相似する。
良家の息子よ、あたかも弓を学ぶ者にとっては、最初に、足どりの練習の繰り返しが弓の知識のすべてにおいて先行するように、まさにそのように、一切智者の地について学ぶ菩薩にとっては、最初に、一切智者への心意楽に安住することがあらゆる仏法を証得するために先行するのである。
tad yathā kula-putra iṣv-astraṃ śikṣamāṇasya prathamaḥ pada-bandha-yogyābhyāsaḥ pūrvaṃ-gamo bhavati sarveṣv astra-jñānasya, evam eva bodhisattvasya sarvajña-bhūmau śikṣamāṇasya prathamaṃ sarvajñatā-cittādhyāśaya-saṃprasthānaṃ pūrvaṃ-gamaṃ bhavati sarva-buddha-dharmādhigamāya.（GVS 403, 13–15）

（13）この施の定義は『摂大乗論』に並行する。
ser sna dang dbul ba ’jom pa dang longs spyod chen po dang bsod nams kyi tshogs thob par byed par sbyin pa’o ‖（MSg IV.7）
又能破裂慳吝貧窮、及能引得広大財位福徳資糧、故名為施。（玄奘訳『摂大乗論本』巻中。T31, 144b）

（14）以下、『瑜伽師地論』本地分中菩薩地施品からの転用。なお、和訳に際しては、菩薩地の梵文から直接に訳す。菩薩地の梵文によるかぎり、『三具足経憂波提舎』は多くの不適訳を含んでいる。
[1] tat punar āmiṣa-dānaṃ praṇītaṃ śuci-kalpikam. vinīya mātsarya-malaṃ sannidhi-malañ ca dadāti. tatra mātsarya-mala-vinayo ’rthāgrāha(corr. : cittāgraha)-parityāgāt sannidhi-mala-vinayo bhogāgraha-parityāgād veditavyaḥ. [2] abhaya-dānaṃ siṃha-vyāghra-grāha-rāja-caurodakādi-bhaya-paritrāṇatayā veditavyam. [3] dharma-dānam aviparīta-dharma-deśanā nyāyopadeśaḥ śikṣā-pada-samādāpanā ca.（BoBh 92, 22–93, 1）
①財施者、謂以上妙清浄如法財物、而行恵施。調伏慳吝垢、而行恵施、調伏積蔵垢、而行恵施。調伏慳吝垢者、謂捨財物執著。調伏積蔵垢者、謂捨受用執著。②無畏施者、謂済抜師子虎狼鬼魅等畏、抜済王賊等畏、抜済水火等畏。③法施者、謂無倒説法、称理説法、勧修学処。（玄奘訳『瑜伽師地論』巻三十九。T30, 510a）

（15）『無尽意所説経』（*Akṣayamati-nirdeśa*）。
blo gros mi zad pas smras pa | btsun pa śa ra dva ti’i bu yod do | byang chub sems dpa’ rnams kyi sbyin pa yang mi zad pa ste | de ci’i phyir zhe na | tshad med pa’i phyir ro ‖ btsun pa śa ra dva ti’i bu byang chub sems dpa’ rnams kyi sbyin pa yongs su spyad pa yang tshad med pa ste | tshe dang spobs pa dang bde ba dang stobs dang kha dog nye bar bstan pa’i phyir zas ’dod pa rnams la zas sbyin pa’o ‖（AMN 30, 5–11）
無尽意言。有。菩薩修行檀波羅蜜不可窮尽。何以故。菩薩摩訶薩行施無量。所謂、須食与食、具足命辯色力楽故。（智厳共宝雲訳『大方等大集経』巻二十七、無尽意菩薩品。T13, 189a）

(16) 原文「坐臥床敷」。般若流支訳『第一義法勝経』「床敷臥具」(T17, 883c) ＝蔵訳 gzims cha (P no. 912, Shu 45a3)

(17) 原文「堂舎」。

般若流支訳『正法念処経』巻三十七「勝妙堂舎戯楽之処」(T17, 220a) ＝蔵訳 gzhal yas khang mams (P no. 953, Ru 5a6)

般若流支訳『正法念処経』巻三十九「堂舎」(T17, 229a) ＝蔵訳 khang bu (P no. 953, Ru 27b2)

般若流支訳『正法念処経』巻三十九「堂舎」(T17, 232a) ＝蔵訳 khang bu (P no. 953, Ru 35a8)

般若流支訳『正法念処経』巻四十二「堂舎」(T17, 249a) ＝蔵訳 khang bu (P no. 953, Ru 73a1)

般若流支訳『正法念処経』巻四十二「堂舎」(T17, 252b) ＝蔵訳 khang pa (P no. 953, Ru 80b3)

般若流支訳『正法念処経』巻五十一「堂舎」(T17, 304b) ＝蔵訳 khang bu (P no. 953, Ru 214a7)

般若流支訳『正法念処経』巻五十二「堂舎」(T17, 304c) ＝蔵訳 khang bu (P no. 953, Ru 215a2)

(18) この戒の定義は『摂大乗論』に並行する。

'chal ba'i tshul khrims dang | ngan 'gro zhi bar byed pa dang | bde 'gro dang ting nge 'dzin thob par byed pas tshul khrims so || (MSg IV.7)

又能息滅悪戒悪趣、及能取得善趣等持、故名為戒。(玄奘訳『摂大乗論本』巻中。T31, 144b)

(19) 以下、『瑜伽師地論』本地分中菩薩地戒品からの転用。なお、和訳に際しては、菩薩地の梵文によるかぎり、『三具足経憂波提舎』は多くの不適訳を含んでいる。

tatra saṃvara-śīlaṃ bodhisattvasya katamat. yat sapta-nairṃāyikaṃ prātimokṣa-saṃvara-samādānam. bhikṣu-bhikṣuṇī-śikṣamāṇā-śrāmaṇera-śrāmaṇery-upāsakopāsikā-śīlam. tad etad gṛhi-pravrajita-pakṣe yathāyogam veditavyam. (BoBh 96, 10–12)

律儀戒者、謂諸菩薩所受七衆別解脱律儀。即是苾芻戒、苾芻尼戒、正学戒、勤策男戒、勤策女戒、近事男戒、近事女戒。如是七種依止在家出家二分、如応当知。(玄奘訳『瑜伽師地論』巻四十。T30, 511a)

(20) 以下、『瑜伽師地論』本地分中菩薩地戒品からの転用。なお、和訳に際しては、菩薩地の梵文によるかぎり、『三具足経憂波提舎』は多くの不適訳を含んでいる。

tatra kuśaladharmasaṃgrāhakaṃ śīlaṃ yat kiñcid bodhisattvaḥ śīla-saṃvara-samādānād ūrdhvaṃ mahā-bodhāya kuśalam ācinoti kāyena vācā manasā sarvam, tat samāsataḥ kuśala-dharma-saṃgrāhakaṃ śīlam ity ucyate. tat punaḥ katamat. iha bodhisattvaḥ śīlaṃ niśritya śīlaṃ pratiṣṭhāya śrute yogaṃ karoti cintāyāṃ śamatha-vipaśyanā-bhāvanāyām ekārāmatāyām. tathā gurūṇām abhivādana-vandana-pratyutthānāñjali-karmaṇaḥ kālena kālaṃ kartā bhavati. tathā kālena kālaṃ teṣām eva gurūṇāṃ gauraveṇopasthānasya kartā bhavati. glānānāṃ satkṛtya kāruṇyena glānopasthānasya kartā bhavati. tathā subhāṣite sādhu-kārasya dātā bhavati. guṇavatāṃ pudgalānāṃ bhūtasya varṇasyāhartā bhavati.

tathā sarva-sattvānāṃ daśasu dikṣu sarva-puṇyasyāśayena prasanna-cittam utpādya vācaṃ bhāṣāmāṇo 'numoditā bhavati. tathā sarvaṃ vyatikramaṃ pratisaṃkhyāya pareṣāṃ kṣamitā bhavati. tathā sarvaṃ kāyena vācā manasā kṛtaṃ kuśalam anuttarāyāṃ samyak-saṃbodhau pariṇāmayitā bhavati. kālena ca kālaṃ vicitrāṇāṃ samyak-praṇidhānānāṃ tri-ratna-pūjāyāś ca sarvākārāyā udārāyāḥ kartā bhavati. abhiyuktaś ca bhavaty ārabdha-vīryaḥ satata-samitaṃ kuśala-pakṣe. apramāda-vihārī kāyena vācā. śikṣā-padānāṃ smṛti-saṃprajanya-cārikayā cārakṣakaḥ. indriyaiś ca gupta-dvāro bhojane mātra-jñaḥ. pūrva-rātrāpara-rātraṃ jāgarikānuyuktaḥ. sat-puruṣa-sevī kalyāṇa-mitra-sanniśritaḥ. ātma-skhalitānāñ ca parijñātā bhavati doṣa-darśī. parijñāya ca doṣaṃ dṛṣṭvā pratisaṃhartā bhavati. skhalitaś ca buddha-bodhisattvānāṃ saha-dhārmikāṇāṃ cāntike 'tyaya-deśako bhavati. evaṃ-bhāgīyānāṃ kuśalānāṃ dharmāṇām arjana-rakṣaṇa-vivardhanāya yac chīlaṃ [tad] bodhisattvasya kuśala-dharma-saṃgrāhakaṃ śīlam ity ucyate.（BoBh 96, 13–97, 8）

摂善法戒者、謂諸菩薩受律儀戒後、所有一切為大菩提。由身語意、積集諸善、総説名為摂善法戒。此復云何。謂諸菩薩依戒住戒、於聞、於思、於修止観、於楽独処、精勤修学。如是時時、於諸尊長、精勤修習、合掌起迎、問訊礼拝、恭敬之業、即於尊長、勤修敬事。於疾病者、悲愍殷重、瞻侍供給。於諸妙説、施以善哉。於有功徳補特伽羅、真誠讃美。於十方界一切有情一切福業、以勝意楽、起浄信心、発言随喜。於他所作一切違犯、思択安忍。以身語意已作未作一切善根、迴向無上正等菩提。時時発起種種正願、以一切種上妙供具、供仏法僧。於諸善品、恒常勇猛、精進修習。於身語意、住不放逸。於諸学処、正念正知正行。防守密護根門、於食知量。初夜後夜、常修覚悟。親近善士、依止善友。於自愆犯、審諦了知、深見過失。既審了知、深見過已、其未犯者、専意護持。其已犯者、於仏菩薩同法者所、至心発露、如法悔除。如是等類所有引摂、護持、増長、諸善法戒、是名菩薩摂善法戒。（玄奘訳『瑜伽師地論』巻四十。T30, 511ab）

（21）以下、『瑜伽師地論』本地分中菩薩地戒品からの転用。なお、和訳に際しては、菩薩地の梵文から直接に訳す。菩薩地の梵文によるかぎり、『三具足経憂波提舎』は多くの不適訳を含んでいる。

tatra katamad bodhisattvasya sattvānugrāhakaṃ śīlam. tat samāsata ekādaśākāraṃ veditavyam. ekādaśākārāḥ katame. [1] sattva-kṛtyeṣv arthopasaṃhiteṣu [vicitreṣu] sahāyī-bhāvaḥ. sattvānām utpannotpanneṣu vyādhy-ādi-duḥkheṣu glānopasthānādikaḥ sahāyī-bhāvaḥ. [2] tathā laukikalokottareṣv artheṣu dharma-deśanā-pūrvaka upāyopadeśa-pūrvakaś ca nyāyopadeśaḥ. [3] upakāriṣu ca sattveṣu kṛta-jñatām anurakṣato 'nurūpa[-pratyupakāra-]pratyupasthānam. [4] vividhebhyaś ca siṃha-vyāghra-rāja-caurodakāgny-ādikebhyo vicitrebhyo bhaya-sthānebhyaḥ sattvānām ārakṣā. [5] bhoga-jñāti-vyasaneṣu śoka-vinodanā. [6] upakaraṇa-vighātiṣu sattveṣu sarvopakaraṇopasaṃhāraḥ, nyāya-patitaḥ. [7] samyaṅ-niśraya-dānato dharmeṇa gaṇa-parikarṣaṇā. [8] ālapana-saṃlapana-pratisammodanaiḥ kālenopasaṃkramaṇatayā parato bhojanapānādi-[prati]grahato laukikārthānuvyavahārataḥ āhūtasyāgamana-gamanataḥ samāsataḥ sarvānarthopasaṃhitāmanāpasamudācāra-parivarjanaiś

cittānuvartanatā. [9] bhūtaiś ca guṇaiḥ saṃpraharṣaṇatā rahaḥ prakāśaṃ vodbhāvanatām upādāya. [10] snigdhena hitādhyāśayānugatenāntargata-mānasena nigraha-kriyā avasādanā vā daṇḍa-karmānupradānaṃ va pravāsanā vā yāvad evākuśalāsthānāt vyutthāpya kuśale sthāne sanniyojanārtham. [11] ṛddhi-balena ca narakādi-gati-pratyakṣaṃ sandarśanatayā 'kuśalād udvejanā buddha-śāsanāvatārāya cāvarjanā toṣaṇā vismāpanā.（BoBh 97, 9–25）
云何菩薩饒益有情戒。当知此戒略有十一相。何等十一。①謂諸菩薩、於諸有情、能引義利、彼彼事業、与作助伴。於諸有情、随所生起疾病等苦、瞻侍病等、亦作助伴。②又諸菩薩依世出世種種義利、能為有情説諸法要、先方便説、先如理説、後令獲得彼彼義利。③又諸菩薩、於先有恩諸有情所、善守知恩、随其所応、現前酬報。④又諸菩薩、於堕種種師子虎狼鬼魅王賊水火等畏諸有情類、皆能救護、令離如是諸怖畏処。⑤又諸菩薩、於諸喪失財宝親属諸有情類、善為開解、令離愁憂。⑥又諸菩薩、於有匱乏資生衆具諸有情類、施与一切資生衆具。⑦又諸菩薩、随順道理、正与依止、如法御衆。⑧又諸菩薩、随順世間、事務言説、呼召去来、談論慶慰、随時往赴、従他受取飲食等事。以要言之、遠離一切能引無義違意現行、於所餘事、心皆随転。⑨又諸菩薩、若隠若露、顕示所有真実功徳、令諸有情歓言進学。⑩又諸菩薩、於有過者、内懐親昵利益安楽増上意楽調伏訶責治罰驅擯、為欲令其出不善処安置善処。⑪又諸菩薩、以神通力、方便示現那落迦等諸趣等相、令諸有情厭離不善、方便引令入仏聖教歓喜信楽生希有心勤修正行。（玄奘訳『瑜伽師地論』巻四十。T30, 511bc）

（22）『無尽意所説経』（*Akṣayamati-nirdeśa*）。
blo gros mi zad pas smras pa | btsun pa śa ra dva ti'i bu rnam pa drug cu rtsa lngas (65!) byang chub sems dpa' rnams kyi tshul khrims kyi phung po yongs su dag pa mi zad pa yin no || drug cu rtsa lnga po gang zhe na | 'di lta ste | [1] sems can thams cad la mi gnod pa dang [...]（AMN 34, 7–11）
無尽意言。唯舎利弗、菩薩戒衆六十七事清浄修治亦不可尽。何等六十七。於諸衆生、不起悩害。……（智厳共宝雲訳『大方等大集経』巻二十七、無尽意菩薩品。T13, 189c）

（23）『菩薩蔵経』（*Bodhisattvapiṭaka*）。
'di lta ste de bzhin gshegs pa'i tshul khrims kyi phung po dang | de bzhin gshegs pa de dag gi shes rab dang | spobs pa bla na med pa dang | de gnyis ni tshad med grangs med bsam gyis mi khyab nas nam mkha' dang mnyam mo || [...]（P no. 760［12］, Wi 5b7–8）
如来戒衆、及諸世尊無上智慧無礙辯才、此二倶是不可思議、故無量無数、与虚空界平等平等。……（菩提流志訳『大宝積経』巻三十七、玄奘訳菩薩蔵会、如来不思議性品。T11, 213a）

（24）以下は『十住毘婆沙論』讃戒品第七の全体に並行する。華房光寿［1996］を見よ。なお、和訳に際しては、『十住毘婆沙論』との比較に基づいて、『三具足経憂波提舎』の誤訳と思われるものを訂正したが、訂正箇所についてはいちいち明記していない。両者があまりに異なる箇所については『三具足経憂波提舎』に準じて訳出した。詳しくは、読み較べられたい。

復次略讃尸羅少分。(1)尸羅者是出家人第一所喜楽処、如年少富貴、最可喜楽。(2)能増長善法、如慈母養子。(3)能防護衰患、如父護子。(4)尸羅能成就諸出家者一切大利、如白衣多財。(5)尸羅能救一切苦悩、如正行順理。(6)尸羅善人所敬、如報恩法。(7)尸羅人所愛重、猶如寿命。(8)尸羅智者所貴、如智慧。(9)求解脱者善護尸羅、如王密事大臣守護。(10)楽道利者愛重尸羅、如楽涅槃愛重仏法。(11)智慧之人善守尸羅、如惜寿者護安身法。(12)救死時急、尸羅為最、如遇急難得善知識。(13)尸羅清浄荘厳賢人、如貴家女慚愧無穢。(14)尸羅即是功徳之初門、如不諂曲開諸善利。(15)尸羅最是梵行之本、如直心則是正見之本。(16)諸大人法以尸羅為本、如求重位以直心為本。(17)尸羅即是功徳宝積、如不放逸、亦如正念能生諸利、亦如賢友初中後善。学正法者不得過越、如海常限。(18)尸羅即是功徳住処、亦如大地万物依止。(19)尸羅潤益諸善功徳、亦如天雨潤益種子能成五根、如火熟物能生諸利、如風成身。(20)尸羅能受一切道果、亦如虚空含受万物、亦如吉瓶随願皆得、亦如美膳利益諸根。(21)尸羅善能通利諸道、能令諸根清浄無礙。(22)智慧寿命以尸羅為本、猶如身命以気息為本。(23)尸羅即是最上依処、如民依王。(24)尸羅即是諸功徳主、如軍大将。(25)尸羅得衆快楽、如随意婦能称夫心。(26)若求涅槃及生天上、尸羅即是学道資用、如彼遠行必持衣糧。(27)尸羅将人令至善処、如経険路得善導師。(28)尸羅度人従生死過、猶如牢船得渡大海。(29)尸羅能滅諸煩悩患、猶如良薬能消衆病。(30)尸羅器仗能御魔賊、如善兵器能対敵陣。(31)如所愛親経難不捨、尸羅将人諸衰悩中随護不捨。(32)尸羅能照後世痴冥。如大燈明能除黒闇。(33)尸羅度人出諸悪道、如度深水得好橋梁。(34)尸羅能除煩悩熱急、如清涼室能除毒熱。(35)欲堕悪趣尸羅能救、如勇士持刃救人怖畏。(36)諸凡夫人応深愛尸羅、如諸菩薩学諦勝処。(37)行者善行尸羅、如諸菩薩行捨勝処。(38)得果之人善修尸羅、亦如菩薩修滅勝処。(39)護持尸羅令人得果、亦如菩薩修慧勝処。(40)不壊法者能浄尸羅、如諸菩薩清浄無垢。(41)諸悪人等捨離尸羅、如彼諂曲捨離直心。(42)放逸之人不行尸羅、如慳貪者不行恵施。(43)放逸之人捨離尸羅、如戯論者離寂滅法。(44)愚痴之人無有尸羅、猶如盲者不見五色。(45)無思惟者去尸羅遠、如離八道去涅槃遠。(46)善愛身者深楽尸羅、如阿羅漢深愛楽法。(47)尸羅能使無悩善法相続不断、如仏出世善事不絶。(48)尸羅能令諸道果住、如仏神力令法久住。(49)尸羅如仏、自利利人。(50)尸羅善護諸善功徳、如王知時能護国界。(51)尸羅安行者心、如須陀洹果、如時発事後則無悔。(52)尸羅究竟必得涅槃、如菩薩願究竟得仏。(53)尸羅亦如良田好沢、投之以種、疾得増長。(54)尸羅是正行之因、如知時方等是成諸事因。(55)如人端厳福徳智慧人所尊貴、尸羅如是自他所敬。(56)如福徳熟時心則安隠、尸羅能使心得安隠、受諸利報。(57)尸羅能令行者歓喜、猶如好児令父心悦。(58)尸羅則是無有過失無畏之法、如人無過心則無畏。(59)尸羅令人今世後世無有怖畏無諸罪悪。(60)供養称讃持尸羅者、餘者亦喜自知有分。(61)尸羅親愛衆生、如修慈定。(62)尸羅滅苦、如修悲定。(63)尸羅与喜、如修喜定。(64)尸羅無憎無愛、如修捨定。(65)尸羅為人所信、如四種善語能令人信。(66)尸羅楽行、如世法中常歓喜心。(67)如多聞是楽説因、尸羅則是言行相応因。(68)尸羅是無畏因、如辯才無畏。(69)尸羅是名聞因、如通諸経有好名称。(70)尸羅是能救法、如易与語者為人所救。(71)尸羅能成明解脱法、如随所説行。(72)尸羅是諸仏相、如阿耨多羅三藐三菩提。(73)尸羅助修道法、如定助慧。(74)尸羅令人無所畏難、如大心胆無所畏懼。(75)尸羅是諸功徳聚処、猶如雪山宝物積聚、信等功徳諸希有事所可依止。(76)尸羅猶如大海有諸奇異、亦如美果依止於樹。(77)尸羅与人随所楽果、如随正智慧者如行即得。(78)尸羅名為無水、而浄。(79)尸羅則是最上妙香、不従根茎枝葉華果中出。(80)尸羅荘厳、過諸宝飾、常住其身、無能却者。(81)尸羅大楽不従五欲生、後世亦有諸妙楽報。(82)尸羅是一切世間天人魔梵沙門婆羅門所讃歎者。(83)尸羅快楽自在身中、不従他得、生天涅槃之善方便。(84)尸羅即是信河正済、無有泥陥瓦石刺棘、随意可入、善渡無礙。(85)尸羅是宝財、無諸衰悩。(86)尸羅是浄道、無能壊者、猶如平路、行旅無難。(87)尸羅是好田、不種不穫、自然獲実。(88)尸羅是甘露果、不従樹草生、香美無比。(89)尸羅是*好華、不従水陸生、常不萎壊。(90)尸羅除煩悩熱、如冷水洗浴。(91)尸羅善守護、勝諸刀杖行。(92)尸羅者不以人畏故而得恭敬。(93)尸羅是自在処無有諍競。(94)尸羅是好宝、不従山生、不従大海出、而宝価無量。(95)尸羅能過不活畏・入衆畏・考掠畏・堕悪道畏。(96)尸羅常随逐人、今世後世、如影随形。（鳩摩羅什訳『十住毘婆沙論』巻十七。T26, 120a–121a. ＊大正蔵底本は「好」を「沙」に作る。三本・宮本によってこれを改める）

（25）『無尽意所説経』（*Akṣayamati-nirdeśa*）。

byang chub sems dpa’ rnams kyi thos pa’i rnam pa ni ci zhe na | brgyad cu rtsa bzhi (84!) ste | ’di lta ste [1] ’dun pa’i rnam pa dang [2] bsam pa’i rnam pa dang [...]（AMN 62, 3–5）

舎利弗言。唯善男子、云何如聞修行。無尽意言。聞者具八十行。何等八十。欲修行、順心行、……（智厳共宝雲訳『大方等大集経』巻二十八、無尽意菩薩品第十二。T13, 195c）

（26）『大宝積経』迦葉品。

tad yathāpi nāma Kāśyapa nānā-dig-vidikṣu mahā-nadīṣv āp-skandho mahā-samudre praviṣṭaḥ sarvam eka-raso bhavati yad uta lavaṇa-rasaḥ, evam eva Kāśyapa nānā-mukhopacitaṃ kuśala-mūlaṃ bodhisattvasya bodhāya pariṇāmitaṃ sarvam eka-rasaṃ bhavati yad idaṃ vimukti-rasam (corr. : °-rasa).（KP §40）

なお、梵文「解脱の味」(vimukti-rasa) は支婁迦讖訳「一味入薩芸若中」、蔵訳「一切智者の味」(thams cad mkhyen pa’i ro) であり（KP［Staël-Holstein］69–70）、『三具足経憂波提舎』は支婁迦讖訳や蔵訳と一致する。

（27）施と戒とに対する障として『辯中辺論頌』II.12 が順次に「富貴に対する〔障〕、さらに、善趣に対する〔障〕」(aiśvaryasyātha sugateḥ) を挙げるのに合致する。

（28）『伽耶山頂経』（*Gayāśīrṣa-sūtra*）。

gzhan yang mdor bsdus pa’i lam gnyis te | gnyis gang zhe na | chags pa dang bcas pa’i lam dang | chags pa med pa’i lam mo || de la chags pa dang bcas pa'i lam ni pha rol tu phyin pa lnga po dag go || chags pa med pa'i lam ni shes rab kyi pha rol tu phyin pa'o ||（P no. 777, Ngu 317b4–5）

有二種略道。何等為二。一者有礙道、二者無礙道。有礙道者、五波羅蜜。無礙道者、般若波羅蜜。（菩提流支訳『文殊師利菩薩問菩提経』。T14, 485bc）

第三章 『転法輪経憂波提舍』訳註

T26・355c

『転法輪経憂波提舍』翻訳之記

「転法輪経」、如来初説。「憂波提舍」、義門之名、天親菩薩之所開示。仏説為誰。憍陳如等。義行此方、必主其人。魏驃騎大将軍開府儀同三司御史中尉勃海高仲密、善求義方、選真簡偽、故請法師毘目智仙幷其弟子瞿曇流支、於鄴城内、在金華寺、出此義門憂波提舍。興和三年、歳次大梁、建酉之月、朔次庚子、十一日訳。三千九百四十二言。沙門曇林対訳録記。

『転法輪経憂波提舍』翻訳の記

「転法輪経」とは如来の初めての説である。「憂波提舍」とは〔経の〕正しい意味に到る門の名であり、ヴァスバンドゥ菩薩によって開示された。仏は誰のために説きたまうたのか。カウンディニヤ（Kauṇḍinya）などのために、である。〔経の〕正しい意味がこちら（＝魏）に来たるには、必ず人をたよりとする。魏の驃騎大将軍・開府儀同三司・御史中尉である勃海（現在の河北省安定県）の高仲密（高慎）は、正しい意味の所在をよく求め、真を選んで偽を排しており、ゆえに法師である毘目智仙とその弟子である瞿曇般若流支とに要請して、鄴城のうち、金華寺において、この、〔経の〕正しい意味に到る門である憂波提舍を訳出させた。興和三年（五四一）、干支は辛酉の、八月のうち、一日の干支が庚子である十一日に訳した。三千九百四十二字である。沙門曇林が訳に差し向かいで記録した。

転法輪経憂波提舎【有釈論無経本】

天親菩薩造

元魏天竺三蔵毘目智仙訳

如是我聞一時、婆伽婆住王舎城耆闍崛山中、与大比丘僧大菩薩衆倶。爾時世尊告智員大海楽説辯才菩薩言、「智員大海楽説辯才、有二種住持、如来転法輪。何等為二。一者衆生住持、二者法住持。智員大海楽説辯才、此二種住持、如来転法輪」。乃至尽此修多羅説。

此正法輪、勝修多羅、以何義故、彼牟尼王、不可思議、不可称、不可説、不可量、不可喩、如虚空不断不

転法輪経憂波提舎【〔『転法輪経憂波提舎』という〕註釈があるだけで、〔『転法輪経』という〕経は〔訳されてい〕ない】

ヴァスバンドゥ菩薩の作

元魏の天竺三蔵毘目智仙の訳

次のようにわたしが聞いたある時、世尊（*Bhagavat）は王舎城の耆闍崛山にとどまっておられ、甚大なる比丘僧伽（*bhikṣu-saṃgha）および甚大なる菩薩衆（*bodhisattva-gaṇa）と一緒であった。その時、世尊はジュニャーナマンダラサーガラプラティバーナ（*Jñānamaṇḍalasāgarapratibhāna）菩薩におっしゃった。「ジュニャーナマンダラサーガラプラティバーナよ、二つの加持（*adhiṣṭhāna）によって如来は法輪を転ずるのだ。何が二つかというならば、一つめは有情加持（*sattvādhiṣṭhāna）であり、二つめは法加持（*dharmādhiṣṭhāna）である。ジュニャーナマンダラサーガラプラティバーナよ、この二つの加持によって如来は法輪を転ずるのだ」(1)。以下この経を終えるまで説かれる。

何のために、かの牟尼王は、この、正法輪である経(2)、〔すなわち、〕不可思議であり、不可称であり、不可説であり、不可量であり、不可喩であり、虚空のように不断不常であり、縁起に随入しており、寂静であり、勝れて寂静

常、順入因縁、寂静、勝寂静、最勝
356a 寂静、第一寂静、如実諦、不虚妄、
如来転無上法輪、説此修多羅、如来
弟子声聞之人声聞弟子諸仙人等之所
讃歎。此因縁故、我今解釈。

であり、最も勝れて寂静であり、最高に寂静であり、真実（*satya）のまま、虚妄（*moṣa）でない、無上法輪を転じたまい、如来は如来の弟子である声聞と、声聞の弟子と、諸仙人となどによって讃歎されるこの経を説きたまうたのか。この理由によって、わたしは今、解説することにしたい。

云何解釈。

どのように解説するのか。

註

（1）『力荘厳三昧経』。
智輪童子、諸仏如来転於法輪、為二大事因縁故転。何者是二大事因縁。如来世尊、転法輪時、一衆生加、二者法加。（那連提耶舎訳『力荘厳三昧経』巻下。T15, 722b. 梵文・異訳なし）

（2）原文「勝修多羅」。般若流支訳『正法念処経』巻四十七「勝修多羅」（T17, 280b）＝蔵訳 mdo rmams（P no. 953, Ru 149a1）

〔総問〕

無量功徳大牟尼王何故転此不可思議、不可称量、第一寂静、善無垢輪。

無量の功徳ある大牟尼王は、何のために、この、不可思議であり、不可称であり、最高に寂静である、善く無垢なる輪を転じたまうたのか。

一以何義故名「勝修多羅」。

二以何義故名為「世尊」。

【本元少第三法】

四如来何故在王舎城耆闍崛山、二種住持、転此法輪、不在餘処。

五以何義故名為「如来」。

六以何義故名為「法輪」。

七又復世尊幾転幾行而転法輪。

八又復世尊此中説転。何故如来不生法門説「一切法不転不迴、応如是知。畢竟不起」。若此転者、云何得避彼修多羅。彼修多羅則不須避。

九又若此説衆生住持法住持者、云何『般若波羅蜜』中、如来告彼須菩

〔別問〕

〔1〕第一には、いかなるわけで「経」[1]と呼ばれるのか。
〔2〕第二には、いかなるわけで「世尊」と呼ばれるのか。
〔3〕【梵本にはもとから第三のものが欠けている】
〔4〕第四には、如来はなにゆえ王舎城耆闍崛山において、二種類の加持によって、この法輪を転じたまい、餘処においてでないのか。
〔5〕第五には、いかなるわけで「如来」と呼ばれるのか。
〔6〕第六には、いかなるわけで「法輪」と呼ばれるのか。
〔7〕第七には、さらにまた、世尊は何転何行相によって法輪を転じたまうたのか。
〔8〕第八には、さらにまた、世尊はここにおいては〔法輪を〕転ずることを説きたまうた。なにゆえ如来は不生法門においては「あらゆる法は転じもせず、還滅しもしない、と知られるべきである。〔というのも、〕絶対に不生なのである」[2]と説きたまうたのか。もしここにおいて〔法輪を〕転ずるならば、いかにしてかの経（＝不生法門）を回避するのか。かの経は回避されるべきでない。
〔9〕第九には、さらにもしここにおいて有情加持（*sattvādhiṣṭhāna）と法加持（*dharmādhiṣṭhāna）とを説くならば、どうして『般若波羅蜜』において

提言、「如来設復経劫説言衆生衆生、頗有衆生生滅不耶」、須菩提言、「不也、世尊、一切衆生無始来浄」。

如来復於『無垢名称修多羅』説、「若住法想、此則大病」。

若衆生法皆不可得、然則世尊何所住持而転法輪。此須解釈。

十又復世尊以何義故捨彼寛博種種勝妙華樹荘厳無量勝人多衆集処、於波羅奈少人衆処、在波吒離樹影蔭下鹿苑之中、而転法輪。此之因縁亦須解釈。

十一又復世尊何処初坐而転法輪。

十二又復世尊転法輪時、幾許衆生捨悪、行善。

十三以要言之、示現云何、衆生住持、及法住持。

如来はかのスブーティに「如来がもし劫の間すら『有情、有情』と言うならば、もしや有情は生じたり滅したりするであろうか」とおっしゃり、スブーティは「いいえ、世尊よ、あらゆる有情は無始よりこのかた清浄〔だから〕です」と申し上げたのか[3]。

如来はさらに『無垢名称修多羅』において「法想に住すること、それは大病である[4]」と説きたまうた。

もし有情と法とがすべて不可得ならば、世尊は何の加持によって法輪を転じたまうたのか。そのことが解説されるべきである。

〔10〕第十には、さらにまた、世尊は何のためにかの、広大で、さまざまなすぐれた花樹によって荘厳され、無量のすぐれた人が多く集まっている場所を捨て去って、人の少ない（*parītta-jana-kāyā）ヴァーラーナシー（*Vārāṇasī）、木陰の少ない（*parītta-druma-cchāya）鹿苑（*mṛga-dāva）において、法輪を転じたまうたのか[5]。その理由も解説されるべきである。

〔11〕第十一には、さらにまた、世尊はどこに初めて坐りたまいて法輪を転じたまうたのか。

〔12〕第十二には、さらにまた、世尊が法輪を転じたまうた時、どれだけの有情が悪を捨て、善を行じたのか。

〔13〕第十三に、まとめれば、有情加持（*sattvādhiṣṭhāna）と法加持（*dharmādhiṣṭhāna）とによって何を示すのか。

註

（1）原文「勝修多羅」。般若流支訳『正法念処経』巻四十七「勝修多羅」（T17, 280b）＝蔵訳 mdo rnams（P no. 953, Ru 149a1）

（2）『二万五千頌般若波羅蜜多』（*Pañcaviṃśatisāhasrikā Prajñāpāramitā*）。

sarvadharmā nopalabhyante ye dharmāḥ pravartante vā nivartante vā. tat kasya hetoḥ. tathā hy atyantānabhiniviṣṭāḥ sarvadharmāḥ.（PVSPP II–III, 185, 17–19）

是法不可得、若転、若還。一切法畢竟不生故。（鳩摩羅什訳『摩訶般若波羅蜜経』巻十二、無作品第四十三。T8, 311c）

以一切法永不生故、能転所転不可得故。（玄奘訳『大般若波羅蜜多経』巻四百三十七、第二分、無標幟品。T7, 201c–202a）

（3）『八千頌般若波羅蜜多』（*Aṣṭasāhasrikā Prajñāpāramitā*）。

sa cet Kauśika tathāgato ’rhan samyaksaṃbuddho ’nantavijñaptighoṣeṇa gambhīranirghoṣeṇa svareṇa gaṅgānadīvālikopamān kalpān api vitiṣṭhamānaḥ sattvaḥ sattva iti vācaṃ bhāṣeta, api nu tatra kaścit sattva utpanno vā utpatsyate vā utpadyate vā niruddho vā nirotsyate vā nirudhyate vā. śakra āha: no hīdam ārya subhūte. tat kasya hetoḥ. ādiśuddhatvād ādipariśuddhatvāt sattvasya.（ASP 24, 7–11）

「憍尸迦、若如来住寿如恒河沙劫説言衆生衆生、実有衆生生滅不」。釈提桓因言、「不也。何以故。衆生従本已来常清浄故」。（鳩摩羅什訳『小品般若波羅蜜経』巻一、釈提桓因品。T8, 541b）

「憍尸迦、於意云何。若諸如来応正等覚経如殑伽沙数大劫、以無辺音、説有情類無量名字、此中頗有真実有情有生滅不」。天帝釈言、「不也、大徳。何以故。以諸有情本性浄故」。（玄奘訳『大般若波羅蜜多経』巻五百三十九、第四分、帝釈品。T7, 772b）

（4）『維摩詰所説経』（*Vimalakīrti-nirdeśa*）。

yāpy eṣā dharma-saṃjñā so ’pi viparyāsaḥ. viparyāsaś ca mahāvyādhiḥ.（VKN 49, 21–22）

此法想者、亦是顚倒。顚倒者、是即大患。（鳩摩羅什訳『維摩詰所説経』巻上。T14, 545a）

夫法想者、即是大患。（玄奘訳『説無垢称経』巻三。T14, 568c）

梵文は鳩摩羅什訳と一致するが、玄奘訳と一致しない。『転法輪経憂波提舎』における引用文は玄奘訳と一致する。

（5）この箇所は『ラリタヴィスタラ』（*Lalitavistara*）第二十五章に基づく。『ラリタヴィスタラ』との比較によって、原漢文「波吒離」が parītta の誤りであることがわかる。

parītta-janakāyā Bhagavan vārāṇasī mahā-nagarī, parītta-druma-cchāyaś ca mṛga-dāvaḥ. santy anyāni Bhagavan mahā-nagarāni ṛddhāni sphītāni kṣemāni subhikṣāni ramaṇīyāni ākīrṇa-bahujana-manuṣyāni udyāna-vana-parvata-pratimaṇḍitāni.（LV 402, 3–6）

十四此皆是難。自下解釈。彼法今説。

以何義故、彼最第一、無垢広博、不可称量、不可思議、不可破壊、甚深不動、正覚世尊、已説此経。又復
356b 今説。勝無垢広博、不可称誉、三界衆生所讃世尊、何故説此不可称量離一切過勝修多羅。此義今釈。

世尊恐彼会中有天阿修羅人龍及夜叉鳩槃荼*1等、聞転法輪、心生疑惑、〝不知世尊幾種住持、而転法輪〟。世尊観察衆生疑心、為断彼疑、是故為説、〝二種住持、而転法輪〟。此義云何。偈言。

世間人及天　疑心観法主
為断疑義故　説此修多羅

又復世尊有大悲力、饒益衆生、故

〔総答〕

第十四に、これらはすべて質問である。ここから下は解説である。そのこと（＝質問）について、今、説くことにしたい。

何のために、かの、最高であり、無垢であり、広大であり、不可称であり、不可思議であり、不可壊であり、甚深であり、不動である正覚者、世尊はこの経を説きたまうたのか。さらにまた、今、問うことにしたい。殊勝であり、無垢であり、広大であり、不可称であり、三界の有情によって礼讃される世尊はなにゆえにこの不可称なる、あらゆる過失を離れた経(1)を説きたまうたのか。そのことについて、今、説くことにしたい。

〔1〕世尊はかの集会において天や阿修羅や人や龍や夜叉や鳩槃荼などが〔世尊が〕法輪を転ずることを聞いて、心のうちに〝世尊がどれだけの加持によって法輪を転じたまうかわからない〟という疑惑を生ずることを恐れたまうた。世尊は有情の疑いを観察し、彼らの疑いを断じてやるために、それゆえに〝二つの加持によって法輪を転ずるのだ〟と説きたまうた。そのことはいかなることか。偈が説かれる。

世間の人と天とは疑いをもって法主を見た。疑いを断じてやるために、
この経を説きたまうた。

〔2〕さらにまた、大悲力を有したまう世尊は、有情のために（*sattvānām

説此経。云何世尊大悲力説。此義今説。世尊如是、於諸衆生、知無衆生諸法皆如乾闥婆城、如是知已、衆生住持及法住持、已転法輪。此義云何。偈言。

知世間無我　如幻乾闥婆
衆生法住持　如来大悲説

示現〝自力故能説義。世間更無能住持者、唯仏能作二種住持。更無有人能転法輪、如我転者〟、又復有義。偈言。

非是天宮殿　非阿修羅舎
非人処龍宮　有如是衆生
第一不可称　離過滅三苦
天人恭敬礼　善転第一輪

又無量苦無量具足、然後乃得阿耨多羅三藐三菩提故、始行菩薩若聞是已、心生怯弱。如来為欲除彼怯弱、

arthe)、この経を説きたまうた。いかにして大悲力を有したまう世尊は〔この経を〕説きたまうたのか。そのことについて、今、説くことにしたい。世尊は次のように諸有情について〝有情はなく、諸法はすべて蜃気楼(*gandharva-nagara)のようである〟と知りたまい、そのように知りたまうて、有情加持(*sattvādhiṣṭhāna)と法加持(*dharmādhiṣṭhāna)とによって、法輪を転じたまうた。そのことはいかなることか。偈が説かれる。

世間を無我であり、幻や蜃気楼のようであると知りたまうて、有情加持と法加持とによって、大悲を有したまう如来は説きたまうた。

〔3〕さらに、〝わが力によるからこそ、説くことができる。世間においては他に加持できる者はなく、ただ仏のみが二つの加持を行なうことができる。わたしが転ずるようには、法輪を転ずることができる者は他にいない〟ということを示したまうた。偈が説かれる。

最高であり、不可称であり、過失を離れたまい、〔苦苦と壊苦と行苦との〕三苦を滅したまい、天と人とによって敬礼され、最高の輪を善く転じたまう、このような有情(=仏)がいらっしゃるのは、天の宮殿でもなく、阿修羅の家でもなく、人処でも龍宮でもない。

〔4〕さらに、無量の苦と無量の資糧とによって、しかるのちにようやく無上正等覚(*anuttarā samyak-saṃbodhiḥ)を得るゆえに、初心者(*ādikarmika)の菩薩は、もしそれを聞きおわったならば、心のうちに怯弱を生ずる。如来

示現此義、〃無垢浄覚、若無量苦無
量具足得阿耨多羅三藐三菩提、無量
356c
功徳、示此法輪〃。偈言。

金珠真珠等　妻子国城施
頭分眼骨髄　手足等施勝
種種苦持戒　希有得仏身
功徳不可称　為疑怯者示

仏増上意、観衆生心、無量功徳、
而転法輪。
又復未発菩提心人声聞縁覚乗、欲
入涅槃舍、大乗住持、此義示現、
〃又復勝意。若有声聞縁覚等乗、入
涅槃舍、則不復転無上法輪〃。偈言。

小心離悲等　欲入二涅槃
牟尼説此経　令住第一乗

又此福人歓喜饒益、此義示現、
〃一切世間最勝無比転法輪師、無如

は彼の怯弱を除去したいと望みたまうために、〃無垢清浄な覚者は、もし無量の苦と無量の資糧とによって無上正等覚を得たならば、無量の功徳を有し、この法輪を示すのである〃という、そのことを示しまたうた。偈が説かれる。

〃金や珠や真珠などや妻や子や国や城の喜捨（*parityāga）、頭分（*uttamāṅga）や眼や骨や髄や手や足などの殊勝な喜捨の、さまざまな苦と、持戒とによって、希有なる、不可称なる功徳を有する仏身を得る〃ということを、疑いある怯弱なる者のために示したまうた。

仏はすぐれた意によって諸有情の心〔のうちの怯弱〕を観じたまうて、無量の功徳を有するかたとして、法輪を転じたまうた。

〔5〕さらにまた、未だ菩提心を発していない人が声聞乗や独覚乗（*śrāvaka-pratyekabuddha-yāna）によって涅槃という家に入りたがるのを、大乗のうちに安住させ、〃さらにまた、殊勝な密意がある。声聞乗や独覚乗の者は、涅槃という家に入ったならば、もはや無上法輪を転じない〃という、そのことを示しまたうた。偈が説かれる。

小心の者が悲などから離れ〔有余依涅槃と無余依涅槃との〕二つの涅槃に入りたいと望むのを、牟尼はこの経を説きたまいて、最高の乗に安住させたまうた。

〔6〕さらに、この、福徳ある者たちを歓喜させるために（*-artham）、〃あらゆる世間において、最勝無比なる転法輪師である、わたしのような師はい

我師〟。偈言。

若已帰依仏　今帰当復帰
牟尼喜彼人　説此修多羅

若餘依止外道之人将引饒益、此義示現、〝無垢功徳荘厳妙身而転法輪。汝師非比。汝師不能令汝獲得無漏善法〟。偈言。

依止悪智識　如来見世間
為引彼人故　為説此経宝

一切智慢寂静饒益、示現此義、〝我一切智。今者新転無上法輪。云何汝是一切智人〟。偈言。

仏初転法輪　能除断常倒
不能転浄輪　彼非一切智

求広勝果無上福田饒益、示現〝不可思議果報能与。若有能転無上法輪、布施彼者、得大果報〟。偈言。

ない〟という、そのことを示したまうた。偈が説かれる。

仏に〔過去に〕帰依した者、〔現在に〕帰依する者、〔未来に〕帰依するはずの者。牟尼は彼らを歓喜させるために、この経を説きたまうた。

〔7〕他の、外道に依存する者たちを誘引してやるために（*-artham）、〝無垢の功徳によって荘厳された素晴らしい身の持ち主が法輪を転ずる。貴君の師は比べものにならない。貴君の師は貴君に無漏の善法を獲得させることができない〟という、そのことを示したまうた。偈が説かれる。

悪友に依存する世間の者を如来は見たまうて、彼らを誘引してやるために、この経宝（*sūtra-ratna）を説きたまうた。

〔8〕一切智者（*sarvajña）であると慢ずる者を静まらせるために（*-artham）、〝わたしは一切智者である。今や新たに無上の法輪を転じよう。どうして汝ごときが一切智者であろうか〟という、そのことを示したまうた。偈が説かれる。

仏は初めて法輪を転じたまうた際、断と常との顚倒を除去することがおできになった。清浄な輪を転ずることができない者、彼は一切智者でない。

〔9〕偉大な果報をもたらす無上の福田を求める者のために（*-artham）、〝不可思議な果報を与えることができる。無上法輪を転ずることができる者、彼に布施するならば、大いなる果報を得る〟ということを示したまうた。偈

若有人能転　無上正法輪
少施如是人　得無比果報

357a
◁又菩薩行得果饒益、示現此義、〃世尊説言、「我此法輪能大饒益、已行無量億那由他百千苦行、能捨難捨」。

「譬如抒海、心不休息」、又言、「本生作摩那婆」。

「身及妻子、我皆捨施」、又言、「本生作梵得王」。

「所愛二子、我捨布施、心不生悔」、又言、「本生作善牙王」。

「最端正女、人中勝妙、名孫陀利、施婆羅門」、又言、「本生作徳蔵王」。

「得陀羅尼、我七千年、未一脇臥」、又言、「本生作不思議功徳宝徳、王之太子、童子之身、一切論義、我皆已得、為衆生説」。

が説かれる。

　無上正法輪を転ずることができる者、彼にわずかにでも布施するならば、
　無比なる果報を得る。

〔10〕さらに、菩薩行が果を得ることのために（*-artham）、〃世尊は「わたしはこの法輪のために（*-artham）、すでに無量億那由他百千の苦行を行じ、捨て難きものを捨てることができた」とおっしゃる。

　さらに、「たとえば、かつて摩那婆（*māṇava）として生まれた際、海を汲み上げて、心は休息しなかった(2)」とおっしゃる。

　さらに、「かつて梵得王として生まれた際、身と妻と子とをわたしはすべて喜捨した(3)」とおっしゃる。

　さらに、「かつて善牙（*Sudaṃṣṭra）王として生まれた際、愛する二子をわたしは喜捨し、心のうちに悔いを生じなかった(4)」とおっしゃる。

　さらに、「かつて徳蔵王として生まれた際、諸人のうちに優れた、孫陀利（*Sundarī）と呼ばれる最も端正な娘を婆羅門に喜捨した(5)」とおっしゃる。

　さらに、「かつて不思議功徳宝徳（*Acintyaguṇaratnaśrī）という王太子として生まれた際、童子の身で陀羅尼を得、わたしは七千年間、一度も脇腹をつけて寝なかったし、あらゆる論義をわたしはすべて獲得し、諸有情のために説いた(6)」とおっしゃる。

又言、「本生作身汁仙、割身手足、不生瞋恨、為説忍法」。

又言、「本生作月光王、捨頭布施、不生瞋恨」。

又言、「本作一切衆生所喜見王童子之身、我十二年、食香焼身、供養仏法、心不生悔」。

又言、「本作療病王身、已療一切閻浮提人一切病苦」「如是種種無量苦悩、皆悉已作、有大饒益、我已證得」〟。

如是菩薩種種苦行、得果示現、示現饒益、世尊已説此修多羅。偈言。

若如是初因　苦行広捨身
貧窮乞匃者　随所応施与
離一切諸過　第一寂静輪
説不毀第一　是故我今転

さらに、「かつて身汁仙として生まれた際、身の手足を分解されても瞋恨を生ぜず、忍辱の法を説いた[7]」とおっしゃる。

さらに、「かつて月光（*Candraprabha）王として生まれた際、頭を喜捨しても瞋恨を生じなかった[8]」とおっしゃる。

さらに、「かつて一切衆生所喜見（*Sarvasattvapriyadarśana）という王子として生まれた際、わたしは十二年間、香を食べて身を焼くことによって、仏法を供養し、心のうちに悔いを生じなかった[9]」とおっしゃる。

さらに、「かつて療病王として生まれた際、あらゆる閻浮提人のあらゆる病苦を治療した[10]」「このようなさまざまな無量の苦悩がすべてなされ、大利益がわたしによって証得されたのである」とおっしゃる〟という、そのことを示したまうた。

このように、菩薩のさまざまな苦行が果を得ることを示しつつ示してやるために（*-artham）、世尊はこの経を説きたまうた。偈が説かれる。

このように初めの因として、苦行によって広く身を捨て、貧窮する乞者に対し適切に喜捨したので、あらゆる過失を離れた最高に寂静なる〔法〕輪、説の毀たれざること最高なるもの[11]を、それゆえにわたしは今、転ずるのである。

原文校訂

＊1　大正蔵底本は「茶」に作る。意をもってこれを改める。

註

（1）原文「勝修多羅」。般若流支訳『正法念処経』巻四十七「勝修多羅」（T17, 280b）＝蔵訳 mdo mams（P no. 953, Ru 149a1）

（2）岡田真美子［1997］によって列挙される並行話を見よ。岡田は並行話のうち主人公を「摩那婆」（māṇava）と記すものが『大事』（*Mahāvastu*）と『大宝積経』護国菩薩会（*Rāṣtrapāla-paripṛcchā*）との二つしかないことを指摘している。なお、原漢文における「又言」の位置が不適切であるから、和訳においてそれを改める。以下、同様。

（3）未詳。岡田真美子［1997］も未検出にとどめている。

（4）岡田真美子［1997］によって列挙される並行話を見よ。岡田は並行話のうち主人公を「善牙」（Sudaṃṣṭra）と記すものが『大宝積経』護国菩薩会しかないことを指摘している。

（5）未詳。岡田真美子［1997］も未検出にとどめている。

（6）岡田真美子［1997］は未検出にとどめている。『出生無辺門陀羅尼経』（*Anantamukhanirhāra-nāma-dhāraṇī*）。de'i bu yon tan rin po che bsam gyis mi khyab pa'i dpal zhes bya ba zhig yod de | de skyes nas lo bcu drug lon pa dang | des sgo mtha' yas pas sgrub pa'i gzungs kyi chos kyi mam grangs 'di bcom ldan 'das de bzhin gshegs pa dgra bcom pa yang dag par rdzogs pa'i sangs rgyas rin chen dpal gyi rgyal po lta bu de las thos te | des gzungs 'di thos ma thag tu thob par bya ba'i phyir brtson par gyur to ‖ de lo bdun khrir rmugs pa dang | gnyid kyis ma sten to ‖ non par ma gyur to ‖ de lan 'ga' yang rgyal srid la dga' ba'am | nor la dga' ba'am | bdag la dga' bar ma gyur to ‖ de lo bdun khrir lan 'ga' (corr. : dga') yang sa la glos ma phab ste | gcig tu nges par nang du yang dag 'jog la gnas so ‖ (P no. 539, 'A 249a5–249b1)
彼王有子、名不可思議功徳吉。年十六歳、彼仏滅後、聞説此陀羅尼、即於七万世中、不睡眠懈怠。七万世中、不貪王位、不惜身命及餘財物。七万世中、未曾寢臥一向坐禅。（僧伽婆羅訳『舎利弗陀羅尼経』。T19, 697b）
彼王有子、号不思議功徳宝吉祥。年始十六、従彼仏聞此出生無辺門陀羅尼法要。纔聞是陀羅尼、精勤而住。七万歳未曾睡眠、不貪王位及身命財。七万歳一向宴黙、脇不著地。（不空訳『出生無辺門陀羅尼経』。T19, 678b）

（7）岡田真美子［1997］によって列挙される並行話を見よ。

（8）岡田真美子［1997］によって列挙される並行話を見よ。

（9）岡田真美子［1997］によって列挙される並行話を見よ。岡田は並行話のうち完全に一致するものが『妙法蓮華経』薬王菩薩本事品であることを指摘している。
（10）未詳。岡田真美子［1997］も未検出にとどめている。
（11）原文「説不毀第一」。難解である。和訳は暫定的な案にすぎない。

以何義故名「世尊」者、堪受供養故名「世尊」。更有餘義。如『菩提心憂波提舍』、彼中示現。

如来何故在王舍城耆闍崛山、二種住持、転于法輪、不餘処者、難不相応。随在何処、此難無窮。世尊若在餘処遊行、亦有此難、是則無窮。更有餘義。如『菩提心憂波提舍』、彼処示現。

以何義故名「如来」者、彼義今説。

〔別答〕

〔1　ナシ[1]〕

〔2〕いかなるわけで「世尊」と呼ばれるのか。供養を受けることに値するゆえに「世尊」と呼ばれる。さらに別のわけがある。『菩提心憂波提舍[2]』なる、かしこにおいて示されているとおりである。

〔3　ナシ[3]〕

〔4〕如来はなにゆえ王舍城耆闍崛山において二種類の加持によって法輪を転じたまい、餘処においてでないのか。という質問は適切でない。どこにとどまっておられようとも、その質問にはきりがない。世尊がもし餘処にとどまっておられても、やはりその質問があるので、きりがない。さらに別のわけがある。『菩提心憂波提舍[4]』なる、かしこにおいて示されているとおりである。

〔5〕いかなるわけで「如来」と呼ばれるのか。そのことについて、今、

357b
「如」実而「来」故名「如来」。何法名「如」。涅槃名「如」。衆生与法、彼二不「如」。如世尊説「諸比丘、第一聖諦、不虚妄法、名為涅槃」。知故名「来」。異声論界、知字論界。如世人説「此人来生」。此明何義。此明智慧具足。「来」義如是。涅槃名「如」、知解名「来」。正覚涅槃、故名「如来」。又空無相無願名「如」。如彼一切行、故名「如来」。又四聖諦、此名為「如」。非餘人見彼一切行、故名「如来」。又復一切如是仏法此名為「如」。彼来此人、故名「如来」。又復「如」名六波羅蜜。布施、持戒、忍辱、精進、禅定、般若。正覚彼来、故名「如来」。実捨寂慧安住是「如」。如彼、無上正遍知来、故名「如来」。一切如是菩薩諸地、歓喜、離垢、明焔、難勝、現前、遠

説くことにしたい。[5]「如」に「来」たったゆえに、「如来」と呼ばれる。「如」とは何か。涅槃が「如」と呼ばれる。有情と法との、それら二つは「如」でない。世尊が「諸比丘よ、最高の諦、虚妄ならざる法が涅槃と呼ばれる」[6]と説きたまうたとおりである。〝知った〟という点において「来」と呼ばれる。別のことばによって〔「来」の〕語根（*dhātu）を論ずるとすれば、〝知〟ということばによって〔「来」の〕語根を論ずる。[7]あたかも世間の人が「この人は〔意味に〕来たった（＝この人は〔意味を〕知った）」と説くごとくである。これによって何を示すのか。これによっては智の円満を示すのである。「来」の意味は以上である。涅槃が「如」と呼ばれ、知ったことが「来」と呼ばれる。涅槃を正覚したゆえに、「如来」と呼ばれる。さらに、空と無相と無願とが「如」と呼ばれる。それらのあらゆる行相（*sarvākāra）どおりであるゆえに、「如来」と呼ばれる。さらに、四聖諦、それが「如」と呼ばれる。他の者はそれらのあらゆる行相（*sarvākāra）を見るわけでないゆえに、「如来」と呼ばれる。さらにまた、あらゆるそのような仏の属性、それが「如」と呼ばれる。彼はそれに来たった者であるゆえに、「如来」と呼ばれる。さらにまた、「如」は六波羅蜜であると言われる。布施、持戒、忍辱、精進、禅定、般若である。それを正覚して来たったゆえに、「如来」と呼ばれる。諦（*satya）と捨（*tyāga）と寂静（*upaśama）と慧（*prajñā）とである居処[8]（*adhiṣṭhāna）が「如」である。それにしたがって無上正等覚（*anuttarā

行、不動、善慧、法雲等十、此名為「如」。如彼、無上正遍知来、故名「如来」。如八道来故名「如来」。以有般若波羅蜜足方便足来、故名「如来」。或名「如去」。言「如去」者、或以「如」説、故名「如去」。又「如去」者、去不復来、故名「如去」。

以何義故名「法輪」者、彼義今説。法体是輪、故名「法輪」。譬如世間銅体是瓶、故名銅瓶、木体為輪、故名木輪、此亦如是、法体為輪、故名「法輪」、如是示現。

何者是「法」。謂三十七菩提分法。此法是輪、故名「法輪」。又一切法自体覚義是「法輪」義。又一切法勝荘厳義、又取捨義、如是等義名為「法輪」。捨何等物。謂捨有為。取何

samyak-saṃbodhiḥ）へと来たったゆえに、「如来」と呼ばれる。あらゆる、以下のような菩薩諸地、すなわち歓喜、離垢、明焰、難勝、現前、遠行、不動、善慧、法雲という十、それが「如」と呼ばれる。それにしたがって無上正等覚へと来たったゆえに、「如来」と呼ばれる。「如」なる八〔正〕道によって〔無上正等覚へと〕来たったゆえに、「如来」と呼ばれる。般若波羅蜜という足と、方便という足とによって〔無上正等覚へと〕来たったゆえに、「如来」と呼ばれる。あるいは「如去」と呼ばれる。「如去」というのは、あるいは、「如」によって説くゆえに、「如去」と呼ばれる。さらに、「如去」とは、去ってふたたび来たらないゆえに、「如去」と呼ばれる。

〔6〕いかなるわけで「法輪」と呼ばれるのか。そのことについて、今、説くことにしたい。「法」を自体とする「輪」であるので「法輪」と呼ばれる。あたかも世間において、銅を自体とする瓶であるので銅瓶と呼ばれ、木を自体とする輪であるので木輪と呼ばれるように、そのように、「法」を自体とする「輪」であるので「法輪」と呼ばれる、というふうに説示される。

「法」とは何か。すなわち、三十七菩提分法である。この「〔三十七菩提分〕法」が「輪」であるゆえに、「法輪」と呼ばれる。さらに、あらゆる法の自性を覚ることという意味が「法輪」という意味である。さらに、あらゆる法の荘厳という意味、さらに、〔あらゆる法を〕取ったり捨てたりすることという意味、そのような意味が「法輪」と呼ばれる。何を捨てるのか。す

者物。謂取涅槃。又能破壊一切煩悩、是故名「輪」。如時運輪、法王治輪、如輪王輪、一切世間光明照輪、如星宿輪。

又説。法輪不断常輪、二辺不定。又不生輪。如因縁生。又不二輪。如
357c 眼与色乃至意法不二応知。不可得輪。以三世法不可得故。又復空輪。離諸見故。又無相輪。観一切相離諸相故。又無願輪。離三界故。一切分別不別異輪。以一切法不分別故。

世尊復於『阿那婆達多龍王修多羅』中、告龍王言、「賢面、龍王、又法輪者、①実不壊行。②如是名輪。三世等故。③無自体輪。以離有無二種見故。④又復離輪。身無染故。又不著輪。以離心意意識等故。⑤無処

なわち、有為を捨てるのである。何を取るのか。すなわち、涅槃を取るのである。さらに、あらゆる煩悩を破壊することができるので、それゆえに「輪」と呼ばれる。あたかも時の輪（*kāla-cakra）や、法にかなった王の統治の輪のようであり、あたかも転輪王の輪や、あらゆる世間の光の輪のようであり、あたかも星の輪（*nakṣatra-cakra）のようである。

さらに説く。法輪は不断常輪である。〔断と常との〕二極端に決定されていないのである。さらに、不生輪である。縁起なのである。さらに、不二輪である。眼と色とから、意と法とまでの不二であるというふうに知られるべきである。さらに、不可得輪である。〔現在・過去・未来という〕三世の法は不可得だからである。さらに、空輪である。諸見を遠離しているからである。さらに、無相輪である。あらゆる相を観つつ、諸相を遠離しているからである。さらに、無願輪である。三界〔への受生〕を遠離しているからである。一切分別不別異輪である。あらゆる法を分別しないからである。

世尊はさらに『阿那婆達多龍王修多羅』において、龍王におっしゃった。「ご尊顔のかたがたよ（*bhadramukhās）、龍王よ、さらに、法輪は、〔①勝義輪（*paramārtha-cakra）である。〕諦を壊さない行相によって転ぜられるのである。②如所有輪（*yathāvac-cakra）である。三世平等だからである。③無性輪（*abhāva-cakra）である。有性見（*bhāva-dṛṣṭi）を超えているからである。④さらにまた、離輪（*vivikta-cakra）である。身と心とが間雑せず、意と識

所輪。以捨一切有行生故。⑥又復実輪。大実見故。⑦又復諦輪。正修不壊故。⑧又不尽輪。示（字?）不尽故。⑨又法界輪。以一切法皆悉行故。⑩又実際輪。以前後際非際輪故。⑪又如如輪。諸法自体無自体故。⑫已（又?）無為輪。一切疑慮観察定故。⑬又復常輪。聖性集故。⑭又復空輪。不見内外一切物故。⑮又無相輪。以一切相不分別故。⑯又無願輪。以一切法不攀縁故。⑰又無為輪。一切言語所説皆空不可説故」。如是世尊所説法輪。

此等皆是法論（輪?）之義。

とを離れているからである。⑤無阿頼耶輪（*anālaya-cakra）である。あらゆる有への受生を捨てているからである。⑥さらにまた、実輪（*bhūta-cakra）である。大種（*mahābhūta）が自性（*svabhāva）として無性（*abhāva）だからである。⑦さらにまた、平等輪（*sama-cakra）である。正しく加行し、欺かないからである。⑧さらに、無尽輪（*akṣaya-cakra）である。音素（*akṣara）が尽きないからである。⑨さらに、法界輪（*dharmadhātu-cakra）である。あらゆる法が〔法界に〕帰一するからである。⑩さらに、実際輪（*bhūtakoṭi-cakra）である。前際ならぬかたちで転ぜられるからである。⑪さらに、真如輪（*tathatā-cakra）である。自性として無自性だからである。⑫さらに、無造作輪（*anabhisaṃskāra-cakra）である。あらゆる（*sarva. 蔵訳「自の」〔*sva〕）作意（*manasikāra）を断ち切るからである。⑬さらにまた、無為輪（*asaṃskṛta-cakra）である。聖者（*ārya）の所行（*gocara）を獲得させるからである。⑭さらにまた、空輪（*śūnyatā-cakra）である。内側がすべて空だからである。⑮さらに、無相輪（*ānimitta-cakra）である。外側へと馳散しないからである。⑯さらに、無願輪（*apraṇihita-cakra）である。内側・外側と雑乱しないからである。⑰さらに、離言輪（*anabhilāpya-cakra）である。言説（*abhilāpa）がないというありかたによってである」[9]。以上が世尊によって説かれた法輪である。

これらはすべて「法輪」という意味である。

又復世尊幾転幾行転法輪者、彼義今説。法輪三転有十二行。「此苦聖諦。此集聖諦。此滅聖諦。此苦滅道聖諦」。此第一転。「此苦聖諦応知。此苦集応断。此苦滅応證。此苦滅道応修」。此第二転。「此苦聖諦已知。此苦集已断。此苦滅已證。此苦滅道已修」。此第三転。此説三転。如是苦智、集智、滅智、道智。如是苦諦有三転智。如是集諦、如是滅諦、如是道諦有三転智。彼如是説、有十二行。何以故。如是異行於苦諦中有三転智。異行集諦、異行滅諦、異行道諦、皆三転智。此如是説有十二行。

〔7〕さらにまた、世尊は何転何行相によって法輪を転じたまうたのか。そのことについて、今、説くことにしたい。法輪は三転十二行相ある。「これは苦聖諦である。これは集聖諦である。これは滅聖諦である。苦の滅への道聖諦である」という、これらが第一転である。「かの苦聖諦は遍知されるべきである。かの苦の集は断ぜられるべきである。かの苦の滅は証得されるべきである。かの苦の滅への道は修習されるべきである」という、これらが第二転である。「かの苦聖諦は遍知された。かの苦の集は断ぜられた。かの苦の滅は証得された。かの苦の滅への道は修習された」という、これらが第三転である。これらによって三転が説かれた。このように、苦についての智と、集についての智と、滅についての智と、道についての智とがある。このように、苦諦について〔「これは苦聖諦である。かの苦聖諦は遍知されるべきである。かの苦聖諦は遍知された」という〕三転の智があり、それと同様に、集諦について、それと同様に、滅諦について、それと同様に、道諦について三転の智がある。具体的には(*tad yathā)、十二行相があると説かれる[10]。それはなぜか。以上のように、〔三種類の〕行相が異なっているので苦諦において三転の智があるし、〔三種類の〕行相が異なっているので集諦において、〔三種類の〕行相が異なっているので滅諦において、〔三種類の〕行相が異なっているので道諦において、すべて三転の智がある。このようにして、十二行相があると説かれる[11]。

358a
所言苦者、謂之五陰。五陰苦相是名為苦。彼苦相空。通達此空、是名苦智聖諦。

彼五陰因、愛使（因？）見因、是名為集。若不分別不分別不取不触愛因見因、是名集智聖諦。

若彼五陰畢竟尽滅、前際不来、後際不去、中際不得、是名為滅。彼如是知、是名滅智聖諦。

若道得已、攀縁苦智集智滅智、彼平等相、彼不二智、是名苦滅道智聖諦。

又復何故、非少非多、説彼聖諦。如是分別、此則無窮。

又復如是知四聖諦、則得解脱。所謂知苦苦因苦滅、後得方便。如是四聖諦、此如是義次第而説。

又平等相。何者名聖諦。不虚妄法。以不虚妄、故名為諦。各各自相皆不

苦と言われるのは、それは五蘊について言われる。五蘊の苦相が苦と呼ばれる。かの苦相は空である。その空性に通達すること、それが〝苦についての智〟という聖諦と呼ばれる。

かの五蘊の因である、愛という因や、見という因、それが集と呼ばれる。愛という因や、見という因を、分別しないこと、分別しないこと、[12]取らないこと、触らないこと、それが〝集についての智〟という聖諦と呼ばれる。

もしかの五蘊が完全に滅尽したならば、前際においても来たらず、後際においても去らず、中際においても得られない。それが滅と呼ばれる。そのように知ること、それが〝滅についての智〟という聖諦と呼ばれる。

もし道を得おわったならば、〝苦についての智〟と〝集についての智〟と〝滅についての智〟とを所縁とし、それらの平等相すなわちそれらの不二を知ること、それが〝苦の滅への道についての智〟という聖諦と呼ばれる。

さらにまた、なにゆえ少なくもなく多くもなく、かの〔四〕聖諦を説くのか。というならば、そのようなことを分析しても、きりがない。

さらにまた、次のように四聖諦を知って、解脱を得る。すなわち、苦と、苦の因と、苦の滅とを知って、後に手段（＝道）を得る。このように、四聖諦はこのような順序にしたがって説かれている。

さらに、〔四聖諦は〕平等相を有する。聖諦とは何か。不虚妄法（*amoṣadharma）である。不虚妄であるゆえに諦と呼ばれる。〔四聖諦の〕そ

虚妄。如是不虚妄法是平等相。

　又復勝相。何者勝相。苦逼迮相、集能生相、滅寂静相、道者出相。

　又十二行、若逆若順、有十二分因縁生転。

　又復『広普修多羅』説、「正分別　能分別　不善観察　生於無明　非有生法」。如是乃至大苦聚集、彼有及滅。「如是法輪　十二行転　居隣若知　三宝具足」。


　又復世尊此中説転。何故如来不生法門説、「一切法不転不廻、応如是知。畢竟不起」如是次第。彼義今釈。彼真諦説、此世諦説。


れぞれの自相はすべて不虚妄である。このようにして、不虚妄法は平等相を有する。

　さらにまた、〔四聖諦は〕殊勝相を有する。殊勝相とは何か。苦は逼迫相を有し、集は能生相を有し、滅は寂静相を有し、道は出離相を有する。

　さらに、十二行相は、あるいは逆、あるいは順として、十二支縁起を有して転ずる。

　さらにまた、『広普修多羅』において「思惟と分別とによって生ぜられた非如理〔作意〕によって、無明が生ずる。そこにはいかなる作り手もない[13]」と説かれている。このようにして、最後には大なる苦の集まり（*mahān duḥkha-skandhaḥ）に至るまで、そこには生ずることと滅することとがある。「じつに、このように、十二行相を有する〔法宝たる〕法輪が転ぜられた。そして、〔僧宝たる〕アージュニャータ・カウンディニヤによって、三宝が揃った[14]」。
　〔8〕さらにまた、世尊はここにおいては〔法輪を〕転ずることを説きたまうた。なにゆえ如来は不生法門においては「あらゆる法は転じもせず、還滅もしない、と知られるべきである。〔というのも、〕絶対に不生なのである」かくかくしかじかと説きたまうたのか。そのことについて、今、説くことにしたい。かしこにおいては勝義諦によって説き、ここにおいては世俗諦によって説きたまうた。

又此時説、「又此為治信受故説」。此義已説。是故今説。

又復此為初業菩薩故如是説。得大地人如是不諍。

若衆生法皆不可得、然則世尊何所住持而転法輪。彼義今釈。仏以大悲、不取衆生、亦不取法、而常住持衆生及法、已転法輪。

又復世尊於『龍王問修多羅』説、「如虚空転、名法輪転」。

358b
▷又復此是世尊方便、諸法無名、以名字説。是故偈言、「一切法無名、設名以名法」。世尊法爾不取衆生、而治衆生、為之説法。雖不取法、而常広説一切諸法。

又復『般若波羅蜜経』『無垢名称

さらに、この時においては「さらに、これはわからせるために説くのである[15]」と説きたまうた。このことが説かれている。それゆえに、今は〔法輪を転ずることを〕説きたまうた。

さらにまた、これは初心者（*ādikarmika）の菩薩のためにこのように説きたまうたのである。すでに大いなる地に入っている者（*mahābhūmi-praviṣṭa）はそのようには諍わない。

〔9〕もし有情と法とがすべて不可得ならば、世尊は何の加持によって法輪を転じたまうたのか。そのことについて、今、説くことにしたい。仏は大悲によって、たとえ有情に執着したまいもせず、法に執着したまいもしないにせよ、常に有情と法とを加持したまうてのち、法輪を転じたまうた。

さらにまた、世尊は『龍王問修多羅』において「虚空の輪を転ずること、それが法輪を転ずることである[16]」と説きたまうた。

さらにまた、これは、世尊が方便によって、名称なき諸法を名称によって説きたまうたのである。それゆえに「あらゆる法は名称なきものであるが、名称によって名づけられる[17]」という偈が説かれている。世尊はたとえ法爾として有情に執着したまわないにせよ、有情を治療しようとしたまうて、彼のために説法したまうたのであり、たとえ法に執着したまわないにせよ、常にあらゆる法を広く説きたまうたのである。

さらにまた、『般若波羅蜜経』と『無垢名称修多羅』とにおいて「勝義諦修多羅』説、「為知真諦、故説世諦」。

如是無過。

又復世尊、以何義故、捨彼寛博種種勝妙華樹荘厳無量勝人多衆集処、於波羅奈少人衆処、在波吒離樹影蔭下鹿苑之中、而転法輪。彼義今釈。世尊往昔、已於彼処、六十千億那由他会、広行布施、又於彼処、已曾供養六十千億那由他仏、又於彼処、已有九十一億千仏、転於法輪。彼処常饒寂静仙人。有如是等諸大功徳。是故世尊在於彼処、而転法輪。此義已釈、今復更説。

又『広普経』有偈説言。

我六十千億　那由他会施
供六十千億　那由他諸仏
波羅奈処勝　有勝旧仙人
第一天龍等　常讃説法処

を知るために、世俗諦を説く(18)」と説かれている。

そういうわけで、過失はない。
〔10〕さらにまた、世尊は何のために、かの、広大で、さまざまなすぐれた花樹によって荘厳され、無量のすぐれた人が多く集まっている場所を捨て去って、人の身の少ない（*paritta-jana-kāyā）ヴァーラーナシー（*Vārāṇasī）、木陰の少ない（*paritta-druma-cchāya）鹿苑（*mṛga-dāva）において、法輪を転じたまうたのか。そのことについて、今、説くことにしたい。世尊は昔、かしこにおいて、六十の千億ナユタの祭祀において、広く祭祀をおこないたまい、さらに、かしこにおいて、六十の千億ナユタの仏を供養したまうた。さらに、かしこにおいて、九十一の億千の諸仏が法輪を転じたまうた。かしこにおいては、寂静であり、静慮が現前している(19)。このような諸大功徳がある。それゆえに、世尊はかしこにおいて法輪を転じたまうた。このことを説きおわったので、今、ふたたびあらためて説いておこう。
〔すなわち、〕さらに、『広普経』において偈が説かれている。

六十の千億ナユタの祭祀なるもの、そこにおいて、わたしによって、祭祀がなされ、六十の千億ナユタの仏なるもの、それに対して、供養がなされた。

ここなる、勝れたるヴァーラーナシーは昔の諸仙の住処である。〔この〕地は諸天と諸龍とによって讃えられ、常に法へとなびいている。

九十一億前　我憶無上勝
於此妙林中　転無上法輪
此有那由他　寂静勝仙人
常在鹿苑中　故名仙人処
如是勝林中　転無上法輪

如是已転。又為法人、如是已転。

又復世尊何処初坐而転法輪。彼義今釈。世尊坐彼大円殿処無量清浄妙色珍宝荘厳師子座上而転法輪。

此何処説。

358c
『広普経』中、如是説言、「諸比丘、有諸地天、知波羅奈欲転法輪有大饒益、置大円殿種種荘厳広博厳麗、其殿縦広七百由旬。虚空諸天以蓋幢幡、而為荘厳於上空中。欲界天子八十四千師子之座、奉施如来。施如来已、一一請言、『唯願如来、坐我此座、

わたしは、ここなる、リシ〔パタナ〕と呼ばれる勝れた林において最上なる〔法〕輪を転じたまうた、かつての九十一の億千の諸仏を憶い出す。
寂静であり、上寂静であり、静慮が現前しており、常に鹿たちによって集われている。そういうわけで、〔わたしは〕リシ〔パタナ〕と呼ばれる勝れた林において最上なる〔法〕輪を転じよう。[20]

こういうわけで、〔法輪を〕転じたまうた。さらに、法にかなった人のために、〔法輪を〕転じたまうた。

〔11〕さらにまた、世尊はどこに初めて坐りたまいて法輪を転じたまうたのか。そのことについて、今、説くことにしたい。世尊はかの、無量なる、清浄なる、すばらしい色あいの宝石によって荘厳された大円殿（*mahā-maṇḍala-mātra）の獅子座（*siṃhāsana）に坐りたまいて法輪を転じたまうた。

そのことはどこに説かれているのか。

『広普経』において次のように「比丘たちよ、土地の諸天によって、ヴァーラーナシーにおいて、転法輪のために、きらびやかで、うるわしく、広く、のびやかで、直径七百ヨージャナに達する、大円殿が置かれた。上空については、諸天によって蓋や幢や幡を用いて虚空が荘厳されていた。欲界の諸天の子らによって、八万四千の獅子座が如来に供えられた。如来に供えおわってのち、ひとりひとり、『如来がわたしのこの座に座りたまいて法輪を転じたまわんことを』と請うた[21]」と説かれている。それぞれの諸天の子は

而転法輪』」。一一天子各見世尊坐其所施師子座上而転法輪。世尊如是満足一切諸天子意。

又復世尊転法輪時、幾許衆生捨悪行善。彼義今釈。憍陳如等有五比丘、復有諸天六十億数、復色界天八十億数、復有八十四千億人。

此何処説。

彼『広普経』有偈説言。

阿若居隣等　如是五比丘
六十億諸天　皆得法眼浄
八十億色天　浄無上法眼
浄勝法眼人　八万四千億

以要言之、衆生住持、示説衆生。法住持者、示現説法。

又復有義、衆生住持、示現令知衆

おのおの世尊がかれの布施したてまつった師子座に坐したまうて法輪を転じたまうのを見た。世尊はそのようにあらゆる諸天の子らの思いを満足させたまうたのである。

〔12〕さらにまた、世尊が法輪を転じたまうた時、どれだけの有情が悪を捨て、善を行じたのか。そのことについて、今、説くことにしたい。カウンディニヤ（*Kauṇḍinya）など五比丘がおり、さらに六十億の諸天がおり、さらに八十億の色界の諸天がおり、さらに八万四千の人々[22]がいた。

そのことはどこにおいて説かれているのか。

かの『広普経』において偈が説かれている。

カウンディニヤを初めとする五比丘がおり、〔彼らと〕六十億の諸天〔と〕において、法眼が浄められた。
法輪を転じたまうた際、さらに、ほかに、八十億の色界の諸天がおり、彼らにおいて、法眼が浄められた。
八万四千の人々が集まっており、彼らにおいて、法眼が浄められた。
〔（彼らは）あらゆる悪趣から脱け出した[23]。〕

〔13〕まとめれば、有情加持（*sattvādhiṣṭhāna）によっては、有情を説くことを示すのである。法加持（*dharmādhiṣṭhāna）によっては、法を説くことを示すのである。

さらにまた、有情加持によっては、八万四千の有情所行[24]（*catur-aśīti-sattva-

生心行八万四千。法住持者、示現令知八万四千法聚光明多所饒益。

又復有義、衆生住持、此為示現衆生平等。法住持者、示法平等。

又復此二、世諦示現。

転法輪経憂波提舎[*1]　一巻

carita-sahasra）を知らせることを示すのである。法加持によっては、八万四千の法蘊の光明の多くの利益を知らせることを示すのである。

さらにまた、有情加持とは、それは有情の平等性を示すのである。法加持とは、法の平等性を示すのである。

さらにまた、〔有情と法との〕この二つは世俗諦において示される。

転法輪経憂波提舎　一巻

原文校訂

＊1　大正蔵底本は「優」に作る。金蔵広勝寺本（『中華大蔵経』巻二七、六一九番）によってこれを改める。

註

（1）〔別問1〕「いかなるわけで「経」と呼ばれるのか」に対する答えがなければならないが、欠けている。

（2）現存しない。

（3）〔別問3〕がもともと欠けていたから、それに対する答えも欠けている。

（4）現存しない。

（5）以下は『十住毘婆沙論』入初地品に並行する。華房光寿［1996］を見よ。

「如来」者、「如」名為実、「来」名為至。至真実中、故名為「如来」。何等為真実。所謂涅槃。不虚誑故、是名如実。如『経』中説。「仏告。比丘、第一聖諦無有虚誑、涅槃是也」。復次「如」名不壊相。所謂諸法実相是。「来」名智慧。到実相中、通達其義、故名為「如来」。復次空無相無作名為「如」。諸仏来至三解脱門、亦令衆生到此門故、名為「如来」。復次「如」名四諦。以一切種見四諦故、名為「如来」。復次「如」名六波羅蜜。所謂布施、持戒、忍辱、精進、禅定、智慧。以是六法来至仏地故、名為「如来」。復次諦捨滅慧四功徳処、名為「如来」。以是四法来至仏地故、名為「如来」。復次一切仏法名為「如」。是如来至諸仏故、名為「如来」。復次一切菩薩地、喜、浄、明、炎、難勝、現前、深遠、不動、善慧、法雲、名為「如」。諸菩薩以是十地来至阿耨多羅三藐三菩提故、名為「如来」。又以如実八聖道分来故、名為「如来」。復次権智二足来至仏故、名為「如来」。如去不還故、名為「如来」。（鳩摩羅什訳『十住毘婆沙論』巻一。T26, 25ab）

（6）『プラサンナパダー』（*Prasannapadā*）においても引用される。長谷岡一也［1954］を見よ。

etad dhi (khalu) bhikṣavaḥ paramaṃ satyaṃ yad utāmoṣadharmaṃ nirvāṇam.（PP 41, 4–5; 237, 11–12. 後者は khalu を欠く）

Cf. taṃ hi, bhikkhu, musā yaṃ mosadhammaṃ, taṃ saccaṃ yaṃ amosadhammaṃ nibbhānaṃ.（*Dhātuvibhaṅga-sutta*. MN vol.III, 245, 16–18）

真諦者、謂如法也。妄言者、謂虚妄法。（僧伽提婆訳『中阿含経』巻四十二、根本分別品、分別六界経。T1, 692a）

（7）「来」の語根 gam は語根 jñā と同義であるとの意。

（8）以下の経文に拠る。

四居処がある。四とは何かというならば、慧居処と諦居処と捨居処と寂静居処とである。

(catvāry adhiṣṭhānāni. kata)māni catvāri. prajñādhiṣṭhānaṃ satyādhiṣṭhā(naṃ tyāgādhiṣṭhānaṃ upaśamādhi)(ṣ)ṭh(ā)n(a)m.（SS 101 [IV.16]）

（9）『阿那婆達多龍王所問経』（*Anavataptanāgarāja-paripṛcchā*）。

bzhin bzangs dag | chos kyi ’khor lo zhes bya ba ni [1] don dam pa’i ’khor lo ste | bden pa mi phyed pa’i rnam pas bskor ba’o || [2] dus gsum mnyam pas ji lta ba bzhin gyi ’khor lo’o || [3] dngos por lta ba las rab tu ’das pa’i phyir | dngos po med pa’i ’khor lo’o || [4] lus dang sems ma ’dres shing yid dang rnam par shes pa dang bral bas dben pa’i ’khor lo’o || [5] ’gro ba lnga dang phrad pa ma yin pas kun gzhi med pa’i ’khor lo’o || [6] ’byung ba chen po ngo bo nyid kyis dngos po med pas yang dag pa’i ’khor lo’o || [7] yang dag par sbyor zhing slu ba ma yin pas mnyam pa’i ’khor lo’o || [8] yi ge mi zad pas mi zad pa’i ’khor lo’o || [9] chos thams cad chos kyi dbyings su yang dag par ’du bas chos kyi dbyings kyi ’khor ba’o || [10] sngon gyi mtha’ ma yin par bskor bas yang dag pa’i mtha’i ’khor ba’o || [11] ngo bo nyid kyis ngo bo nyid med pas de bzhin nyid kyi ’khor ba’o || [12] rang gi yid la byed pa rgyun bcad pas mngon par ’du mi byed pa’i ’khor lo’o || [13] ’phags pa’i spyod yul thob par byed pa’i phyir ’dus ma byas pa’i ’khor lo’o || [14] nang kun du stong pas stong pa nyid kyi ’khor lo’o || [15] phyi rol la mi ’jug pas mtshan ma med pa’i ’khor lo’o || [16] phyi nang gi dang ma ’dres pas smon pa med pa’i ’khor lo’o || [17] brjod pa med pa’i tshul gyis brjod du med pa’i ’khor lo’o ||（P no. 823 Pu 246a1–6）

法輪名乎、諸賢者等、①真諦正輪。常無毀故。②要義之輪。等三世故。③無処之輪。諸習見処以等過故。④寂寞静輪。身心無著、不可見転、意識離故。⑤無欙之輪。五道不処。⑥審諦之輪。無諦現故。⑦行信之輪。等化衆生用無欺故。⑧不可尽輪。字無字故。⑨法性之輪。以其諸法依法性故。⑩本積諦輪。本無積故。⑪本無之輪。如本無故。⑫無所造輪。無念漏故。⑬無数之輪。導至聖故。⑭如空之輪。明見内故。⑮無想之輪。無外念故。⑯無願之輪。無内外故。⑰不可得輪。修過度故。（竺法護訳『弘道広顕三昧経』

巻三。T15, 500c）

（10）原文「彼如是説……」。毘目智仙訳『業成就論』「彼如是説……」（T31, 778c）＝蔵訳 'di ltar [...] zhes bya（KSP 13, 10–12）＝玄奘訳『大乗成業論』「経言……」（T31, 783b）

（11）三転十二行相に対しヴァスバンドゥ『阿毘達磨倶舎論』賢聖品において提示される、ヴァスバンドゥ自らの解釈と合致する。毘婆沙師の解釈とヴァスバンドゥ自らの解釈とは異なる。両者は三転を①「これは苦聖諦である。これは集聖諦である。これは滅聖諦である。苦の滅への道聖諦である」②「かの苦聖諦は遍知されるべきである。かの苦の集は断ぜられるべきである。かの苦の滅は証得されるべきである。かの苦の滅への道は修習されるべきである」③「かの苦聖諦は遍知された。かの苦の集は断ぜられた。かの苦の滅は証得された。かの苦の滅への道は修習された」と解釈する点において同じであるが、毘婆沙師が十二行相を三転のそれぞれに対する「眼が生じた。智、明、覚が生じた」という四行相の合計と解釈するのに対し、ヴァスバンドゥは十二行相を三転による四諦の三行相の合計と解釈する。

〔毘婆沙師の解釈：〕　どのようにしてそれ（＝法輪）は三転十二行相であるのか。「これは苦聖諦である。それはまことに遍知されるべきである。それはまことに遍知された」という、それらが三転である。そして、それぞれの転に対する、「眼が生じた。智、明、覚が生じた」という、それらが十二行相である。他ならぬ諦ごとに〔三転十二行相が〕起きる。しかるに、〔それぞれの諦が〕三〔転〕十二〔行相〕を有する点で共通性があるゆえに、〔十二転四十八行相でなく、〕三転十二行相である。〔眼と色とから、しまいには意と法とに至る十二処を〕二と〔説くことや〕、〔五蘊と、その集と、滅と、滅への道と、味と、患と、離との三十五を知ることを〕七処善巧と説くことのごとし。さらに、これら〔三〕転によって、見道・修道・無学道が順番どおりに示されている。というのが毘婆沙師である。

〔ヴァスバンドゥ自らの解釈：〕　もしそうであるならば、その場合、見道のみが三転十二行相なのではないのに、どうして〔毘婆沙師の別の解釈においては〕それ（＝見道）が法輪であると設定されるのか。それゆえに、この法門（＝三転の経文）がそのまま三転十二行相の法輪であるのが妥当である。さて、〔この法門は〕いかにして三転なのか。〔四〕諦に三度、転ずるからである。〔この法門は〕いかにして十二行相なのか。四諦を三とおりに行相づけるからである。①「苦である。集である。滅である。道である」というふうに、②「遍知されるべきである。断ぜられるべきである。証得されるべきである。修習されるべきである」というふうに、③「遍知された。断ぜられた。証得された。修習された」というふうに。

kathaṃ tat triparivartaṃ dvādaśākāraṃ ca. idaṃ duḥkham āryasatyam, tat khalu parijñeyam, tat khalu parijñātam ity ete trayaḥ parivartāḥ. ekaikasmiṃś ca parivarte cakṣur udapādi jñānaṃ vidyā buddhir udapādi ity ete dvādaśākārāḥ. pratisatyam eva bhavanti. trika-dvādaśaka-sādharmyāt tu triparivartaṃ dvādaśākāram. dvaya-sapta-sthāna-kauśalā-deśanāvat. ebhiś ca parivartair darśana-bhāvanā-śaikṣamārgā yathāsaṃkhyaṃ darśitā iti Vaibhāṣikāḥ. yady evaṃ na tarhi darśana-mārga eva triparivarto dvādaśākāra iti katham asau dharma-cakraṃ vyavasthāpyate. tasmāt sa evaṃ dharma-paryāyo dharma-cakraṃ triparivartaṃ dvādaśākāraṃ ca yujyate. kathaṃ ca punas triparivartam. satyānāṃ triḥ parivartanāt. kathaṃ dvādaśākāram. caturṇāṃ satyānāṃ tridhākaraṇāt. duḥkhaṃ samudayo nirodho mārga iti, parijñeyaṃ praheyaṃ sākṣātkartavyaṃ bhāvayitavyam iti, parijñātaṃ prahīṇaṃ sākṣātkṛtaṃ bhāvitam iti.（AKBh 371, 11–21）

先行訳として、櫻部建、小谷信千代［1999: 336–337］を参照した。

（12）原文「不分別、不分別」。おそらく原梵文において二語は異なっていたはずであるが、原語を確かめることはできない。今は「分別しないこと、分別しないこと」と直訳するにとどめた。

（13）『ラリタヴィスタラ』第二十六章。
saṃkalpakalpajanitena ayoniśena bhavate avidya na pi saṃbhavako 'sya kaści |（LV 419, 21）

（14）『ラリタヴィスタラ』第二十六章。
evaṃ hi dvādaśārākaṃ dharmacakraṃ pravartitam |
Kauṇḍinyena ca ājñātaṃ nirvṛttā ratanā trayaḥ ||（LV 421, 1–2）

（15）『力荘厳三昧経』の以下の文のうち傍線部に該当するようである。
一切衆生本無有名、仮名故説。本無言語、仮説置言。本無文字、仮立文字。何以故。文字句説一切世間種種差別、能得知故。（『力荘厳三昧経』巻下。T15, 722b）

（16）『阿那婆達多龍王所問経』（*Anavataptanāgarāja-paripṛcchā*）。
bcom ldan 'das nam mkha'i 'khor lo bskor ba de ni chos kyi 'khor lo bskor ba'o ||（P no. 823 Pu246b1）
是法名転空虚之輪。（竺法護訳『弘道広顕三昧経』巻三。T15, 500c）

（17）『転有経』（*Bhavasaṃkrānti-sūtra*）。
anāmakāḥ sarvadharmāḥ nāmnā tu paridīpitāḥ |（BhSS 440, 3–4）

（18）『大般若波羅蜜多経』第六会。
若無世俗、即不可説有勝義諦。（玄奘訳『大般若波羅蜜多経』巻五百六十九、第六分、法性品。T7, 939a）
若無世諦、第一義諦則不可説。（月婆首那訳『勝天王般若波羅蜜経』巻三。T8, 702c）

『無垢名称修多羅』は『維摩詰所説経』（*Vimalakīrti-nirdeśa*）であるが、『維摩詰所説経』のうちには勝義諦や世俗諦についての言及はないようである。あるいは取意か。

（19）　原文「彼処常饒寂静仙人」。のちにおいては、梵文底本の「寂静であり、上寂静であり、静慮が現前しており」（śāntaṃ cāpy upaśānta dhyānabhimukhaṃ）に対応する箇所が「此有那由他　寂静勝仙人」と奇妙な訳になっている。それによって、ここでも「かしこにおいては、寂静であり、静慮が現前している」と訂正する。

（20）　『ラリタヴィスタラ』第二十五章。

ṣaṣtiṃ yajñasahasrakoṭinayutā ye tatra yaṣṭā mayā
ṣaṣtiṃ buddhasahasrakoṭinayutā ye tatra saṃpūjitā |
paurāṇām ṛṣiṇām ihālayu varo vārāṇasī nāmavā
devānāgam abhiṣṭuto mahitaro dharmābhinimnaḥ sadā ||
buddhā koṭisahasra naikanavatiḥ pūrve smarāmī aha
ye tasminn ṛṣisāhvaye vanavare vartīsu cakrottamam |
śāntaṃ cāpy upaśānta dhyānabhimukhaṃ nityaṃ mṛgaiḥ sevitaṃ
ity arthe ṛṣisāhvaye vanavare vartiṣyi cakrottamam ||（LV 402, 9–16）

第二頌の第一句末尾にある nāmavā という語はわかりにくい。第二頌の第一句は別版において次のようにある。

paurāṇa ṛṣiṇām ihālaya varā vārāṇasī nāma varā |（LV [Mitra] 522, 22）

varā が二回出るのは『転法輪経憂波提舎』において「波羅奈処勝　有勝旧仙人」と「勝」が二回出るのと一致する。したがって、『転法輪経憂波提舎』の原梵文の第一句は別版と同様であった可能性がある。

第五頌の śāntaṃ cāpy upaśāntadhyānabhimukhaṃ が漢訳において「此有那由他　寂静勝仙人」と奇妙な訳になっている。今は梵文から和訳した。

（21）　『ラリタヴィスタラ』第二十六章。以下、下線部は『転法輪経憂波提舎』において引用されない箇所を指す。

iti hi bhikṣavo bhaumai-devair vārāṇasyāṃ ṛṣi-patane mṛga-dāve dharma-cakra-pravartanārthaṃ tathāgatasya mahā-maṇḍala-mātro ’dhiṣṭhito ’bhūt citro darśanīyo vipulo vistīrṇaḥ sapta-yojana-śatāny āyāmo vistāreṇa. upariṣṭāś ca devaiś cchatra-dhvaja-patākāvitāna-samalaṃkṛtaṃ gagana-talaṃ samalaṃkṛtam abhūt. kāmāvacarair rūpāvacaraiś ca deva-putraiś catur-aśīti-siṃhāsana-śata-sahasrāṇi tathāgatāyopanāmitāny abhūvan: iha niṣadya Bhagavān dharma-cakraṃ pravartayatu asmākam anukampām upādāyeti.（LV 413, 1–7）

なお、下線部 samalaṃkṛtam は蔵訳（P no. 763, Ku 223b3）のうちにもない。

（22）原文「八十四千億人」。「八十四千人」の誤訳。蔵訳 brgyad khri bzhi stong mi yi rnams（P no. 763, Ku 228a4）。竺法護訳『仏説普曜経』巻七「八万世人」（T3, 530b）。地婆訶羅訳『方広大荘厳経』巻十一「八万四千人」（T3, 608b）。

（23）『ラリタヴィスタラ』第二十六章。以下、下線部は『転法輪経憂波提舎』において引用されない箇所を指す。

Kauṇḍinyaṃ prathamaṃ kṛtvā pañcakāś caiva bhikṣavaḥ |
ṣaṣṭīnāṃ devakoṭīnāṃ dharmacakṣur viśodhitam ||
anye cāśītikoṭyas tu rūpadhātukadevatāḥ |
teṣāṃ viśodhitaṃ cakṣu dharmacakrapravartate ||
caturaśītisahasrāṇi manuṣyāṇāṃ samāgatā |
teṣāṃ viśodhitaṃ cakṣu <u>muktā sarvebhi durgatī</u> ||（LV 421, 7–12）

（24）この箇所は『十地経』第九地に拠る。

義無礙弁によっては、八万四千の有情所行の、意楽のままに、機根のままに、勝解の区別のままに、如来の声を知らせるのである。

artha-pratisaṃvidā catur-aśīti-sattva-carita-sahasrāṇāṃ yathāśayaṃ yathendriyaṃ yathādhimukti-vibhaktitas tathāgata-ghoṣaṃ prajānāti.（DBhS 162, 11–12）

prajānāti については BHSD 357 を見よ。なお、菩提流支訳『勝思惟梵天所問経』巻四（T15, 83b; 83c）に「衆生八万四千心行」とあるが、蔵訳（P no. 827, 76a2; 76a4）には「あらゆる有情の心所行」（sems can thams cad kyi sems kyi spyod pa）あるいは「八万四千の有情所行」（sems can gyi spyod pa brgyad khri bzhi stong）とあるにすぎない。

第四章　『宝髻経四法憂波提舎』訳註

T26·273c

『宝髻経四法憂波提舎』翻訳之記

「宝髻経」者、是『大集』中之一集也。其宗「四法」、玄深奥密、天親菩薩、略開其門。是故名為「憂波提舎」。聖自在力、行之彼古、時人処会、出於此今。興和三年、歳次辛酉、九月朔旦、庚午之日、烏萇国人刹利王種三蔵法師毘目智仙、中天竺国婆羅門人瞿曇流支、護法大士魏驃騎大将軍開府儀同三司御史中尉勃海高仲密、愛法之人沙門曇林、道俗相

274a

仮、於鄴城内金華寺訳。四千九百九十九字。

『宝髻経四法憂波提舎』翻訳の記

「宝髻経」とは『大集経』のうちの一集である。それが「四法」を趣旨とすることは深々として奥まっているので、ヴァスバンドゥ菩薩はそれ（＝四法）に到る門を総括的に開示したまうた。それゆえに「憂波提舎」と呼ばれる。聖者の自在力については、かの昔にそれが行使され、当時の人が会にいたことについては、この今になって〔それが〕訳出される。興和三年（五四一）、干支は辛酉の、九月一日、干支は庚午の日、烏萇国（Udyāna）の人でありクシャトリヤ（kṣatriya）の王族出身の三蔵法師である毘目智仙と、中天竺国のブラーフマナ（brāhmaṇa）である瞿曇般若流支と、護法の大士であり魏の驃騎大将軍・開府儀同三司・御史中尉である勃海（現在の河北省安定県）の高仲密（高慎）と、法を敬愛する人である沙門曇林との、僧俗が協力し合って、鄴城のうち、金華寺において訳した。四千九百九十九字である。

宝髻経四法憂波提舎　一巻

天親菩薩造
元魏烏萇国三蔵毘目智仙訳

如是我聞一時、婆伽婆住王舎城耆闍崛山中、与大比丘僧大菩薩衆倶。爾時世尊告宝髻菩薩言、「善男子、菩薩四種発起精進不離布施。何等為四。一者満足一切衆生発起精進。二者満足一切仏法発起精進。三者究竟相随形好発起精進。四者清浄仏之世界発起精進。如是四種発起精進」。乃至尽此修多羅説。

如是菩薩四種正法、大乗経摂諸菩薩行證明説。此今解釈。

宝髻経四法憂波提舎　一巻

ヴァスバンドゥ菩薩の作
元魏の烏萇国三蔵毘目智仙の訳

次のようにわたしが聞いたある時、世尊（*Bhagavat）は王舎城の耆闍崛山にとどまっておられ、甚大なる比丘僧伽（*bhikṣu-saṃgha）および甚大なる菩薩衆（*bodhisattva-gaṇa）と一緒であった。その時、世尊は宝髻（*Ratnacūḍa）菩薩におっしゃった。「良家の息子よ、菩薩は四つの〈精進の発起〉を離れずに布施する。四つとは何かというならば、一つめはあらゆる有情を満足させる〈精進の発起〉であり、二つめはあらゆる仏法を成就する〈精進の発起〉であり、三つめは相好を円満する〈精進の発起〉であり、四つめは仏国土を浄化する〈精進の発起〉である。このような四つの〈精進の発起〉である[1]」。以下この経を終えるまで説かれる。

このような菩薩の四属性によって、大乗経のうちに含まれる諸菩薩行が明らかに説かれている。そのことについて、今、解説することにしたい。

註

（1）『大方等大集経』宝髻菩薩品（*Ratnacūḍa-paripṛcchā*）。
de brtson ’grus rtsom pa bzhi dang mi ’bral bar sbyin pa sbyin par byed de | bzhi gang zhe na | sems can thams cad tshim par byed pa’i brtson ’grus rtsom pa dang | sangs rgyas kyi chos thams cad yongs su bsgrub pa’i brtson ’grus rtsom pa dang | mtshan dang dpe byad bzang po yongs su rdzogs par byed pa’i brtson ’grus rtsom pa dang | sangs rgyas kyi zhing yongs su sbyong ba’i brtson ’grus rtsom pa ste brtson ’grus rtsom pa bzhi po de dag ma bral bar sbyin pa sbyin par byed do ‖（P no. 760 [47] ’I 210b3–5）
如是施時、具四精進。一者満衆生故具足精進、二者護仏法故具足精進、三者為具三十二相八十種好故具足精進、四者浄仏土故具足精進。（曇無讖訳『大方等大集経』巻二十五、宝髻菩薩品。T13, 174c）

〔総問〕

以何義故、彼不可量、無垢精勤、不動最勝、堅固精進、大力具足、如是世尊而説此経。偈言。

世尊牟尼王　不可量精進
無垢勤不動　最勝精進力
説此修多羅　為何所饒益

いかなるわけで、かの、不可量なる、無垢なる精勤あり、不動なる、最勝なる、堅固なる精進あり、大力を具えたまう、そのような世尊はこの経を説きたまうたのか。偈が説かれる。

不可量なる精進あり、無垢なる精勤あり、不動なる、最勝なる精進あり、大力ある世尊、牟尼王は何のために（*kim artham）この経を説きたまうたのか。

又復何義、名為「世尊」。

何所饒益、在「王舎城」。

以何義故、世尊告彼宝髻菩薩。

何故菩薩名為「宝髻」。

彼善男子菩薩四種発起精進不離布施、如是菩薩是何種姓。此義須釈。

何故発起四種精進、不多不少。

何者布施。

幾種布施。

「満足衆生発起精進」、此応解釈。

何者「衆生」。為有、為無。衆生若
274b 有、「一切諸法離衆生」説、云何可避。衆生若無、而言「満足一切衆生」則不相応。

菩薩布施為当満足一切衆生、為不

〔別問〕

〔1〕さらにまた、いかなるわけで「世尊」と呼ばれるのか。

〔2〕何のために（*kim artham）「王舎城」に住したまうたのか。

〔3〕いかなるわけで世尊はかの宝髻菩薩におっしゃったのか。

〔4〕なにゆえに菩薩は「宝髻」（*Ratnacūḍa）と呼ばれるのか。

〔5〕かの良家の息子である菩薩が四つの〈精進の発起〉を離れずに布施するという、そのような菩薩は何を種姓とする者なのか。そのことが解説されるべきである。

〔6〕なにゆえに〈精進の発起〉は四つであり、多くもなく少なくもないのか。

〔7〕布施とは何か。

〔8〕布施は何種類か。

〔9〕①「〔あらゆる〕有情を満足させる〈精進の発起〉」という、そのことが解説されるべきである。「有情」とは何か。あるのか、ないのか。有情がもしあるならば、「あらゆる法は有情を遠離している[1]」と説くことはいかにして回避されるのか。有情がもしないならば、「あらゆる有情を満足させる」と言うことは妥当でない。

〔10〕菩薩の布施はあらゆる有情を満足させるのか、満足させないのか。

満足。若皆満足、何因縁故、一切衆生不覚不知。如世尊説。彼言「龍王、若我四法已取衆生、彼諸衆生一切皆応知我説法」。若不満足、自違所説修多羅言。

若説「満足一切仏法発起精進」、彼説何者名為「仏法」。

又復云何菩薩布施如是「満足一切仏法」。何須更説六波羅蜜。若彼布施如是満足、是則無有五波羅蜜。若有六者、自違所説修多羅言。

若説「究竟相随形好発起精進」、「相随形好」、此義須説。何者「相好」。

又復此義、世尊已説。若世尊説「究竟相好発起精進」、『尸波羅蜜』、仏如是説、「若有菩薩悕望欲得相随形好而布施者、当知彼是取著菩薩」、以何義故、此中随説、『尸波羅蜜』、

もしすべて満足させるのならば、いかなる理由によって、あらゆる有情はさとりもしないし、わかりもしないのか。世尊が説きたまうたとおりである。かしこにおいては「龍王よ、もしわたしが四法によって諸有情を摂取するならば、かの諸有情はすべてわが説法を知るはずである[2]」と言われている。もし満足させないならば、説きたまうた経の文言にご自分で違背する。

〔11〕もし②「あらゆる仏法を成就する〈精進の発起〉」と説くならば、そこでは何が「仏法」と呼ばれるのか。

〔12〕さらにまた、どうして菩薩の布施はこのように「あらゆる仏法を成就する」のか。どうしてあらためて六波羅蜜を説く必要があるのか。もしかの布施がこのように〔あらゆる仏法を〕成就するならば、五波羅蜜はない。もし六〔波羅蜜〕があるならば、説きたまうた経の文言にご自分で違背する。

〔13〕もし③「相好を円満する〈精進の発起〉」を説くならば、「相好」という、そのことが解説されるべきである。「相好」とは何か。

〔14〕さらにまた、以下のことが世尊によって説かれている。もし世尊が③「相好を円満する〈精進の発起〉」を説きたまうならば、『尸波羅蜜』において、仏が「もし菩薩が相好を得ようと望んで布施するならば、彼は執着ある菩薩と知られるべきである[3]」とこのように説きたまうたのは、いかなるわけで、ここ（＝『宝髻経』）においては随説したまい、『尸波羅蜜』なる、か

彼処則遮。如是因縁、此義須説。

若説「清浄仏之世界発起精進」、諸仏世界幾種清浄、幾種不浄。此義須説。

又此世尊釈迦牟尼仏之世界為是清浄、為不清浄。若皆清浄、違『阿弥陀荘厳経』説。於彼『経』中、如来説言、「我今出於五濁悪世、阿耨多羅三藐三菩提覚」。若不清浄、何故此説「菩薩四種発起精進不離布施」。此義須説。

以要言之、何者「満足一切衆生発起精進」、如是乃至何者「清浄仏之世界発起精進」、世尊已説。

しこにおいては否認したまうたのか。そのような理由、そのことが解説されるべきである。

〔15〕もし④「仏国土を浄化する〈精進の発起〉」を説くならば、諸仏国土はどれだけが清浄であり、どれだけが不清浄であるのか。そのことが解説されるべきである。

〔16〕さらに、この世尊釈迦牟尼の仏国土は清浄であるのか、不清浄であるのか。もしすべて清浄であるならば、『阿弥陀荘厳経』の説に違背する。かの『経』において、如来は「わたしが今、五濁の悪世に出、無上正等覚を現等覚してのち[4]」と説きたまうた。もし不清浄であるならば、なにゆえここでは「菩薩は四つの〈精進の発起〉を離れずに布施する」と説くのか。そのことが解説されるべきである。

〔17〕まとめれば、①「あらゆる有情を満足させる〈精進の発起〉」とは何であり、このようにして、しまいには④「仏国土を浄化する〈精進の発起〉」とは何であると、世尊は説きたまうたのか。

註

（1）『二万五千頌般若波羅蜜多』（*Pañcaviṃśatisāhasrikā Prajñāpāramitā*）。
sattva-viviktatā hi sarva-dharmāḥ.（PVSPP VI–VIII, 92, 5）
一切法離衆生相。（鳩摩羅什訳『摩訶般若波羅蜜経』巻二十五、実際品。T8, 401b）

以一切法離有情故。（玄奘訳『大般若波羅蜜多経』巻四百七十三、第二分、実際品。T7, 395c）

（2）『娑伽羅龍王所問経』（*Sāgaranāgarāja-paripṛcchā*）。

bsdu ba'i dngos pos brgyan na sems can thams cad yongs su smin par byed par 'gyur ro ||（P no. 821 Pu 212b3–4）

四摂荘厳故、常勤摂化一切衆生。（実叉難陀訳『十善業道経』。T15, 159a）

龍主、乃至以四摂法而為荘厳、果報円満、当得一切衆生随順化導。（施護訳『仏為娑伽羅龍王所説大乗経』。T15, 161c）

（3）『大般若波羅蜜多経』浄戒波羅蜜多分。

又満慈子、若諸菩薩執著諸相而行布施、是諸菩薩行於非処。（玄奘訳『大般若波羅蜜多経』巻五百八十三、第十二分。T7, 1020a. 梵文・異訳なし）

（4）『阿弥陀経』（*Amitābhavyūha*）。

tan mamāpi Śāriputra pratiduṣkaraṃ yan mayā sahāyāṃ lokadhātāv anuttarāṃ samyaksaṃbodhim abhisaṃbudhya sarvalokavipratyayanīyo dharmo deśitaḥ sattvakaṣāye dṛṣṭikaṣāye kleśakaṣāya āyuṣkaṣāye kalpakaṣāye ca.（SmSV 99, 19–22）

舎利弗、当知。我於五濁悪世、行此難事、得阿耨多羅三藐三菩提、為一切世間、説此難信之法、是為甚難。（鳩摩羅什訳『阿弥陀経』。T12, 348a）

是故舎利子、当知。我今於此雑染堪忍世界五濁悪時、證得阿耨多羅三藐三菩提、為欲方便利益安楽諸有情故、説是世間極難信法、甚為希有不可思議。（玄奘訳『称讃浄土仏摂受経』。T12, 351b）

〔総答〕

此皆是難。如是第一無垢清浄勝修多羅、如所問難、彼義今説。

此所説法、其義云何。以何義故、彼無障礙、不可称量、離垢勝慧、不

これらはすべて質問である。以上のように、最高なる無垢清浄なる経[1]について質問されたとおりに、それについて、今、説明することにしたい。

ここで説かれている法の、その意味は何なのか。何のために、かの、無礙なる、不可量なる、離垢なる、殊勝なる慧をお持ちであり、不可思議なる、

274c
可思議、勝身口意、第一天人阿修羅衆之所供養、寂静勝行、不可思議無等等光、已説此経。偈言。

無礙広無量　勝慧三界上
身不可思議　口意亦如是
天人阿修羅　衆等所供養
何義故説此　無上離垢行
正教仏已説　寂静第一行
有不可思議　無等等光明

此義今説。為有疑者、断疑饒益。於大会中、有天有人、有阿修羅、若龍夜叉鳩槃荼等[*1]、聞仏世尊為菩薩説〃飲食、車乗、衣服、荘厳、種種珍宝、若馬若象、修道之処、園林戯処、城邑聚落、多人住処、或以洲渾[*2]、妻子、頭目、手足、心皮、肉血、骨髄、上身等分、以用布施〃、聞此説已、生於疑心、〃菩薩幾許発起精進、如

殊勝なる身口意をお持ちであり、最高の天と人と阿修羅との衆によって供養され、寂静であり、最高の行をお持ちであり、不可思議なる、等しきものなきものに等しい（*asama-sama）光明をお持ちであるかたは、この経を説きたまうたのか。偈が説かれる。

無礙なる、広大なる、無量なる、殊勝なる慧をお持ちであり、三界を出でたまい、身が不可思議であり、口と意ともそれと同様であり、天と人と阿修羅との衆によって等しく供養され、寂静であり、最高の行をお持ちであり、不可思議なる、等しきものなきものに等しい光明をお持ちである仏は、何のためにこの、無上なる離垢の行を説く正教を説きたまうたのか。

〔1〕そのことについて、今、説くことにしたい。疑いある者に対し、疑いを断じてやるためである（*-artham）。大集会において、天や人や阿修羅や龍や夜叉や鳩槃荼などは仏世尊が菩薩のために〃飲み物や、食べ物や、車（*ratha）や、乗り物（*yāna）や、衣服（*vastra）や、装飾品や、さまざまな宝石や、馬や、象や、修道の場や、遊園（*udyāna）や、都城（*nagara）や聚落（*grāma）や、多くの人のいる所や、あるいは岸辺や、妻（*bhārya）や子（*putra-duhitṛ）や、頭（*uttamāṅga）や目（*nayana）や、手（*hasta）や足（*pāda）や、心臓（*hṛdaya）や皮（*chavi-carma）や、肉（*māṃsa）や血（*śoṇita）や、骨（*asthi）や髄（*majjā）や、身の各部（*pratyaṅgāni）を喜捨した〃と説き

是種種難行布施〟。如来観知彼生疑心、断彼疑故、為説此経、言「善男子、菩薩四種発起精進不離布施」。一切智人已説此法、非謂〝菩薩懈怠布施〟。是故四種発起精進。如是饒益。

又復如来何所饒益而説如是檀波羅蜜施行清浄。

有人憶念〝欲聞仏説檀波羅蜜施行清浄〟、聞已饒益。何人欲聞。此我今説。所謂宝髻諸菩薩等如是大聖菩薩衆倶善応世界而来至此。種種勝妙供養世尊。供養已訖問言、「世尊、未知菩薩幾種浄行。願世尊説。我今欲聞」。世尊説言、「善男子、菩薩具有四種浄行。何等為四。一者波羅蜜浄行、二者菩提分法浄行、三者通智

たまうたのを聞き、その説を聞きおわってのち、〝菩薩にはどれだけの〈精進の発起〉によって、このようにさまざまな行ない難い喜捨（*duṣkara-parityāga）があるのか〟という疑いを起こした。如来は彼に疑いが生じたのを知りたまい、彼の疑いを除去してやるために、「良家の息子よ、菩薩は四つの〈精進の発起〉を離れずに布施する」と、この経を説きたまうた。一切智者（*sarvajña）はこの法（＝経）を説きたまうたのである以上、〝菩薩は懈怠なまま布施する〟というわけでない。それゆえに四つの〈精進の発起〉がある。そういうことのためである（*-artham）。

〔2〕さらにまた、如来は何のために（*kiṃ artham）このような布施波羅蜜による布施行清浄を説きたまうたのか。

ある人が〝仏が布施波羅蜜による布施行清浄を説きたまうのを聞きたい〟と憶念したのに対し、聞きおわらせてやるためである（*-artham）。いかなる人が聞きたがったのか。そのことについて、わたしは今、説くことにしたい。すなわち、宝髻は諸菩薩などそのような大聖菩薩衆とともに善応世界からこちら（＝娑婆世界）に来、さまざまな素晴らしいものによって世尊を供養し、供養しおわって、「世尊よ、いまだ菩薩にどれだけの清浄行（*pariśuddha-caryā）があるか存じません。世尊よ、解説したまえ。わたしは今、お聞きしたいと存じます」と問いたてまつった。世尊は「良家の息子よ、菩薩には四つの清浄行がある。四つとは何かというならば、一つめは波羅蜜の清浄行、

究竟浄行、四者衆生淳熟浄行。何者
275a 布施波羅蜜浄行」。彼云何説。彼世
尊説、「菩薩四種発起精進不離布施」
如是等。如是饒益。

又復此義、何所利益。此我今説。為自利益、為他利益。不知自他利益因故、如来示彼自他利因、是故為説此修多羅。一切智人何以故示。有人起発菩提心已、四種発起精進布施、彼人自他利益具足、非唯憶念。究竟相好発起精進、満足仏法発起精進、是故布施得自利益。満足衆生発起精進、浄仏世界発起精進、是故布施得他利益。如是饒益。

又復更有何所饒益。此義今説。若有菩薩、不学施智、令彼菩薩学施智

二つめは菩提分法の清浄行、三つめは神通を成就する清浄行、四つめは有情を成熟させる清浄行である。布施波羅蜜の清浄行とは何か」と説きたまうた。[2] それ（＝布施波羅蜜の清浄行）はどのように説かれるのか。〔それゆえに〕それを世尊は「菩薩は四つの〈精進の発起〉を離れずに布施する」かくかくしかじかと説きたまうた。そういうことのためである（*-artham）。

〔3〕さらにまた、そのことは何のためなのか（*kim artham）。そのことについて、わたしは今、説くことにしたい。自利のためであり（*svārtham）、利他のためである（*parārtham）。自利と利他とである因を知らないゆえに、如来はかの自利と利他とである因を示したまい、それゆえにこの経を説きたまうた。一切智者（*sarvajña）はどのように示したまうたのか。菩提心を起こしおわって、四つの〈精進の発起〉によって布施する者、彼は自利と利他とを円満するのであり、ただ憶念のみによって〔円満するの〕ではない。③「相好を円満する〈精進の発起〉」と②「〔あらゆる〕仏法を成就する〈精進の発起〉」とによって、それゆえに布施は自利を得る。①「〔あらゆる〕有情を満足させる〈精進の発起〉」と④「仏国土を浄化する〈精進の発起〉」とによって、それゆえに布施は利他を得る。そういうことのためである（*-artham）。

〔4〕さらにまた、あらためて、何のためなのか（*kim artham）。そのことについて、今、説くことにしたい。布施の智を学んでいない菩薩なるもの、

故、如是饒益、一切智示、〃若有菩薩、不学施智、而亦行施、得名為施、非波羅蜜〃。如世尊説『檀波羅蜜』。彼中説言、「若人恒伽河沙等劫修行布施、不学施智、如是菩薩得名為施、非波羅蜜」。

又復更有何所饒益。此義今説。若有菩薩、欲少行施、多得果報、以何方便、彼不学人。一切智人、善方便学彼不学人饒益彼故、為説此経。一切智人四種示現、〃以此方便、少行布施、多得果報〃。如『善方便修多羅』説「善方便菩薩少施作広、広作無量」。如是饒益。

又復更有何所饒益。此義今説。若有菩薩、離於願智、令彼菩薩願智和合如是饒益、一切智示、〃菩薩無願、

かの菩薩に布施の智を学ばせてやるために（*-artham）、一切智者（*sarvajña）は〃もし菩薩が布施の智を学ばないまま布施を行なうならば、布施と呼ばれ得るにせよ、波羅蜜でない〃ということを示したまうた。世尊が『檀波羅蜜』を説きたまうたとおりである。かしこにおいては「もし人がガンジス河の砂に等しい劫のあいだ布施を修行し、布施の智を学ばないならば、そのような菩薩は布施したと言われるにせよ、波羅蜜でないのである(3)」と説かれている。

〔5〕さらにまた、あらためて、何のためなのか（*kim artham）。そのことについて、今、説くことにしたい。何らかの方便によって、単に布施するだけで多く果報を得ようと願う菩薩なるもの、彼は不学の者である。一切智者（*sarvajña）は方便善巧（*upāya-kauśalya）をかの不学の者に学ばせてやるために（*-artham）、この経を説きたまうた。一切智者は四とおりに〃この方便によって、単に布施するだけで多く果報を得る〃ということを示したまうた。『善方便修多羅』において「方便善巧なる菩薩は少ない布施であっても多くするし(4)、多いものを無量にする」と説かれているとおりである。そういうことのためである（*-artham）。

〔6〕さらにまた、あらためて、何のためなのか（*kim artham）。そのことについて、今、説くことにしたい。願智を離れている菩薩なるもの、かの菩薩を願智と結びつけてやるために（*-artham）、一切智者（*sarvajña）は〃菩

則不布施。又如是願。我今食等布施満足。願未来世以無上法布施満足、力無所畏不共法等如是仏法相随形好皆悉證得、我得善浄仏之世界〟。如是饒益。

275b

◁又復更有何所饒益。此義今説。菩薩求於四種具足、不学其因、学因饒益、一切智示、〝若汝欲求四種具足、応行四種発起精進、行於布施。何等為四。一者衆僧具足、二者智具足、三者身具足、四者仏世界具足〟。一切智示、〝若汝欲求四種具足、応行四種発起精進、行於布施〟。若説「満足一切衆生発起精進」、得僧具足。若説「満足一切仏法発起精進」、得智具足。若説「究竟相随形好発起精進」、得身具足。若説「清浄仏之世界発起精進」、得仏世界具足。如是饒益。自他利益、故説此経。

薩は願がなければ布施しない。さらに、次のように願うのである。――わたしは今、食べ物などを布施することを円満した。願わくは未来世において無上法を布施することを円満し、〔十〕力と〔四〕無所畏と不共法などというそのような仏法と、相好とをすべて証得し、わたしは善清浄なる仏国土を得ますように〟と示したまうた。そういうことのためである（*-artham）。

〔7〕さらにまた、あらためて、何のためなのか（*kim artham）。そのことについて、今、説くことにしたい。菩薩が四つの円満を求め、その因を学んでいないのに対し、因を学ばせてやるために（*-artham）、一切智者（*sarvajña）は〝もし貴君が四つの円満を求めるならば、四つの〈精進の発起〉によって、布施すべきである。四つとは何かというならば、一つめは僧円満、二つめは智円満、三つめは身円満、四つめは仏国土円満である〟と示したまうた。一切智者は〝もし貴君が四つの円満を求めるならば、四つの〈精進の発起〉によって、布施すべきである〟と示したまうた。もし①「あらゆる有情を満足させる〈精進の発起〉」を説くならば、僧円満を得る。もし②「あらゆる仏法を成就する〈精進の発起〉」を説くならば、智円満を得る。もし③「相好を円満する〈精進の発起〉」を説くならば、身円満を得る。もし④「仏国土を浄化する〈精進の発起〉」を説くならば、仏国土円満を得る。そういうことのためである（*-artham）。自利と利他とのために、この経を説きたまうた。

原文校訂

＊1　大正蔵底本は「荼」に作る。宮本によってこれを改める。

＊2　大正蔵底本は「埏」に作る。三本・宮本によってこれを改める。

註

（1）原文「勝修多羅」。般若流支訳『正法念処経』巻四十七「勝修多羅」（T17, 280b）＝蔵訳 mdo rnams（P no. 953, Ru 149a1）

（2）『大方等大集経』宝髻菩薩品。

bcom ldan ’das de bzhin gshegs pa dgra bcom pa yang dag par rdzogs pa’i sangs rgyas yongs su dag par rab tu gnas pa | bcom ldan ’das la gnod pa chung ngam | nyam nga ba nyung ngam | bskyod pa yang ngam | ’tsho ’am | stobs dang | bde bar reg pa la gnas sam | zhes sku na gsol lo || bcom ldan ’das bdag kyang byang chub sems dpa’ sems dpa’ chen po rnams kyi spyod pa yongs su dag pa | mnyan pa’i slad du ’dir mchis na | bcom ldan ’das byang chub sems dpa’ rnams spyod pa yongs su dag pa gang la gnas na | shin tu mthar phyin pa dang | shin tu grub pa dang | bde bar ’gyur ba dang | shin tu yongs su dag pa ’thob par ’gyur ba dang | de dag la bag chags kyi mtshams sbyor bar gyur pa’i nyon mongs pa thams cad kun tu ’byung bar mi ’gyur ba dang | rang gi spyod pa yongs su dag pas | sems can thams cad kyi sems kyi spyod pa rab tu ’tshal par ’gyur ba dang | spyod pa’i mtshan nyid rnams yang dag pa ji lta ba bzhin du khong du chud par ’gyur ba dang | ye shes kyi spyod pas ’dod chags dang zhe sdang dang | gti mug gi spyod pa rnam par spyod par ’gyur ba dang | chos kyi spyod pas sems can mi ’thun par spyod pa la gnas pa rnams yang dag pa’i chos kyi nan tan la mos par bgyid par ’gyur ba dang | de bzhin gshegs pa thams cad la kha na ma tho ba ma mchis par ’gyur ba dang | sems can thams cad nye bar ’tsho bar ’gyur ba dang | de dag la bdud thams cad kyis glags mi rnyed par ’gyur ba dang | de dag phyogs bcu’i ’jig rten na | da ltar byung ba’i sangs rgyas thams cad la blta ba la sgrib pa ma mchis par ’gyur ba dang | de dag gi spyod pa thams cad de bzhin gshegs pa’i ye shes kyi spyod pas rig par ’gyur ba’i byang chub sems dpa’ rnams kyi spyod pa yongs su dag pa de | de bzhin gshegs pa dgra bcom pa yang dag par rdzogs pa’i sangs rgyas kyis legs par bstan du gsol || de skad ces gsol ba dang | bcom ldan ’das kyis byang chub sems dpa’ sems dpa’ chen po gtsug na rin po che la ’di skad ces bka’ stsal to || rigs kyi bu de’i phyir legs par rab tu nyon la yid la zung shig dang | byang chub sems dpa’ sems dpa’ chen po rnams kyi spyod yongs su dag pa’i dpe tsam cung zad cig bshad do || bcom ldan ’das legs so zhes gsol nas | byang chub sems dpa’ gtsug na rin po che bcom ldan ’das kyi ltar nyan pa dang | bcom ldan das kyis de la ’di skad ces bka’ stsal to || rigs kyi bu byang chub sems dpa’ sems dpa’ chen po rnams kyi spyod pa yongs su dag pa ni ’di bzhi ste | bzhi gang zhe na | ’di lta ste | [1] pha rol tu phyin pa’i spyod pa yongs su dag pa dang | [2] byang chub kyi phyogs kyi chos kyi spyod pa yongs su dag pa dang | [3] mngon par shes pa bsgrub pa'i spyod pa yongs su dag pa dang | [4] sems can yongs su smin par bya ba'i spyod pa yongs su dag pa ste | rigs kyi bu bzhi po de dag ni byang chub sems dpa' rnams kyi spyod pa yongs su dag pa'o || [...] rigs kyi bu de la byang chub sems dpa' rnams kyi sbyin pa'i pha rol tu phyin pa'i spyod pa yongs su dag pa gang zhe na |（P no. 760 [47] 'I 207b5–208b8）

「世尊、善華世界浄住如来致敬問訊、起居軽利、気力安不、眷属大衆楽受法不。世尊、我従彼来、至此世界、為聴菩薩浄行法印。唯願如来、普為一切、大慈憐愍、分別解説、令諸菩薩聞已修集破壊一切煩悩習気、修菩薩行、了知一切衆生之心、能修菩薩所有行相、能得解了智慧之行、能知一切煩悩等行、能修菩薩所修法行、能深観察一切罪過、身得無礙見一切仏」。仏言、「善哉善哉、善男子、諦聴諦聴。我今当説如是浄行十分之一。善男子、菩薩摩訶薩有四行。何等為四。一者波羅蜜行、二者助菩提行、三者神通行、四者調衆生行。……善男子、云何名檀波羅蜜。檀波羅蜜即是浄行……」。（曇無讖訳『大方等大集経』巻二十四、宝髻菩薩品。T13, 174a）

なお、この四つの清浄行は『瑜伽師地論』本地分中菩薩地行品（BoBh 256, 1–18）および『大乗荘厳経論』（MSABh 183, 20–184, 1. ad MSA XX.42）において採り上げられており、瑜伽師の興味を惹いていたことが知られる。

（3）『大般若波羅蜜多経』布施波羅蜜多分。

若諸菩薩、於日初分、能以種種上妙飲食、供養殑伽沙数有情、既供養已、復施上妙黄金色衣、於日中分、亦以種種上妙飲食、供養殑伽沙数有情、既供養已、復施上妙黄金色衣、於日後分、亦以種種上妙飲食、供養殑伽沙数有情、既供養已、復施上妙黄金色衣、於夜三分、亦復如是、如是布施、経於殑伽沙数大劫、常無間断、是諸菩薩如是施已、若不迴求一切智智、雖名布施、而非布施波羅蜜多。（『大般若波羅蜜多経』巻五百八十三、第十一分。T7, 1017c. 梵文・異訳なし）

（4）『方便善巧経』（*Upāya-kauśalya-sūtra*）。

byang chub sems dpa' thabs mkhas pa ni sbyin pa nyung ngu yang mang por byed |（P no. 927, Shu 301a2）

菩薩摩訶薩、行於方便、以方便力故、雖行少施、所得福徳無量無辺阿僧祇。（菩提流志訳『大宝積経』巻百六、竺難提訳大乗方便会。T11, 595c）

〔別答〕

又復何義名為「世尊」。何所饒益

〔1〕さらにまた、いかなるわけで「世尊」と呼ばれるのか。〔2〕何のた

在王舎城。此之二難、如『菩提心憂波提舎』、彼説応知。

何故菩薩名「宝髻」者、彼義今説。如是無量無数百千阿僧祇劫、善根究竟、得珠宝（珠宝→宝珠？）髻、直十三千大千世界満中七宝。是故彼聖名為「宝髻」。譬如以手執金剛故名金剛手、如是髻中有宝珠故名為「宝髻」。

〔菩薩是何種姓者、〕『三善具足憂波提舎』、彼説応知。

何故発起四種精進、不多不少。彼義今説。以思念因、此之四種発起精進、思念饒益具足究竟。彼有何物、思念饒益。此我今説。自他利益。彼不須多、亦不得少。又復思念饒益究竟、不得説少。如是四種、世尊已説。

めに（*kim artham）「王舎城」に住したまうたのか。この二つの質問については、『菩提心憂波提舎』[1]なる、かしこに説かれているとおりに知られるべきである。

〔3　ナシ[2]〕

〔4〕なにゆえに菩薩は「宝髻」と呼ばれるのか。そのことについて、今、説くことにしたい。このように、無量無数百千阿僧祇劫をかけて、善根が究竟し、十の三千大千世界を満たす七宝に値する宝珠ある髻を得た。それゆえにかの聖者は「宝髻」と呼ばれる。たとえば手のうちに金剛を有するゆえに「金剛手」（*Vajra-pāṇi. 金剛を手のうちに有する者）と呼ばれるように、そのように、髻のうちに宝珠を有するゆえに「宝髻」（*Ratna-cūḍa. 宝珠を髻のうちに有する者）と呼ばれるのである。

〔5〕〔菩薩は何を種姓とする者なのか。〕『三善具足憂波提舎』[3]なる、かしこにおいて説かれていると知られるべきである。

〔6〕なにゆえに〈精進の発起〉は四つであって、多くもなく少なくもないのか。そのことについて、今、説くことにしたい。①思と②念とを原因として、この四つの〈精進の発起〉は、思と念との利益（*artha）が円満している。ここでは何が思と念との利益なのか。そのことについて、わたしは今、説くことにしたい。③自利と④利他と（*svaparārtha）である。それは多くなりもしないし、少なくなりもしない。さらにまた、①思と②念と③④利益

譬如丈夫、両脚得行、更不用多、一不得行、此亦如是。

何者布施。幾種布施。此二種難、『三善具足憂波提舎』、彼説応知。

何者衆生。為有、為無。如『菩提心優婆提舎』、彼説応知。

菩薩布施為当満足一切衆生、為不満足。彼義今説。菩薩満足。275c 云何満足。菩薩普於一切衆生、心皆平等、捨一切物、普施衆生、満足一切衆生願故。菩薩云何捨一切物。所有一切内外之物、願令一切衆生解脱、清浄心捨。乞求人来、如自己物、自物想取。一切衆生平等心故。若菩薩施離彼我過、捨衣食等、布施満足一切衆生。若不取者、非菩薩過。菩薩心於*1

（＝③自利と④利他と）とが円満している以上、少なく説くことはない。このように、四つが世尊によって説かれた。あたかも丈夫（*puruṣa）が両脚によって行くことを得、あらためて多くを用いず、一〔脚〕ならば行くことを得ないように、そのように、このことはある。

〔7〕布施とは何か。〔8〕布施は何種類か。この二つの質問については、『三善具足憂波提舎』(4)なる、かしこにおいて説かれていると知られるべきである。

〔9〕有情とは何か。あるのか、ないのか。『菩提心優婆提舎』(5)なる、かしこにおいて説かれていると知られるべきである。

〔10〕菩薩の布施はあらゆる有情を満足させるのか、満足させないのか。そのことについて、今、説くことにしたい。菩薩は満足させる。いかにして満足させるのか。菩薩はあまねくあらゆる有情に対し平等心（*sama-cittatā）を有し、あらゆる物を喜捨し、あまねく有情に布施し、あらゆる有情の願いを満足させるからである。菩薩はいかにしてあらゆる物を喜捨するのか。あらゆる内外の物を、あらゆる有情を解脱させようと願って、清浄心によって喜捨するのである。乞う者は来て、あたかも自分のもののように、〝自分のものだ〟という想いを取る。あらゆる有情に対する平等心（*sama-cittatā）によってである。もし菩薩の布施が彼我の〔区別という〕過失を離れているならば、衣服や食べ物などを喜捨し、布施によってあらゆる有情を満足させる。

一切乞者、猶如龍王。譬如龍王、一切求者、皆悉等与、若不受者、非龍王過。譬如龍王興大密雲、覆於虚空、平等降雨、薬草叢林、樹木生長、陂池悉満、高処不受、非龍王咎、如是菩薩平等普施一切乞者、若有不受、非菩薩過。満足一切衆生願故、菩薩布施、作如是願。〞我為満足一切衆生無上楽故、種種物施一切生処、我常満足一切衆生〞。是故菩薩作願布施、一切生処、得大富楽、以彼願力、布施力熏、生生処処、種種布施、無量衆生皆悉満足。離殺生等種種不善是無畏施。一切衆生皆悉満足。如世尊説、「止殺生故、是則布施一切衆生不畏不憎」如是等故。如為示現畢竟涅槃、無量衆生住涅槃楽、為諸菩薩、授仏記已、然後菩薩、自取涅槃。如是因縁、捨苦得楽。

もし受け取られなかったとしても、菩薩の過失でない。菩薩はあらゆる乞う者に対し、あたかも龍王のようである。あたかも龍王があらゆる求める者にすべて平等に与え、もし受け取られなかったとしても、龍王の過失でないように、かつ、あたかも龍王が大密雲を興し、虚空を覆い、平等に雨降らせ、薬草や叢林や樹木は生長し、堤のある池がことごとく満たされ、高い処で〔雨が〕受け取られなかったとしても、龍王の過失でないように、そのように、菩薩は平等にあまねくあらゆる乞う者に布施し、もし受け取られなかったとしても、菩薩の過失でない。あらゆる有情の願いを満足させるために、菩薩は布施し、次のように願う。〞わたしはあらゆる有情の無上の楽を満足させるために、さまざまな物をあらゆる受生の処において布施し、わたしは常にあらゆる有情を満足させよう〞。それゆえに、布施を願う菩薩は、あらゆる受生の処において大富楽を得、その願いの力によって、布施の力によって熏習され、受生の処ごとに、さまざまに布施し、無量の諸有情はすべて満足する。殺生などというさまざまな不善を離れることは無畏施である。あらゆる有情はすべて満足する。世尊が「殺生をやめるならば、あらゆる有情に対し無畏を施することになる」(6)かくかくしかじかと説きたまうたとおりである。畢竟の涅槃を示して無量の諸有情を涅槃の楽に住まわせるために、諸菩薩のために成仏を授記しおわって、しかるのちに菩薩は自ら涅槃を取る。このような理由によって、〔輪廻の〕苦を捨て、〔涅槃の〕楽を得る。

276a

如是満足一切衆生。

何者「仏法」。彼義今説。法身依止十力無畏不共法等、此是仏法。彼一切法皆是仏知、故名「仏法」。如彼聖者文殊師利所説偈言。

不思議正覚　不可量如来
縁覚声聞等　所不能測量
況一切衆生　能知彼如来
凡夫戯論行　如来無戯論
唯仏能知仏　仏法行依止
自然身心智　除仏無能解

又復云何菩薩布施如是「満足一切仏法」。何須説六。彼義今説。実有六種。以何意故唯説布施。此義今説。此是菩薩善方便意。「如善方便菩薩布施、則能満足六波羅蜜」、如『善方便修多羅』説。

このようにして、あらゆる有情を満足させるのである。

〔11〕「仏法」とは何か。そのことについて、今、説くことにしたい。法身に依止する十力と〔四〕無畏と不共法となど、それが仏法である。そのあらゆる〔仏〕法はすべて仏によって知られるから「仏法」と呼ばれる。かの聖者マンジュシュリーによって説かれた偈のとおりである。

諸如来が不可量である以上、あらゆる独覚と声聞とによってあらゆる面で正覚者は測り知られない。

如来に戯論がない以上、愚かで戯論を行ずるあらゆる有情によって諸勝者が知られ得ないことは言うまでもない。

仏によってこそ、仏と、仏の法性とが何であるか、自生者（*svayaṃbhū）の身心がいかなるものであるか、慧がいかなるものであるかが知られる。(7)

〔12〕さらにまた、〔②「あらゆる仏法を成就する〈精進の発起〉」とあるうち〕どうして菩薩の布施はこのように「あらゆる仏法を成就する」のか。どうしてあらためて六〔波羅蜜〕を説く必要があるのか。そのことについて、今、説くことにしたい。現実には六種類ある。何を意図してただ布施を説くのみなのか。そのことについて、今、説くことにしたい。これは菩薩の方便善巧（*upāya-kauśalya）を意図しているのである。「方便善巧なる菩薩は布施する際に六波羅蜜を円満することができる」(8)と、『善方便修多羅』において説かれているとおりである。

『郁伽羅問修多羅』説、「在家菩薩布施、満足六波羅蜜。云何満足。所謂菩薩、異異種物、彼彼求者、皆悉施与、心不分別。如是名為檀波羅蜜。依菩提心、修行布施。如是名為尸波羅蜜。於乞求者、不瞋不動。如是名為羼提波羅蜜。〝若布施他、我何所用〟、無如是心、有如是力。如是名為毘梨耶波羅蜜。若有来乞、若施、施已、不熱不悔、自心喜楽、善意心生。如是名為禅波羅蜜。若布施已、於一切法、心無所得、不望果報。如彼黠慧、無有少法、貪著喜楽、如是不著、唯願阿耨多羅三藐三菩提。如是名為般若波羅蜜」。

如是満足六波羅蜜。以要言之、一切具足。

又如世尊大乗経説無量具足、如是

『郁伽羅問修多羅』において「在家の菩薩が布施することによって、六波羅蜜〔の修習〕が円満する。いかにして円満するのか。すなわち、菩薩はさまざまな物をそれぞれ乞われればすべて布施し、心によって分別しない。そうであるので、布施波羅蜜〔の修習が円満する〕と言われる。菩提心に依拠して布施する。そうであるので、戒波羅蜜〔の修習が円満する〕と言われる。乞う者に対して瞋らず動じない。そうであるので、忍辱波羅蜜〔の修習が円満する〕と言われる。〝もし他者に布施してしまったならば、自分にはどうして受用物があろうか〟と、このように心を動揺させ、萎縮することがない。そうであるので、精進波羅蜜〔の修習が円満する〕と言われる。乞う者に、もし布施し、布施しおわったとしても、熱悩がなく、後悔がなく、〔布施する前にも〕喜び、〔布施する間にも〕楽しむ。そうであるので、禅波羅蜜〔の修習が円満する〕と言われる。もし布施しおわったとしても、あらゆる法に対し心のうちに所得がなく、果報を望まない。あたかも彼ら賢者がいかなる法にも執着しないように、そのように、執着がないので、ただ無上正等覚に廻向するのみである。そうであるので、般若波羅蜜〔の修習が円満する〕と言われる」(9)と説かれている。

このようにして六波羅蜜を円満する。まとめれば、あらゆる資糧を、である。

さらに、世尊が大乗経において無量の資糧を説きたまうたような、そのよ一切皆此中摂。

又住大地諸菩薩等有如是意。彼住大地諸菩薩意、布施「満足一切仏法」。

又復対治諸衆生故。世尊説法、或有衆生、以布施門、為説「満足一切仏法」。或有衆生、乃至慧門。

又復為示菩薩願故。菩薩満足乞求者意、作如是願。如我満足彼求者意。以此善根、願令「満足一切仏法」。

如是説者、則無有過。

何者相好。彼義今説。

三十二相、所謂⑴手足皆有輪文。⑵善安平住。⑶手網縵指。⑷手足柔
276b 軟。⑸七処平満。⑹指長。⑺身寛、正直大身。⑻項則如貝。⑼身毛上靡。⑽因尼鹿蹲。⑾髀平。⑿臂平。⒀陰

うなあらゆるものはすべてこのうちに含まれる。

さらに、すでに大いなる地に入っている諸菩薩（*mahābhūmi-praviṣṭā bodhisattvāḥ）にはそのような見解がある。かの、すでに大いなる地に入っている諸菩薩の見解によれば、布施によって「あらゆる仏法を成就する」。

さらにまた、諸有情に対応するためである。世尊は説法する際に、ある有情に対しては、布施という門によって「あらゆる仏法を成就する」ことを説き、ある有情に対しては、しまいには般若という門によって〔「あらゆる仏法を成就する」ことを説く〕。

さらにまた、菩薩の願を示すためである。菩薩は乞う者の意を満足させ、次のように〝わたしがかの乞う者の意を満足させたとおり、この善根によって、願わくば「あらゆる仏法を成就する」ように〟と願うのである。

このように説くならば、過失はない。
〔13〕〔③「相好を円満する〈精進の発起〉」とあるうち〕「相好」とは何か。そのことについて、今、説くことにしたい。
三十二相とは[10]、すなわち、⑴手足にすべて輪のしるしがあること（*cakrāṅkita-hasta-pādatā）。⑵〔地に〕安住している足があること（*supratiṣṭhita-pādatā）。⑶水掻き付きの手足があること（*jāla-hasta-pādatā）。⑷柔軟な手足があること（*mṛdu-taruṇa-hasta-pādatā）。⑸七つの隆起があること（*saptotsada-śarīratā）。⑹長い指があること（*dīrghāṅgulitā）。⑺広くまっすぐな身があるこ

馬王蔵。(14)皮妙、(15)金色。(16)一孔一毛。(17)眉間則有白毫顕面。(18)師子上身。(19)肩前後円。(20)其背平正。(21)味中上味。(22)身体円満、如尼拘陀。(23)頂上高円。(24)脩広長舌。(25)妙梵音声。(26)師子頤頬。(27)歯則鮮白、(28)斉平、(29)而密、(30)有四十歯。(31)(32)目睫紺青、如[*2]牛王眼。

八十種好、(1)(2)(3)隆赤膩甲。(4)円指。(5)錦文。(6)脈深不現[*3]。(7)手足踝平。(8)骨節堅密。(9)二足趺平。(10)

と（*bṛhad-ṛju-gātratā）。(8)喉が貝のようであること（*kambu-grīvatā）。(9)身毛が上に向かって靡いていること（*ūrdhvāgra-romatā）。(10)エーネーヤ鹿のような脛があること（*eneya-jaṅghatā）。(11)凹凸のない足があること（*ucchaṅga-caraṇatā）。(12)両肩の間が窪んでいないこと（*citāntarāṃsatā）。(13)覆いに隠れた陰部があること（*kośa-gata-vasti-guhyatā）。(14)繊細な皮膚があること（*sūkṣma-cchavitā）、(15)金色の皮膚があること（*svarṇa-cchavitā）。(16)一孔に一毛があること（*ekaika-roma-kūpatā）。(17)眉間に白毫があること（*uṣṇīṣa-śiraskatā）。(18)獅子のような上半身があること（*siṃha-pūrvārdha-kāyatā）。(19)円い肩があること（*susaṃvṛta-skandhatā）。(20)湾曲しない身があること（*anavanata-kāyatā）。(21)最高の味わいを味わうこと（*rasa-rasāgratā）。(22)身がニャグローダ樹のように円満していること（*nyagrodha-parimaṇḍalatā）。(23)頭頂に肉髻があること（*uṣṇīṣa-śiraskatā）。(24)広大な舌があること（*prabhūta-jihvatā）。(25)梵天のような声があること（*brahma-svaratā）。(26)獅子のような頬があること（*siṃha-hanutā）。(27)白い歯があること（*suśukla-dantatā）。(28)均等な（*sama-）、(29)密な（*avirala-）、(30)四十本の歯があること（*catvāriṃśad-dantatā）。(31)紺青の目があること（*abhinīla-netratā）。(32)牛の目のような睫毛があること（*go-pakṣma-netratā）。

八十種好とは、[11] (1)高い（*tuṅga-）、(2)赤銅色の（*tāmra-）、(3)潤った爪がある（*snigdha-nakha）。(4)充実した指がある（*vṛttāṅguli）。(5)順を追ったうるわしい指がある（*anupūrva-citrāṅguli）。(6)隠れた静脈がある（*gūḍha-śira）。(7)手

足下文長。(11)手足平正、(12)文深、(13)膩潤、(14)(15)舌次第語。(16)脣色赤好、如頻婆果。(17)不高不下。(18)舌赤軟少。(19)白象王舌（声？）、雷吼雲声、善美音声、如文殊響。(20)満足衆好。(21)両臂平等。(22)身体浄潔、衣裳亦爾、(23)普身柔軟、(24)衆分、(25)皆等、(26)次第、(27)善密、(28)身分分善、(29)分分寛博善坐、(30)円、(31)満、(32)舌正美言、(33)語論次第。(34)(35)(36)斉（臍？）舌皆深。(37)行密。(38)仙王普皆可憙。(39)第一善浄、離闇電光、普遍光明。(40)(41)(42)(43)師子牛王龍王鵝歩。(44)右旋転行。(45)舌不長短。(46)舌則円美。(47)腹脇不卓。(48)離於悪欲。(49)身無黒黶、無有垢悪。(50)外（牙？）円、(51)而利、(52)又不前却。(53)高隆。(54)而浄、(55)無有垢穢、(56)笑、(57)微、(58)而緩、(59)目如青葉。(60)居（眉？）婆羅耶、(61)笑

足に隠れた踝がある（*gūḍha-gulpha）。(8)緊密な関節がある（*ghana-saṃdhi）。(9)不均衡でない両足がある（*avisama-sama-pāda）。(10)長い踵がある（*āyata-pārṣṇi）。(11)等しく（*tulya-）、(12)深く（*gambhīra-）、(13)潤った（*snigdha-）、(14)曲がらない（*ajihma-. 原漢文「舌」[*jihva]）、(15)順序にしたがう手紋がある（*anupūrva-pāṇi-lekha）。(16)ビンバ果のように赤い唇がある（*bimboṣṭha）。(17)高からぬ語言がある（*nocca-vacana-śabda）。(18)赤銅色の（*tāmra-）、軟かい（*mṛdu-）、薄い舌がある（*tanu-jihva）。(19)象のような声、雷雲のような声、甘く愛らしい声がある（*gaja-garjitābhistanita-megha-svara-madhura-mañju-ghoṣa）。(20)円満な諸好がある（*paripūrṇa-vyañjana）。(21)下がった腕がある（*pralamba-bāhu）。(22)清浄な身があり、衣裳も揃っている（*śuci-gātra-vastu-sampanna）。(23)柔軟な身があり（*mṛdu-gātra）、(24)広い身があり（*viśāla-gātra）、(25)へこんでいない身があり（*adīna-gātra）、(26)順を追って高くなる身があり（*anupūrvonnata-gātra）、(27)よくまとまった身があり（*susamāhita-gātra）、(28)よく区分された身があり（*suvibhakta-gātra）、(29)それぞれ広くよく円満して好ましい全身があり（*pṛthu-vipula-suparipūrṇa-cāru-maṇḍala）、(30)充実した身があり（*vṛtta-gātra）、(31)よく締まった身があり（*suparimṛṣṭa-gātra）、(32)まっすぐで雄牛のような身があり（*ajihma-vṛṣabha-gātra. 原漢文「舌……」[*jihva-]）、(33)順を追った身がある（*anupūrva-gātra）。(34)深い臍があり（*gambhīra-nābhi）(35)まっすぐな臍があり（*ajihma-nābhi. 原漢文「舌……」[*jihva-]）(36)順を追った

則如法、(62)眉面、(63)処所、(64)次第相応。(65)眉（耳?）正不邪、(66)不少不多、(67)皆悉離過、(68)不可毀呰、皆不可嫌。(69)諸根善勝。(70)額中善満、第一可喜。(71)面額相類。(72)上身平満。(73)不白、(74)不黒、(75)有種種香、(76)不堅、(77)不濁、(78)次第、(79)善緊、(80)勝妙文章、有難提旋、跋陀摩那、応量身形、髪順不乱。

臍がある（*anupūrva-nābhi）。(37)清浄なふるまいがある（*śucy-ācāra）。(38)雄牛のようにあらゆる点で喜ばしい（*ṛṣabhavat-samanta-prāsādika）。(39)最高に善清浄で闇を離れた光のあらゆる面での輝きがある（*parama-suviśuddha-vitimirāloka-samanta-prabha）。(40)獅子（*siṃha-）や、(41)雄牛（*vṛṣabha-）や、(42)象（*nāga-）や、(43)ハンサのような歩みがある（*haṃsa-vikrānta-gati）。(44)右まわりの歩みがある（*abhipradakṣiṇāvarta-gati）。(45)充実した腹があり（vṛtta-kukṣi）、(46)締まった腹があり（mṛṣṭa-kukṣi）、(47)まっすぐな腹がある（*ajihma-kukṣi）。(48)弓のような〔細い〕腹がある（*cāpodara）。(49)皮膚の青い斑点や黒子によって汚された身を離れている（*vyapagata-chanda[read: chavi]-doṣa-nīla-kālakā-duṣṭa-śarīra）。(50)充実した歯があり（*vṛtta-daṃṣṭra）、(51)鋭い歯があり（*tīkṣṇa-daṃṣṭra）、(52)順を追った歯がある（*anupūrva-daṃṣṭra）。(53)高い鼻がある（*tuṅga-nāsa）。(54)清浄な眼があり（*śuci-nayana）。(55)無垢な眼があり（*vimala-nayana）、(56)笑んだ眼があり（*prahasita-nayana）、(57)切れ長の眼があり（*āyata-nayana）、(58)広い眼があり（*viśāla-nayana）、(59)青水仙の葉のような眼がある（*nīla-kuvalaya-dala-sadṛśa-nayana）。(60)密集した眉があり（*sahita-bhrū）、(61)うるわしい眉があり（*citra-bhrū）、(62)白くない眉があり（*asita-bhrū）、(63)まとまった眉があり（*saṃgata-bhrū）、(64)順を追った眉がある（*anupūrva-bhrū）。(65)長い耳があり（*pīna-gaṇḍa）、(66)〔左右〕不均衡でない耳があり（*aviṣama-gaṇḍa）、(67)耳の過失を離れており（*vyapagata-gaṇḍa-doṣa）、(68)声を

仏何以故此中教示「相好究竟」、『尸波羅蜜』、彼中便遮。此義今説。初業菩薩憶念相好、悕望欲得。饒益彼故、方便教示。彼未久行故愛相好捨離饒益、悲心布施相応饒益、如是故遮。

276c ◁又復若人貪著妙色究竟相好、悕望

聴くのが妨げられない（*anupahata-kruṣṭa）。(69)すぐれた諸根がある（*suviditendriya）。(70)完全な諸根がある（*suparipūrṇendriya）。(71)まとまった顔と額とがある（*saṃgata-mukha-lalāṭa）。(72)満々とした上半身がある（*paripūrṇottamāṅga）。(73)白くない髪があり（*asita-keśa）、(74)密集した髪があり（*sahita-keśa）、(75)よい香りの髪があり（*surabhi-keśa）、(76)硬くない髪があり（*aparuṣa-keśa）、(77)乱れない髪があり（*anākula-keśa）、(78)順を追った髪があり（*anupūrva-keśa）、(79)よく巻いた髪があり（*sukuñcita-keśa）、(80)シュリーヴァトサ（巻き毛）とスヴァスティカ（卍）とナンディーアーヴァルタとを備えた勢いよい形の髪がある（*śrī-vatsa-svastika-nandyāvarta-vardhamāna-saṃsthāna-keśa）。

〔14〕仏はなにゆえここ（＝『宝髻経』）においては③「相好を円満する〈精進の発起〉」を教示したまい、『尸波羅蜜』なる、かしこにおいては否認したまうたのか。そのことについて、今、説くことにしたい。初心者（*ādikarmika）である菩薩は相好を憶念し、得たいと望む。彼のために（*-artham）、方便によって教示したまうたのである。彼がいまだ長くは修行していないせいで相好に愛着してしまうことを捨てさせてやるために（*-artham）、かつ、悲心による布施と結びつけてやるために（*saṃyojanārtham）、それゆえに否認したまうたのである。

さらにまた、妙色円満なる相好に貪着した上で〔得たいと〕望んだり憶念

憶念、為彼人遮。若有衆生成熟饒益、彼須教示。此有衆生、見如来身相好荘厳、発菩提心、故如是説。如『転女身修多羅』説。

又復未発菩提心者饒益教示。又復久発菩提心者、空等相応饒益故遮。

又具福徳満足饒益、是故教示。智具満足饒益故遮。

又求世尊相随形好満足究竟、取著故遮。

又復貪著喜楽等過寂静饒益、為彼故遮。

如是因縁、此経不遮。

諸仏世界幾種清浄、幾種不浄。彼義不（今?）説。彼不清浄、要有二種。何者為二。一者衆生相、二者行

したりする者、彼のために否認したまうたのである。ある有情を成熟させてやるために（*-artham）、彼のために教示したまうたのである。ここにおいては、ある有情は如来の身が相好によって荘厳されているのを見てのち菩提心を起こすゆえに、このように説かれるのである。『転女身修多羅』において説かれているとおりである。(12)

さらにまた、いまだ菩提心を発していない者のために（*-artham）教示したまうたのである。さらにまた、すでに菩提心を発している者を空性などと結びつけてやるために（*-artham）否認したまうたのである。

さらに、福資糧（*puṇya-saṃbhāra）を具えることを円満させてやるために（*-artham）、それゆえに教示したまうたのである。智資糧（*jñāna-saṃbhāra）を具えることを円満させてやるために（*-artham）否認したまうたのである。

さらに、世尊の相好の円満（*sampad）を求めた上で執着するゆえに否認したまうたのである。

さらにまた、楽への貪などという過失を沈静化してやるために（*-artham）、彼のために否認したまうたのである。

このような理由によって、この経においては否認されていないのである。

〔15〕〔④「仏国土を浄化する〈精進の発起〉」とあるうち〕諸仏国土はどれだけが清浄であり、どれだけが不清浄であるのか。そのことについて、今、説くことにしたい。(13)かの不清浄は、まとめれば、二種類である。二とは何か。

相。衆生相者、謂衆生過。言行相者、所謂行過。彼衆生過、悪行衆生依止種種虚妄諸見。彼行過者、坑坎堆阜蕀刺等過。如是地多食飲衣服宝等受用皆不具足。如是相対、衆生功徳行功徳故、世界清浄。彼復菩薩無量種種願力自在、応如是知。諸仏世界功徳無辺。菩薩願力自在無辺発起精進是亦無辺。如是種種不可尽説。又此諸仏世界清浄、唯説少分。餘者応知。

如世尊説、「有十二種諸功徳場和合聚集、彼清浄覚得仏世界。何等十二。一者劫場和集故得。以功徳場皆究竟故。二者時場和集故得。以法行等不過時故。三者衆生場和集故得。以法智故。四者世界場和集故得。以

第一には有情（*sattva）を原因とするもの、第二には行（*caryā）を原因とするものである。有情を原因とするものとは、すなわち有情の過失である。行を原因とするものとは、すなわち行の過失である。その、有情の過失とは、悪行の有情がさまざまな虚妄な諸見に依拠することである。その、行の過失とは、でこぼこ（*utkūla-nikūla）や棘（*kaṇṭaka）などという過失である。それと同じように、地の多くの食べ物や飲み物や衣服や宝石などを受用することが備わらない。前述のもの（＝有情の過失と、行の過失と）に相対して、有情の功徳と、行の功徳とがあるゆえに、国土は清浄である。かしこにおいて、さらに菩薩の無量のさまざまな願力自在がある、と知られるべきである。諸仏国土の功徳は無辺であり、菩薩の無辺の願力自在による〈精進の発起〉も無辺である。このように、さまざまであって説き尽くされない。さらに、この諸仏国土の清浄については、ただわずかばかりを説くにとどめる。のこりは察知されたい。

世尊が「〔諸仏世尊が〕菩提を現等覚する仏国土、それは十二の諸功徳の最高のもの（*maṇḍa）によって伴われている（*samanvāgata）。十二とは何か。第一には、劫（*kalpa）の最高のものによって伴われている。功徳（*guṇa）の最高のものによって成就されているからである。第二には、時期（*kāla）の最高のものによって伴われている。法行などについて時期を看過しないからである。第三には、有情（*sattva）の最高のものによって伴われている。

善浄故。五者調御衆生場和集故得。以無鞁故。六者乗場和集故得。以一行故。七者陀羅尼場和集故得。以無餘物故。八者仏法場和集故得。以無一切外道法故。九者功徳場和集故得。
277a 以不諂故。十者直心深心場和集故得。以本性浄生浄衆生処浄故。十一者聖場和集故得。以不離福田故。十二者道場和集故得。以乗前仏所乗来故」。

又此世尊釈迦牟尼仏之世界為是清浄、為不清浄。今説清浄。何以知之。以世尊心善清浄故。若得有人、心不清浄、故見此仏世界不浄。依彼意故、

法を知っているからである。第四には、国土（*kṣetra）の最高のものによって伴われている。善清浄（*supariśuddha）だからである。第五には、有情を調御することの最高のものによって伴われている。頑固な有情がいないからである。第六には、乗（*yāna）の最高のものによって伴われている。一乗によって出離するからである。第七には、陀羅尼（*dhāraṇī. しかし経の諸訳に「地」〔*dharaṇi〕とある）の最高のものによって伴われている。餘物がないからである。第八には、教説（*śāsanā）の最高のものによって伴われている。あらゆる外道の教説がないからである。第九には、功徳（*guṇa）の最高のものによって伴われている。諂（*śāṭhya）がないからである。第十には、意楽（*āśaya）と増上意楽（*adhyāśaya）との最高のものによって伴われている。本性清浄なる有情にとって土台となっているからである。第十一には、聖者（*ārya）の最高のものによって伴われている。福田を離れないからである。第十二には、菩提（*bodhi）の最高のものによって伴われている。前の仏が行ってのち、〔後の仏が〕引き続いて行くからである[14]」と説きたまうたとおりである。

〔16〕さらに、〔④「仏国土を浄化する〈精進の発起〉」とあるうち〕この世尊釈迦牟尼の仏国土は清浄であるのか、不清浄であるのか。今、答える。清浄である。どうしてそれがわかるのか。世尊の心が善清浄（*supariśuddha）だからである。もし心が不清浄な人ならば、この仏国土を不浄と見る。それ

世尊説言、「我今出於五濁悪世、阿耨多羅三藐三菩提覚」。

如[*4]『無垢称修多羅』説、「『菩薩欲得浄仏世界、当浄其心。随其心浄、仏世界浄』。爾時慧命舎利弗承仏威神、作是疑念、『若菩薩心浄仏世界浄者、今我世尊釈迦牟尼、行菩薩時、意豈不浄、而仏世界不浄若此』。爾時世尊以知慧命舎利弗念、而問之言、『舎利弗、於意云何。汝舎利弗勿作是念、日月豈不浄耶、而盲者不見』。慧命舎利弗言、『不也、世尊、是盲者過、非日月咎』。仏言、『舎利弗、衆生如是、無智罪故、不見如来世界清浄、非如来咎。舎利弗、我此世界常自清浄、而汝不見』。爾者蠡髻梵王語慧命舎利弗言、『大徳舎利弗、仁意莫謂此仏世界為不清浄。今此世尊釈迦牟尼世界清浄』。慧命舎利弗

を意図して、世尊は〔前掲の『阿弥陀荘厳経』において〕「わたしが今、五濁の悪世に出、無上正等覚を現等覚してのち」と説きたまうたのである。

『無垢称修多羅』において「『仏国土を浄化しようと欲する菩薩は自らの心の浄化に努めるべきです。その心の浄化のとおりに仏国土の浄化が起こるでしょう』。その時、具寿シャーリプトラは仏の威神力を承けて次のような疑念を起こした。『もし菩薩の心の浄化のとおりに仏国土の浄化が起こるならば、どうして、今、菩薩行を行じていらっしゃるわが世尊釈迦牟尼の心が不浄であり、そのせいで仏国土はこのように不浄であるといえようか』。その時、世尊は具寿シャーリプトラの心をお知りになっておっしゃった。『シャーリプトラよ、どう思うか。汝シャーリプトラは疑念を起こしてはならない。どうして、日や月が不浄であり、そのせいで盲者は見ないといえようか』。具寿シャーリプトラは申し上げた。『いいえ、世尊よ、それは盲者の側の問題ですが、日や月の側の問題ではありません』。仏はおっしゃった。『シャーリプトラよ、有情は、それと同じように、無智という問題ゆえに如来の国土の清浄を見ないのであるが、如来の側の問題ではない。シャーリプトラよ、わがこの国土は常におのずから清浄であるが、しかるに、汝は見ないのである』。その時、蠡髻梵王は具寿シャーリプトラに言った。『大徳シャーリプトラよ、あなたはこの仏国土が不清浄であるとおっしゃってはなりません。今、この世尊釈迦牟尼の国土は清浄です』。具寿シャーリプトラ

問梵王言、『此仏世界云何清浄』。蠡髻梵言、『大徳舎利弗、譬如他化自在天宮荘厳殊妙、我見世尊釈迦牟尼世界清浄功徳荘厳亦復如是』。慧命舎利弗復言梵王、『我今唯見此仏世界丘陵坑坎蕀刺沙礫土石諸山穢悪充満』。螺髻梵言、『大徳舎利弗、仁者如是、心有丘陵坑坎等穢、信不清浄
277b 故、見此仏世界不浄。復次大徳舎利弗、若有能於一切衆生、心皆平等、深心清浄、則見此仏世界清浄』。爾時世尊足指按地、即時三千大千世界無量百千不可計数功徳珍宝具足荘厳。譬如宝荘厳仏無量功徳勝妙珍宝荘厳世界、時此三千大千世界亦復如是。大衆皆見、歎未曾有、而皆自見坐宝蓮華。爾時世尊告慧命舎利弗言、『舎利弗、汝今為見我仏世界無量功徳勝荘厳不』。慧命舎利弗言、『我見、

は梵王に言った。『この仏国土はどうして清浄でしょうか』。蠡髻梵王は言った。『大徳シャーリプトラよ、あたかも他化自在天宮の荘厳のように、そのように、われわれは世尊釈迦牟尼の国土の清浄功徳荘厳を見ます』。具寿シャーリプトラはさらに梵王に言った。『われわれは、今、ただこの仏国土がでこぼこや蕀や沙礫や土石や諸山や穢れによって満ちているのを見るだけです』。螺髻梵王は言った。『大徳シャーリプトラよ、あなたはそのように、心にでこぼこなどの穢れがあり、信が不清浄であり、そのせいで、この仏国土を不清浄と見るのです。また次に、大徳シャーリプトラよ、もし誰かがあらゆる有情に対し心が平等であり、意楽が清浄であるならば、この仏国土を清浄と見るでしょう』。その時、世尊は足の指によって地を撫でたまうた。即座に、三千大千世界は無量の、百千の、数えきれない、品質ある宝石によって満たされ荘厳された。あたかもラトナヴューハ仏の無辺功徳宝荘厳世界（〝無辺の、品質ある宝石の配列という世界〟）のように、そのように、その時、この三千大千世界はなった。大衆はすべて見、未曾有であると歎じ、すべて自ら宝石の蓮華に座っているのを見た。その時、世尊は具寿シャーリプトラにおっしゃった。『シャーリプトラよ、汝は、今、わが仏国土の無量の功徳荘厳を見ているか』。具寿シャーリプトラは申し上げた。『わたしは見ております。世尊よ、かつて見られなかった、かつて聞かれなかったものですが、今、世尊の不可思議な荘厳、国土の清浄が悉く現われるのを見ておりま

世尊、本所不見、本所不聞。今見世尊不可思議荘厳世界清浄悉現』。仏言、『舎利弗、我仏世界清浄如是、下劣衆生見不浄耳。舎利弗、譬如諸天共宝器食、随其業力、飯則不同、如是舎利弗、衆生共生一仏世界、若心浄者、則見世尊世界清浄』」。

　我今以此修多羅量、故説清浄。

　以要言之、「満足衆生発起精進」、一切衆生等心示現。「満足仏法発起精進」、自證示現。「究竟相好発起精進」、此則示現普賢依止。「清浄世界発起精進」、一切衆生富楽示現。

　又復有義、初如厭病、二如聞薬、三如悕薬、四如病人所居舎宅。

　又復示現、初大悲力、二示智力、三身心力、四者直心深心修力、如是

す』。仏はおっしゃった。『シャーリプトラよ、わが仏国土はこのように清浄である。下劣な有情が不清浄と見るだけである。シャーリプトラよ、あたかも神々が共に宝石の器から食べる際に、その業の力に応じて飯が不同であるように、そのように、シャーリプトラよ、有情は共に一つの仏国土に生まれている際に、もし心が清浄ならば、世尊の国土が清浄であると見るのである[15]』」と説かれているとおりである。

　わたしは今、この経量（*sūtra-pramāṇa / *sūtra-prāmaṇya. 経文という認識基準）によって、清浄と説くのである。

〔17〕まとめれば、①「〔あらゆる〕有情を満足させる〈精進の発起〉」によっては、あらゆる有情に対する平等心が示される。②「〔あらゆる〕仏法を成就する〈精進の発起〉」によっては、自ら証得することが示される。③「相好を円満する〈精進の発起〉」によっては、〔相好が〕あまねく優れていることの基礎が示される。④「〔仏〕国土を浄化する〈精進の発起〉」によっては、あらゆる有情の富楽が示される。

α　さらにまた、第一は病を厭うようであり、第二は薬を聞くようであり、第三は薬を願うようであり、第四は病人がいる家のようである。

β　さらにまた、第一によっては大悲の力を示し、第二によっては智の力を示し、第三によっては身心の力を、第四によっては意楽（*āśaya）と増上

示現。
又復有義、初説不捨一切衆生、二者得力四無所畏不共法等一切仏法、三者得身著不可嫌、四者得仏無上法王相応世界。
又復有義、「満足衆生発起精進」、檀波羅蜜毘梨耶波羅蜜為示現故。「満足仏法発起精進」、般若波羅蜜智277c波羅蜜故、「究竟相好発起精進」、羼提波羅蜜方便波羅蜜故、「浄仏世界発起精進」、尸波羅蜜禅波羅蜜、如是示現。

宝髻経四法憂波提舎　一巻

原文校訂

*1　大正蔵底本は「施」に作る。金蔵広勝寺本（『中華大蔵経』巻二七、六〇一番）によってこれを改める。
*2　大正蔵底本は「如」を欠く。明本によってこれを加える。
*3　大正蔵底本は「見」に作る。三本・宮本によってこれを改める。
*4　大正蔵底本は「知」に作る。宮本によってこれを改める。

意楽（*adhyāśaya）とを修習することの力を、それと同様に、示す。
γ　さらにまた、第一によってはあらゆる有情を捨てないことを、第二によっては〔十〕力と四無所畏と不共法などというあらゆる仏法を得ることを、第三によっては身に無欠点を備えることを得ることを、第四によっては仏なる無上の法王と相応する国土を得ることを説く。
δ　さらにまた、①「〔あらゆる〕有情を満足させる〈精進の発起〉」は布施波羅蜜と精進波羅蜜とを示すためにある。②「〔あらゆる〕仏法を成就する〈精進の発起〉」は般若波羅蜜と智波羅蜜とを、③「相好を円満する〈精進の発起〉」は忍辱波羅蜜と方便波羅蜜とを、④「仏国土を浄化する〈精進の発起〉」は戒波羅蜜と禅波羅蜜とを、それと同様に、示す。

宝髻経四法憂波提舎　一巻

註

（1）現存しない。なお、『転法輪経憂波提舎』〔別答2〕〔別答4〕を見よ。

（2）〔別問3〕「いかなるわけで世尊はかの宝髻菩薩におっしゃったのか」に対する答えがなければならないが、欠けている。

（3）『三具足経憂波提舎』〔別答6〕を見よ。

（4）『三具足経憂波提舎』〔別答8〕を見よ。

（5）現存しない。

（6）『娑伽羅龍王所問経』（*Sāgaranāgarāja-paripṛcchā*）。

klu’i bdag po de la srog gcod pa spangs pa’i skyes bu gang zag ni rab tu zhi bar byed pa’i chos bcu ’thob bo ‖ bcu gang zhe na | ’di lta ste | ’dis sems can thams cad la mi ’jigs pa byin pa yin no ‖ [···]（P no. 821, Pu 207b7–208a1）

龍王、若離殺生、即得成就十離悩法。何等為十。一於諸衆生、普施無畏。……（実叉難陀訳『十善業道経』。T15, 158a）

龍主、士夫補特伽羅遠離殺生、獲得十種善法。云何十法。所謂得無畏施。……（施護訳『仏為娑伽羅龍王所説大乗経』。T15, 160a）

（7）『世間随順経』（*Lokānuvartana-sūtra*）。

de bzhin gshegs rnams dpag med la ‖ rang sangs rgyas ni thams cad dang ‖
nyan thos dag gis rnam kun du ‖ rdzogs pa’i sangs rgyas bsags pa na ‖
de bzhin gshegs pa spros med la ‖ byis pa spros pa spyod pa yi ‖
sems can kun gyis rgyal ba rnams ‖ rig par mi nus smos ci dgos ‖
sangs rgyas kyis ni sangs rgyas dang ‖ sangs rgyas chos nyid gang yin dang ‖
rang byung sku thugs ci ’dra dang ‖ shes rab ci ’dra rab tu mkhyen ‖（P no. 866, Mu 304b6–8）

仏智不可量、経法不可計、諸阿羅漢辟支仏所不能知。何況世間人当所聞知。世間人所行皆著、仏所行無所著。独仏仏能相知。如仏経法所言。如仏身内外心智慧。（支婁迦讖訳『仏説内蔵百宝経』。T17, 751b）

蔵訳の下線部 bsags pa na は理解しがたい。今は支婁迦讖訳「所不能知」および『宝髻経四法憂波提舎』「所不能測量」によって和訳した。

（8）『方便善巧経』（*Upāya-kauśalya-sūtra*）。

rigs kyi bu gzhan yang byang chub sems dpa’ thabs mkhas pa ni sbyin pa na pha rol tu phyin pa drug yongs su rdzogs par byed do ‖（P

no. 927, Shu 300b2)
復次善男子、菩薩摩訶薩行於方便、行施之時、具六波羅蜜。(菩提流志訳『大宝積経』巻三十八、竺難提訳大乘方便会。T11, 595b)

(9) 『大宝積経』郁伽長者会(*Ugra-paripṛcchā*)。
khyim bdag gzhan yang byang chub sems dpa' khyim pas slong ba mthong na | pha rol tu phyin pa drug bsgom pa yongs su rdzogs par 'gyur te | khyim pa dag 'di la byang chub sems dpa' khyim pas gang yang rung ba zhig bslangs ma thag tu dngos po de la sems kyis 'dzin par mi byed de | de ltar na de'i sbyin pa'i pha rol tu phyin pa bsgom pa yongs su rdzogs par 'gyur ro || gang byang chub kyi sems la brten nas yongs su gtong ste | de ltar na de'i tshul khrims kyi pha rol tu phyin pa bsgom pa yongs su rdzogs par 'gyur ro || gang slong ba de dag la byams pa nye bar bsgrub ste | mi khro zhing gnod sems myi byed de de ltar na de'i bzod pa'i pha rol tu phyin pa bsgom pa yongs su rdzogs par 'gyur ro || gal te byin na ci spyad snyam du 'di ltar sems g-yo' bas zhum pa med de de ltar na de'i brtson 'grus kyi pha rol tu phyin pa bsgom pa yongs su rdzogs par 'gyur ro || gang slong ba la sbyin te byin nas kyang gdung ba med cing 'gyod pa med pa yin | gong du yang dga' zhing bar tu mgu ste | bde ba dang yid bde ba skye zhing gang byang chub kyi sems la gnas nas gtong ste | de ltar na de'i bsam gtan gyi pha rol tu phyin pa bsgom pa yongs su rdzogs par 'gyur ro || byin nas kyang gang chos thams cad mi dmigs shing rnam par smin pa la mi re ste | ji ltar mkhas pa de dag chos gang la yang mngon par ma zhen pa de ltar mngon par zhen pa med pas | bla na med pa yang dag par rdzogs pa'i byang chub tu yongs su sngo ste | de ltar na de'i shes rab kyi pha rol tu phyin pa bsgom pa yongs su rdzogs par 'gyur ro || (P no. 760 [19], Shi 307a6–b5)
復次長者、在家菩薩見乞者已、修趣満足六波羅蜜想。何等為六。若是菩薩随所有物、無不施心、是名修趣満檀波羅蜜。依菩提心施、是名修趣満尸波羅蜜。於求者所、不生瞋訶、是名修趣満忍波羅蜜。若布施時、不生自己乏少之想、是名修趣満進波羅蜜。若布施已、心不憂悔、倍生歓喜、是名修趣満禅波羅蜜。若布施已、不得諸法、不望果報。是明慧者、不住諸法、随無所住、向無上道、是名修趣満般若波羅蜜。(菩提流支訳『大宝積経』巻八十二、康僧鎧訳郁伽長者会第十九。T11, 474c–475a)

(10) 以下の三十二相の内容は『十住毘婆沙論』(T26, 36a; 64c–65c; 68c–69a)『宝行王正論』(RA 2. 76–94; T32, 497bc)『菩提資糧論』(T32, 535c–536a)といったナーガールジュナ論書における三十二相の内容と近い関係にある。岡田行弘[1989]を見よ。(7)と(11)と(20)と以外に関しては、『決定義経』(AVS 54–55)によって梵語を補った。(7)と(11)と(20)とに関しては、『瑜伽師地論』本地分中菩薩地相好品(BoBh 259, 12; 18)によって梵語を補った。和訳は梵語による。

(11) 以下の八十種好の内容は『ラリタヴィスタラ』(*Lalitavistara*)第七章における八十種好の内容と一致する。『ラリタヴィスタラ』から梵語を補った。和訳は梵語による。

[1] tuṅga-nakhaś ca mahārāja sarvārtha-siddhaḥ kumāraḥ. [2] tāmra-nakhaś ca [3] snigdha-nakhaś ca [4] vṛttāṅguliś ca [5] anupūrva-citrāṅguliś ca [6] gūḍha-śiraś ca [7] gūḍha-gulphaś ca [8] ghana-saṃdhiś ca [9] aviṣama-sama-pādaś ca [10] āyata-pārṣṇiś ca mahārāja sarvārtha-siddhaḥ kumāraḥ. [11] snigdha-pāṇi-lekhaś ca [12] tulya-pāṇi-lekhaś ca [13] gambhīra-pāṇi-lekhaś ca [14] ajihma-pāṇi-lekhaś ca [15] anupūrva-pāṇi-lekhaś ca [16] bimboṣṭhaś ca [17] nocca-vacana-śabdaś ca [18] mṛdu-taruṇa-tāmra-jihvaś ca [19] gaja-garjitābhistanita-megha-svara-madhura-mañju-ghoṣaś ca [20] paripūrṇa-vyañjanaś ca mahārāja sarvārtha-siddhaḥ kumāraḥ. [21] pralamba-bāhuś ca [22] śuci-gātra-vastu-saṃpannaś ca [23] mṛdu-gātraś ca [24] viśāla-gātraś ca [25] adīna-gātraś ca [26] anupūrvonnata-gātraś ca [27] susamāhita-gātraś ca [28] suvibhakta-gātraś ca [29] pṛthu-vipula-suparipūrṇa-cāru-maṇḍalaś ca [30] vṛtta-gātraś ca mahārāja sarvārtha-siddhaḥ kumāraḥ. [31] suparimṛṣṭa-gātraś ca [32] ajihma-vṛṣabha-gātraś ca [33] anupūrva-gātraś ca [34] gambhīra-nābhiś ca [35] ajihma-nābhiś ca [36] anupūrva-nābhiś ca [37] śucy-ācāraś ca [38] ṛṣabhavat-samanta-prāsādikaś ca [39] parama-suviśuddha-vitimirāloka-samanta-prabhaś ca [40] nāga-vilambita-gatiś ca mahārāja sarvārtha-siddhaḥ kumāraḥ. [41] siṃha-vikrānta-gatiś ca [42] ṛṣabha-vikrānta-gatiś ca [43] haṃsa-vikrānta-gatiś ca [44] abhipradakṣiṇāvarta-gatiś ca [45] vṛtta-kukṣiś ca [46] mṛṣṭa-kukṣiś ca [47] ajihma-kukṣiś ca [48] cāpodaraś ca [49] vyapagata-chanda-doṣa-nīla-kālakāduṣṭa-śarīraś ca [50] vṛtta-daṃṣṭraś ca mahārāja sarvārtha-siddhaḥ kumāraḥ. [51] tīkṣṇa-daṃṣṭraś ca [52] anupūrva-daṃṣṭraś ca [53] tuṅga-nāsaś ca [54] śuci-nayanaś ca [55] vimala-nayanaś ca [56] prahasita-nayanaś ca [57] āyata-nayanaś ca [58] viśāla-nayanaś ca [59] nīla-kuvalayadala-sadṛśa-nayanaś ca [60] sahita-bhrūś ca mahārāja sarvārtha-siddhaḥ kumāraḥ. [61] citra-bhrūś ca [62] asita-bhrūś ca [63] saṃgata-bhrūś ca [64] anupūrva-bhrūś ca [65] pīna-gaṇḍaś ca [66] aviṣama-gaṇḍaś ca [67] vyapagata-gaṇḍa-doṣaś ca [68] anupahata-kruṣṭaś ca [69] suviditendriyaś ca [70] suparipūrṇendriyaś ca mahārāja sarvārtha-siddhaḥ kumāraḥ. [71] saṃgata-mukha-lalāṭaś ca [72] paripūrṇottamāṅgaś ca [73] asitakeśaś ca [74] sahita-keśaś ca (susaṃgata-keśaś ca) [75] surabhi-keśaś ca [76] aparuṣa-keśaś ca [77] anākula-keśaś ca [78] anupūrva-keśaś ca [79] sukuñcita-keśaś ca [80] śrī-vatsa-svastika-nandyāvarta-vardhamāna-saṃsthāna-keśaś ca mahārāja sarvārthasiddhaḥ kumāraḥ.（LV 106, 11–107, 14）

（12）『転女身経』（*Strī-vivarta-vyākaraṇa*）。

gzugs kyi sku bzang po bstan pa'i phyir de bzhin gshegs pa bsod snyoms la rgyu ba mdzad de | der sems can gang dag gis de bzhin gshegs pa'i sku skyes bu chen po'i mtshan sum bcu rtsa gnyis kyis brgyan pa rnam pa thams cad kyi mchog dang ldan pa mthong ba de dag de bzhin gshegs pa'i gzugs kyi sku'i mtshan 'thob par bgyi ba'i bla na med pa yang dag par rdzogs pa'i byang chub tu sems skyed par bgyid de | btsun pa rab 'byor de bzhin gshegs pas don gyi dbang de gzigs nas bsod snyoms la rgyu ba mdzad do ||（P no. 857, Mu 218b2–4）

示現色身故、如来乞食。若有衆生、見如来身具三十二相、是諸衆生見此色相、発於無上正真道心。是名如来見成就初無過患故而行

乞食。（曇摩耶舍訳『楽瓔珞荘厳方便品経【亦名転女身菩薩問答経】』。T14,933b）

（13）以下は『十住毘婆沙論』釈願品に並行する。華房光寿［1994］［1996］を見よ。
不浄略説有二種。一以衆生因縁、二以行業因縁。衆生因縁者、衆生過悪故。行業因縁者、諸行過悪故。此二事上已説。転此二事、則有衆生功徳行業功徳。此二功徳名為浄土。是浄国土当知随諸菩薩本願因縁。諸菩薩能行種種大精進故、所願無量、不可説尽。是故今但略説開示事端。其餘諸事応如是知。（鳩摩羅什訳『十住毘婆沙論』巻三。T26, 32a）
「でこぼこ（*utkūla-nikūla）や棘（*kaṇṭaka）など」については、のちに引用される『維摩詰所説経』を見よ。

（14）『菩薩行方便境界神通変化経』（*Bodhisattvagocaropāyaviṣayavikurvaṇanirdeśa-sūtra*）
[1] ’jam dpal ’di la gang du sangs rgyas bcom ldan ’das rnams byang chub mngon par ’tshang rgya ba’i sangs rgyas kyi zhing de ni yon tan gyi snying pos bsgrubs pa’i phyir bskal pa’i snying po dang ldan pa yin | [2] sangs rgyas kyi zhing de ni chos sbyang ba’i dus las mi ’da’ ba’i phyir dus kyi snying po dang ldan pa yin | [3] sangs rgyas kyi zhing de ni chos shes par ’gyur ba dang ldan pa’i phyir sems can gyi snying po dang ldan pa yin | [4] sangs rgyas kyi zhing de ni legs par yongs su dag pa’i phyir nyon mongs pa can ma yin pa’i zhing gi snying po dang ldan pa yin | [5] sang rgyas kyi zhing de ni sems can dmu rgod med pa’i phyir sems can cang shes kyi snying po dang ldan pa yin | [6] sangs rgyas kyi zhing de ni theg pa gcig gis nges par ’byung ba’i phyir theg pa’i snying po dang ldan pa yin | [7] sangs rgyas kyi zhing de ni rdzas gyi lhag ma yod pa’i phyir sa’i snying po dang ldan pa yin | [8] sangs rgyas kyi zhing de ni gzhan mu stegs can thams cad kyi bstan pa mi spyod pa’i phyir bstan pa’i snying po dang ldan pa yin | [9] sangs rgyas kyi zhing de ni g-yo med pa’i phyir yon tan gyi snying po dang ldan pa yin | [10] sangs rgyas kyi zhing de ni sems can rang bzhin gyis dkar ba’i gnas su gyur pa’i phyir bsam pa dang lhag pa’i bsam pa’i snying po dang ldan pa yin | [11] sangs rgyas kyi zhing de ni sbyin pa’i gnas dang mi ’bral ba’i phyir ’phags pa’i snying po dang ldan pa yin | [12] sangs rgyas kyi zhing de ni sngon gyi de bzhin gshegs pa rnams bzhud cing rjes su bzhud pa’i phyir byang chub kyi snying po dang ldan pa yin te | ’jam dpal gang du sangs rgyas bcom ldan ’das byang chub mngon par rdzogs par ’tshang rgya ba’i sangs rgyas kyi zhing de ni yong tan gyi snying po de dag dang ldan pa yin no ||（P no. 813, Nu 50a3–50b2）
文殊師利、①是精練仏土有精練劫成就具足。不捨精練諸功徳故。諸仏世尊即於是処成於無上正真之道。②是精練仏土有精練時成就具足。不違失於行法時故。③是精練仏土有於精練衆生成就。無不知法故。④是精練仏土有於精練福田成就。善妙浄故。⑤是精練仏土有於精練易解衆生成就具足。不頑鈍故。⑥是精練仏土有精練乗成就具足。出一乗故。⑦是精練仏土有於精練妙地成就。無有物故。⑧是精練仏土有於精練妙地成就。一切不外行道法故。⑨是精練仏土有於精練功徳成就。無諛諂故。⑩是精練仏土有精練心畢竟成就。是白浄性衆生住故。⑪是精練仏土有於精練聖人成就。福田不空故。⑫是精練仏土有於精練道場成就。往古先仏所住処故。文殊師利、

是名十二功徳成就精錬仏土。是処一切諸仏如来成於無上正真之道。（求那跋陀羅訳『仏説菩薩行方便境界神通変化経』巻上。T9, 304c–305a）

文殊師利、一者、彼仏国土衆生畢竟能成勝清浄劫、離諸劫濁、具足功徳。如是浄土、如来於中成阿耨多羅三藐三菩提。二者、彼仏国土衆生畢竟能成最勝妙時、諸仏法行、不失時節。如是浄土、如来於中成阿耨多羅三藐三菩提。三者、彼仏国土衆生畢竟能成最勝法器、受仏正法。如是浄土、如来於中成阿耨多羅三藐三菩提。四者、彼仏国土衆生畢竟能成浄妙智海、清浄一切諸煩悩垢。如是浄土、如来於中成阿耨多羅三藐三菩提。五者、彼仏国土衆生畢竟能成柔軟之心、其中常有調伏衆生。如是浄土、如来於中成阿耨多羅三藐三菩提。六者、彼仏国土衆生畢竟能成最勝妙乗、能以一乗究竟、取於無上涅槃。如是浄土、如来於中成阿耨多羅三藐三菩提。七者、彼仏国土衆生畢竟能成勝器世間無有餘相。如是浄土、如来於中成阿耨多羅三藐三菩提。八者、彼仏国土衆生畢竟能成如来正教。無諸一切外道邪法。如是浄土、如来於中成阿耨多羅三藐三菩提。九者、彼仏国土衆生。畢竟能成直心正心無有諂曲。如是浄土、如来於中成阿耨多羅三藐三菩提。十者、彼仏国土衆生畢竟能成無垢功徳。成就一切清浄白法。如是浄土、如来於中成阿耨多羅三藐三菩提。十一者、彼仏国土所有衆生畢竟能成諸聖人法。其中常有勝福田衆。如是浄土、如来於中成阿耨多羅三藐三菩提。十二者、彼仏国土所有衆生畢竟能成勝妙道場。過去諸仏於中成道。如是浄土、如来於中成阿耨多羅三藐三菩提。文殊師利、是名十二種最勝功徳能浄仏土。如是浄土、如来於中成阿耨多羅三藐三菩提。（菩提流支訳『大薩遮尼乾子所説経』巻二。T9, 325bc）

（15）『維摩詰所説経』（*Vimalakīrti-nirdeśa*）。

buddha-kṣetraṃ pariśodhayitukāmena bodhisattvena sva-citta-pariśodhane yatnaḥ karaṇīyaḥ. tat kasya hetoḥ. yādṛśī bodhisattvasya citta-pariśuddhis tādṛśī buddha-kṣetra-pariśuddhiḥ saṃbhavati. atha buddhānubhāvenāyuṣmantaḥ Śāriputrasyaitad abhavat: yadi yādṛśī cittapariśuddhis tādṛśī bodhisattvasya buddhakṣetrapariśuddhiḥ saṃbhavati, tan māhaiva Bhagavataḥ Śākyamuner bodhisattva-caryāṃ carataś cittam apariśuddhaṃ yenedaṃ buddhakṣetram evam apariśuddhaṃ saṃdṛśyate. atha khalu Bhagavān āyuṣmataḥ Śāriputrasya cetasaiva cetaḥ-parivitarkam ājñāyāyuṣmantaṃ Śāriputram etad avocat: tat kiṃ manyase Śāriputra māhaiva sūrya-candra-māsāv apariśuddhau yaj jātyandho na paśyati. āha: no hīdaṃ Bhagavan jātyandhāparādha eṣa na sūrya-candra-māsoḥ. āha: evam eva Śāriputra sattvānām ajñānāparādha eṣa yas tathāgatasya buddhakṣetraguṇālaṃkāravyūhaṃ kecit sattvā na paśyanti, na tatra tathāgatasyāparādhaḥ. pariśuddhaṃ hi Śāriputra tathāgatasya buddha-kṣetraṃ yūyaṃ punar idaṃ na paśyatha. atha khalu jaṭī brahmā sthaviraṃ Śāriputram etad avocet: mā bhadanta-Śāriputra tathāgatasyāpariśuddhaṃ buddha-kṣetram idaṃ vyāhārṣīt. pariśuddhaṃ hi bhadanta-Śāriputra Bhagavato buddha-kṣetram. tad yathāpi nāma Śāriputra vaśa-vartināṃ devānāṃ bhavana-vyūhāḥ, īdṛśān vayaṃ buddha-kṣetra-guṇa-vyūhān Bhagavataḥ Śākyamuneḥ paśyāmaḥ. atha khalu sthaviraḥ Śāriputro jaṭinaṃ brahmāṇam etad avocat: vayaṃ punar brahman imam mahā-pṛthivīm utkūla-nikūlāṃ kaṇṭaka-prapāta-giri-śekharaśvabhragūthoḍigalla-pratipūrṇāṃ paśyāmaḥ. jaṭī brahmāha: nūnaṃ bhadanta-Śāriputrasyotkūlānikūlaṃ cittam apariśuddha-buddhajñānāśayaṃ yenedṛśaṃ buddha-kṣetraṃ paśyati. ye punas te bhadanta-Śāriputra bodhisattvāḥ sarva-sattva-samacittāḥ pariśuddha-buddhajñānāśayās te imam buddha-kṣetraṃ pariśuddhaṃ paśyanti. atha Bhagavān pādāṅguṣṭhena imaṃ tri-sāhasra-mahā-sāhasraṃ loka-dhātuṃ parāhanti sma. atha khalu tasmin samaye 'yaṃ tri-sāhasra-mahā-sāhasro loka-dhātur aneka-ratna-śata-sahasra-saṃcito 'neka-ratna-śata-sahasra-pratyarpitaḥ saṃsthito 'bhūt. tad yathāpi nāma ratna-vyūhasya tathāgatasyānanta-guṇa-ratna-vyūho loka-dhātus tādṛśo 'yaṃ lokadhātuḥ saṃdṛśyate sma. tatra sā sarvāvatī parṣad āścarya-prāptā ratna-padma-niṣaṇṇam ātmānaṃ saṃjānīte sma. tatra Bhagavān āyuṣmantaṃ Śāriputram āmantrayate sma: paśyasi tvaṃ Śāriputremān buddha-kṣetra-guṇa-vyūhān. āha: paśyāmi Bhagavan adṛṣṭa-śruta-pūrvā ime vyūhāḥ saṃdṛśyante. āha: īdṛśaṃ mama Śāriputra sadā buddha-kṣetram. hīna-sattva-paripākāya tu tathāgata evaṃ bahu-doṣa-duṣṭaṃ buddha-kṣetram upadarśayati. tad yathā Śāriputra deva-putrāṇām eka-pātryāṃ bhuñjānānāṃ yathā puṇyopacaya-viśeṣeṇa sudhā-deva-bhojanam upatiṣṭhataḥ, evam eva Śāriputraikabuddhakṣetropapannā yathā citta-pariśuddhyā sattvā buddhānāṃ buddha-kṣetra-guṇa-vyūhān paśyanti.（VKN 11, 22–13, 18）

「是故宝積、若菩薩欲得浄土、当浄其心。随其心浄、則仏土浄」。爾時舎利弗承仏威神、作是念。若菩薩心浄則仏土浄者、我世尊本為菩薩時、意豈不浄、而是仏土不浄若此。仏知其念、即告之言、「於意云何。日月豈不浄耶。而盲者不見」。対曰、「不也、世尊。是盲者過非日月咎」。「舎利弗、衆生罪故不見如来仏土厳浄、非如来咎。舎利弗、我此土浄、而汝不見」。爾時螺髻梵王語舎利弗、「勿作是意、謂此仏土以為不浄。所以者何。我見釈迦牟尼仏土清浄、譬如自在天宮」。舎利弗言、「我見此土丘陵坑坎荊蕀沙礫土石諸山穢悪充満」。螺髻梵言、「仁者心有高下、不依仏慧、故見此土為不浄耳。舎利弗、菩薩於一切衆生悉皆平等、深心清浄、依仏智慧、則能見此仏土清浄」。於是仏以足指按地。即時三千大千世界若干百千珍宝厳飾、譬如宝荘厳仏無量功徳宝荘厳土。一切大衆歎未曾有、而皆自見坐宝蓮華。仏告舎利弗、「汝且観是仏土厳浄」。舎利弗言、「唯然世尊、本所不見、本所不聞、今仏国土厳浄悉現」。仏語、「舎利弗、我仏国土常浄若此。為欲度斯下劣人故、示是衆悪不浄土耳。譬如諸天共宝器食、随其福徳、飯色有異、如是舎利弗、若人心浄、便見此土功徳荘厳」。（鳩摩羅什訳『維摩詰所説経』巻上。T14, 538c）

「随諸菩薩自心厳浄、即得如是厳浄仏土」。爾時舎利子承仏威神、作如是念。若諸菩薩心厳浄故仏土厳浄、而我世尊行菩薩時、心不厳浄、故是仏土雑穢若此。仏知其念、即告之言、「於意云何。世間日月豈不浄耶。而盲不見」。対曰、「不也。是盲者過、非日月咎」。仏言、「如是衆生罪故不見世尊仏土厳浄、非如来咎。舎利子、我土厳浄、而汝不見」。爾時持髻梵王語舎利子、「勿作是意、謂此仏土為不厳浄。所以者何。如是仏土最極厳浄」。舎利子言、「大梵天王、今此仏土厳浄云何」。持髻梵言、「唯舎利子、譬如他化自在天宮有無量宝功徳荘厳、我見世尊釈迦牟尼仏土厳浄有無量宝功徳荘厳亦復如是」。舎利子言、「大梵天王、我見此土其地高下丘陵坑坎毒刺沙礫土石諸山穢悪充満」。持髻梵言、「唯大尊者、心有高下不厳浄故謂仏智慧意楽亦爾、故見仏土、為不厳浄。若諸菩薩、於諸有情、其心平等、功徳厳浄、謂仏智慧意楽亦爾、便見仏土最極厳浄」。爾時世尊知諸大衆心懐猶豫、便以足指按此大地。即時三千大千世界無量百千妙宝荘厳、譬如功徳宝荘厳仏無量功徳宝荘厳土。一切大衆歎未曾有、而皆自見坐宝蓮華。爾時世尊告舎利子、「汝見如是衆徳荘厳浄仏土不」。舎利子言、「唯然世尊、本所不見、本所不聞、今此仏土厳浄悉現」。告舎利子、「我仏国土常浄若此。為欲成熟下劣有情、是故示現無量過失雑穢土耳。舎利子、譬如三十三天共宝器食、随業所招、其食有異、如是舎利子、無量有情生一仏土、随心浄穢、所見有異。若人心浄、便見此土無量功徳妙宝荘厳」。（玄奘訳『説無垢称経』巻一。T14, 559c–560a）

第五章　『順中論義入大般若波羅蜜経初品法門』訳註

T30・39c

◁『順中論義入大般若波羅蜜経初品法門』翻訳之記

諸国語言、中天音正。彼言那伽夷離淳那、此云龍勝、名味皆足。上世徳人、言龍樹者、片合一廂、未是全当。龍勝菩薩、通法之師、依『大般若』、而造『中論』、衆典於義、包而不悉。大乗論師、名阿僧佉、解未解処、別為此部。魏尚書令儀同高公延*1国上賓瞿曇流支、在第供養、正通仏法、対釈曇林、出斯義論。武定元年、歳次癸亥、八月十日、揮辞丙寅。凡有一万三千七百二十七字。

『順中論義入大般若波羅蜜経初品法門』翻訳の記

諸国の言語のうちでは、中天竺の発音が正統である。かの地でナーガールジュナと言い、この地で龍勝と言えば、名称と意味とが完備する。先の世の有徳の人（＝鳩摩羅什）が龍樹と言ったのは、〔龍という訳語がナーガとアルジュナとのうちナーガという〕一方に片方のみ合致するにすぎず、完全には妥当でない。龍勝菩薩は仏法を流通する軌範師であり、『大般若波羅蜜経』に依拠して『中論』を造り、〔『大般若波羅蜜経』のみならぬ〕さまざまな経を、内容上、包摂したが、委曲を尽くさなかった。大乗の論師でアサンガというかたは、まだ解説されていない箇所を解説し、別個にこの一部の論を造った。魏の尚書令・儀同三司である高公（高澄。五二一―五四九）は国の上客である瞿曇般若流支を招き、邸宅において供養し、正しく仏法を流通させ、釈曇林と差し向かいでこの正しい論を訳出させた。武定元年（五四三）、干支は癸亥の、八月十日、干支は丙寅であった。全部で一万三千七百二十七字。

原文校訂

＊1　大正蔵底本は「涎」に作る。三本・宮本によってこれを改める。

順中論義入大般若波羅蜜経初品法
門　巻上

龍勝菩薩造

無着菩薩釈

元魏婆羅門瞿曇般若流支訳

帰命一切智。

不滅亦不生　不断亦不常
不一不異義　不来亦不去
仏已説因縁　断諸戯論法
故我稽首礼　説法師中勝

字ある。

順中論義入大般若波羅蜜経初品法門　巻上

ナーガールジュナ菩薩の作

アサンガ菩薩の註釈

元魏の婆羅門瞿曇般若流支の訳

一切智者に敬礼する（*namaḥ sarvajñāya）。

〝滅することでなく、生ずることでなく、断でなく、常でなく、一体でなく、異体でなく、来ることでなく、去ることでなく、戯論の寂滅であり、吉祥なる縁起〟を説きたまうた正覚者なるかた。かの最高の説者に敬礼する。

anirodham anutpādam anucchedam aśāśvatam
anekārtham anānārtham anāgatam anirgamam |

如是論偈、是論根本、尽摂彼論。

我今更解。

40a
彼復有義。如是如是、如彼義説。如是如是、断諸衆生喜楽取著、如是如是、随義造論、無有次第。

問曰。汝説〝此論、義無次第〟、或有次第。何意因縁、而説義論、如所依法、如是造論。

yaḥ pratītyasamutpādaṃ prapañcopaśamaṃ śivaṃ
deśayām āsa saṃbuddhas taṃ vande vadatāṃ varam || (PP 11, 13–16)

以上のような『〔中〕論』の〔帰敬〕偈は『〔中〕論』の根本であり、かの『〔中〕論』を総括している。

わたしは今、あらためて解説することにしたい。

それ（＝帰敬偈）にはさらにわけがある。まさにそのように（*evam eva）、そのわけのとおりに〔軌範師ナーガールジュナは『中論』を〕説きたまうた。〔すなわち、〕まさにそのように、諸有情の、執着を楽しむことを除去するという、まさにそのように、そのわけのとおりに『〔中〕論』を造りたまうたが、〔『中論』には執着を楽しむことを除去するための〕順序はない。

〔I　帰敬偈が『中論』の根本であること〕

質問。貴君は〝この『〔中〕論』には〔執着を楽しむことを除去するための〕順序がない〟と説いたが、ことによっては順序があるはずである。〔軌範師ナーガールジュナは〕いかなる理由によって『〔中〕論』を説きたまうたのか、よりどころである〔帰敬偈という〕法のとおりに、そのとおりに『〔中〕論』を造りたまうたのか。

答曰。此如是義、世尊已於『大経』中説言、「憍尸迦、於未来世、若善男子、若善女人、随自意解、為他説此般若波羅蜜、彼人唯説相似般若波羅蜜、非説真実般若波羅蜜」。帝釈王言、「世尊、何者是実般若波羅蜜、而言相似非実般若波羅蜜」。仏言、「憍尸迦、彼人当説『色無常』乃至説『識無常』、如是説『苦無我不寂静』。空無相無願、如是乃至説一切智。彼如是人不知方便、有所得故。如是応知」。帝釈王言、「世尊、何者是実般若波羅蜜」。仏言、「憍尸迦、尚無有色、何処当有常与無常」。如是乃至「無一切智、何処復有常与無常」如是等故。又言、「憍尸迦、若善男子、若善女人、如是教他修行般若波羅蜜、而説般若波羅蜜、作如是言、『善男子、来、修行般若波羅

回答。そのようなことを世尊は『大経』において説きたまうた。「カウシカよ、未来世において、良家の息子もしくは良家の娘は、自分勝手に、『この般若波羅蜜を説明しよう』と、般若波羅蜜のまがい物を説明するであろう。まことの般若波羅蜜を説明しないであろう」。シャクラは申し上げた。「世尊よ、いかなるものがまことの般若波羅蜜なのでしょうか、般若波羅蜜のまがい物と言われるのでしょうか」。世尊はおっしゃった。「カウシカよ、彼は『色は無常である』と説明するであろうし、しまいには『識は無常である』と説明するであろう。そういうふうに『無常であり、苦であり、無我であり、不浄である』と説明するであろう。空や無相や無願から、しまいには一切智者性までを説明するであろう。彼は、有所得というかたちによっており(*upalambhayogena)、やりかたを知らないのである、と知られるべきである」。シャクラは申し上げた。「世尊よ、いかなるものがまことの般若波羅蜜なのでしょうか」。世尊はおっしゃった。「カウシカよ、他ならぬ色がないのに(*na saṃvidyate)、〔その色において〕どうして(*kutaḥ)空なるものや空ならざるものがあろうか(*bhaviṣyati)」。このようにして、しまいには「一切智者性がないのに、〔その一切智者性において〕どうしてまた常なることや無常なることがあろうか」などといわれる。さらにおっしゃった。「カウシカよ、ただしく他者に般若波羅蜜を修習することを教える、良家の息子あるいは良家の娘は、次のように般若波羅蜜を解説するであろう。『来たれ、良家

蜜。汝善男子、乃至無有少法可捨取。[*1]汝心勿於少法中住』。何以故。如是般若波羅蜜中、無有正法、若過法者、是則無法、於何処住。何以故。憍尸迦、如一切法自体性空。若其彼法自体空者、彼法無体。若無体者、是名般若波羅蜜。若是般若波羅蜜者、彼無少法可取可捨、若生若滅、若断若常、若一義若異義、若来若去。此是真実般若波羅蜜」。

　依彼因縁、故造此論。我如是知般若波羅蜜、此方便故、我今解釈所謂 40b 入『中論』門。彼善男子善女人言、〝我知「色無常」乃至「識無常苦無我」等〟、以此因縁故、是相似般若波羅蜜、非是真実般若波羅蜜。

　問曰。若説色空無相無願、云何此法唯是相似非実般若波羅蜜耶。此三

の息子よ、般若波羅蜜を修習せよ。良家の息子よ、いかなる法をも見るな。いかなる法にも住するな』。それはなぜかというならば、般若波羅蜜においては、法と見られるべき、あるいは住されるべき、その法はないからである。それはなぜかというならば、カウシカよ、あらゆる法は自性を欠くので空（*svabhāvena śūnyāḥ）なのである。自性を欠くので空である法なるもの、それは無（*abhāva）である。無であるもの、それは般若波羅蜜である。般若波羅蜜なるもの、それはいかなる法についても、取ることでなく、捨てることでなく、生ずることでなく、滅することでなく、断でなく、常でなく、一体なることでなく、異体なることでなく、来ることでなく、去ることでない。これがまことの般若波羅蜜である(1)」。

　この理由によって、〔軌範師ナーガールジュナは〕この『〔中〕論』をお造りになったのである(2)。わたしは以上のように般若波羅蜜を知っているので、このやりかたによって、わたしは、今、すなわち、『中論』に入るための門を解説することにしたい。かの良家の息子あるいは良家の娘が〝わたしは「色は無常である」しまいには「識は無常であり、苦であり、無我である」などと知っている〟と言うのは、この理由によって、般若波羅蜜のまがい物であるし、まことの般若波羅蜜でない。

　質問。もし色の、空性・無相・無願を説くならば、どうしてそれらの法はただ般若波羅蜜のまがい物のみであろうか。これら〔空性・無相・無願とい

解脱、世尊所説。非有為故、云何彼空亦相似耶。

答曰。以取著故。

問曰。取著何法。

答曰。於色取著、於空取著。若有取著、云何得是般若波羅蜜。此取著者、豈非是見。一切諸見皆因如来説空故断。又復何人即見彼空、彼人復以何法対治。唯無二際、是則能除。無二際故、名為非際。是故、如来已為迦葉如是説言、「一切諸見、見空得出。若人取空、於空生見、我不能救」。

以此義故、師説偈言。

空対一切見　是如来所説
於空生見者　彼則無対治

う〕三解脱門は世尊によって説かれたものである。〔空性は〕有為でない以上、どうして空性もまがい物であろうか。

回答。執着されているから〔まがい物〕である。

回答。何に執着しているのか。

回答。色に執着し、空性に執着しているのである。もし執着があるならば、どうして般若波羅蜜であり得ようか。この執着がどうして見（*dṛṣṭi）でなかろうか。あらゆる見はすべて如来が空性を説きたまうことによって除去される。さらにまた誰かに空性の見があるならば、彼は何によって対治されようか。〔空性は〕二辺がないことに他ならないので、〔二辺であるあらゆる見を〕除去できる。二辺がないから、〔空性は〕辺ならざるものと呼ばれる。それゆえに、如来はカーシャパのために次のように「あらゆる見のたぐいにとって、空性は出離のすべてであるのに、空性の見がある者は何によって出離し得ようか[3]」とおっしゃったのである。

そのことによって、軌範師〔ナーガールジュナ〕は偈を説きたまうた。

空性はあらゆる見からの出離であると勝者たちによって説かれた。空性の見がある者たち、彼らをどうしようもない連中と〔勝者たちは〕説きたまうた。

śūnyatā sarva-dṛṣṭīnāṃ proktā niḥsaraṇaṃ jinaiḥ |
yeṣāṃ tu śūnyatā-dṛṣṭis tān asādhyān babhāṣire ||（MMK XIII.8）

又復餘師名羅睺羅跋陀羅言。

一切見対治　如来説空是
不愛空不著　著空空亦物
不愛空不空　此二非不愛
無能壊仏語　仏語処処遍

又復『経』中、仏説偈言。

夫人不正見　少智故取空
如捉蛇不堅　如呪不善成

諸如是等、取著於色、取著色体、或分別空、分別不空、彼如是色、畢竟無物、云何当有空与不空。又如彼色、一切諸法皆亦如是。

如仏世尊如是説言、「如不異色、
40c
別更有空、亦不▽異空、別更有色。如色於空、空於色義、亦復如是」如是

さらにまた、ラーフラバドラという名の別の軌範師はおっしゃった。

あらゆる見の対治なるもの、如来はそれを空性と説く。空性に愛着せず、執着せざれ。空性に執着するならば、空性もまた実体となる。空なるものと空ならざるものとに愛着せず、〔さらに、〕この二つに愛着せざることなかれ。仏のことばを壊し得るものはなく、仏のことばはあちこちにみなぎっている。[4]

さらにまた、『経』において世尊は偈を説きたまうた。

悪しく把握された空性は、劣った慧の者を破滅させる。悪しく捕まえられた蛇のように、あるいは、悪しく成就された呪文のように。

vināśayati durdṛṣṭā śūnyatā mandamedhasam |
sarpo yathā durgṛhīto vidyā vā duṣprasādhitā ||（MMK XXIV.11）

色に執着したり、色の有（*bhāva）に執着したりして、〔その色において〕空なるものを構想したり、空ならざるものを構想したりするかぎり（*yāvat）、そのかぎり（*tāvat）、色はないのに、〔その色において〕どうして（*kutaḥ）空なるものや空ならざるものがあろうか（*bhaviṣyati）。さらに、色のように、そのように、あらゆる法もある。

仏世尊によって次のように「色より他に空性はなく、空性の他に色はない。色こそが空性であり、空性こそが色である[5]」かくかくしかじか（*evam ādi）と言われているとおりである。

等故。

又復『経』中、仏言、「迦葉、若有何人、見法不空、如是之人、法亦是空、空亦是法」。

又仏説言、「所言空者、空自体空」「所言色者、色自体空」。

若有少法而不空者、彼則有空。一切諸法皆無自体。何処当有空与不空。依此義故、有偈説言。

若法有不空　空亦得言有
無有法不空　依何法説空

我依此知、以取著故、相似義成。

問曰。若師如是、以此方便、解釈般若波羅蜜義、以何義故、先造『中

さらにまた、『経』において仏によって「カーシャパよ、空性によって諸法を空とするのではなく、他ならぬ諸法が空であるということである[6]」と言われている。

さらに、仏によって「空性は空性の自性を欠くので空である[7]」「色は色の自性を欠くので空である[8]」と言われている。

どこかに何か空ならざるもの（*kiṃcid aśūnyam）があるならば、そこには空なるもの（*śūnya）もあろう。〔しかるに、〕あらゆる法は無自性（*asvabhāva）である。〔無自性なるもの、それは無（abhāva）であるから、そのあらゆる法において〕どうして（*kutaḥ）空なるものや空ならざるものがあろうか（*bhaviṣyati）。そのことを念頭に置いて、偈が説かれている。

もし何か空ならざるものがあるならば、何か空なるものもあろう。しかるに、何か空ならざるものはない。どうして空なるものがあろうか。
yady aśūnyaṃ bhavet kiṃcit syāc chūnyam api kiṃcana |
na kiṃcid asty aśūnyaṃ ca kutaḥ śūnyaṃ bhaviṣyati ‖（MMK XIII.7）

わたしはこれによって、〝執着されているから、まがい物たることが成立する〟と知るのである。

質問。もし軌範師〔ナーガールジュナ〕が以上のように、〔『大経』の〕このやりかたによって般若波羅蜜の意味を解釈していらっしゃるならば、何の

論』、名為造作、而非是経。

答曰。若人愚痴、非是黠慧、彼人起心、如是分別、毀呰諸経、謂〃経不熟、唯論是実〃。餘法無論。為彼人故、此有偈言。

伐煩悩怨尽　救有救悪道
如来有伐救　此二餘法無

ために、まず著作（*kṛti）とされる『中論』を造りたまい、経によりたまわなかったのか。

回答。愚かであり賢くない者、彼は次のように〃経は未熟であり、論のみが真実である〃と構想して諸経を謗るのである。〔それゆえに、彼に応じて論を造りたまうた。〕

外教の諸見解においては（*anya-mateṣu）〔本当の〕論がない。彼のために、ここで偈が説かれている。

諸の煩悩という敵を残りなく征服し、悪趣から、そして有（＝生存）から救済する者。それは征服のゆえに、かつ、救済の功徳のゆえに、論である。この二つは外教の諸見解においてはない[9]。

原文校訂

＊1　大正蔵底本は「捨」に作る。三本によってこれを改める。

註

（1）『二万五千頌般若波羅蜜多』（*Pañcaviṃśatisāhasrikā Prajñāpāramitā*）。
Śakra āha: katamā sā Bhagavan prajñāpāramitā-prativarṇikā. Bhagavān āha: iha Kauśika kulaputrā vā kuladuhitaro vā imam prajñāpāramitām upadekṣyāma iti prajñāpāramitā-prativarṇikām upadekṣyanti. tatreyaṃ prajñāpāramitā-prativarṇikā rūpam anityam ity upadekṣyanti, vedanā-saṃjñā-saṃskārā vijñānam anityam ity upadekṣyanti. [...] rūpaṃ duḥkham anityam anātmety aśubham ity upadekṣyanti. vedanā-saṃjñā-saṃskārā vijñānaṃ duḥkham anityam anātmety aśubham ity upadekṣyanti. [...] yāvat sarvākārajñatām anityā duḥkhānātmāśubhety upadekṣyanti. [...] tac ca nimittayogenopalambhayogena sarvākārasaṃjñayā prajñāpāramitāṃ bhāvayiṣyati. [...] Śakra āha: katham upadiśantas te kulaputrā vā kuladuhitaro vā teṣāṃ bodhisattvayāna-saṃprasthitānāṃ kulaputrānāṃ vā kuladuhitṛṇāṃ vā na prajñāpāramitā-prativarṇikām

upadekṣyanti. Bhagavān āha: [...] rūpaṃ rūpa-svabhāvena śūnyam. yaś ca rūpa-svabhāvaḥ so ’bhāvaḥ. yaś cābhāvaḥ sā prajñāpāramitā. yā prajñāpāramitā tatra rūpaṃ na nityam iti vānityam iti vā vyapadiśyate. tat kasya hetoḥ. tathā hi rūpam eva tatra na saṃvidyate, kuto nityaṃ vānityaṃ vā bhaviṣyati. [...] tathā hi sarvajñataiva na saṃvidyate, kutaḥ punar nityatā vānityatā vā bhaviṣyati. [...] punar aparaṃ Kauśika kulaputrā vā kuladuhitaro vā teṣāṃ mahāyānikānāṃ kulaputrānāṃ vā kuladuhitṛṇāṃ vaivaṃ na prajñāpāramitā-prativarṇikām upadekṣyanti, ehi tvaṃ kulaputra prajñāpāramitāṃ bhāvaya, mā ca tvaṃ kaṃcid dharmaṃ drākṣīḥ, mā ca kasmincid dharme sthāḥ. tat kasya hetoḥ. tathā hi prajñāpāramitāyāṃ na sa dharmaḥ saṃvidyate yo dharmo draṣṭavyo yatra vā pratiṣṭhātavyaḥ. tat kasya hetoḥ. tathā hi Kauśika sarvadharmāḥ svabhāvena śūnyāḥ. yaś ca dharmaḥ svabhāvena śūnyaḥ so ’bhāvaḥ. yaś cābhāvaḥ sā prajñāpāramitā. yā prajñāpāramitā sā na kasyacid dharmasyāyūhalaṃ vā niryūhalaṃ votpādo vā nirodho vocchedo vā śāśvato vaikārthatā vā nānārthatā vāgamo vā nirgamo vā. evam upadiśantaḥ Kauśika te kulaputrā vā kuladuhitaro vā na prajñāpāramitā-prativarṇikām upadekṣyanti.（PVSPP II–III 110, 21–115, 12）

「憍尸迦、未来世当有善男子善女人、欲説般若波羅蜜、而説相似般若波羅蜜。……」。釈提桓因白仏言、「世尊、何等是相似般若波羅蜜」。仏言、「有善男子善女人、説有所得般若波羅蜜、是為相似般若波羅蜜」。釈提桓因白仏言、「世尊。云何善男子善女人説有所得般若波羅蜜、是為相似般若波羅蜜」。仏言、「善男子善女人説有所得般若波羅蜜、是為相似般若波羅蜜。相似般若波羅蜜者、説『色無常』、作是言、『能如是行、是行般若波羅蜜』、行者求色無常、是為行相似般若波羅蜜。説『受想行識無常』、作是言、『能如是行、是行般若波羅蜜』、行者求受想行識無常、是為行相似般若波羅蜜。……広説如五陰、説『色苦、乃至説意触因縁生受苦』、説『色無我』、乃至説『意触因縁生受無我』、皆如五陰説。……乃至行薩婆若時、為説『無常苦無我』、作如是教、『能如是行者、是為行般若波羅蜜』。憍尸迦、是名相似般若波羅蜜。……行者以相似有所得、以総相修是般若波羅蜜。……」。釈提桓因白仏言、「世尊、云何善男子善女人為求仏道者不説相似般若波羅蜜」。仏言、「……色色性空。是色性非法。若非法、即名為般若波羅蜜。般若波羅蜜中、色非常非無常。何以故。是中色尚不可得、何況常無常。……復次憍尸迦、善男子善女人為求仏道者説、『汝善男子、修行般若波羅蜜、於諸法、莫有所過、莫有所住。何以故。般若波羅蜜中、無有法可過可住。所以者何。一切法自性空。自性空是非法。若非法、即是般若波羅蜜。般若波羅蜜中、無有法可入可出可生可滅』。憍尸迦、是善男子善女人如是説、是名不説相似般若波羅蜜。（鳩摩羅什訳『摩訶般若波羅蜜経』巻十、法施品。T8, 295b–296a）

「憍尸迦、於当来世、有善男子善女人等、為他宣説相似般若乃至布施波羅蜜多。……」。爾時天帝釈白仏言、「世尊、云何名為宣説相似般若静慮精進安忍浄戒布施波羅蜜多」。仏言、「憍尸迦、若善男子善女人等説有所得般若波羅蜜多乃至布施波羅蜜多、如是名為宣説相似般若静慮精進安忍浄戒布施波羅蜜多」。時天帝釈復白仏言、「世尊、云何善男子善女人等説有所得般若乃至布施波羅蜜多、名説相似般若乃至布施波羅蜜多」。仏言、「憍尸迦、若善男子善女人等為発無上菩提心行六波羅蜜多者、説『色乃至識無常苦無我……乃至一切相智無常苦無我』、作如是言、『若有能依如是等法、修行般若乃至布施波羅蜜多、是行般若乃至布施波羅蜜多』……憍尸迦、彼以有相及有所得而為方便、依合集想、教修般若乃至布施波羅蜜多。……」。……爾時天帝釈白仏言、「世尊、云何名為宣説真正般若静慮精進安忍浄戒布施波羅蜜多」。仏言、「……色色自性空、乃至一切相智一切相智自性空。是色自性即非自性、乃至是一切相智自性即非自性。若非自性、即是般若乃至布施波羅蜜多。於此般若乃至布施波羅蜜多、色不可得、彼常無常楽苦我無我亦不可得、乃至一切相智不可得、彼常無常楽苦我無我亦不可得。所以者何。此中尚無色等可得、何況有彼常無常楽苦我無我可得。……復次憍尸迦、若善男子善女人等為発無上菩提心者、宣説般若乃至布施波羅蜜多、作如是言、『来善男子、我当教汝修学般若乃至布施波羅蜜多。汝修学時、勿観諸法有少可住可超可入可得可證可聴聞等所獲功徳及可隨喜迴向菩提。何以故。善男子、於此般若乃至布施波羅蜜多、畢竟無有少法可住可超可入可得可證可聴聞等所獲功徳及可隨喜迴向菩提。所以者何。以一切法自性皆空。若自性空、則無所有。若無所有、即是般若乃至布施波羅蜜多。於此般若乃至布施波羅蜜多、竟無少法有入有出有生有滅有断有常有一有異有来有去而可得者』。憍尸迦、是善男子善女人等作此等説、与上黒品一切相違、是説真正般若静慮精進安忍浄戒布施波羅蜜多。（玄奘訳『大般若波羅蜜多経』巻四百三十一、第二分、経文品。T7, 169a–170b）

なお、この文はすでに小川一乗［2000］によって同定されている。『順中論義入大般若波羅蜜経初品法門』はこの文によって『中論』の帰敬偈が作られたと見なしているが、現実には、『中論』の帰敬偈によってこの文が作られたのであるらしい。渡辺章悟［1986］を見よ。

（2）原文「依彼因縁、故造此論」。のちの箇所に「阿闍梨意、為何義故、而造此論」「為此義故、師造此論」とあるので、「此論」が『中論』を指すことがわかる。

（3）『大宝積経』迦葉品（*Kāśyapa-parivarta*）。

pudgala-dṛṣṭi-gatānāṃ Kāśyapa śūnyatā niḥsaraṇam, śūnyatā-dṛṣṭiḥ (corr. : °-dṛṣṭi) punaḥ (corr. : puna) Kāśyapa kena niḥsariṣyanti.（KP §64）

pudgala-dṛṣṭi-gatānām は蔵訳に lta bar song ba thams cad las（*sarva-dṛṣṭi-gatānām）とある。『順中論義入般若波羅蜜経初品法門』は蔵訳と一致する。

（4）出典不明。

（5）『十万頌般若波羅蜜多』（*Śatasāhasrikā Prajñāpāramitā*）。

nāpy anyatra rūpāc chūnyatā, rūpam eva śūnyatā, śūnyataiva rūpam.（ASBh 138, 5）

色不離空、空不離色。色即是空、空即是色。（玄奘訳『大般若波羅蜜多経』巻四、初分、学観品。T5, 17c）

なお、現存の梵文『十万頌般若波羅蜜多』はこの箇所において混乱している。長尾雅人［1982］序論「七　『般若経』からの引用文について」を見よ。

『二万五千頌般若波羅蜜多』においてもおおむね同じ内容が次のように説かれているが、文章表現から判断して、『十万頌般若波羅蜜多』が出典と考えられる。

nānyad rūpam anyā śūnyātā. nānyā śūnyatānyad rūpam. rūpam evā śūnyatā, śūnyataiva rūpam.（PVSPP [Dutt] 46, 2–3; PVSPP I–1 64, 6–7）

色不異空、空不異色。色即是空、空即是色。（鳩摩羅什訳『摩訶般若波羅蜜経』巻一、習応品。T8, 223a）

色不異空、空不異色。色即是空、空即是色。（玄奘訳『大般若波羅蜜多経』巻四百三、第二分、観照品。T7, 14a）

（6）『大宝積経』迦葉品。

yan na śūnyatayā (corr. : śūnyatāyā) dharmāñ (corr. : dharma) śūnyān (corr. : śūnyā) karoti, dharmā eva śūnyāḥ (corr. : śūnyā).（KP §63）

（7）出典不明。*śūnyatā śūnyatā-svabhāvena śūnyā.『二万五千頌般若波羅蜜多』の次のような文の取意か。ただしこの文は梵文および他の異訳にない。

内空内空性空、乃至無性自性空無性自性空性空。（玄奘訳『大般若波羅蜜多経』巻四百五十五、第二分、同性品。T7, 298b）

*adhyātma-śūnyatādhyātma-śūnyatā-svabhāvena śūnyā. yāvad abhāva-svabhāva-śūnyatābhāva-svabhāva-śūnyatā-svabhāvena śūnyā.

（8）『二万五千頌般若波羅蜜多』。

rūpaṃ rūpa-svabhāvena śūnyam.（PVSPP II–III 114, 4）

色色性空。（鳩摩羅什訳『摩訶般若波羅蜜経』巻十、法施品。T8, 296a）

色色自性空。（玄奘訳『大般若波羅蜜多経』巻四百三十一、第二分、経文品。T7, 170a）

rūpaṃ rūpa-svabhāvena śūnyam.（PVSPP IV 130, 18）

色色相空。（鳩摩羅什訳『摩訶般若波羅蜜経』巻十六、大如品。T8, 337b）

色色自性空。（玄奘訳『大般若波羅蜜多経』巻四百四十七、第二分、真如品。T7, 257b）

（9）ヴァスバンドゥ『釈軌論』（VY 277, 15–18）所出の頌。

yac chāsti vai (PP : ca MAVṬ) kleśaripūn aśeṣān saṃtrāyate durgatito bhavāc ca |

tac chāsanāt trāṇaguṇāc ca śāstram etad dvayaṃ cānyamateṣu nāsti |（PP 3, 3–4; MAVṬ 3, 9–12）

ヴァスバンドゥ『五蘊論』に対するグナプラバ（Guṇaprabha）の註釈『五蘊論釈』（*Pañcaskandha-vivaraṇa*）によれば、この頌はもともとアーリヤデーヴァ（Āryadeva）の作らしい。

軌範師アーリヤデーヴァによっても「諸の煩悩という敵を残りなく征服し、悪趣から、そして有（＝生存）から救済する者。〔それ

は」征服のゆえに、かつ、救済の功徳のゆえに、論である。この二つは外教の諸見解においてはない」と言われているとおりである。slob dpon 'phags pa lhas kyang | nyon mongs dgra rnams ma lus 'chos pa dang | ngan 'gro srid las skyob pa gang yin te | 'chos skyob yon tan phyir yang bstan bcos te | gnyis po 'di dag gzhan gyi lugs la med | ces brjod pa lta bu'o || (D no. 4067, Si 2b3–4; P no. 5568, Hi 68a8–b1)

〔Ⅱ　帰敬偈が讃歎によって供養するものであること〕

此偈非唯直是根本、亦以讃歎供養如来、亦断一切戯論分別諸取著等。故説此偈。

問曰。云何。

答曰。有無量種供養如来、以如来有無量功徳。今且略説、三種供養。一者随法順行供養、二者資財奉施供養、三者自身礼拝供養。此初随法順行供養、供養中勝。以此偈法、供養如来、供養中勝、非物供養。

問曰。此説何人供養如来。

答曰。若人通達不生際者。又復有説言、「須菩提於先礼我」。論師如是

この〔帰敬〕偈は（Ⅰ）ただ〔『中論』の〕根本であるのみならず、（Ⅱ）如来を讃歎によって供養するものでもあり、（Ⅲ）あらゆる戯論分別なる諸執着などを除去するものでもある。それゆえに、この偈が説かれたのである。

質問。どのようにか。

回答。如来には無量の功徳があるから、如来に対する供養は無量の種類にわたる。今、とりあえず（*tāvat）、まとめれば（*samāsataḥ）、三種類の供養がある。随法行（*anudharma-pratipatti）による供養と、財による供養と、自身の礼拝による供養である。これ（＝帰敬偈）は随法行による供養であり、供養のうち最高である。この〔帰敬〕偈という法によって如来を供養することが供養のうち最高なのであり、財による供養は違うのである。

質問。ここでは誰が如来を供養すると説かれるのか。

回答。不生際[1]に通達した者が、である。[2] さらにまた、「〔法身に敬礼した〕スブーティこそが〔貴姉ウトパラヴァルナー比丘尼より〕先にわたしに敬礼

以此偈法、供養如来。

したのである[3]」と説かれている。論師〔ナーガールジュナ〕はそのように、
この〔帰敬〕偈という法によって、如来を供養するのである[4]。

註

（1）般若流支訳『奮迅王問経』巻下「不生際」(T13, 947c) ＝蔵訳 skye ba med pa'i mtha'（P no. 834, Phu 220b1）

（2）この問答は『勝思惟梵天所問経』からの転用である。

gsol ba | de bzhin gshegs pa la mchod pa bgyid pa gang dag lags | bka' stsal pa | gang dag mi skye ba'i mtha' rtogs pa rnams so ||（P no. 827, Phu 36a1–2）

梵天言。世尊、云何供養於仏。仏言。梵天、以通達無生際故。（菩提流支訳『勝思惟梵天所問経』巻一。T15, 67b）

（3）以下のような文献のうちに現われる逸話。

『増一阿含経』巻二十八「善業以先礼　最初無過者　空無解脱門　此是礼仏義」(T2, 708a)

『分別功徳論』巻三「須菩提為先汝見仏也」(T25, 38a)

『入大乗論』巻下「汝不先見我。唯須菩提識於法身、已先見我」(T32, 47c)

『大唐西域記』巻四「汝非初見。夫善現者観諸法空、是見法身」(T51, 893b)

（4）ここではナーガールジュナが不生際に通達した者であり法身に敬礼する者であると見なされており、ナーガ〔ールジュナ〕が初地の菩薩であるという『入楞伽経』偈頌品（LAS Saghātaka 165–166）の伝承が想起される。

南方のヴェーダリーに吉祥ある大名誉ある比丘がいる。
彼は名についてはナーガと呼ばれ、〝ある〟〝ない〟という主張を破る者である。
世間においてわたしの乗である無上なる大乗を明らかにしてのち、
歓喜地に到達してのち、彼は極楽へ行くであろう。

dakṣiṇāpathavedalyāṃ bhikṣuḥ śrīmān mahāyaśāḥ |
nāgāhvayaḥ sa nāmnā tu sadasatpakṣadārakaḥ || 165
prakāśya loke madyānaṃ mahāyānam anuttaram |
āsādya bhūmiṃ muditāṃ yāsyate 'sau sukhāvatīm || 166

問曰。供養世尊、第一上吉、是故論初応法供養。謂此偈法。

如説〝能断一切取著戯論等〟者、今応当説。

41a 答曰。汝聴。我今為説。善意思念。言戯論者、所謂取著有得有物二、及不実取諸相等。是戯弄法、故名戯論。彼今略説、所謂取体、若取非体、取体非体、或取非体非非体等。此偈於彼、一切皆断。

問曰。云何皆断。

答曰。偈言。

仏已説因縁　断諸戯論法

〔Ⅲ　帰敬偈が諸有情の、執着を楽しむことを除去すること〕

〔Ⅲ・1　戯論の定義〕

質問。（Ⅱ）〔随法行による供養は〕世尊に対する供養のうち最も吉祥であるので、それゆえに、『論』の初めにおいては、法によって供養すべきである。すなわち（*yad uta）、この〔帰敬〕偈という法によって。

〝（Ⅲ）〔それ（＝帰敬偈）が〕あらゆる執着である戯論などを除去することができる〟と説かれたようなことを、今、説くべきである。

回答。聴きたまえ。わたしは今、説くことにしたい。意を落ちつけたまえ。[1]

戯論というのは、すなわち、有所得（*upalabdhi）と実体（*dravya）との二つに執着することと、諸相に不実に執着することと[2]などである。戯弄することであるから、戯論と呼ばれる。それは、今、まとめれば（*samāsataḥ）、すなわち、〝有（*bhāva）である〟と執着すること、あるいは、〝無（*abhāva）である〟と執着すること、あるいは、〝有かつ無である〟と執着すること、あるいは、〝有でもなく、無でもない〟と執着することなどである。この〔帰敬〕偈はそれらをすべて除去する。

質問。どのようにすべて除去するのか。

回答。〔帰敬〕偈が説かれている。

〝戯論の寂滅であり、吉祥なる縁起〟を説きたまうた正覚者なるかた。

故我稽首礼　説法師中勝

因縁生者、皆是戯論。

問曰。因縁生者、云何戯論。

答曰。因縁生者、世尊已於小乗中説。随順次第、得入法義、亦以対治外道取法。

問曰。云何対治。

答曰。外道悪見。彼有体見、有断常見、如是楽著一切世界、摩醯首羅、時節、微塵、勝、及自性、断滅等、生如是分別。彼外道人、如是分別、則失因縁。彼人如是楽戯論故、名為悪見。此之戯論是諸外道取著之法。

かの最高の説者に敬礼する。

yaḥ pratītyasamutpādaṃ prapañcopaśamaṃ śivaṃ
deśayām āsa saṃbuddhas taṃ vande vadatāṃ varam ||（PP 11, 15–16）

縁起（*pratītya-samutpāda）はすべて戯論である。

〔Ⅲ・2　執着された縁起は戯論であること〕

〔Ⅲ・2・1　小乗において説かれる縁起に二つの目的があること〕

質問。縁起はどうして戯論であろうか。

回答。縁起は世尊によってすでに小乗において説かれている。①順序にしたがって法の意味に入らせるし、②外道の執着を対治しもする。

〔Ⅲ・2・1・1　外道の執着を対治することという目的〕

質問。どのように対治するのか。

回答。外道は悪見の者である。彼は有見（*bhāva-dṛṣṭi）を持ち、断見・常見（*uccheda-śāśvata-dṛṣṭi）を持ち、そのようにして、世界すべてに愛着し、〝大自在天（*maheśvara）や時間（*kāla）や原子（*aṇu）やプラダーナ（*pradhāna）やプラクリティ（*prakṛti）や断滅などがある〟という、そのような構想を起こす。かの外道の者は、そのように構想するので、縁起（*pratītya-samutpāda）をわからなくなる。彼らはそのように戯論を楽しむから、

為断此故、世尊已説、「無明因縁、而生於行」「無明滅故、諸行滅」等。以如是故、有世界生、以如是故、則世界滅、非餘法故。如是生滅。

問曰。摩醯首羅、時節、微塵、勝者、自性、及断滅等、此等因縁能生世界、滅世界者、此諸因縁可是戯論。若因縁生、因縁滅者、云何戯論。

答曰。以取著故。次第乃至取著涅槃、如来亦遮。何況不遮取著因縁。

外道之人、取著体故、失於善道、行於悪道。

戯論不実。

問曰。云何。

答曰。摩醯首羅若作世界、彼為是

悪見の者と呼ばれる。この戯論は諸外道の執着であり、それを排除するために、世尊はすでに「無明という縁によって諸行が生じる」「無明が滅するゆえに諸行が滅する」などとおっしゃった。そのようなもの（＝縁）によって世界が生じ、そのようなもの（＝縁）によって世界が滅するのであり、別のもの（＝大自在天など）によるのでない。このようにして、生ずることと滅することとがある。

質問。〝大自在天（*maheśvara）や時間（*kāla）や原子（*aṇu）やプラダーナ（*pradhāna）やプラクリティ（*prakṛti）や断滅などというそれら諸原因（*kāraṇa）が世界を生じたり世界を滅したりできる〟というならば、かの諸原因は戯論であるのがよろしい。もし縁によって生じ、縁によって滅するならば、どうして戯論であろうか。

回答。執着されている〔縁起だ〕からである。しまいには涅槃に執着することに至るまで、如来は否認なさっている。ましてや、縁起（*pratītya-samutpāda）に執着することを否認なさらないはずがあろうか。

外道の者は有（*bhāva）に執着するゆえに、善趣（*sugati）を失うことになり、悪趣（*durgati）に行くことになる。

戯論は虚妄である。

質問。どうしてか。

回答。もし大自在天（*maheśvara）が世界を作るのならば、常、為是無常。為為他作、不為他作。

彼為生已而有所作、為是未生而有所作。為有而作、為無而作。

彼如是等皆悉不然。若作世界、為常而作、無常而作。為為他作、不為
41b 他作。為生不生。為有為無。

如是一切皆不相応。無道理故。

問曰。云何名為無道理耶。

答曰。若是常法、云何而得造作世界。若是常法作世界者、虚空亦応得

① 彼は常なるものであるのか、無常なるものであるのか。
② 〔彼は〕他のものによって作られたものなのか、他のものによって作られたものでないのか。
③ 彼はすでに生じたのちに〔世界を〕作ることを持つのか、未だ生じていないうちに〔世界を〕作ることを持つのか。
④ 〔彼は〕あるものであって〔世界を〕作るのか、ないものであって〔世界を〕作るのか。

このようなことがらはすべて妥当でない。もし〔大自在天が〕世界を作るのならば、
① 〔彼は〕常なるものであって〔世界を〕作るのか、無常なるものであって〔世界を〕作るのか。
② 〔彼は〕他のものによって作られたものなのか、他のものによって作られたのでないものなのか。
③ 〔彼は〕生じているものなのか、生じていないものなのか。
④ 〔彼は〕あるものなのか、ないものなのか。

このようなすべては妥当でない。〔なぜなら、〕道理がないからである。

質問。どうして道理がないと言われるのか。

回答。① もし〔大自在天が〕常なるものならば、どうして世界を作り得ようか。もし常なるものが世界を作るならば、虚空もまた世界を作り得るは

作世界。是事不可。若是無常作世界者、瓶等亦応造作世界。若常無常作世界者、虚空与瓶皆応得作。是事不可。

若汝意謂、〝常無常過、離常無常、更別有作作世界〟者、是則無窮。作世界作更復有作之所作故。此復有過。瓶亦応是作世界作。是事不可。

若汝意謂、〝此是過者、則無作者而作世界〟、此義不成。

問曰。云何不成。

答曰。無衆生故。若無作者、尚自非有、況復有作。如其無作得有造作、是則無物亦応得作。若其得作、兎角亦応作石女児、又亦応作虚空花鬘。是事不可。

ずである。このことはよろしくない。もし無常なるものが世界を作るならば、瓶などもまた世界を作るはずである。もし常なるものと無常なるものとが世界を作るならば、虚空と瓶とが〔世界を〕作り得るはずである。このことはよろしくない。

② もし貴君が〝常と無常とは過失であり、常と無常とから離れてさらに別に、世界を作る者（＝大自在天）を作る者がいるのである〟と思惟するならば、無限遡及になってしまう。世界を作る者を作る者もさらにまた〔別の〕作る者によって作られるからである。これもまた過失である。瓶もまた世界を作る者を作る者になるはずである。このことはよろしくない。

もし貴君が〝これが過失であるならば、作られたのでないものが世界を作るのである〟と思惟するならば、このことは成立しない。

質問。どうして成立しないのか。

回答。〔作られたのでないものは〕ないものだからである（*asattvāt）。もし作られたのでないものならば、自分すらないというのに、どうして〔世界を〕作るということがあろうか。もし、その作られたのでないものが〔世界を〕作ることがあり得るならば、ないもの（*asat）もまた〔世界を〕作り得るはずである。もしそれ（＝ないもの）が〔世界を〕作り得るならば、兎角も石女の子を作るはずであるし、さらに空華をも作るはずでもある。このことはよろしくない。

亦可作瓶而皆不作。若已生者、当知不得造作世界。如瓶不作。若未生者、亦不得作。如石女児。

若是有者、不作世界。猶如其人。若是無者、不作世界。猶如兎角。

此於世界常無常等不相似過。

又復如是摩醯首羅常無常等若是世界之因縁者、世間罪福亦是所作。是事不可。若如是者、一切罪福則無果報。然今現見世間罪福皆有果報。

又復勝等、無物体故、不作世界。此義成就。先已広説。以無因縁、是故彼無。

③　さらに、作られた瓶は〔世界を〕作らないというのがよろしい。もしすでに生じたものならば、〔すでに生じたものは〕世界を作り得ないと知られるべきである。瓶が〔世界を〕作らないことのごとし。もし未だ生じていないものならば、〔未だ生じていないものも〕また〔世界を〕作り得ない。石女の子〔が世界を作らないこと〕のごとし。

④　もし、あるもの（*sat）ならば、〔あるものは〕世界を作らない。人〔が世界を作らないこと〕のごとし。もし、ないもの（*asat）ならば、〔ないものは〕世界を作らない。兎角〔が世界を作らないこと〕のごとし。

以上は、世界に対し、常なるものや無常なるものなど〔である大自在天〕が似つかわしくないという過失である。

さらにまた、このような、常なるものや無常なるものなどである大自在天（*maheśvara）がもし世界にとっての原因（*kāraṇa）ならば、世間の罪福（*pāpa-puṇya）もまた〔大自在天によって〕作られたものになってしまう。このことはよろしくない。もしそのようであるならば、あらゆる罪福には異熟（*vipāka. むくい）がなくなってしまうが、しかるに今、現に世間の罪福にはみな異熟があることが見受けられる。

さらにまた、プラダーナ（*pradhāna）などは、無（*abhāva）であるゆえに、世界を作らない。このことは確立されている。先にすでに〔大自在天に関して〕広く説いた。〔プラダーナなどには〕原因がないから、それゆえにそれ

若丈夫作、丈夫不成。自不成故、不能成法。

若有丈夫、可有転行。如勝是常。無因縁故。勝無転行。以是常故。如丈夫覚、丈夫無覚、則常如勝。若如
41c 是者、一切諸法皆悉是常。

若無物者、何法為常。若無法常、云何分別流転行等。

迦卑羅師、汝是弟子。云何有勝、有丈夫者。汝当説之、令義成就。爾乃於後、常等法成。

問曰。云何無勝。

（＝プラダーナなど）はない。

もしプルシャ（*puruṣa）が〔世界を〕作るというならば、プルシャは確立されない。〔プルシャは〕自身が確立されないゆえに、〔プルシャは〕もの（＝世界）を成立させることができない。

もしプルシャがあるならば、〔プルシャに〕活動[3]（*pravṛtti）があるのがよろしい。プラダーナについていえば、常なるものである。〔プラダーナには〕原因がないからである。プラダーナに活動はない。〔プラダーナは〕常なるものだからである。プルシャと〔無常なるものである〕ブッディ（*buddhi）とについていえば、プルシャはブッディがないので、プラダーナと同じく常なるものである。もしそうならば、〔プラダーナとプルシャという〕あらゆるものはすべて常なるものである。

もし〔わたしが言うとおり、プラダーナとプルシャとが〕ないならば、何が常なるものであろうか。もし常なるものがないならば、どのように〔貴君は〕活動（*pravṛtti）などを構想するのか。

〔サーンキヤ学派の祖〕カピラ（*Kapila）は〔貴君の〕師であり、貴君は〔カピラの〕弟子である。どうしてプラダーナはあり、プルシャはあるのか。それを説いて、主張を成立させたまえ。そうした後に、常などであるものが成立するであろう。

質問。どうしてプラダーナはないのか。

答曰。云何有勝。

問曰。以阿含故。

答曰。我今亦以阿含故無。

問曰。以道理故、有勝成就。迭相摂故。

答曰。何者道理。

問曰。有勝。以見次第有壊相故。如見樹皮、知有樹心。

答曰。若如是者、是汝家中私量所量道理成就。実無此勝。見壊相故。猶如兎角。兎角是有。見壊相故。如樹皮等。


回答。どうしてプラダーナはあるのか。

質問。〔サーンキヤ学派の〕聖典（*āgama）によるからである。

回答。わたしにとっても、〔仏教の〕阿含（*āgama. 教証）によって、〔プラダーナは〕ない。

質問。道理（*yukti. 理証）によって、プラダーナがあることが確立される。〔プラダーナと、プラダーナから転変したさまざまなものとが〕互いを含んでいるからである。

回答。道理とは何か。

質問。〔主張：〕プラダーナはある。〔理由：〕さまざまなものに（*bhedānām）共通性（*anvaya）があるのを見てとれるからである[4]（*darśanāt）。〔喩例：〕樹皮を見て樹芯があると知るがごとし[5]。

回答。そのようなものは貴君らの自分勝手な認識手段（*pramāṇa）と認識対象（*prameya）とに関する道理にもとづき確立されるにすぎない。〔逆の推理もできる。たとえば、〕〔主張：〕本当はこのプラダーナはない。〔理由：〕さまざまなものを見てとれる〔だけであり、プラダーナを見てとることはできない〕からである。〔喩例：〕兎角のごとし。〔プラダーナがあることを推理できるならば、兎角があることすら推理できる。たとえば、〕〔主張：〕兎角はある。〔理由：〕さまざまなものを見てとれる〔のであり、兎角はさまざまなものの一つだ〕からである。〔喩例：〕樹皮などのごとし。

若汝意謂、〝雖無面等、而是有〟者、不相類故、則知無勝。以不生故。如石女児。若如虚空、則不成就。若如涅槃、是則無物。無体云何成有不有。此我今説。汝雖有語、都無義理。如汝向者見宗因喩而有所説、皆不相応。此我今説。破汝勝法、有無量種、不可具説、略説少分。

於汝法中、言丈夫者、此無衆生。無因縁故。猶如兎角。如汝向者言、〝丈夫是世界因縁〟、已引喩者。世界因縁、今共籌量。若不能説、縁具則滅。縁具滅故、是則有過。譬喩則滅、

もし貴君が〝〔プラダーナはさまざまな〕容貌などを持たないにせよ、あるのである〟と思惟するならば、〔主張：〕〔プラダーナはさまざまなものと〕同類でないゆえに、プラダーナはないとわかる。〔理由：〕〔プラダーナはさまざまなもののようには〕生じたものでないからである。〔喩例：〕石女の子のごとし。もし虚空のようであるならば、〔プラダーナは〕成立しない。もし涅槃のようであるならば、〔プラダーナは〕ない。〔虚空や涅槃のようである〕無（*abhāva）において、[6] どうしてあるということ（*astitā）あるいはないということ（*nāstitā）が成立しようか。そのことについて、わたしは今、説くことにしたい。貴君には発言があったが、すべて意味がないものである。貴君には先に主張（*pakṣa）と理由（*hetu）と喩例（*dṛṣṭānta）とを示しつつ所説があったが、いずれも妥当でない。そのことについて、わたしは今、説くことにしたい。貴君のプラダーナという立場に対する論破は無量の種類にわたり、つぶさに説くことはできないので、まとめて少しばかりを説くことにしたい。

〔主張：〕貴君の立場における、プルシャといわれるもの、それはないもの（*asattva）である。〔理由：〕〔プルシャには〕原因がないからである。〔喩例：〕兎角のごとし。貴君は先に〝プルシャは世界にとっての原因である〟と言ったが、〔わたしは〕すでに喩例を引いた。世界にとっての原因を、今、共に検討することにしたい。もし〔貴君が喩例を〕説くことができない

汝則退壊一切諍対。不成就者、無譬喩故。

応先自観己之朋已、説自因相。

若其是常、則非作者、若是無常、亦非作者。

若為他作、亦非作者、不為他作、亦非作者。

若体已生、亦非作者、若是未生、亦非作者。

若其是有、亦非作者、若其是無、亦非作者。

皆有譬喩、不能具説。当審思量、自朋有喩、他朋無喩。

如是如是、摩醯首羅、時、微塵等、

ならば、条件の揃うことが欠けてしまう。条件の揃うことが欠けてしまうゆえに、誤謬（*doṣa）があることになってしまう。喩例が欠けてしまうならば、貴君はあらゆる論争に敗退すること（*nigraha）になってしまう。〔主張が〕確立されないのは、喩例がないからである。

まずみずからわたしの主張（*pakṣa）を吟味してのち、わたしの理由（*hetu）のありさまを説くべきである。〔わたしの主張とは、〕

①もし常なるものならば、それは〔世界を〕作る者でないし、もし無常なるものならば、これまた〔世界を〕作る者でない。

②もし他のものによって作られたものならば、これまた〔世界を〕作る者でないし、もし他のものによって作られたのでないものならば、これまた〔世界を〕作る者でない。

③もしすでに生じているものならば、これまた〔世界を〕作る者でないし、もし未だ生じていないものならば、これまた〔世界を〕作る者でない。

④もし、あるものならば、これまた〔世界を〕作る者でないし、もし、ないものならば、これまた〔世界を〕作る者でない。

いずれも〔前述のような〕喩例を有しており、詳しく説くことができないほどである。わたしの主張（*sva-pakṣa）は喩例を有し、そちらの主張（*para-pakṣa）は喩例を有しない、ということがよく思案されるべきである。

まさにそのように（*evam eva. =プルシャと同じように）、大自在天や時や原

42a 世界因縁則不成就◁。若此成就、作与所作迭互相作、無如是事。若有此事、摩醯首羅則能作勝、勝亦能作摩醯首羅、如是等故。如是外道説作所作迭互相違、皆不相応。

問曰。如汝所説、〝縁具不成、是則有過、譬喩則減、復退壊〟者、此我今説。何等縁具、何者減相。若何等人、宗因喩等、三是縁具、彼如是人、則三種減、唯因譬喩、此二有過。以縁具故。宗則無減。以是言説之根本故、又義成故。此久已説、〝有三種減、因喩二減〟。若人分別此之三分具足和合故名縁具、彼如是人応三種減。

子などが世界にとっての原因であることは確立されない。もしそれが確立されるならば、作る者と作られるものとが互いに作りあうことになるが、そのようなことはありえない。もしそのことがあるならば、大自在天はプラダーナを作り得るし、プラダーナも大自在天を作り得る、かくかくしかじか（*evam ādi）ということになるからである。このように、外道が作るものと作られるものとを説くことは、互いに食い違っており、いずれも妥当でない。

質問。貴君によって説かれた〝条件の揃うことが成立しないならば、誤謬（*doṣa）があることになってしまう。喩例が欠けてしまうならば、敗退すること（*nigraha）になってしまう〟ということ、そのことについて、わたしは今、説くことにしたい。条件の揃うこととはいかなることであり、欠けることとはいかなることであるか。もし誰かにとって、主張（*pakṣa）と理由（*hetu）と喩例（*dṛṣṭānta）との三つ組みが条件の揃うことであるならば、彼にとって、三つ組みが欠けることとは、ただ理由と喩例とのこの二つだけが〔欠けること〕であり、誤謬があることになってしまう[7]。条件の揃うことによるからである。主張は欠けたりしない。〔主張は〕言説の根本だからであり、さらに、意味を成立させるものだからである。ここまでは長らく〝三つ組みが欠けることがあるのは、理由・喩例という二つが欠けることである〟と説いてきたのである。もし誰かが〝この三つ組みが完備され集合しているゆえに条件の揃うことと呼ばれる〟と構想するならば、彼にとって

若復有人、因三相語則是縁具、彼人三種云何有減。若縁具過、若譬喩減、云何彼人而当有減。若縁具過、汝未知故、作如是説、〝説喩減已、得縁具過、若復退壊〟。

答曰。云何如是撾打虚空。若能捨離摩醯首羅之朋分已、則可起心、自謂黠慧、爾乃摂取若耶須摩之朋分也。汝此語言不能説於出世間法与世間法。復不相応。以其虚妄最凡鄙故。此如是故、則不須答。若耶須摩論師説言、〝此言語法云何復離世諦之法〟。此我今説。以何者是彼因三相。若何者法、語為縁具、復以何者是因三相。

は、〔条件の揃うことが欠けることは〕三つ組み（＝主張・理由・喩例）が欠けることであるべきである。

しかるに、もし誰かにとって、理由の三条件（*trairūpya）をいう語が条件の揃うことであるならば、〔もし喩例が欠けるとしても、〕彼にとって、三つ組み（＝理由の三条件）はどうして欠けることがあったりしようか。条件の揃うことについての誤謬をめぐっては、もし喩例が欠けるとしても、どうして彼にとって、〔条件の揃うことが〕欠けることがあったりしようか。条件の揃うことについての誤謬をめぐっては、貴君は、無知ゆえに、このように〝喩例を説くことが欠ける以上、条件の揃うことについての誤謬を得てしまい、あるいは敗退することになってしまう〟と説くのである。

回答。どうしてそのように虚空を分析しているのか[8]（*ākāśaṃ pāṭayate）。大自在天（*maheśvara）という主張（*pakṣa）を捨てることができたとみれば、自分を賢いと思う心を起こして、しかるのちニヤーヤソーマ[9]（*Nyāyasoma）の主張を採ろうとする。貴君のその言説は出世間法と世間法とを説くことができない。さらに、妥当でない。それは虚妄であり最低だからである。それゆえ回答すべきでない。論理家（*tārkika）ニヤーヤソーマは〝この言説はどうして世俗諦法（＝世間法）をも離れていようか〟と言うであろう。そのことについて、わたしは今、説くことにしたい。何がその理由の三条件であるのか。もし何らかの法について、〔理由の三条件をいう〕語が条件の揃うこ

問曰。朋中之法、相対朋無、復自朋成。如声無常。以造作故。因縁壊故。作已生故。如是等故。若法造作、皆是無常。譬如瓶等。声亦如是、作故無常。諸如是等、一切諸法、作故無常。

答曰。何名作法。為作名作、離作名作。此今解釈。

若以作故名為作者、声是作法、声
42b 皆是作。是故名作。若如是者、朋法不摂、則不得言、〝声是朋法〟。

とであるならば、さらに、何が理由の三条件であるのか。

質問。〔理由が〕主張の主題の属性であり（*pakṣasya dharmaḥ）、異例群のうちになく（*vipakṣe nāsti）、さらに、同例群のうちに成立しているのである[10]（*svapakṣe siddhaḥ）。たとえば、〝〔主張：〕声は無常である。〔理由：〕作られたものたること（*kṛtakatva）ゆえに。原因によって壊れることゆえに。作られてのち生ずることゆえに。――かくかくしかじか（*evam ādi）。〔喩例：〕作られたものである法なるもの（*yo dharmaḥ kṛtakaḥ）、それはすべて無常である。瓶などのごとし。〔適用：〕声もまたそうである。〔結論：〕作られたものたることゆえに、無常である〟。結局（*yāvat）、あらゆる法は、作られたものたることゆえに、無常である。

回答。何が作られたものであるのか。①作られたものたること（*kṛtakatva）〔という属性〕によって、作られたもの（*kṛtaka）と呼ばれるのか、②作られたものたること〔という属性〕を離れた上で、作られたものと呼ばれるのか。そのことについて、今、解説することにしたい。

① もし作られたものたること〔という属性〕によって、作られたものと呼ばれるならば、〔作られたものは作られたものたることという属性を離れないのだから、〕声は作られたものであると同時に、声はすべて作られたものたること〔という属性〕である。それゆえに、〔声は〕作られた

若汝意謂、〝有如是過、声与作異〟、声則非作。若法離作、不得言作。以如是故、知声非作。若声非作、是則無法。若無法者、云何言常、或言無常。若分別物、分別物法。

云何作声。為有故作、為無故作。此今解釈。有法不作、無亦不作。若法有無、亦不成作。

ものたること〔という属性〕と呼ばれる。もしそのようであるならば、〔声は属性であるから、〕主張の主題（*pakṣa）たる〔声という〕法として把握されず、〝声は主張の主題たる法である〟と言えない。

② もし貴君が〝そのような過失がある以上、声は作られたものたること〔という属性〕を離れている〟と思惟するならば、声は作られたものでない。もし法が作られたものたること〔という属性〕を離れているならば、〔その法は〕作られたものと呼ばれ得ない。そのようであるから、声は作られたものでないとわかる。もし声が作られたものでないならば、それ（＝声）はないもの（*asat）である法である。もし〔声は〕ないものである法ならば、どうして常なること〔という属性〕を言ったり、無常なること〔という属性〕を言ったりして、実体（*dravya. ＝あるもの〔sat〕）を構想したり、〔その〕実体の属性（*dharma）を構想したりできようか。

作られたものである声とは何か。あるもの（*sat）として作られたのか、ないもの（*asat）として作られたのか。そのことについて、今、解説することにしたい。〔すでに〕あるものである法は作られず、ないもの〔である法〕もまた作られない。もし法があるものかつないもの（*sad asat）であっても、作られることは成立しない（Cf. MMK I.7ab': na san nāsan na sad asan dharmo nirvartate [...]「法はあるものとしても、ないものとしても、あるものかつないものとしても、生起しない」）。

若汝説言、〝声是作法、故無常〟者、是事不然。

又如汝説、〝三種相故、是名作法。因及因語皆是縁具〟、則不相応。

問曰。云何名為不相応耶。

答曰。以不成故。一切作法無三種相。無朋対故。作朋之対、彼朋不作。是故相破。若不作者、是則無法。若無法者、云何破壊。如是両方朋、非等非勝。非有作法。若無法壊、亦可説言、〝兎角破壊〟。以無体故。義不相応。


〔したがって、〕もし貴君が〝声は作られたものである法だから、無常である〟と言うならば、そのことはそのとおりでない。

さらに、貴君が〝〔理由の〕三条件（*trairūpya）ゆえに、それ（＝声）は作られたものである法と呼ばれる。理由と、理由をいう語とは、いずれも条件の揃うことたりうる〟と言うようなことは妥当でない。

質問。どうして妥当でないと言われるのか。

回答。成立しないからである。あらゆる作られたものである法（*kṛtako dharmaḥ）には〔理由の〕三条件がない。群の対立がないからである。作られたもの（*kṛtaka）という群と対立する、その群は作られたのでないもの（*akṛtaka）である。それゆえに、〔両群は〕互いに別々（*bhinna）である。作られたのでないもの、それはないもの（*asat）である法である。〔わたしが〕先に論証したとおり、声は作られたものでないから、声はないものである法であるが、〕もし〔声が〕ないものである法ならば、〔ないものである法が〕どうして壊れたりしようか。このように、〔作られたものという群はありえないし、作られたのでないものという群はないものである法なのだから、〕両群は等しくもなく、異なるのでもない。作られたものである法はありえない。もし、ないものである法（＝作られたのでないものである法）が壊れるならば、〝兎角が壊れる〟と言うことができる。〔兎角は〕無（*abhāva）だからである。そのことは妥当でない。

若汝意謂、〝無常之朋、常朋相対、如是随起〟、此我今説。汝甚愚痴、以不成法、而欲成法。此無常者、名為無物。若無物者、則無自朋。自朋不成、不得随起、不得廻転。若如是者、不得言朋。如虚空等。以無物故。

若汝説言、〝他朋常〟者、是義不然。

問曰。云何不然。

答曰。常不成故。如此常者、為是有物、為是無物。若是有物、瓶則是常。以有物故。若常無物、兎角応常。以無物故。是故不得言〝常無常〟。

若汝説言、〝作法随自朋不離〟、是

もし貴君が〝無常なるものという〔同例〕群と、常なるものという〔異例〕群とは対立しあい、そのようにして連動して発起する〟と思惟するならば、そのことについて、わたしは今、説くことにしたい。貴君は甚だ愚か者であり、成立しない法（＝同例群）によって、〔その法に対立する〕法（＝異例群）を成立させようとしている。この無常なるもの（*anitya）は、ないもの（*asat）と呼ばれる。[11] もし、ないものならば、同例群はない。同例群が成立しないならば、〔異例群は〕連動して発起もし得ないし、展開もし得ない。もしそのようであるならば、〔同例・異例〕群と呼び得ない。虚空などのごとし。ないものだからである。[12]

もし貴君が〝〔声の〕異例群（*parapakṣa）は常なるものである〟というならば、そのことはそのとおりでない。

質問。どうしてそのとおりでないのか。

回答。常なるものは成立しないからである。そのような常なるものは、あるもの（*sat）なのか、ないもの（*asat）なのか。もし〔常なるものが〕あるものならば、瓶は常なるものである。〔瓶は〕あるものだからである。もし常なるものがないものならば、兎角は常なるものになるであろう。〔兎角は〕ないものだからである。それゆえに〝〔声の同例群は〕無常なるものである〟とも〝〔声の異例群は〕常なるものである〟とも言い得ない。

もし貴君が〝作られたものである法（*kṛtako dharmaḥ）は同例群を離れな

義不然。以其自朋不成就故。

問曰。云何不成。

答曰。此説不成。与朋相似、得言相似。以相似故、有自他朋。而汝朋者、則不相応。以所成法未成就故。

問曰。云何名為所成未成。

42c 答曰。以所成法是無常故。無常無物。如其無物、何処相似、何者相似。謂〝瓶無常、亦相似生〟、若如是説、所成之法、有異相似、得言相似。以相似故、有自他朋。此所成法、若有二種、得言相似。瓶与無常、有二種法、得言相似。無二種法、故不相似。彼所成法、若未生者、何名無常。云何名為所成成就。云何無常所成成就。

い〟と言うならば、そのことはそのとおりでない。同例群が成立しないからである。

質問。どうして成立しないのか。

回答。〔〝作られたものである法は同例群を離れない〟という〕その説は成立しない。主張の主題（*pakṣa）との相似によって、相似を言い得る。相似によって、同例群と異例群と（*sva-para-pakṣa）がある。しかるに貴君の主張（*pakṣa）は妥当でない。論証されるべきもの（*sādhya）である法が成立していないからである。

質問。どうして論証されるべきものが成立していないと言われるのか。

回答。論証されるべきものである法は、無常なるものだからである。無常なるもの（*anitya）は、ないもの（*asat）である。[13] かの、ないものは、どうして相似しようか、何と相似しようか。〝瓶は無常であり、〔声の同例群に含まれ、声は瓶と〕相似して生じている〟と、もしそのように説くならば、論証されるべきものである法に、〔もし〕他のもの（*anya）との相似があるならば、相似を言い得る。相似によって、同例群と異例群とがある。この論証されるべきものである法に、もし二種類のものがあるならば、相似を言い得る。瓶〔という実体〕と、無常なること〔という属性〕との、二種類の法があるならば、相似を言い得る。二種類の法がないゆえに、〔論証されるべきものである法は二種類の法と〕相似しない。かの論証されるべきものである問曰。云何名為所成不成。

答曰。然此所成、或時是声、或是無常、或声無常、若合或和。此等一切皆不可成。若不可成、為於何処有所成法、若分別物、分別物法、若有相似。若汝意謂、〝離声無常二種法外、更摂餘物、名所成〟者、是義不然。物不成故。彼何者物、離声等二、於何処摂、而得言物。

彼若是声、彼則不得名為所成。以成就故。


法がもし生じていない（*anutpanna）ならば、何が無常なること〔という属性〕と呼ばれようか。どうして〔声という実体である、〕論証されるべきものが成立すると言われようか。どうして無常なること〔という属性〕である、論証されるべきものが成立しようか。

質問。どうして論証されるべきものが成立しないと言われるのか。

回答。しかるにこの論証されるべきものは、①ある場合には声〔という実体〕であり、②ある場合には無常なること〔という属性〕であり、③ある場合には声〔という実体〕と無常なること〔という属性〕との結合関係（*saṃyoga）や、内属関係（*samavāya）[14]であるが、これらすべては成立できない。もし成立できないならば、どこにおいて、あるいは実体（*dravya）を構想したり、あるいは実体の属性（*dharma）を構想したり、あるいは〔同例群との〕相似を構想したりして、論証されるべきものである法があろうか。もし貴君が〝声〔という実体〕と、無常なること〔という属性〕との二つより別の実体を捉えて、〔その、別の実体を〕論証されるべきものと呼ぶ〟と思惟するならば、そのことはそのとおりでない。〔別の〕実体が成立しないからである。いかなる実体が、声などの二つより〔別の〕どこにおいて捉えられ、実体と言われようか。
① それ（＝論証されるべきもの）がもし声ならば、それは論証されるべきものと呼ばれ得ない。〔声は主張の主題として〕すでに成立しているから

若是無常、彼無法故、所成不成。声不能破。

若是合者、是亦不然。物与無物、不可得合、是故不合。和亦如是、而不可得。

若復意謂、〝声異所成〟、是義不然。無常与声、不別異故。不異成故。

若汝説言、〝有朋法作〟、是義不然。離朋有法、義不成就。於仏法中、離物以外、更無物法。

問曰。縁具所成、此二相対、名物物法。

である。

②〔論証されるべきものが〕もし無常なること〔という属性〕ならば、それ（＝〔無常なる〕声〔という実体〕）はないもの（*asat）である法であるゆえに、論証されるべきもの（＝無常なること〔という属性〕）は成立しない。声は〔ないものである法であるから、〕壊れることができない。

③〔論証されるべきものが〕もし結合関係（*saṃyoga）ならば、これまたそのとおりでない。実体[15]（＝無常なること）と非実体（＝声など）とは結合できない。それゆえに、結合しない。内属関係（*samavāya）も同じであり、不可得である。

しかるに、もし〝声〔という実体〕は論証されるべきもの〔である属性〕と異なる〟と思惟するならば、そのことはそのとおりでない[16]。無常なること〔という属性〕と声〔という実体〕とは異ならないからである。〔なぜなら、声は無常なることを〕離れては成立しないからである。

もし貴君が〝主張の主題（*pakṣa. ＝声〔という実体〕）の属性（*dharma）である、作られたものたること（*kṛtakatva）がある〟と言うならば、そのことはそのとおりでない。主張の主題から離れて属性がある、ということは成立しない。仏教においては、実体から離れては、実体の属性はない。

質問。条件の揃うことによって論証されるべき、これら二つは相待して、実体（*dravya）、および、実体の属性（*dharma）と呼ばれるのである。

答曰。縁具所成、二皆不成。離作物外、更無作法。如是作法、与朋不離。若作離朋、朋則非作。唯作是法、離作無法。不離於声、而有作法。是故偈言。

生作唯相貌　作者亦如是
一切生不実　生法如兎角

如是作法、非有故有、非無故有、
43a 亦復非是有無故有。如是思量、作法三相、義不相応。作法無物、語於何処、得為縁具、若三種滅、若縁具過。

回答。条件の揃うことによって論証されるべき二つはいずれも成立しない。作られたもの（*kṛtaka）である実体を離れては、作られたものの属性（*dharma）はない。このように、作られたものの属性（＝作られたものたること）は、主張の主題（*pakṣa. ＝声〔という作られたもの〕）を離れない。もし作られたものたること〔という属性〕が主張の主題を離れているならば、主張の主題は作られたものでなくなってしまう。他ならぬ、作られたものこそが〔作られたものの〕属性であり、作られたものを離れては、〔作られたものの〕属性はない。声（＝作られたもの）を離れずして、作られたものの属性がある。それゆえに、偈が説かれている。

生じたものや、作られたものはただ仮設[17]にすぎない。作者もそれと同様である。あらゆる生じたものは不実である。生じたものの属性は兎角に等しい[18]。

このように、作られたものである法（*kṛtako dharmaḥ）は、あるもの（*sat）としてあるのでもなく、ないもの（*asat）としてあるのでもなく、さらに、あるものかつないもの（*sad asat）としてあるのでもない（Cf. MMK I.7: na san nāsan na sad asan dharmo nirvartate [...]「法はあるものとしても、ないものとしても、あるものかつないものとしても、生起しない」）。このように思案された場合、作られたものである法において〔理由の〕三条件（*trairūpya）があるのは妥当でない。作られたものである法はあるのでないのに、〔理由の三条件をい

又復語言於三種相則不相応。語所説法皆空無故。無自相故。句之与語、非一非異。離字無句、非一非異。字微塵成、因微塵有。然彼微塵、無分可得。以無分故、微塵自無、不能有成、若起若滅。

問曰。如汝所言、〝所説法空、以法空故、語三種相皆不成〟者、是義不然。所説有故。此語所説有可得故、因縁壊等。云何而言所説法空、遮三種相。

答曰。因縁破壊、義不相応。不成就故。声因縁壊、云何相応。以念念故、以不住故。既是無物、何処得有

う〕語は、どこにおいて、条件の揃うこと、あるいは三つ組みが欠けること、あるいは条件の揃うことについての誤謬となり得ようか。

さらにまた、〔理由の〕三条件をいう語は妥当でない。語によって説かれたものである法はすべて空（*śūnya）だからである。〔空というのは、〕自相（*svalakṣaṇa）がないからである。文章（*pada）と語とは同一でもなく別異でもない。音節（*akṣara）を離れて文章はないのであって、同一でもなく別異でもない。〔貴君らジャイナ教徒によれば、〕音節は原子（*aṇu）によって成立し、原子によってある。[19] しかるにその原子においては、部分（*bhāga）が得られない。部分がないゆえに、原子はそもそもないのであり、〔声の〕生じたり滅したりすることを成立させることを有し得ない。[20]

質問。貴君によって言われた〝説かれたものである法は空である。法が空であるゆえに、〔理由の〕三条件（*trairūpya）をいう語はすべて成立しない〟というようなこと、そのことはそのとおりでない。説かれたものはあるからである。この、語によって説かれたもの〔である声〕は可得だから、〔声が〕原因によって壊れること（*bhaṅga）などがある。どうして〝説かれたものである法は空である〟と言って、〔理由の〕三条件を否認するのか。

回答。〔声が〕原因によって壊れること（*bhaṅga）は妥当でない。〔そのことは〕成立しないからである。声が原因によって壊れることがどうして妥当であろうか。〔声は〕瞬間的だから（*kṣaṇikatvāt）、住しないからである。

因縁破壊。以不生故。猶如兎角。

〔主張：〕〔壊れることとは〕無（*abhāva）〔という意味〕である以上、どうして原因によって壊れることがあり得ようか。〔理由：〕〔無は〕生じたものでないからである。〔喩例：〕兎角のごとし。

若復無常、此語三相、若常無常、二不相応。如虚空無。

むしろ、もし〔声が〕無常なるものならば、この、〔理由の〕三条件（*trairūpya）をいう語（＝声）においては、常なること（*nityatā）にせよ無常なること（*anityatā）にせよ、二つとも妥当でない。〔というのも、無常なるものは〕虚空のごとく、ないもの（*asat）なのである。

又亦如瓶無有因縁、如是因縁一切皆無。有二過故。此等一切悉皆如是邪法所摂、皆是戯論。破外道故、仏説因縁。

さらにまた、たとえば瓶に〔大自在天などという〕原因がないように、そのように、原因はすべてない。〔常と無常との〕二つの過失があるからである。これらすべては以上のように〔外道の〕誤った見解のうちに含まれ、いずれも戯論である。外道を論破するために、仏は縁起（*pratītya-samutpāda）を説きたまうた。

〔Ⅲ・2・1・2　順序にしたがって参入させることという目的〕

〔Ⅲ・2・1・2・1　四聖諦は諦でなく、不生を知ることが諦であること〕

問曰。若如是者、云何因縁得言戯論。如来世尊以諸因縁是実故説。仏如是説、「此無明等是大苦聚和合而生」「若無明滅、大苦聚滅」。如来世

質問。もしそうであるならば、どうして〔貴君は〕縁起（*pratītya-samutpāda）を戯論と言い得るのか。如来世尊は諸縁（*pratyaya）が諦（*satya）であるから説きたまうたのである。仏は次のように「この無明などは、大きな苦蘊の集（〝発生原因〟）となる[21]」「無明が滅するゆえに、大きな

尊説苦聖諦、或説苦滅。若是実者、
云何戯論。

答曰。賢面当聴。此今略説。何名無明。以不能知四顛倒故、説名無明。云何名実。

又言〝苦是苦聖諦〟者、如来世尊不如是説。如『勝思惟梵天問経』。仏言、「梵天、若彼苦是実聖諦者、一切牛猪諸畜生等応有実諦。何以故。以彼皆受種種苦故」。又言、「梵天、
43b 若彼集是実聖諦者、六道衆生応有実諦。何以故。以彼因集生諸趣故」。又言、「梵天、若彼滅是実聖諦者、一切世間堕邪断見説滅法者応有聖諦。何以故。彼説〝滅法為涅槃〟故」。又言、「梵天、若彼道是実聖諦者、縁於一切有為道者、応有実諦。何以故。以彼依有為法、求離有為法故」。

苦蘊の滅がある」(22)と説きたまうた。如来世尊は苦聖諦を説きたまい、あるいは苦の滅を説きたまうた。もし〔苦・集・滅・道が〕諦であるならば、どうして〔縁起は〕戯論であろうか。

回答。ご尊顔のかたよ（*bhadramukha）、聴きたまえ。それを今、まとめて説明することにしたい。無明とは何か。四顛倒を知ることができないから無明と呼ばれる。〔そのような無明が〕どうして諦（*satya）と呼ばれようか。

さらに、〝苦は苦聖諦である〟ということは、如来世尊によってはそのように説かれていない。『勝思惟梵天問経』のとおりである。仏はおっしゃった。「梵天よ、もし〝これは苦である〟というのが聖諦ならば、牛や豚や諸畜生のすべてに聖諦があることになってしまおう。それはなぜかというならば、彼らはさまざまな苦を受けるからである」。さらにおっしゃった。「梵天よ、もし〝これは集である〟というのが聖諦ならば、諸趣の諸有情に聖諦があることになってしまおう。それはなぜかというならば、彼らは集によって諸趣に生まれるからである」。さらにおっしゃった。「梵天よ、もし〝これは滅である〟というのが聖諦ならば、あらゆる世間の、堕落し断見を持ち断滅を説く者たちに聖諦があることになってしまおう。それはなぜかというならば、彼らは〝存在を滅することによって涅槃がある〟と説くからである」。さらにおっしゃった。「梵天よ、もし〝これは道である〟というのが聖諦ならば、あらゆる有為道を所縁とする者たちに聖諦があることになってしまお

以是故知苦非実諦。

又復説言、「知苦無生是名苦実聖諦」。

是故如来『経』説偈言。

一諦名不生　有人説四諦
道場不見一　何況復有四
如是未来世　常有諸比丘
悪意出家已　如是壊我法

是故得知一切諸法悉皆不生通達知者是実聖諦。是故如来復有説言、「須菩提、乃至無有微塵等法、故名不生」。

彼何法知而得名為知不生法。若無生忍、而得名為無生法忍。以是故知苦等四法非四聖諦。若如彼人之所分別、則非是智。若有能知不生不滅、乃得言諦、乃得言智。

う。それはなぜかというならば、彼らは有為によって有為を出ることを求めるからである[23]」。これによって、〝苦は諦でない〟とわかるのである。

さらにおっしゃった。「苦の生じないことを知ることが聖者たちの苦諦である[24]」。

それゆえに如来は『経』において偈を説きたまうた。

生じないことが一諦であるのに、それについて、ある人は四諦を説く。菩提の座に座してのちは一諦すら成立するのを見ないのに、どうして四があろうか。このように、多くの悪慧の者が出家してのち、わたしの所説を破壊するのである[25]。

それゆえに〝あらゆる法の生じないことを知ることが聖諦である〟と知り得る。それゆえに世尊は「スブーティよ、微塵ほどの諸〔不善〕法も生じない。それゆえに無生〔法忍〕と言われるのである[26]」とおっしゃったのである。

そこでは、いかなる法を知ることが無生法を知ることと呼ばれ得るのか。もし〔あらゆる法の〕生じないことを忍ずる（＝知る）ならば、無生法忍（＝無生法を知ること）と呼ばれ得る。それゆえに〝苦などの四法は四聖諦でない〟とわかる。もし彼によって〔〝苦などの四法は四聖諦である〟と〕構想されたままであれば、智でない。生じないことと滅しないこととを知ることができるならば、諦と呼び得るし、智と呼び得る。

此如是義、聖須菩提問如来言、「為苦是涅槃、苦智是涅槃。為集是涅槃、集智是涅槃。為滅是涅槃、滅智是涅槃。為道是涅槃、道智是涅槃」。仏言、「須菩提、苦非是涅槃、苦智非涅槃。苦集非涅槃、集智非涅槃。苦滅非涅槃、滅智非涅槃。道非是涅槃、道智非涅槃。又復須菩提、43c ◁四聖諦平等、我説是涅槃。如是涅槃者、非苦非苦智、如是次第、至非道非道智」。時聖須菩提白仏言、「世尊、復以何者是四聖諦平等」。仏言、「須菩提、所言平等者、随在於何処、非苦非苦智、如是次第至非道非道智。若彼一切法一切法真如不虚妄真如如是法住等、我説彼涅槃、而非是苦等」。

そのようなことについて、聖者スブーティは世尊に申し上げた。「苦によって般涅槃するのでしょうか、苦智によって般涅槃するのでしょうか。集によって般涅槃するのでしょうか、集智によって般涅槃するのでしょうか。滅によって般涅槃するのでしょうか、滅智によって般涅槃するのでしょうか。道によって般涅槃するのでしょうか、道智によって般涅槃するのでしょうか」。世尊はおっしゃった。「スブーティよ、苦によって般涅槃するのでもなく、苦智によって般涅槃するのでもない。苦の集によって般涅槃するのでもなく、集智によって般涅槃するのでもない。苦の滅によって般涅槃するのでもなく、滅智によって般涅槃するのでもない。道によって般涅槃するのでもなく、道智によって般涅槃するのでもない。さらに、スブーティよ、四聖諦の平等性なるもの、それがわたしによって般涅槃と言われるのである。そのような般涅槃は、苦によるのでもなく、苦智によるのでもなく、しまいには、道によるのでもなく、道智によるのでもない」。その時、聖者スブーティは世尊に申し上げた。「世尊よ、四聖諦の平等性とは何でしょうか」。世尊はおっしゃった。「スブーティよ、平等性とは、苦がなく、苦智がなく、しまいには、道がなく、道智がないところである。それらあらゆる法の、あらゆる法の真如・不虚妄性・不変異性・法住などなるもの、それがわたしによって般涅槃と呼ばれるのであるが、苦などが〔般涅槃と呼ばれるの〕ではない[27]」。

一切法不生。以無自体故。如是説〃能知一切法不生是名実聖諦〃。

問曰。若如是者、以何義故、如来『経』中説四聖諦。

答曰。此為次第随順入故、仏如是説。非第一義或実或妄語。是故世尊説言、「梵天、言『実聖諦』『実聖諦』者、何処無実無妄語」等。

以是義故、四顛倒起、此智非実。如是苦諦実不成就、我義成就。

問曰。我則不説、〃非智為実〃。我説、〃非智覚故名実〃。云何而説。於無常法、謂是常法、故名非智。於苦

あらゆる法は生じない。〔あらゆる法は〕無自性（*asvabhāva）〔であり、無自性なるもの、それは無（abhāva）〕だからである。このようにして、〃あらゆる法の生じないことを知ることが聖諦である〃と説くのである。

〔Ⅲ・2・1・2・2　四聖諦が説かれた理由〕

質問。もしそうであるならば、何のために、如来は『経』において四聖諦を説きたまうたのか。

回答。それは、順序にしたがって参入させるために、仏はそのように説きたまうたのである。勝義（*paramārtha）は諦（*satya）であったり妄（*mṛṣā）であったりしない。それゆえに世尊は「梵天よ、『諦』『諦』といわれるのは、諦でもなく妄でもないものである」[28]などとおっしゃったのである。

それゆえに、四顛倒によって起こるこの智（＝無明）は諦でない。以上のように、〃苦諦が成立しない〃という、わたしの主張は確立された。

〔Ⅲ・2・1・2・3　執着されたあらゆる法は戯論であること〕

質問。わたしは〃智は諦（*satya）でない〃と説きはしない。わたしは〃智は〔顛倒して〕思うゆえに諦と呼ばれはしない〃と説くのである。どのように説くのかというならば、無常なる法を常なる法と思うゆえに智でない

謂楽、故名非智。無我謂我、故名非智。不浄謂浄、故名非智。如是等者、皆非是智。若於無常、能知無常、於苦知苦、於無我法、能知無我、於不浄法、能知不浄、如是知者、彼得言智、彼得言実。如是我説、〝智名為実。非無智実〟。

答曰。此痴臭気風来薫我。以戯論故。此痴最大。楽著智故。

問曰。云何。

答曰。偈言。

44a ◁若其有無常　可得言有常
既無少無常　何処当有常
若其少有苦　可得言有楽
既無微少苦　何処当有楽
若少有無我　可得言有我
既無有無我　何処当有我
若有不寂静　可得有寂静
既無不寂静　何処有寂静

と呼ばれるし、苦を楽と思うゆえに智でないと呼ばれるし、無我を我と思うゆえに智でないと呼ばれるし、不浄を浄と思うゆえに智でないと呼ばれる。このようなものはみな智でない。無常を無常と知り、苦を苦と知り、無我なる法を無我と知り、不浄なる法を不浄と知るように、そのように知るならば、それは智と呼ばれ得るし、それは諦と呼ばれ得る。このように、わたしは〝智を諦と呼ぶ。智なる諦がないのでない〟と説くのである。

回答。この痴の臭気は風に乗ってわたしに移り来る。戯論だからである。この痴は最も大きなものだ。智に愛着しているからである。

質問。どうしてか。

回答。偈が説かれる。

もし何か無常なるものがあるならば、常なるものもあろう。
何か無常なるものがない以上、どうして常なるものがあろうか。
もし何か苦なるものがあるならば、楽なるものもあろう。
何か苦なるものがない以上、どうして楽なるものがあろうか。
もし何か無我なるものがあるならば、我なるものもあろう。
何か無我なるものがない以上、どうして我なるものがあろうか。
もし何か不浄なるものがあるならば、浄なるものもあろう。
何か不浄なるものがない以上、どうして浄なるものがあろうか。(29)

而於色体、貪取著已、或分別常、分別無常。色自体空、畢竟無物、何処有常及有無常。如是等類、如色、如是至一切法、皆此因縁、成就戯論。然此因縁亦是戯論、非唯因縁。如是戯論、乃至取仏亦是戯論。

問曰。云何。

答曰。善男子、聴。汝勿憍慢。仏智難解。世尊偈言。

　持心如金剛　深信仏智慧
　知心地無我　能聞微細智

今汝善意、生金剛心。善面、汝今聴説戯論不戯論相。

問曰。云何。

答曰。此如是義、仏『大経』中、

色の有（*bhāva）を執着してのち、〔その色において〕常なることを構想したり、無常なることを構想したりするが、色は自性を欠くので空（*svabhāvena śūnyam）であり、結局のところ、ないのに、[30]〔その色において〕どうして常なることがあったり無常なることがあったりしようか（*kutaḥ punar nityatā vānityatā vā bhaviṣyati）。このようなたぐいのものは、ちょうど色のように、そのようにあらゆる法に至るまで、すべてこの理由によって、戯論であることが成立する。しかるにこの理由もまた戯論であり、決して理由であるわけでない。このような戯論は、仏を執着することすらに至るまで、戯論である。

質問。どうしてか。

回答。良家の息子よ、聴きたまえ。驕慢になってはならぬ。仏智は理解しがたいものである。世尊によって偈が説かれている。

　金剛のような心を打ち立ててのち、かつ、最高の仏智を信解してのち、
　心の地を無我と知ってのち、この微細な智は聞かれ得る。[31]

今、意を落ちつけ、[32]金剛のような心を生じたまえ。ご尊顔のかたよ（*bhadramukha）、今、戯論と不戯論とのありさまを説くのを聴きたまえ。

質問。どのようなのか。

〔Ⅲ・2・1・2・4　戯論と不戯論とのありさま〕

回答。そのようなことを、仏は『大経』において、菩薩を覚らせるために

覚菩薩故言、「須菩提、非体不覚非体」。

須菩提言、「世尊、云何体能覚非体耶」。仏言、「不爾。須菩提」。須菩提言、「世尊、云何非体能覚体耶」。仏言、「不爾、須菩提」。須菩提言、「世尊、云何体能覚体耶」。仏言、「不爾、須菩提」。須菩提言、「世尊、云何非体能覚非体耶」。仏言、「不爾、須菩提」。須菩提言、「世尊、云何一切法不可得耶、不可覚耶、不可證耶。若体不覚非体、非体不覚体、体不覚体、非体不覚非体、此当無耶」。仏言、「有覚有得、非此四句法」。須菩提言、「世尊、云何覚」。仏言、「須菩提、非体、非非体。彼如是覚、何処無戯論。彼如是覚、非戯論、非戯論法。彼如是覚」。慧命須菩提白仏言、「世尊。菩薩摩訶薩。何者戯論」。

44b

「スブーティよ、無（*abhāva）は無によっては現等覚され得ない」（以下の経文の取意）とおっしゃっている。

スブーティは申し上げた。「世尊よ、無は有（*bhāva）によっては現等覚され得ましょうか」。仏はおっしゃった。「否である。スブーティよ」。スブーティは申し上げた。「世尊よ、有は無によっては現等覚され得ましょうか」。仏はおっしゃった。「否である。スブーティよ」。スブーティは申し上げた。「世尊よ、有は有によっては現等覚され得ましょうか」。仏はおっしゃった。「否である。スブーティよ」。スブーティは申し上げた。「世尊よ、無は無によっては現等覚され得ましょうか」。仏はおっしゃった。「否である。スブーティよ」。スブーティは申し上げた。「世尊よ、あらゆる法への到達や現等覚がないことになってしまいませんか。もし無は有によっては現等覚され得ず、有は無によっては現等覚され得ず、有は有によっては現等覚され得ず、無は無によっては現等覚され得ないならば、それはないのでしょうか」。仏はおっしゃった。「現等覚はあり、到達はあるが、この四選択肢によらないのである」。スブーティは申し上げた。「世尊よ、現等覚はいかなるものなのでしょうか」。仏はおっしゃった。「スブーティよ、有でもないし、無でもない。それは、戯論のないところという、そのような現等覚である。それは、そのような戯論がなく、戯論を離れている、そのような現等覚である。それは、そのような現等覚である」。具寿スブーティは仏に申し上げた。「世尊よ、菩薩摩訶薩に

仏言、「須菩提、色常無常者、菩薩摩訶薩戯論。須菩提、受想行識常無常者、菩薩摩訶薩戯論。若知色、若不知色者、菩薩摩訶薩戯論。如是、知受想行識、不知受想行識者、菩薩摩訶薩戯論。知苦聖諦者、戯論。断集者、戯論。證滅者、戯論。修道者、戯論。修行四禅者、戯論。修行四無量・四無色・三摩跋提・四念処・四正勤・四如意足・五根・五力・七覚分・八聖道者、戯論。修行空解脱門・無相無願解脱門者、戯論。修行八解脱・九次第随順行三摩跋提者、戯論。得須陀洹果・斯陀含果・阿那含果・阿羅漢果・辟支仏道者、戯論。我得縁覚菩提者、戯論。我具足満十菩薩地者、戯論。我得菩薩行者、戯論。我教化衆生令成就者、戯論。我生如来十力者、戯論。我得四無所

とって、戯論とはいかなるものでしょうか」。仏はおっしゃった。「スブーティよ、〝色は常なるものである。無常なるものである〟というのは、菩薩摩訶薩の戯論である。スブーティよ、〝受と想と行と識とは常なるものである。無常なるものである〟というのは、菩薩摩訶薩の戯論である。〝色は知られるべきである。色は知られ得ない〟というのは、菩薩摩訶薩の戯論である。このようにして、〝受と想と行と識とは知られるべきである。受と想と行と識とは知られ得ない〟というのは、菩薩摩訶薩の戯論である。〝苦聖諦は知られるべきである〟というのは、戯論である。〝集は捨てられるべきである〟というのは、戯論である。〝滅は証せられるべきである〟というのは、戯論である。〝道は修習されるべきである〟というのは、戯論である。〝四静慮は修習されるべきである〟というのは、戯論である。〝四無量と四無色と三摩跋提と四念処と四正勤と四如意足と五根と五力と七覚分と八聖道とは修習されるべきである〟というのは、戯論である。〝空解脱門と無相解脱門と無願解脱門とは修習されるべきである〟というのは、戯論である。〝八解脱と九次第随順行三摩跋提とは修習されるべきである〟というのは、戯論である。〝預流果と一来果と不還果と阿羅漢果と独覚道とに入ろう〟というのは、戯論である。〝わたしは独覚の菩提に入ろう〟というのは、戯論である。〝わたしは十菩薩地を円満しよう〟というのは、戯論である。〝わたしは菩薩の正性離生に入ろう〟というのは、戯論である。〝わたしは諸有情を成熟させ

畏・四無礙智・十八不共法満足者、戯論。我得一切具足者、戯論。我断一切結習者、戯論。彼菩薩摩訶薩、修行般若波羅蜜、已知色若常無常戯論、不応如是戯論、菩薩如是不戯論。乃至我得一切智者戯論、不応如是戯論、如是不戯論。何以故。自体自体不戯論、非自体非自体不戯論、自体非自体不戯論、非自体自体不戯論。更無有法可以戯論、何処戯論、誰為戯論、何者戯論。云何戯論。是故須菩提、色不戯論、乃至識不戯論、略
44c 説乃至菩提不戯論◁。如是須菩提、菩薩摩訶薩如是不戯論、応如是修行般若波羅蜜」。須菩提言、「世尊、云何色不戯論、乃至識不戯論、略説乃至菩提不戯論」。仏告慧命須菩提言、「須菩提、色無自体、乃至識無自体、略説乃至一切智無自体。彼不戯論。

よう〃というのは、戯論である。〃わたしは如来の十力を生じよう〃というのは、戯論である。〃わたしは四無所畏と四無礙智と十八不共法とを生じよう〃というのは、戯論である。〃わたしは一切智者性を得よう〃というのは、戯論である。〃わたしはあらゆる結習を捨てよう〃というのは、戯論である。かの菩薩摩訶薩は般若波羅蜜を行じ、すでに〃色は常なるものである。無常なるものである〃というのが戯論であると知りおわって、そのようには戯論すべきでないので、菩薩はそのように戯論しない。しまいには〃わたしは一切智者性を得よう〃という戯論によって、そのようには戯論すべきでないので、そのように戯論しない。それはなぜかというならば、自性は自性を戯論しないし、非自性は非自性を戯論しないし、自性は非自性を戯論しないし、非自性は自性を戯論しない。〔自性と非自性との他に、〕何かを戯論し、何処かで戯論し、何かによって戯論するという、〔戯論されるべき〕いかなるものもない。それゆえに、スブーティよ、色は戯論なきものであり、しまいには識は戯論なきものであり、まとめれば、菩提は戯論なきものである。このように、スブーティよ、菩薩摩訶薩はこのように戯論なく、このように般若波羅蜜を修習すべきである」。スブーティは申し上げた。「世尊よ、どのように色は戯論なきものであり、しまいには識は戯論なきものであり、まとめれば、しまいには菩提は戯論なきものなのでしょうか」。仏は具寿スブーティにおっしゃった。「スブーティよ、色に自性はなく、しまいには識に自性は

須菩提、如是因縁、色不戯論、乃至識不戯論、乃至一切智不戯論。如是菩薩摩訶薩修行般若波羅蜜、成菩薩法」。

汝今善意、知此戯論不戯論相。偈言。

仏已説因縁　断諸戯論法
故我稽首礼　説法師中勝

此偈成就、四種所得戯論則断。

順中論義入大般若波羅蜜経初品法門　巻上

なく、まとめれば、しまいには一切智者性に自性はない。〔自性なきもの、〕それは戯論なきものである。スブーティよ、このような理由によって、色は戯論なきものであり、しまいには識は戯論なきものであり、しまいには一切智者性は戯論なきものである。このように、菩薩摩訶薩は般若波羅蜜を行じ、菩薩の正性離生に入るのである」[33]。

貴君は今、意を落ちつけ[34]、この戯論と不戯論とのありさまを知りたまえ。〔帰敬〕偈が説かれている。

〝戯論の寂滅であり、吉祥なる縁起〟を説きたまうた正覚者なるかた。かの最高の説者に敬礼する。

yaḥ pratītyasamutpādaṃ prapañcopaśamaṃ śivam
deśayām āsa saṃbuddhas taṃ vande vadatāṃ varam ‖ (PP 1I, 15–16)

この偈が確立されたならば、〔〝有である〟〝無である〟〝有かつ無である〟〝有でもなく、無でもない〟という〕四種類として得られる戯論は断ぜられる。

順中論義入大般若波羅蜜経初品法門　巻上

順中論義入大般若波羅蜜経初品法門　巻下

龍勝菩薩造
無著菩薩釈
元魏婆羅門瞿曇般若流支訳

問曰。阿闍梨意、為何義故、而造此論。

答曰。依順道理、入『大般若波羅蜜』義、為令衆生捨諸戯論取著等故。既捨離已、依順道理、速入般若波羅蜜故。

既依道理、速入般若波羅蜜已、捨諸戯論一切取著。捨諸戯論取著等已、速疾成就無上正覚。為此義故、師造此論。

順中論義入大般若波羅蜜経初品法門　巻下

ナーガールジュナ菩薩の作
アサンガ菩薩の註釈
元魏の婆羅門瞿曇般若流支の訳

〔Ⅲ・2・2　『中論』の目的は道理にしたがって般若波羅蜜に参入し、戯論である執着を捨てること〕

質問。軌範師〔ナーガールジュナ〕は何のためにこの『〔中〕論』をお造りになったのか。

回答。道理（*yukti）にしたがって『大般若波羅蜜』の意味に参入することによって、有情に、戯論である執着などを捨てさせるためにである。道理にしたがってすみやかに般若波羅蜜に参入するから、すでに〔戯論である執着を〕捨て終わるのである。

すでに道理によってすみやかに般若波羅蜜に参入してのち、戯論であるあらゆる執着を捨てる。すでに戯論である執着を捨ててのち、すみやかに無上正等覚を現等覚する。そのために、軌範師〔ナーガールジュナ〕はこの『〔中〕論』をお造りになったのである。

45a

問曰。此無因縁而作是説。
答曰。此因縁者第一因縁、謂令衆生依順道理、入於般若波羅蜜已、速成正覚。

質問。それは理由なくしてそのように説くのか。
回答。〝諸有情を道理（*yukti）によって般若波羅蜜に参入させてのち、すみやかに〔無上〕正〔等〕覚を現等覚させる〃という最高の（*parama）理由こそがその理由である。

註

（1）原文「善意思念」。般若流支訳『第一義法勝経』「善思念之」（T17, 880b） = 蔵訳 yid la zung shig（P no. 912, Shu 37a6）
（2）原文「不実取」。般若流支訳『聖善住意天子所問経』巻上「不実取」（T12, 121a） = 蔵訳 yang dag pa ma yin par 'dzin pa（P no. 760 [36], *Zi* 318b6）
（3）原文「転行」。般若流支訳『第一義法勝経』「転行」（T17, 880c） = 蔵訳 'jug pa（P no. 912, Shu 38a6）
（4）asti pradhānaṃ bhedānām anvaya-darśanāt.（*Ṣaṣṭitantra*. Erich Frauwallner［1958: 44］. Reprinted in: Erich Frauwallner［1982: 264］）
（5）直前の註における梵文は逸文であって喩例を欠くが、本来ここに挙げられるような喩例を伴っていたのであるまいか。
（6）涅槃が無であることについては、〔Ⅳ・1・3　勝義諦の有は不可得であること〕〔Ⅳ・1・6　勝義諦は本来涅槃しており、有であることが成立しないこと〕を見よ。虚空が無であることについては、〔Ⅳ・2・2・2　滅することと生ずることとが成立しないこと〕〔Ⅳ・2・2・4　常が成立しないこと〕を見よ。
（7）原文「若何等人……彼如是人……有過」。毘目智仙訳『業成就論』「若何等人……彼得此過」（T31, 779b） = 蔵訳 gang gi ltar na [...] de la skyon de yod（KSP 16, 11–12） = 玄奘訳『大乗成業論』「若執……可有此過」（T31, 784a）
（8）原文「撾打虚空」。参考：『阿毘達磨倶舎論』根品。tad etad ākāśam pātayata iti sautrāntikāḥ.（AKBh 76, 22–23）「これは虚空を分析している、というのが経量部である」。参考：『阿毘達磨順正理論』。「又譬喩者唐攪虚空」（玄奘訳『阿毘達磨順正理論』巻一。T29, 332a）「豈非倒是鑽攪虚空」（玄奘訳『阿毘達磨順正理論』巻十三。T29, 406b）
（9）若耶須摩論師に関する研究史については、梶山雄一［1984］を見よ。なお、桂紹隆［1998: 247］は次のように述べる。
若耶須摩論師がインド哲学のどの特定の学派に当たるかについては諸説あり、未だ確定されていない。「若耶須摩」は「論理愛好家」を意味し、ニヤーヤ学派を指すと理解することもできるが、アサンガやヴァスバンドゥとほぼ同時代のヴァーツヤーヤナが未だ「因の三相説」に全く言及しないことから、その可能性は低い。むしろ、同説が主として仏教論理学者によって発展させられたという歴史的経緯を考慮すると、仏教内部の論理学者と考えるのが適当であろう。

毘目智仙訳『業成就論』「論師」＝蔵訳 rtog ge pa khyod rnams（KSP 20, 15）＝玄奘訳『大乗成業論』「汝等」（T31, 784b）

（10） この定義は『論式』（*Vādavidhāna*）を連想させる。

〔理由の三条件とは、理由が〕主張の主題の属性なるものであり、同例群のうちに成立しており、異例群のうちにないのである。
yo dharmaḥ pakṣasya sapakṣe siddho vipakṣe nāsti.（Erich Frauwallner［1933: 301］. Reprinted in: Erich Frauwallner［1982: 480］）

この定義に関する研究史については、梶山雄一［1984］を見よ。なお、Shoryu Katsura［1985］はこの定義を次のように還梵する。

pakṣadharmatvaṃ parapakṣe 'sattvaṃ svapakṣe ca siddhaḥ.

（11） 遍計所執性に関する『辯中辺論頌』III.5や『大乗荘厳経論頌』XVIII.81の解釈によれば、無常（anitya）という意味は、ないもの（asat）という意味である。

これによって推測されることは、冒頭において引用された『二万五千頌般若波羅蜜多』の文「カウシカよ、あらゆる法は自性を欠くので空なのである。自性を欠くので空である法なるもの、それは無である」（憍尸迦、如一切法自体性空。若其彼法自体空者、彼法無体。tathā hi Kauśika sarvadharmāḥ svabhāvena śūnyāḥ. yaś ca dharmaḥ svabhāvena śūnyaḥ so 'bhāvaḥ）を、『順中論義入大般若波羅蜜経初品法門』の作者が遍計所執性のレベルにおいてあらゆる法の無が説かれていると解釈していることである。

（12） 虚空がないものであることについては、〔Ⅳ・2・2・2 滅することと生ずることとが成立しないこと〕〔Ⅳ・2・2・4 常が成立しないこと〕を見よ。

（13） 註（11）を見よ。

（14） 参考：『ヴァイシェーシカ・スートラ』（*Vaiśeṣika-sūtra*）III.1.9。saṃyogi, samavāyi, ekārthasamavāyi, virodhi ca.「〔理由とは、〕結合関係を持つもの、内属関係を持つもの、一つのものだけとの和合関係を持つもの、矛盾を持つものである」。

『ヴァイシェーシカ・スートラ註』。dhūmo 'gneḥ soṃyogi. viṣāṇaṃ goḥ samavāyi.（VSV 26, 5）「結合関係を持つものとは、火〔という実体〕にとっての煙〔という属性〕である。内属関係を持つものとは、牛〔という実体〕にとっての角〔という属性〕である」。

（15） 「実体」とあるが、正確に言えば、「実体の属性」とあるべきか。

（16） 原文「若復意謂……是義不然」。毘目智仙訳『業成就論』「若復意謂……是義不然」（T31, 777c）＝蔵訳 'on kyang [...] na de lta yang ma yin no.（KSP 4, 5–6）＝玄奘訳『大乗成業論』「若許……然無是事」（T31, 781c）

（17） 原文「相貌」。毘目智仙訳『業成就論』「相貌」（T31, 778b）＝蔵訳 btags pa can（KSP 9, 19）＝玄奘訳『大乗成業論』「仮」（T31, 782c）

（18）出典不明。和訳は暫定的な案にすぎない。

（19）音節が原子によって成立するという説はジャイナ教の説である。安藤嘉則［1988］を見よ。

（20）この記述は『唯識二十論』と相似する。説一切有部によれば、原子において部分はない。『唯識二十論』は、もし原子において部分がないならば、自然現象が説明され得なくなるということを指摘して、原子の存在を否定する。

もし一々の原子において〔東・西・南・北・上・下という〕方角による部分の区別がないならば、日が昇った際に、どうして片方には影が、片方には明るさができるのか。というのも、〔方角による部分の区別がないならば、〕そこ（＝原子）には、明るさがないような別の側はないはずである。さらに、もし方角による部分の区別が認められないならば、別の原子によって原子がさえぎられることがどうして起こるのか。というのも、〔方角による部分の区別がないならば、〕原子には、〔別の原子が〕行くことによって別の〔原子〕によってもう一つの〔原子〕がさえぎられることがあるような、いかなる別の部分もないはずである。

yady ekaikasya paramāṇor digbhāgabhedo na syād ādityodaye katham anyatra chāyā bhavaty anyatrātapaḥ. na hi tasyānyaḥ pradeśo 'sti yatrātapo na syāt. āvaraṇaṃ ca katham bhavati paramāṇoḥ paramāṇvantareṇa yadi digbhāgabhedo neṣyate. na hi kaścid api paramāṇoḥ parabhāgo 'sti yatrāgamanād anyenānyasya pratighātaḥ syāt.（VVS 7, 23–27）

なお、以上のような原子の否定はじつはアーリヤデーヴァ『四百論』を踏襲しており、ヴァスバンドゥの独創ではない（原田和宗氏のご教示による）。アーリヤデーヴァが否定する原子はヴァイシェーシカ学派によって主張される原子である。真田康道［1991］を見よ。

東の方角を有するもの、それには東側の部分もある。
誰かにとって〝原子は方角を有する〟ならば、彼によって〝原子は〔じつは〕原子でない〟と認められる〔べきである〕。

gang la shar gyi phyogs yod pa | de la shar gyi cha yang yod |
gang gi rdul la phyogs yod pa | des rdul rdul phran min par bsnyad |（CŚ IX.15）

微若有東方　必有東方分
極微若有分　如何是極微（玄奘訳『広百論本』。T30, 182b）

（21）『雑阿含経』二九七経。

avidyā-pratyayāḥ saṃskārā yāvat samudayo bhavati.（NidS 153 [sūtra 15]）

縁無明行、縁行識、乃至純大苦聚集。（求那跋陀羅訳『雑阿含経』二九七経。T2, 84c）

（22）『雑阿含経』二九七経。

avidyā-nirodhāt saṃskāra-nirodho yāvan mahato duḥkhaskandhasya nirodho bhavati.（NidS 156 [sūtra 15]）

彼無明滅、則行滅、乃至純大苦聚滅。（求那跋陀羅訳『雑阿含経』二九七経。T2, 85a）

（23）『勝思惟梵天所問経』（*Brahmaviśeṣacinti-paripṛcchā*）。

tshangs pa 'di ni sdug bsngal ba'o zhes bya ba ji ste 'phags pa rnams kyi bden pa yin du zin na de ni byol song ba lang dang bong bu dang sems can dmyal ba pa thams cad kyi yang 'phags pa'i bden par 'gyur ro || de ci'phyir zhe na | 'di ltar de dag ni sdug bsngal ba'i tshor ba rnams myong ngo || tshangs pa 'di ni sdug bsngal kun 'byung ba zhes bya ba de ji ste 'phags pa rnams kyi bden pa yin du zin na | de ni gang 'gro ba rnams su 'gyur ba'i 'gro ba thams cad du skyes pa'i sems can rnams kyi yang 'phags pa'i bden par 'gyur ro || 'di ni 'gog pa'o zhes bya ba de ji ste 'phags pa'i bden pa yin du zin na | de ni gang rnams dngos po bshig pas mya ngan las 'das pa tshol ba dang 'gog par lta bar ltung ba chad par smra ba thams cad la yang 'phags pa'i bden par 'gyur ro || 'di ni lam mo zhes bya ba de ji ste 'phags pa rnams kyi bden pa yin du zin na | 'di ni 'dus byas kyi 'dus byas las 'byung bar tshol ba 'dus byas lam du dmigs pa thams cad la yang 'phags pa'i bden par 'gyur te | [de bas na tshangs pa rnam grangs 'dis ji ltar sdug bsngal dang kun 'byung ba dang 'gog pa dang lam rnams 'phags pa rnams kyi bden pa ma yin par khyod kyis rig par bya'o ||]（P no. 827, Phu 39b4–40a1）

梵天、若彼苦是実聖諦者、一切牛驢諸畜生等応有実諦。何以故。以彼皆受種種苦故。以是義故、苦非実諦。梵天、若彼集是実聖諦者、六道衆生応有実諦。何以故。以彼因集生諸趣故。以是義故、集非実諦。梵天、若彼滅是実聖諦者、一切世間堕邪断見説滅法者応有実諦。何以故。彼説滅法為涅槃故。以是義故、滅非実諦。梵天、若彼道是実聖諦者、縁於一切有為道者応有実諦。何以故。以彼依有為法求離有為法故。以是義故、道非実諦。（菩提流支訳『勝思惟梵天所問経』巻二。T15, 69a）

以下、同経からの引用については五島清隆［2009］を見よ。

（24）『勝思惟梵天所問経』。

de lta mod kyi tshangs pa gang sdug bsngal mi skye ba ni 'phags pa rnams kyi bden pa'o ||（P no. 827, Phu 40a1）

梵天、実聖諦者、知苦無生、是名苦実聖諦。（菩提流支訳『勝思惟梵天所問経』巻二。T15, 69a）

（25）『如来智印三昧経』（*Tathāgatajñānamudrāsamādhi-sūtra*）。

skye ba med pa bden pa gcig yin na | de la kha cig bden pa bzhi zhes 'dzer |
byang chub snying por 'dug nas bden gcig kyang | grub par ma mthong bzhi lta ga la zhig |
de ltar blo gros ngan mang rab byung nas | nga yi bstan pa rnam par 'jig par byed ||（P no. 799 Thu 273b7–8）

諸仏所処　皆処一法　坐於仏樹　何有四諦
如是行者　不暁菩薩　作行如是　壊敗仏法（支謙訳『仏説慧印三昧経』。T15, 467b）

惟一真諦不生滅　或復演説四真諦　推求不得一法本　況坐道樹見四諦
衆雑穢心共出家　転壊我法妄起作（失訳『仏説如来智印経』。T15, 473c–474a）
一真実諦離開見　或言四種亦随宜　有苦報故説集因　由滅理故明道諦
末世衆生多妄想　不為浄行而出家　以名利故破威儀　積煩悩故興闘訟（智吉祥等訳『仏説大乗智印経』、金総持等訳巻五。T15, 487b）

（26）『二万五千頌般若波羅蜜多』。
aṇavo 'pi Subhūte 'kuśalā dharmā notpadyante tenocyate 'nutpattikā iti.（PVSPP VI–VIII 33, 27–28）
須菩提、得法忍乃至不生少許不善法。是故名無生忍。（鳩摩羅什訳『摩訶般若波羅蜜経』巻二十三、六喩品第七十七。T8, 390c）
善現、由此勢力、乃至少分悪不善法亦不得生。是故説名無生法忍。（玄奘訳『大般若波羅蜜多経』巻三百七十八、初分、無雑法義品。T6, 953c）

（27）『二万五千頌般若波羅蜜多』。
atha khalv āyuṣmān Subhūtir Bhagavantam etad avocat: kiṃ punar Bhagavan duḥkhajñānena parinirvānti, atha duḥkhena parinirvānti. utāho samudayajñānena parinirvānti, atha samudayena parinirvānti. utāho nirodhajñānena parinirvānti, atha nirodhena parinirvānti. utāho mārgajñānena parinirvānti, atha mārgena parinirvānti. evam ukte Bhagavān āyuṣmantaṃ Subhūtim etad avocat: na subhūte duḥkhajñānena parinirvānti na duḥkhena, na samudayajñānena na samudayena, na nirodhajñānena na nirodhena, na mārgajñānena parinirvānti na mārgena. yā punaḥ Subhūte caturṇām āryasatyānāṃ samatā tat parinirvāṇam uktaṃ mayā. na punar duḥkhena parinirvānti na duḥkhajñānena, na samudayena na samudayajñānena, na nirodhena na nirodhajñānena, na mārgena parinirvānti na mārgajñānena. atha khalv āyuṣmān Subhūtir Bhagavantam etad avocat: katamā Bhagavan caturṇām āryasatyānāṃ samatā. Bhagavān āha: yatra Subhūte na duḥkhaṃ na duḥkhajñānam, yatra na samudayo na samudayajñānam, yatra na nirodho na nirodhajñānam, yatra na mārgo na mārgajñānam. api tu khalu Subhūte yā eṣāṃ caturṇām āryasatyānāṃ tathatāvitathatānanyatathatā dharmatā dharmadhātur dharmasthititā dharmaniyāmatā yasyotpādād vā tathāgatānām anutpādād vā tathāgatānāṃ sthitaivaiṣā dharmāṇāṃ dharmatā dharmadhātur yāsaṃpramoṣadharmatāyai aparihāṇadharmatāyai saṃpravartate, tāṃ bodhisattvo mahāsattvaḥ prajñāpāramitāyāṃ caran satyānubodhaye carati, yathā satyānubodhaye carati, yathā satyāny anubodhavyāni.（PVSPP VI–VIII, 143, 29–144, 20）
須菩提白仏言、「世尊、用苦聖諦得度、用苦智得度。用集聖諦得度、用集智得度。用滅聖諦得度、用滅智得度。用道聖諦得度、用道智得度」。仏告、「須菩提、非苦聖諦得度、亦非苦智、乃至非道聖諦得度、亦非道智。須菩提、是四聖諦平等故、我説即是涅槃。不以苦聖諦、不以集滅道聖諦、亦不以苦智不以集滅道智得涅槃」。須菩提白仏言、「世尊、何等是四聖諦平等相」。「須菩提、若無苦、無苦智、無集、無集智、無滅、無滅智、無道、無道智、是名四聖諦平等相。復次須菩提、是四聖諦如・不異法相・法性・法住・法位・実際、有仏無仏、法相常住、為不誑不失故。是菩薩摩訶薩行般若波羅蜜時、為通達実諦故、行般若波羅蜜」。（鳩摩羅什訳『摩訶般若波羅蜜経』巻二十六、差別品。T8, 412a）

爾時具寿善現白仏言、「世尊、為由苦諦得般涅槃、為由苦智得般涅槃。為由集諦得般涅槃、為由集智得般涅槃。為由滅諦得般涅槃、為由滅智得般涅槃。為由道諦得般涅槃、為由道智得般涅槃」。仏告、「善現、非由苦諦得般涅槃、非由苦智得般涅槃。非由集諦得般涅槃、非由集智得般涅槃。非由滅諦得般涅槃、非由滅智得般涅槃。非由道諦得般涅槃、非由道智得般涅槃。善現、我説四聖諦平等性即是涅槃。如是涅槃、不由苦集滅道諦得、亦不由苦集滅道智得。但由般若波羅蜜多、證平等性、名得涅槃」。具寿善現復白仏言、「世尊、何等名為四聖諦平等性」。仏告、「善現、若於是処、無苦、無苦智、無集、無集智、無滅、無滅智、無道、無道智、此即名為四聖諦平等性。此平等性即四聖諦所有真如・法界・法性・不虚妄性・不変異性・法定・法住・平等性・離生性・実際・虚空界・不思議界、如来出世、若不出世、性相常住、無失壊、無変易、如是名為四聖諦平等性。諸菩薩摩訶薩修行般若波羅蜜多時、為欲随覚此四聖諦平等性故、修行般若波羅蜜多。若能随覚此四聖諦平等性時、名真随覚一切聖諦」。（玄奘訳『大般若波羅蜜多経』巻三百九十五、初分、無性自性品。T6, 1045b）

（28）『勝思惟梵天所問経』。

tshangs pa gang bden pa bden pa zhes bya ba ni gang bden pa yang ma yin brdzun pa yang ma yin pa'o ||（P no. 827, Phu 40a3）

梵天、実聖諦者、非妄語、非実語。（菩提流支訳『勝思惟梵天所問経』巻二。T15, 69a）

（29）以上の偈は明らかに MMK XIII.7 を模しており、『順中論義入大般若波羅蜜経初品法門』作者の自作の偈と考えられる。

（30）冒頭において引用された『二万五千頌般若波羅蜜多』の文「カウシカよ、あらゆる法は自性を欠くので空なのである。自性を欠くので空である法なるもの、それは無である」（憍尸迦、如一切法自体性空。若其彼法自体空者、彼法無体。tathā hi Kauśika sarvadharmāḥ svabhāvena śūnyāḥ. yaś ca dharmaḥ svabhāvena śūnyaḥ so 'bhāvaḥ）に拠る。

（31）『十地経』（*Daśabhūmika-sūtra*）。

vajropamahṛdayaṃ sthāpayitvā buddhajñānaparamaṃ cādhimucya |

anātmānaṃ cittabhūmiṃ viditvā śakyaṃ śrotuṃ jñānam etat sūkṣmam ||（DBhS 9, 4–5）

（32）原文「善意」。般若流支訳『第一義法勝経』「善思念之」（T17, 880b）＝蔵訳 yid la zung shig（P no. 912, Shu 37a6）

（33）『二万五千頌般若波羅蜜多』。

evam ukte āyuṣmān Subhūtir Bhagavantam etad avocat: tat kiṃ punar Bhagavann abhāvenābhāvaḥ śakyo 'bhisaṃboddhum. Bhagavān āha: na Subhūte.

Subhūtir āha: tat kiṃ punar Bhagavan bhāvena bhāvaḥ śakyo ’bhisaṃboddhum. Bhavagān āha: na Subhūte. Subhūtir āha: tat kiṃ Bhagavann abhāvena bhāvaḥ śakyo ’bhisaṃboddhum. Bhagavān āha: na Subhūte. Subhūtir āha: tat kiṃ Bhagavan bhāvenābhāvaḥ śakyo ’bhisaṃboddhum. Bhagavān āha: na Subhūte. Subhūtir āha: tan mā haiva Bhagavan na prāptir nābhisamayo bhaviṣyati, yadi nābhāvenābhāvasyābhisamayo na bhāvena bhāvasyābhisamayo nābhāvena bhāvasyābhisamayo na bhāvenābhāvasyābhisamayaḥ. Bhavagān āha: asyābhisamayo na punar anena catuḥprakārābhinihāreṇa. Subhūtir āha: katham idānīṃ Bhagavann abhisamayaḥ. Bhagavān āha: naivābhāvo na bhāvaḥ. sa tādṛśo ’bhisamayo yatraite prapañcā na saṃvidyante, aprapañco niṣprapañca abhisamayaḥ. (ity abhisamaye vipratipattiḥ.) evam ukta āyuṣmān Subhūtir Bhagavantam etad avocat: kiṃ punar Bhagavan bodhisattvasya mahāsattvasya prapañcaḥ. Bhagavān āha: rūpaṃ nityam anityam iti vā bodhisattvasya mahāsattvasya prapañcaḥ. vadanā saṃjñā saṃskārā vijñānaṃ nityam anityam iti vā prapañcaḥ. [...] rūpaṃ parijñeyam aparijñeyam iti vā prapañcaḥ. vādanā saṃjñā saṃskārā vijñānaṃ parijñeyam aparijñeyam iti vā prapañcaḥ. [...] duḥkham ārya-satyaṃ parijñeyam iti prapañcaḥ. samudayaḥ prahātavya iti prapañcaḥ. nirodhaḥ sākṣātkartavya iti prapañcaḥ. mārge bhāvayitavya iti prapañcaḥ. catvāri dhyānāni bhāvayitavyānīti prapañcaḥ. catvāry apramāṇāni bhāvayitavyānīti prapañcaḥ. catasra ārūpyasamāpattayo bhāvayitavyā iti prapañcaḥ. catvāri smṛtyupasthānāni bhāvayitavyānīti prapañcaḥ. catvāri samyakprahāṇāni catvāra ṛddhipādāḥ pañcendriyāni pañca balāni sapta bodhyaṅgāni bhāvayitavyānīti prapañcaḥ. āryāṣṭāṅgamārgo bhāvayitavya iti prapañcaḥ. śūnyatānimittāpraṇihita-vimokṣamukhāni bhāvayitavyānīti prapañcaḥ. aṣṭavimokṣa-navānupūrvavihāra-samāpattayo bhāvayitavyā iti prapañcaḥ. srotaāpatti-phalaṃ sakṛdāgāmi-phalam anāgāmi-phalam arhattvam atikramiṣyāmīti prapañcaḥ. pratyekaṃ bodhim atikramiṣyāmīti prapañcaḥ. daśa-bodhisattva-bhūmiḥ paripūrayiṣyāmīti prapañcaḥ. bodhisattva-nyāmam avakramiṣyāmīti prapañcaḥ. [...] sattvān paripācayiṣyāmīti prapañcaḥ. [...] catvāri vaiśāradyāni daśa-tathāgata-balāni catasraḥ pratisaṃvido ’ṣṭadaśāveṇikān buddhadharmān utpādayiṣyāmīti prapañcaḥ. sarvākārajñatām anuprāpsyāmīti prapañcaḥ. sarvavāsanānusaṃdhi-kleśān prahāsyāmīti prapañcaḥ. tasmād bodhisattvo mahāsattvaḥ prajñāpāramitāyāṃ caran rūpaṃ nityam anityam ity aprapañcan na prapañcayati. [...] sarvākārajñatām atikramiṣyāmīty aprapañcan na prapañcayati. tat kasya hetoḥ. na hi svabhāvaḥ svabhāvaṃ prapañcayati, abhāvo vābhāvaṃ prapañcayati. na hi svabhāvam (corr. : svabhāvo) abhāvaṃ (corr. : ’bhāvaṃ) vā sthāpayitvānyat kiñcid upalabhate yaṃ vā prapañcayet, yatra vā prapañcayet, yena vā prapañcayet. tasmāt tarhi Subhūte niṣprapañcaṃ rūpaṃ vedanā saṃjñā saṃskārāḥ, niṣprapañcaṃ vijñānam [...] anuttarā samyak-saṃbodhir niṣprapañcā. evaṃ khalu Subhute bodhisattvena mahāsattvena niṣprapañcena prajñāpāramitāyāṃ ciritavyam. Subhūtir āha: kathaṃ Bhagavan rūpaṃ niṣprapañcaṃ yāvad vijñānaṃ niṣprapañcaṃ peyālaṃ yāvad bodhir niṣprapañcā. evam ukte Bhagavān āyuṣmantaṃ Subhūtim etad avocat: nāsti Subhūte rūpasya svabhāvo [...] nāsti vijñānasya svabhāvaḥ. [...] nāsti sarvākārajñatāyāḥ svabhāvaḥ. yasya svabhāvo (corr. : svabhāvaṃ) nāsti so ’prapañcaḥ. anena Subhūte kāraṇena niṣprapañcaṃ rūpam [...] niṣprapañcaṃ vijñānam [...] sarvākārajñatā niṣprapañcā.

evaṃ khalu Subhūte bodhisattvo mahāsattvaḥ prajñāpāramitāyāṃ caran bodhisattva-niyāmam avakrāmati.（PVSPP V 150, 6–153, 8）

「須菩提。以無所有法、不能得所有法」。須菩提言、「世尊、所有法能得所有法不」。仏言、「不也」。「世尊、所有法能得無所有法不」。仏言、「不也」。「世尊、無所有法能得無所有法不」。仏言、「不也」。「世尊、若無所有不能得所有、所有不能得所有、所有不能得無所有、無所有不能得無所有、将無世尊不得道耶」。仏言、「有得。不以此四句」。「世尊、云何有得」。仏言、「非所有、非無所有。無諸戯論、是名得道」。須菩提白仏言、「世尊、何等是菩薩摩訶薩戯論」。仏告、「須菩提、菩薩摩訶薩観色若常若無常、是為戯論。観受想行識若常若無常、是為戯論。観色若苦若楽受想行識若苦若楽、是為戯論。観色若我、若非我、受想行識若我、若非我、色若寂滅、若不寂滅、受想行識若寂滅、若不寂滅、是為戯論。苦聖諦応見、集聖諦応断、滅聖諦応證、道聖諦応修、是為戯論。応修四禪四無量心四無色定、是為戯論。応修四念処四正勤四如意足五根五力七覚分八聖道分、是為戯論。応修空解脱門無相解脱門無作解脱門、是為戯論。応修八背捨九次第定、是為戯論。我当過須陀洹果・斯陀含果・阿那含果・阿羅漢果・辟支仏道、是為戯論。我当具足菩薩十地、是為戯論。我当入菩薩位、是為戯論。我当浄仏国土、是為戯論。我当成就衆生、是為戯論。我当生仏十力・四無所畏・四無礙智・十八不共法、是為戯論。我当得一切種智、是為戯論。我当断一切煩悩習、是為戯論。須菩提、是菩薩摩訶薩行般若波羅蜜時、色若常若無常、不可戯論、故不戯論、受想行識若常若無常、不可戯論、故不戯論、乃至一切種智不可戯論、故不戯論。何以故。性不戯論性、無性不戯論無性。離性無性、更無法可得、所謂戯論者、戯論法、戯論処。以是故、須菩提、色無戯論、受想行識乃至一切種智無戯論。如是須菩提、菩薩摩訶薩応行無戯論般若波羅蜜」。須菩提白仏言、「世尊、云何色不可戯論、乃至一切種智不可戯論」。仏告、「須菩提、色性無、乃至一切種智性無。須菩提、若法性無、即是無戯論。以是故、色不可戯論、乃至一切種智不可戯論。須菩提、若菩薩摩訶薩能如是行無戯論般若波羅蜜、是時得入菩薩位」。（鳩摩羅什訳『摩訶般若波羅蜜経』巻二十二、遍学品。T8, 380c–381a）

具寿善現白言、「世尊、有性法為能現證有性不」。仏言、「不爾」。「世尊、無性法為能現證有性不」。仏言、「不爾」。「世尊、有性法為能現證無性不」。仏言、「不爾」。「世尊、無性法為能現證無性不」。仏言、「不爾」。「世尊、若爾、亦応有性不能現観有性、無性不能現観有性、有性不能現観無性、無性不能現観無性。将非世尊無得無現観耶」。仏言、「善現、雖有得有現観、然離四句」。「世尊、云何離四句、而有得有現観」。「善現、若得若現観、非有非無、絶諸戯論。是故我説、有得有現観、然離四句」。具寿善現復白仏言、「諸菩薩摩訶薩以何為戯論」。仏告、「善現、諸菩薩摩訶薩観色乃至識、若常、若無常、若楽、若苦、若我、若無我、若浄、若不浄、若寂静、若不寂静、若遠離、若不遠離、是為戯論。……復次善現、諸菩薩摩訶薩若作是念、苦聖諦応遍知、集聖諦応永断、滅聖諦応作證、道聖諦応修習、是為戯論。若作是念、応修四静慮四無量四無色定、是為戯論。若作是念、応修四念住乃至八聖道支、是為戯論。若作是念、応修空無相無願解脱門、是為戯論。若作是念、応修八解脱八勝処九次第定十遍処、是為戯論。若作是念、応超預流果乃至独覚菩提、是為戯論。若作是念、応行布施波羅蜜多乃至般若波羅蜜多、是為戯論。……若作是念、応入菩薩正性離生、是為戯論。若作是念、応円満菩薩十地、是為戯論。……若作是念、応引如来十力乃至十八仏不共法、是為戯論。……若作是念、我当厳浄仏土成熟有情、是為戯論。若作是念、我当證得一切智智、是為戯論。若作是念、我当永断一切煩悩習気相続、是為戯論。……善現、諸菩薩摩訶薩以如是等種種分別而為戯論。復次善現、諸菩薩摩訶薩行深般若波羅蜜多時応観色乃至識、若常、若無常、若楽、若苦、若我、若無我、若浄、若不浄、若寂静、若不寂静、若遠離、若不遠離、皆不可戯論故、不応戯論。如是乃至応観一切智智、若応證得、若不応證得、倶不可戯論故、不応戯論。……所以者何。以一切法及諸有情有性、不能戯論有性、有性不能戯論無性、無性不能戯論無性、無性不能戯論有性。離有無性、若能戯論、若所戯論、若戯論処、若戯論時、皆不可得。是故善現、色無戯論、受想行識亦無戯論、如是乃至一切智智無戯論。……如是善現、諸菩薩摩訶薩応行無戯論甚深般若波羅蜜多」。具寿善現白言、「世尊、諸菩薩摩訶薩行深般若波羅蜜多時、云何観色受想行識乃至一切智智……皆不可戯論故、不応戯論」。仏告、「善現、諸菩薩摩訶薩行深般若波羅蜜多時、応観色無自性、受想行識亦無自性、如是乃至応観一切智智無自性……。若法無自性、則不可戯論。是故善現、色受想行識不可戯論故、諸菩薩摩訶薩不応戯論、如是乃至一切智智……不可戯論故、諸菩薩摩訶薩不応戯論。善現、諸菩薩摩訶薩若能如是於一切法離諸戯論、行深般若波羅蜜多、方便善巧、便入菩薩正性離生」。（玄奘訳『大般若波羅蜜多経』巻四百六十四、第二分、遍学品。T7, 347a–348c）

（34）註（32）を見よ。

〔Ⅳ　般若波羅蜜の解説〕

〔Ⅳ・1　帰敬偈に基づく解説〕

〔Ⅳ・1・1　帰敬偈の読みかた〕

問曰。若如是者、何者般若波羅蜜耶。

質問。もしそのようであるならば、般若波羅蜜とは何か。

答曰。豈可不作如是説言。

回答。次のように説かれているではないか。

不滅亦不生　不断亦不常

〝滅することでなく、生ずることでなく、断でなく、常でなく、一体で

不一不異義　不来亦不去

なく、異体でなく、来ることでなく、去ることでなく〃
anirodham anutpādam anucchedam aśāśvatam
anekārtham anānārtham anāgatam anirgamam｜（PP 11, 13–14）

此如是偈是修多羅。道理阿含、如次第釈。今釈偈句、非滅「不滅」、非生「不生」。応知諸句皆如是説。

このような〔帰敬〕偈は本文（*sūtra）である。道理（*yukti. 理証）と阿含（*āgama. 教証）とによって、順番どおりに解説することにしたい。今、偈の句を註釈するに、「滅することでなく」（anirodha）とは〃滅することにあらず〃ということであるし、「生ずることでなく」（anutpāda）とは〃生ずることにあらず〃ということである。〔八つの〕諸句はみなそのように解説されると知られるべきである。

問曰。以何義故、不如是言、〃此法非滅、故名「不滅」。此法非生、故名「不生」〃。或可説言、〃此法無滅、故名「不滅」。此法無生、故名「不生」〃如是等耶。

質問。〔ナーガールジュナは〕何のために次のように〃この法は滅することにあらざるゆえに「滅することでなく」（anirodha）と言われる。この法は生ずることにあらざるゆえに「生ずることでなく」（anutpāda）と言われる〃と〔明確に〕言わないのか。ことによっては〃この法においては滅することがないゆえに「滅することがなく」（anirodha）と言われる。この法においては生ずることがないゆえに「生ずることがなく」（anutpāda）と言われる〃かくかくしかじか（*evam ādi）と言ってもよいのでないか。

答曰。如是之義、以於阿含道理有妨。是故不得作如是説。

回答。そのようなことは、阿含と道理との上で差しさわりがある。それゆえに、そのように説くことはできない。

問曰。云何有妨。

質問。どのように差しさわりがあるのか。

答曰。何法無滅、何法無生。

問曰。第一義諦。

答曰。若如是者、有二種諦。所謂世諦、第一義諦。若有二諦、汝朋則成。

問曰。若異世諦有第一義諦、成我朋分、為有何過。如説偈言。

如来説法時　依二諦而説
謂一是世諦　二第一義諦
若不知此理　二諦両種実
彼於仏深法　則不知実諦

答曰。汝快善説。我説亦爾。「依

回答。いかなる法において滅することがなく、いかなる法において生ずることがないのか。

質問。勝義諦（*paramārtha-satya）においてである。

回答。もしそうであるならば、二諦があることになる。すなわち、世俗諦（*saṃvṛti-satya）と、勝義諦（*paramārtha-satya）とである。もし二諦があるならば、貴君の主張（*pakṣa）は成立する。

質問。〝もし世俗諦とは別に勝義諦があるならば、わたしの主張（*pakṣa）を成立させる〟ということに何の過失があろうか。偈が説かれているとおりである。

二諦に依拠して、諸仏の説法がある。世間世俗諦と、勝義諦とである。これら二諦の区別を知らない者たち、彼らは仏教における甚深なる真実を知らない。

dve satye samupāśritya buddhānāṃ dharmadeśanā |
lokasaṃvṛtisatyaṃ ca satyaṃ ca paramārthataḥ ‖（MMK XXIV.8）
ye 'nayor na vijānanti vibhāgaṃ satyayor dvayoḥ |
te tattvaṃ na vijānanti gambhīraṃ buddhaśāsane ‖（MMK XXIV.9）

〔Ⅳ・1・2　二諦は別々でないこと〕

回答。貴君はうまく説いた。わたしの説もそれと同じである。「二諦に依

於二諦、如来説法」。依二諦説、説法真如、不破不二。若其二者、異第一義法真如、別有世諦法真如。一法真如尚不可得、何処当有二法真如而可得也。若説二諦、此如是説、不異世諦、而更別有第一義諦。以一相故、謂無相故。此如是義、師偈説言。

45b

若人不知此　二諦之義者
◁彼於仏深法　則不知真実

問曰。此云何諦。

答曰。若此不破。

問曰。此之二諦何物不破。

答曰。一相、所謂無相、無自体。如本性空、如此則是諦。如有偈中説諦相言。

二種法皆無　戯論不戯論

拠して、諸仏の説法がある」(MMK XXIV.8ab)。二諦に依拠して説があるとは、別々でなく(*abhinna)二でない(*advaya)法の真如を説きたまうのである。もし二であるならば、勝義の法の真如より他に世俗の法の真如があることになってしまう。一法の真如すら不可得であるのに、どうして二法の真如が可得であろうか。もし二諦が説かれるならば、具体的には[1](*tad yathā)、世俗諦より他ならずして勝義諦があると説かれる。一特徴(*eka-lakṣaṇa)だからであり、すなわち、無特徴(*alakṣaṇa)だからである。[2]このようなことを、軌範師〔ナーガールジュナ〕は偈によって説きたまうた。

これら二諦の区別を知らない者たち、彼らは仏教における甚深なる真実を知らない。

ye 'nayor na vijānanti vibhāgaṃ satyayor dvayoḥ |
te tattvaṃ na vijānanti gambhīraṃ buddhaśāsane || (MMK XXIV.9)

質問。ここで、諦とはいかなるものか。

回答。かの、別々でないものなるものである(*yad idam abhinnam)。

質問。この二諦はいかなるものとして別々でない(*abhinna)のか。

回答。一特徴(*eka-lakṣaṇa)、すなわち無特徴(*alakṣaṇa)、無自性(*asvabhāva)なるものとしてである。[3]もともと空であるとおり、そのとおりにあるのが諦である。偈において真実の特徴が説かれているとおりである。

他のものに依拠せず、寂静であり、諸戯論によって戯論されず、構想が

不分別不異　此義是諦相

若如此偈、云何如来依二諦説。一切如来皆無所依、不依世諦、亦復不依第一義諦。如来説法、心無所依。何用多語、但説所論。

旧所諦者、如前所説、第一義諦、若滅若生、二皆無者、此則応説。云何名為第一義諦。

問曰。涅槃是常。彼涅槃処、無生無滅。若如是者、一切外道朋皆成就。彼外道人豈可不作如是説言、〃我涅槃常、寂静不動、不変不壊、有法有物。彼涅槃中、無滅無生〃。此等皆是外道之人分別涅槃、取著涅槃。此

なく、異なることがない。それが真実の特徴である。

aparapratyayaṃ śāntaṃ prapañcair aprapañcitam |
nirvikalpam anānārtham etat tattvasya lakṣaṇam ||（MMK XVIII.9）

もしこの偈のとおりならば、どうして如来は二諦に依拠して説きたまうであろうか。あらゆる如来はすべて所依なきものであり、世俗諦に依拠しないし、勝義諦に依拠しもしない。如来は法を説く際に、心に所依がない。どうして多くの語を用いて、単に言いたいことをおっしゃるであろうか。

古くから諦とされているものが、〔貴君によって〕先に説かれたとおりであり、勝義諦において、滅することあるいは生ずることという、二つがすべてないのならば、それについて説かれるべきである。何が勝義諦と呼ばれるのか。

〔Ⅳ・1・3　勝義諦の有は不可得であること〕

質問。涅槃は常なるものである。かの涅槃においては、生ずることがなく、滅することがない。もしそうであるならば、あらゆる外道の主張（*pakṣa）はすべて成立する。かの外道は次のように〃我（*ātman）の涅槃[4]は常なるものであり、寂静であり、不動であり、変わることがなく、壊れることがなく、法があり、実体がある。かの涅槃においては、生ずることがなく、滅することがない〃と説きはしないだろうか。それらはすべて外道によって構想され

不相応。常我勝者、外道所説。常我勝者、以無体故。

答曰。云何汝涅槃者。何者涅槃、而涅槃中、無生無滅。

問曰。貪欲瞋痴及陰等尽更不復生、是名涅槃。

答曰。此名尽者、謂失無体滅故名尽。彼滅云何。可於滅中復有滅耶、或於体中有無体耶。何故遮我。汝此語者、為依何物、以為境界、而説此語。為体境界、非体境界、為体非体二種境界。一切諸法皆不如是。以相違故。若不生者、是則無体。彼義云何。於彼不生無体之中、為有生不。而汝遮我。此不生中、則無有生。依如道理阿含義故、汝難不退。

た涅槃、執着された涅槃である。それは妥当でない。常なる我やプラダーナ（*pradhāna）は、外道の所説である。常なる我やプラダーナは、〔仏教によれば〕無（*abhāva）だからである。

回答。貴君のいう涅槃とは何か。何が涅槃であって、涅槃においては生ずることがなく、滅することがないのか。

質問。貪や瞋や痴が、かつ〔最終的には五〕蘊などが尽きること、ふたたびは生じないことが涅槃と呼ばれる。

回答。ここで〝尽きること〟（*kṣaya）と呼ばれるのは、すなわち、〝失われること〟（*vyaya）〝無〟（*abhāva）〝滅すること〟（*nirodha）が〝尽きること〟と呼ばれる。かの、滅することとはいかなることか。滅すること（=無）を滅する（=無にする）こと（*nirodhasya nirodhaḥ）があるのか、あるいは有を無にすること（*bhāvasyābhāvaḥ）があるのか。〔貴君は〕どれによってわたしを拒もうとするのか。貴君のその〔〝尽きること〟という〕語は、いかなるものを対象として、その語を説くのか。有を対象とするのか、無を対象とするのか、有と無との二つともを対象とするのか。あらゆる法はすべてそのよう（=有と無との二つともの）ようでない。〔有と無との二つは〕矛盾するからである。生じていない（*anutpanna）もの〔である勝義諦〕、それは無である。そのことはいかなることか。かの、生じていない無〔である勝義諦〕においては、生ずること（*utpāda）があるのか、否か。しかるに貴君はわたしを拒涅槃空故。以異涅槃更無法故。如是成就。

45c ▽有如是説、「何者名為第一義空」。彼処説言、「第一義諦名為涅槃。彼涅槃者、涅槃亦空」。復有『経』中説言、「世尊、言涅槃者、名為寂静、無一切相、無一切念」。

復有説言、「此涅槃者、涅槃所謂体非体空」如是等説。

如是一切種種思量、第一義諦体不可得。是故不得遮生遮滅。

もうとする。かの、生じていないもの（＝無）〔である勝義諦〕においては、生ずることは〔もともと〕ありはしない。〔したがって、そこにおいては、生ずることがなくなることもない。〕道理（*yukti. 理証）と阿含（*āgama. 教証）とがある以上、貴君が論難しても、〔わたしは〕敗退しない。

〔道理とは、〕〝〔主張：〕涅槃は空だからである。〔理由：〕涅槃より他に法がないゆえに〟。以上のように確立される。

〔阿含とは、〕次のように「勝義空性とは何か」と説かれ、かしこにおいて「勝義が涅槃と呼ばれる。その涅槃は、涅槃を欠くので空である」と説かれている[5]。さらに、『経』において「世尊よ、涅槃と言われるものは、あらゆる特徴が寂静であり、あらゆる動きがないものと呼ばれます[6]」と説かれている。

さらに、「この涅槃とは、涅槃はすなわち有によって有なのではなく、空である[7]」かくかくしかじかと説かれることがある。

このようなすべてがさまざまに思案されるならば、勝義諦の有は不可得である。それゆえに、〔勝義諦においては、有の〕生ずることを廃止し得ないし、滅することを廃止し得ない。

若汝意謂〝第一義諦微少有体而可説〟者、即是我證。汝今何用思量此処。

又如『経』説、我今説之。如来説言、「文殊師利、如所説法、無如是法」。如是不説、亦如是無、亦不可得。

問曰。如是説者、云何而避。

答曰。若無少法、無体聚物、若或可説、若不可説、一切皆無。如是名避。捨此二諦所摂諍対。

問曰。言誰語義、為有何過。

答曰。若如是説、則於道理阿含有妨。

問曰。云何道理阿含有妨。

〔Ⅳ・1・4　勝義諦には説かれ得る有がないこと〕

もし貴君が〝勝義諦には何か（*kaścid）説かれ得る有（*bhāva）がある〟と思惟するならば、〔それがないことについては〕わたしが証明済みである。貴君は今、どうしてそのことを思量する必要があろうか。

さらに、『経』において説かれているとおりに、わたしは今、そのことを説くことにしたい。如来は「マンジュシュリーよ、説かれたとおりの法という、そのとおりの法はないのである」[8]と説きたまうた。このように、〔説かれたとおりの法があるとは〕説かれない以上、このように、ないものでもあるし、不可得でもある[9]。

質問。そのように説くならば、どのように〔二諦のうちに含まれる対立を〕回避するのか。

回答。もし何かの法がなく、有の集まりがないならば、説かれ得るものであれ、説かれ得ないものであれ、すべてがない。このようなことが回避と呼ばれる。この二諦のうちに含まれる対立を捨てるのである。

質問。誰かの語の内容（*bhāṣitasyārthaḥ ＝説かれたとおりの法）を〔〝ある〟と〕言うことに、いかなる過失があるのか。

回答。もしそのように説くならば、道理（*yukti. 理証）と阿含（*āgama. 教証）との上で差しさわりがあろう。

質問。どうして道理と阿含との上で差しさわりがあるのか。

答曰。如先聖者須菩提言、「何時世尊本為菩薩摩訶薩時、修行般若波羅蜜故、正観此法、彼時正観色不生」乃至「正観一切智不生、正観凡夫不生」乃至「正観仏不生」。

而汝意謂、〝此誰語義別有法〟者、則不相応。又舎利弗不如是説、「如慧命須菩提所説語義、我如是知、色不生乃至一切智不生、凡夫不生乃至仏不生」耶。

如是阿含有妨礙故、是誰語義、則不相応。若汝復謂、〝是誰語義、雖不離法、而説言離。譬如乳渧、水渧像身、磨物石身、第一義諦亦復如是、言誰語義〟、此我今釈。此不相応。此乳等体、則是有体。汝取体已、渧等法外、更異法遮。汝今云何。第一
46a
義諦可有体耶。若有体者、此滅生等、

回答。まず、聖者スブーティが「世尊よ、菩薩摩訶薩が般若波羅蜜において行じつつ、これら諸法を観察する時、その時、色の生じないことを見ます」乃至「一切種智者性の生じないことを見ます。異生の生じないことを見ます」乃至「仏の生じないことを見ます[10]」と言ったとおりである。

しかるに貴君が〝かの、誰かの語の内容（*bhāṣitasyārthaḥ）として別に法がある〟と思惟するならば、妥当でない。さらに、シャーリプトラが次のように「具寿スブーティの語の内容（*bhāṣitasyārthaḥ）をわたしがわかっておりますとおり、そのとおり、色は生じないことであり、しまいには、一切智者性は生じないことであり、異生は生じないことであり、しまいには、仏は生じないことです[11]」と説かなかったであろうか。

以上のようにして、阿含（*āgama. 教証）の上で差しさわりがあるゆえに、かの、誰かの語の内容は妥当でない。もし貴君がさらに〝かの、誰かの語の内容は、法から離れないにせよ、〝離れている〟と説かれる。あたかも乳の滴りや水の滴りが〔人などの〕身に似せて石づくりの身を磨き上げるように、そのように、誰かの語の内容が勝義諦と言われる〟と思惟するならば、そのことについて、わたしは今、説くことにしたい。それは妥当でない。この乳などは有（*bhāva）である。貴君は有に執着してのち、〔乳の〕滴りなどという〔有なる〕法以外の、別の〔無なる〕法を否認する。貴君は今、どうなの

則可遮言、〝不離法有〟。是故汝義則不相応。

為有何法、非滅非生。

問曰。第一義諦。

答曰。彼是何法。
問曰。涅槃。
答曰。彼復何物。
問曰。煩悩陰尽、則名為滅、亦名無体。如是我説名為涅槃。是我意解。

答曰。若如是者、断滅之法亦是涅槃。若彼先生煩悩業陰、後時尽滅、尽滅無体亦是涅槃、未来未生亦是涅槃。如是涅槃直是断滅。若如是者、断滅之法則是涅槃義可成就。未来是

か。勝義諦は有でよいのか。もし有ならば、かの、滅することや生ずることなどについて、〝〔滅することや生ずることは〕法から離れずしてある〟と否認してよい。それゆえに貴君の主張は妥当でない。

　いかなる法があって、〔そこにおいては〕滅することがなく、生ずることがないのか。

質問。勝義諦（*paramārtha-satya）である。

〔Ⅳ・1・5　勝義諦は断でないこと〕

回答。それ（＝勝義諦）はいかなる法なのか。
質問。涅槃である。
回答。さらに、それ（＝涅槃）はいかなるものなのか。
質問。煩悩や〔最終的には五〕蘊の尽きること（*kṣaya）を、〝滅すること〟（*nirodha）と呼び、さらに〝無〟（*abhāva）とも呼ぶ。そのようなものを、わたしは〝涅槃〟と呼ぶ。これがわたしの理解である。

回答。もしそのようであるならば、断（*uccheda）も涅槃であろう。もし先に煩悩や業や〔五〕蘊が生じてのち、後に尽きたり滅したりするならば、尽きること（*kṣaya）や滅すること（*nirodha）や無（*abhāva）も涅槃であろうし、未来のものや未生のものも涅槃であろう。そのような涅槃はただ断にすぎない。もしそうであるならば、断が涅槃であることが成立してよい。未

無、此既未至、云何相応。以是義故、汝応可羞放捨如是摂取涅槃。

問曰。汝涅槃、涅槃何類。

答曰。『経』中可不如是説言、「一切諸法、無始来滅、本性不生、無自体」耶。

又復『経』中説言、「世尊、若有沙門、諸法本性寂滅相中、求涅槃体、我説彼人、名為外道」如是等耶。

又復『経』中有説偈言。

無始寂不生　本来自性滅
而転法輪時　世尊開顕法

又阿闍梨復説偈言。

不寂静不得　不断亦不常
不滅亦不生　如是名涅槃

来のものは〔未だ〕ないものであり、それは未だ至っていないものである以上、どうして妥当であろうか。それゆえに、貴君は羞じた上で、涅槃をそのように把握することを捨てるべきである。

〔Ⅳ・1・6　勝義諦は本来涅槃しており、有であることが成立しないこと〕

質問。貴君のいう涅槃とは、いかなるたぐいが涅槃なのか。

回答。『経』において次のように「あらゆる法は本来涅槃しており、本性として生じておらず、無自性である(12)」と説かれていないであろうか。

さらにまた、『経』において「世尊よ、畢竟般涅槃している諸法のうちに涅槃を求める沙門なるもの、わたしは彼を外道と呼びます(13)」かくかくしかじかと説かれているでないか。

さらにまた、『経』において偈が説かれている。

じつに、本来寂静であり、生じておらず、さらに、本性として涅槃している。尊よ、それら諸法が転法輪において開示されたのです(14)。

さらに、軌範師〔ナーガールジュナ〕もまた偈を説きたまうた。

捨てられておらず、得られておらず、断ぜられておらず、常でなく、滅しておらず、生じていない。それが涅槃と言われる。

aprahīṇam asamprāptam anucchinnam aśāśvatam |

如是思量道理阿含、第一義諦有物不成。

以是義故、先説道理。非滅「不滅」、非生「不生」。如是一切。

如是則為不二義成。此如是説、「不生是色。不異不生、別更有色。色是不生。不異於色、別有不生」、乃至一切智、乃至仏。

如是尽滅、則不異色、乃至一切智、乃至仏。

此如是説、「若尽若色、若復不二、此一切法非合非離」、乃至一切智、乃至仏者、此義成就。

46b 此語太煩、可捨不須。第一義諦、

aniruddham anutpannam etan nirvāṇam ucyate ‖ (MMK XXV.3)

このように、道理（*yukti. 理証）と阿含（*āgama. 教証）とによって思量するならば、勝義諦が有（*bhāva）であることは成立しない。

それゆえに、まず、道理を説くことにしたい。「滅することでなく」（anirodha）とは〝滅することにあらず〟ということであり、「生ずることでなく」（anutpāda）とは〝生ずることにあらず〟ということである。このようにすべてがある。

〔次に、阿含とは、〕このように〔すべてが〕あるならば、不二なることが成立する。① 具体的には[15]（*tad yathā）、「生ずることでないのが色である。生ずることでないのは色より他にない。色は生ずることでない。色は生ずることでないより他にない[16]」と説かれ、〔色から始まって〕しまいには一切智者性に至り、しまいには仏に至る。

② それと同様にして、〔色の〕尽きること（*vyaya）と〔色の〕滅することとは色より他になく、〔色から始まって〕しまいには一切智者性に至り、しまいには仏に至る。

③ 具体的には（*tad yathā）、「〔色の〕尽きることとなるものと、色なるものとの、二つのこれら諸法は、合してもおらず、離れてもいない[17]」と説かれ、〔色から始まって〕しまいには一切智者性に至り、しまいには仏に至る。

という、このこと（①②③）が成立する。〔ただし、〕この語は煩雑にすぎ言説甚多。如是知已、可捨此語。

不須更論修多羅義。我今解釈、或依道理、或以阿含。

彼阿含者、何者阿含。所謂一切大乗経典。一切大乗修多羅中皆説如是「不滅」等句。然於『般若波羅蜜』中、説此処多。此是阿含。

今説道理。

問曰。云何道理阿含、此如是偈、如経意釈。

答曰。汝清浄心、至心善聴。我今

るので、放棄して使用しないのがよい。勝義諦に対する言説ははなはだ多い。以上のように知りおわって、この語を放棄するのがよい。

〔Ⅳ・2　帰敬偈に基づかない解説〕

〔Ⅳ・2・1　阿含〕

あらためて本文（*sūtra. ＝帰敬偈）の意味を論ずる必要はない。わたしは今、道理（*yukti. 理証）によって、あるいは阿含（*āgama. 教証）によって、解説することにしたい。

かの阿含とは、何が阿含なのか。すなわち、あらゆる大乗経典がである。あらゆる大乗経典においてはすべてこのような「滅することでなく」(anirodha) などという文章が説かれている。しかも『般若波羅蜜』においてはそれを説くところが多い。それが阿含である。

今、道理によって解説することにしたい。

〔Ⅳ・2・2　道理〕

〔Ⅳ・2・2・1　滅することなどは有においてあるが、有は成立しないこと〕

質問。いかにして道理と阿含とによってこの偈を経の意図のとおりに解説するのか。

回答。清らかな心によって、心を込めて善く聴きたまえ。わたしは今、解

解釈。此之「滅」名、於体上有、非無体有。如是「生」、如是「断」、如是「常」、如是等、彼如是体、種種思量、皆不可成。

問曰。彼体云何不成。

答曰。以因縁故。若何等法有因縁者、彼無自体。若無自体、彼法無体。此無体者。無自体故。譬如兎角、以無因縁、是故無法。此一切法皆無自体。以因縁故。如幻如夢。若汝意謂、〝彼実有体、有自体〟者、云何知有。因縁生故、猶如瓶者、此我今釈。如是因縁、分別無義。若法自体、何用因縁。先自有故。若無自体、何用因縁。以無法故。以是義故、分別因縁、則無義理。若説体者、応如是知。彼無体者、無自体故。是故如来如是説

説することにしたい。〔帰敬偈における〕この「滅すること」(nirodha) という表現は、有 (*bhāva) においてあるが、無 (*abhāva) においてあるのではない。それと同様に、「生ずること」(utpāda) や、それと同様に、「断」(uccheda) や、それと同様に、「常」(śāśvata) などという、そのようなものにとっての〔よりどころである〕有は、さまざまに思案された場合、すべて成立できない。

質問。かの有はどうして成立しないのか。

回答。縁 (*pratyaya) によっているからである。何であれ縁を持つ法なるもの、それは無自性 (*asvabhāva) である。無自性なるもの、それは無 (*abhāva) である。[18]〔主張：〕これは無である。〔理由：〕無自性だからである。〔喩例：〕あたかも兎角が、縁を持たないゆえに、それゆえに、ないもの (*asat) である法であるごとし。〔主張：〕これらあらゆる法はすべて無自性である。〔理由：〕縁によっているからである。〔喩例：〕幻のごとく、夢のごとし。もし貴君が〝それはまことに有であり、有自性である〟と思惟するならば、どうして〔それが〕有であるとわかるのか。〝縁によって生じているからである。瓶のごとし〟というならば、そのことについて、わたしは今、解説することにしたい。そのような縁は、検討してみれば、意味がないのである。もし法が有自性ならば、縁は何の役に立とうか (*kim pratyayena)。〔なぜなら、有自性なる法は縁がなくとも〕もともとあるから

言、「須菩提、一切和合皆無自体」。

以因縁故、一切和合。和合皆空。

如是一切、体不成就。


問曰。云何滅等而不成就。

答曰。体滅異体、彼体不生、故不成就。

問曰。云何不生。而得有体。

答曰。無自体故。若何者法無自体

である。もし〔法が〕無自性ならば、何にとっての縁があろうか（*kasya pratyayaḥ）。〔なぜなら、無自性なる法は〕ないもの（*asat）である法だからである（Cf. MMK I.6: naivāsato naiva sataḥ pratyayo 'rthasya yujyate | asataḥ pratyayaḥ kasya sataś ca pratyayena kiṃ ||「ものがある場合にも、ない場合にも、縁は〔ものに対し〕妥当でない。〔ものが〕ない場合、何にとっての縁があろうか。かつ、〔ものがすでに〕ある場合、縁は何の役に立とうか」）。このことから、縁を検討してみれば、〔縁は〕意味がないのである。もし〝〔法は〕有（*bhāva）である〟と説くならば、以上のように知られるべきである。それ（＝法）が無（*abhāva）であるとは、無自性だからである。それゆえに如来は次のように「スブーティよ、和合しているものの自性はない[19]」と説きたまうた。縁によって、あらゆるものは和合する。和合しているものはすべて空である。このようにして、あらゆる有（*bhāva）は成立しない。

〔Ⅳ・2・2・2　滅することと生ずることとが成立しないこと〕

質問。どうして滅すること（*nirodha）などは成立しないのか。

回答。有（*bhāva）が滅すること（*nirodha）や変化すること（*anyathā-bhāva）は、かの有が生じていないゆえに、成立しないのである。

質問。〔有は〕どうして生じていないのか。むしろ、有はあり得る。

回答。無自性だからである。もし或る法が無自性ならば、〔無自性なるも者、彼法無生、則如兎角、自体無体。

問曰。彼云何無。

答曰。以因縁故。若言〝有体無因縁〟者、無如是法。

若汝意謂、〝空数縁滅、非数縁滅、如是等法、非有因縁、而有不無〟、

46c 是義不然。

問曰。云何不然。

答曰。如是滅者、汝豈可不作是思惟、〝彼滅云何為有為無〟。又復何者空等無為。既非是生、云何為有。若是有者、兎角亦有。是義不可。

問曰。若何等法自体無者、彼生則無。云何而言、彼復無滅。

答曰。汝心憍慢、自謂〝数数被破〟、自愛己朋、摂滅不捨。我於向

の、それは無であるから、〕その法には生ずること（*utpāda）がない。兎角のように、自性（*svabhāva）が無（*abhāva）なのである。

質問。それ（＝自性）はどうして無なのか。

回答。〔法が〕縁（*pratyaya）によっているからである。もし〝縁なくして有がある〟と言うならば、そのような法はありえない。

もし貴君が〝虚空〔無為〕（*ākāśa）や択滅〔無為〕（*pratisaṃkhyā-nirodha）や非択滅〔無為〕（*apratisaṃkhyā-nirodha）などという諸法は縁なくしてあるのであって、ないのでない[20]〟と思惟するならば、それはそうでない。

質問。どうしてそうでないのか。

回答。そのような滅（*nirodha.＝択滅・非択滅）について、貴君はどうして〝かの滅は、はたして、あるのであろうか、ないのであろうか〟と思惟しないでよかろうか。さらにまた、虚空などという無為はいかなるものであろうか。生じたものでない以上、どうしてあるといえようか。もしあるというならば、兎角もあるであろう。そのことはよろしくない。

質問。もし或る法に自性（*svabhāva）がないならば、それ（＝或る法）には生ずること（*utpāda）はない。どうして〝さらに、それ（＝或る法）には滅すること（*nirodha）がない〟と言えるのか。

回答。貴君は心が驕慢であり、自ら〝何度も論破された〟と思いながらも、自ら自己の主張（*sva-pakṣa）に愛着して、〔法が〕滅することに執着し捨て

者、可不説言、〝以不生故〟。若不生者、滅云何成。若不滅者、而復云何得成不生。不生法中、非唯無滅、亦復無断。如是若常、若一、若異、若来、若去、此等一切、於不生中、皆不成就。如説偈言。

於不生体中　則無滅可得
不滅則不生　皆不可成就

如是二法、則無前後、謂法先生、後時滅二、或亦先滅、後時生二。

問曰。云何無耶。

答曰。以有為法無無始故。又一切法悉皆空故。

ようとしない。わたしは先に〝〔法が〕生じていないからである〟と言わなかったであろうか。もし〔法が〕生じていないならば、〔法が〕滅することがどうして成立しようか。もし〔法が〕滅することがないならば、どうして〔法が〕生じていないことを成立させ得ようか。法が生じていない場合（*anutpanneṣu dharmeṣu）、ただ滅することがないだけでなく、断もない。このようにして、常であれ、一体なることであれ、異体なることであれ、来ることであれ、去ることであれ、それらすべては、〔法が〕生じていない場合、すべて成立しない。偈が説かれているとおりである。

諸法が生じていない場合、滅することは起こらない。それゆえに、〔等無間縁が〕無間に〔滅すること〕は妥当でない。さらに、滅したものにおいては、いかなる縁がありえようか。

anutpanneṣu dharmeṣu nirodho nopapadyate |
nānantaram ato yuktaṃ niruddhe pratyayaś ca kaḥ ‖（MMK 1.9）

このように、〔生ずることと滅することとの〕二つに先後はない。すなわち、法が、先に生ずることと後に滅することとの二つや、あるいは、先に滅することと後に生ずることとの二つ〔に先後はないの〕である。

質問。どうして〔先後が〕ないのか。

回答。有為法はなく、〔ないものには〕始まりがないからである。さらに、あらゆる法はすべて空だからである。

問曰。若人有為無無始者、則無此過。我則不爾。有為有始。摩醯首羅、時、微塵等、有為因縁、有無始故。是故何人、有為無始、則無此過。或先生已、於後時滅、或先滅已、後時乃生、無決定故、有為無始。非此決定、則非我義。我則不爾。有為有始。摩醯首羅、時、微塵等、有為因縁、有無始故。又毘耶婆（娑？）如是説言、「生者必死、死者必生」如是等故。

答曰。汝既倒已、方始作勢。此我於先可不已遮摩醯首羅、時、微塵等非因縁耶。若非因縁、云何成始。又復汝引摩醯首羅、時、微塵等、為有因縁、為無因縁。若更有者、是則有

質問。誰かにとって〝有為はなく、〔ないものには〕始まりがない〃ならば、〔彼にとっては〕その過失がない[21]。わたしはそのようでない。有為は始まりがあるものである。大自在天（*maheśvara）・時（*kāla）・原子（*aṇu）などという、有為にとっての原因（＝始まり）はあり、〔その原因には〕始まりがないからである。それゆえに、誰かにとって〝有為は始まりがないものである〃ならば、〔彼にとっては〕その過失がない。あるいは先に生じおわって後に滅し、あるいは先に滅しおわって後に生じ、〔生ずることと滅することとについて先後の〕定まりがないゆえに、有為は始まりがないものである。この定まりをないとすることは、わたしの主張でない。わたしはそのようでない。有為は始まりがあるものである。大自在天・時・原子などという、有為にとっての原因（＝始まり）はあり、〔その原因には〕始まりがないからである。さらに、〔『マハーバーラタ』の著者〕ヴィヤーサ（*Vyāsa）が次のように「生まれた者は必ず死に、死んだ者は必ず生まれる[22]」かくかくしかじかと説いているからである。

回答。貴君はすでに倒れ（＝論破され）おわってのち、ようやく初めて勢いづいている。それについては、わたしは先にすでに〝大自在天（*maheśvara）・時（*kāla）・原子（*aṇu）などは原因でない〃と否認しなかったであろうか。もし原因でないならば、どうして〔有為にとっての〕始まりを成立させようか。さらにまた、貴君によって引き合いに出された大自在

為無始義成。若更無者、摩醯首羅、時、微塵等非有為始。以非因故。猶如兎角。一切法体皆無因縁、是義不
47a
成。若是何人摂受此意有為無始、彼如是人則得見過。以其説言〝有為有始、有為無始〟、是故名見。

問曰。汝唯如是与他朋過、不住自朋。

答曰。若説体者、得如是過。過不在我。又我如是自体空中一切法中、我無分別、有為之法、有何者始、何者無始、有何者終、何者無終、如是等也。如阿闍梨所説偈言。

一切体中空　何者終不終

天・時・原子などには、〔さらに〕原因があるのか、原因がないのか。もしさらに〔原因が〕あるならば、〔原因が無限遡及される以上、〕有為に始まりがないことが成立する。もしさらに〔原因が〕ないならば、大自在天・時・原子などは有為にとっての始まりでない。〔大自在天・時・原子などは有為にとっての〕原因でないからである。兎角のごとし。〝あらゆる法はすべて原因のないものである〟という、そのことは成立しない。誰であれ〝有為は始まりがないものである〟というこの考えを保持する者、彼は見（*dṛṣṭi）という過失を得る。彼が〝有為は始まりがあるものである。有為は始まりがないものである〟と説くゆえに、それゆえに見と呼ばれる。

質問。貴君はただそのように相手の主張（*para-pakṣa）の過失を提出するのみであり、自己の主張（*sva-pakṣa）に安住していない。

回答。もし有（*bhāva）を説くならば、そのような過失を得てしまう。〔しかし、わたしは無を説くから、〕過失はわたしにない。さらに、わたしの、このように自性を欠くので空である（*svabhāva-śūnyeṣu）あらゆる法において（*sarva-dharmeṣu）、わたしには〝有為法において、何が始まりであるのか、何が始まりがないものであるのか、何が有限であるのか、何が無限であるのか〟かくかくしかじかと構想することがない。軌範師〔ナーガールジュナ〕が説きたまうた偈のとおりである。

あらゆる法が空である場合、何が無限であろうか、何が有限であろうか。

終者是何終　非終非何終

如是思量、滅生二種、次第相対、
如父子者、義不相応、則無此滅。

問曰。云何無耶。

答曰。思量此滅、如是滅法、或在前有、或後時有、或二時有、或一或異、若或二者、一切不成。

又復滅者、滅名無体、失尽非常。諸如是等、若無体者、彼復云何成有成無。若汝意謂、〝体亦是滅、非是非体、如是体〟者、云何滅体而復可壊。如瓶可滅。以有体故。若無生者、何処有体、或得有滅、或有或無。如是如来有偈説言。

何が無限かつ有限であろうか。何が無限でなくかつ有限でなかろうか。

śūnyeṣu sarvadharmeṣu kim anantaṃ kim antavat |
kim anantam antavac ca nānantaṃ nāntavac ca kim ‖（MMK XXV.22）

このように思量するならば、滅すること（*nirodha）と生ずること（*utpāda）との二つがあたかも父と子とのように順次に相待するということは妥当でない。この、滅することはない。

質問。どうしてないのか。

回答。この滅すること（*nirodha）を思案するならば、このような滅することが先にあったり、後にあったり、〔先と後との〕両方にあったり、一なるものであったり、異なるものであったり、〔一なるものと異なるものとの〕両方であったりすることは、すべて成立しない。

さらにまた、滅することといわれるのは、滅することは〝無〟（*abhāva）〝失われること〟（*vyaya）〝尽きること〟（*kṣaya）〝無常〟（*anitya）と呼ばれる[23]。結局（*yāvat）、もし無ならば、そこにおいて、どうして、あるということ（*astitā）が成立したり、ないということ（*nāstitā）が成立したりしようか。もし貴君が〝有（*bhāva）は滅することでもあるが、無〔は滅すること〕でない。〔滅することは〕このように有である〟と思惟するならば、どうして滅することである有がさらに壊れる（＝滅する）のか。瓶が滅する（＝壊れる）がごとし。〔瓶は〕有だからである。もし生じていないならば、どうし

何人不取生　彼人無物滅
彼不著有無　不取世界物

此滅如是、云何成有、若成就無。

又此滅者、滅名無常。於汝法中、無常三種。一者念念壊滅無常、二者和合離散無常、三者竟畢如是無常。此如是等三種無常、有無所摂、世尊皆遮。

問曰。云何皆遮。

答曰。世尊説言、「須菩提、若有体者、可得言尽」。

て（*kutaḥ）有において、滅することがあり得たり、あるということ（*astitā）や、ないということ（*nāstitā）があり得たりしようか。かくして、如来によって偈が説かれている。

ある者にとって、いかなるものも生ぜず、その、いかなるものも滅しない際、世間を寂滅と見る彼（＝その、ある者）にとって、〝ある〟と〝ない〟とは近づいて来ない[24]。

この滅することはこのようである以上、どうして、あるということ（*astitā）が成立したり、あるいは、ないということ（*nāstitā）が成立したりしようか。

さらに、この滅することとは、滅することは〝無常〟と呼ばれる。貴君の立場において、無常なることは三種類である。一つめは瞬間的消滅にもとづいて無常なること（*kṣaṇabhaṅgānityatā）、二つめは和合離散にもとづいて無常なること（*viyogānityatā）、三つめは〔無が常なるものでないことにもとづいて〕絶対的に無常なること（*atyantānityatā）である。このような三種類の無常なることは、あるということ（*astitā）と、ないということ（*nāstitā）とのうちに含まれるが、世尊によってすべて否認されている。

質問。どのようにすべて否認されているのか。

回答。世尊は「スブーティよ、もし有（*bhāva）があるならば、〔その有において〕尽きることを言い得る[25]」と説きたまうた。

復有説言、「無常之物、則為不実、非生滅相」。
若体有滅、無常不成。
如是滅義、若依道理阿含思量、皆
47b 不成就。是故於滅不応摂取。
問曰。此義云何。為唯遮滅、若有若無、為復遮餘一切法体。
答曰。取一切体、若有若無、此取皆遮。非唯遮滅。
問曰。何義故遮。
答曰。断過（常？）過故。師如是説。所謂偈言。

若取有著常　無則堕断見
是故黠慧者　不依止有無

さらに、「無常なるものは不実であり、生ずることと滅することとの特徴を持たない[26]」と説きたまうた。

もし有において滅することがあるならば、無常なることは成立しない。

このように、滅することは、もし道理（*yukti. 理証）と阿含（*āgama. 教証）とによって思案されるならば、すべて成立しない。それゆえに、滅することに執着すべきでない。

質問。そのことはいかなることか。滅することだけを否認するのか、それとも、〝ある〟（*asti）あるいは〝ない〟（*nāsti）といわれる、その他のあらゆる法の有（*bhāva）を否認するのか。

回答。あらゆる有（*bhāva）における、〝ある〟（*asti）あるいは〝ない〟（*nāsti）という執着、その執着がすべて否認される。滅することを否認するだけではない。

質問。なにゆえに否認するのか。

回答。断と常との過失だからである。軌範師〔ナーガールジュナ〕は次のように説きたまうた。すなわち、偈が説かれている。


〝ある〟というのは常への執着であり、〝ない〟というのは断見である。

それゆえに、賢者は、あるということと、ないということとに依存するな。

astīti śāsvatagrāho nāstīty ucchedadarśanam |

又復有説。所謂偈言。

若人見於有　或見無是痴
彼不知修行　寂静安隠処

又復有説言、「迦旃延、有則堕常、無則堕断」。

又復『経』中説言、「迦葉、有是一辺、無是一辺」。

中者非有、亦非是無。以無体故。此義応知。無自体故、一切体有、一切体無、義皆不然。此如是義、如世尊説言、「須菩提、於体自体一切法中、若有若無、義皆不然」。須菩提言、「実爾、世尊」。

如是処処、摂一切体、若有若無、

tasmād astitvanāstitve nāśrīyeta vicakṣaṇaḥ ‖ (MMK XV.10)

さらにまた、説きたまうた。すなわち、偈が説かれている。

しかるに、諸有について、あるということと、ないということとを見る
愚者ら、彼らは吉祥なる、経験されたことがらの寂滅を見ることがない。

astitvaṃ ye tu paśyanti nāstitvaṃ cālpabuddhayaḥ |
bhāvānāṃ te na paśyanti draṣṭavyopaśamaṃ śivam ‖ (MMK V.8)

さらにまた、「カーティヤーヤナよ、あるということは常に堕し、ないということは断に堕す(27)」と説かれている。

さらにまた、『経』において「カーシャパよ、あると言う、それはひとつの極端である。ないと言う、それは二つめの極端である(28)」と説かれている。

〝中は、あるということ（*astitā）でもなく、ないということ（*nāstitā）でもない。無（*abhāva）だからである〟という、このことが知られるべきである。無自性（*asvabhāva）である以上、あらゆる有（*bhāva）における、あるということと、あらゆる有における、ないということとは、ともに不可得である。このようなことは、世尊が「スブーティよ、無を自性とするあらゆる法においては、あるということ、あるいは、ないということは可得であろうか」とおっしゃり、スブーティが「いいえ、世尊よ」と申し上げたとおりである(29)。

以上のように、どこであれ、あらゆる有における、あるということ（*astitva）、

一切皆遮。以無体故、以不生故、有無皆無、亦無有滅。

問曰。如是如是。於一切法不生法中、無有滅者。如一切法不生之義、汝今応説。此義云何。復無断耶。

答曰。此断名者、則於体有、非於無体。彼体不成。

問曰。云何不成。

答曰。自体他体悉皆無体。以無体故。猶如兎角。非有自体、非有他体、非体不体。以不生故。如是一切体不生者、此義則成。如阿闍梨所説偈言。

あるいは、ないということ（*nāstitva）を含めて、すべてが否認される。〔諸法は〕無（*abhāva）であるから、〔諸法の〕生じることがないから、〔諸法において〕あるということ（*astitva）、あるいは、ないということ（*nāstitva）はないのであり、さらに、〔諸法の〕滅することもないのである。

質問。そのとおり、そのとおり。あらゆる法が生じていない場合には（*sarvadharmeṣv anutpanneṣu）、〔あらゆる法が〕滅することはない。あらゆる法が生じていないことを、貴君は今、説明すべきである。そのことはいかなることか。断（*uccheda）もないのか。

〔Ⅳ・2・2・3　断が成立しないこと〕

回答。この、断（*uccheda）という名称は、有（*bhāva）においてあるのであって、無（*abhāva）においてあるのでない。〔そして、〕かの有は成立しない。

質問。どうして成立しないのか。

回答。自性（*svabhāva）と他性（*parabhāva）とはどちらもない。無（*abhāva）だからである。兎角のごとし。〔無においては、〕自性があるのでなく、他性があるのでなく、有（*bhāva）と無（*abhāva）とがあるのでない。生じていないからである。このようにして、〝すべての有は生じていない〟という、このことが成立する。軌範師〔ナーガールジュナ〕が説きたまうた

或自体他体　或体或無体
如是見不見　仏法第一義

是故無体則亦無断。又復如是常断之相是有所摂、或非有摂。如是二種、世尊皆遮。

47c
問曰。此何故遮。

答曰。仏為教成迦旃延故、有無皆遮。世尊真知体非体者、是故無断。

又此若有本性成者、云何得言、無法無物、或復言異、或言無体。此若有法可断可滅可失等者、可得名断。然彼有法、本性自無、云何不(可?)失、而或言断。如説偈言。

偈のとおりである。

自性と他性と、有と無とを見る者たち、彼らは仏教における真実を見ない。

svabhāvaṃ parabhāvaṃ ca bhāvaṃ cābhāvam eva ca |
ye paśyanti na paśyanti te tattvaṃ buddhaśāsane ‖（MMK XV.6）

それゆえに、無（*abhāva）においては断（*uccheda）もない。さらにまた、このような常と断とのありさまは、〔順次に、〕あるということ（*astitva）のうちに含まれ、ないということ（*nāstitva）のうちに含まれる。そのような二つを、世尊はみな否認したまうた。

質問。それは何のために否認したまうたのか。

回答。仏はカーティヤーヤナ（*Kātyāyana）を教えるために、あるということ（*astitva）と、ないということ（*nāstitva）とをすべて否認したまうた。世尊はまことに有（*bhāva）と無（*abhāva）とを知りたまうかたであり、それゆえに断（*uccheda）はない。

さらに、ここで、もし、あるということ（*astitva）が本性（*prakṛti）として成立しているならば、どうして、ないということ（*nāstitva）を言ったり、変化すること（*anyathātva）を言ったり、無（*abhāva）を言ったりし得ようか。もし、あるということ（*astitva）が断ぜられるべきもの、滅せられるべきもの、失われるべきものなどであるならば、断を言い得るとしてよい。し

若法本性有　此可得言無
若言本性異　此義不可得
以本性無故　変異不可得
若本性有者　可得言変異

又復此中、前言有体、言有体已、後時言無、常断過成。如偈説言。

若有自体者　非無而亦常
先有後時無　則成就断見

かるに、かの、あるということ（*astitva）は、本性としておのずからありえないのだから、どうして失われるべきものであったり、あるいは断を言えたりしようか。偈が説かれているとおりである。

もし、〔何かの〕あるということが本性としてあるならば、それのないということはありえないであろう。というのも、本性が変化することは決して起こらないからである。
本性がない場合、何が変化することがあろうか。本性がある場合、何が変化することがあろうか。

yady astitvaṃ prakṛtyā syān na bhaved asya nāstitā |
prakṛter anyathābhāvo na hi jātūpapadyate ||（MMK XV.8）
prakṛtau kasya vāsatyām anyathātvaṃ bhaviṣyati |
prakṛtau kasya vā satyām anyathātvaṃ bhaviṣyati ||（MMK XV.9）

さらにまた、ここでは、先に〝ある〟（*asti）と言って、〝ある〟と言ってのち、後に〝ない〟（*nāsti）と言うことによって、常と断との過失が成立する。偈が説かれているとおりである。

「何かが自性としてある際、それ（＝その何か）はないのでない」というのは常である。「先にあったが、今はない」というのは断になってしまおう。

asti yad dhi svabhāvena na tan nāstīti śāśvatam |

此摂断常二種過失、故如是遮。若説体者、成断常過。以依如是道理阿含、思量彼断、則不可成。彼如是断則不成就。

問曰。云何不成。

答曰。以無因故、以不滅故。所謂断者、名滅無体。無体無因、若或無滅。猶如兎角。若法有体、可得言因、可得言滅。其猶如瓶。師如是説。所謂偈言。

法有因有滅　彼可見如芽
滅中無滅者　是故無滅因

此無因故、則知是無。復不滅故。汝心如是欲求真実、不応著断。

問曰。我今已解、受此無断。若摂

nāstīdānīm abhūt pūrvam ity ucchedaḥ prasajyate ‖（MMK XV.11）

これは断と常との二種類の過失を含めて、以上のように否認しているのである。もし有（*bhāva）を説くならば、断と常との過失を成立させてしまう。このような道理（*yukti. 理証）と阿含（*āgama. 教証）とによって、かの断を思案するならば、〔断は〕成立し得ない。この断は成立しない。

質問。どうして成立しないのか。

回答。〔断には〕原因（*hetu）がないからであり、〔断を〕滅すること（*vināśa）がないからである。いわゆる断（*uccheda）は〝滅すること〟（*vināśa）〝無〟（*abhāva）と呼ばれる。無には原因がないし、〔無を〕滅することがない。兎角のごとし。もし法が有（*bhāva）ならば、〔有の〕原因を言い得るし、〔有を〕滅することを言い得る。瓶のごとし。軌範師は次のように説きたまうた。すなわち、偈が説かれている。

原因を有する法なるもの、それは滅することを有すると見なされる。あたかも芽のように。滅することを滅することはありえない。それゆえに、滅することに原因はない[30]。

これ（＝断）は、原因がないゆえに、ないとわかる。かつ、滅することがないゆえに〔、ないとわかる〕。貴君は心においてこのように真実を欲求し、断に執着すべきでない。

質問。わたしは今、理解しおわって、この、断（*uccheda）のないことを此断、一切悪中、最為鄙悪。
　云何不常。
　答曰。我上豈可不説不生。若不生者、云何有常。若不生常、兎角亦常。是則不可。故非有常。世尊説言、
48a「若法不生、不得言常、亦復非断」。是故常断二皆不成。以堕辺故。

　若汝意謂、〝虚空我等、不生而有、亦得是常。如説有法、無有因縁、而実是常。以是義故、虚空我等、常則成〟者、是義不然。何用思惟石女之子、或黒或白。虚空等無、而汝思惟〝是常〟亦爾。
　問曰。彼虚空等、云何無物。

受容した。もしこの断を執するならば、あらゆる悪のうち、最も悪となろう。
　どうして常（*śāśvata）ではないのか。

〔Ⅳ・2・2・4　常が成立しないこと〕

回答。わたしは先に〝〔法が〕生じていない〟と説かなかったであろうか。もし〔法が〕生じていないならば、どうして常なるものがあろうか。もし生じていないのに常なるものならば、兎角も常なるものであるはずである。そのことはよろしくない。ゆえに常なるものがあるのでない。世尊は「もし法が生じていないならば、〝常なるもの〟と言い得ない。さらに、断でもない(31)」とおっしゃっている。それゆえに、常と断との二つはすべて成立しない。〔二〕辺（*anta）に堕してしまうからである。

　もし貴君が〝虚空（*ākāśa）や我（*ātman）などは、生じていないままに、まあるし、常なるものでありもする。〔外道によって〕〝原因がないままに、まことに常なるものがある〟と説かれているとおりである。そのことによって、虚空や我などの常なることは成立する〟と思惟するならば、そのことはそのとおりでない。どうしてわざわざ石女の子を〝黒である〟とか〝白である〟とか思惟しようか。虚空などはないのに、貴君が〝〔虚空などは〕常なるものである〟と思惟することもそれと同じである。
　質問。かの虚空などは、どうして、ないのか。

答曰。空等畢竟物不可得。猶如兎角、畢竟如是、六根各各皆不能得、如是空等亦不可得。是故知無。以是無故、虚空等常、義則不成。又不生故、無義則成。如汝意謂、〃是有法〃者、若当未有法不成、有法不成。以不生故。無自体故。若有体者、以自体故。彼是有故、不須和合。以是有故。若無自体、無自体中、則無有法。以無物故。猶如兎角。如偈説言。

体無自体故　是則無有法
此因縁此生　此義不如是

若汝意謂、〃虚空是有、以有相〃

回答。虚空などは結局、実体として不可得である。たとえば兎角が結局、六根によってはいずれも同様に得られないように、そのように、虚空なども不可得である。それゆえに、〔虚空などは〕ないとわかる。〔虚空などは〕ないのであるから、虚空などの常なること（*nityatā）は成立しない。かつ、〔虚空などは〕生じていないゆえに、〔虚空などが〕ないことが成立する。もし貴君が〃〔虚空などは〕あるもの（*sat）である法である〃と思惟するならば、未だあらざる法が成立していない以上、あるということ（*sattā）は成立しない。〔なぜなら、法が〕生じていないからである。〔法が生じていないとは、法が〕無自性（*asvabhāva）〔であり、無自性なるもの、それは無（abhāva）〕だからである。有（*bhāva）があるのは、自性があるからである。それは〔すでに〕あるのであるから、〔諸縁の〕和合を必要としない。〔すでに〕あるからである。もし自性がないならば、自性なきものには（*niḥsvabhāvānām）、あるということが存在しない（*na sattā vidyate）。ないからである（*nāstitvāt）。兎角のごとし。偈が説かれているとおりである。

自性なき諸有においては、あるということが存在しない。というわけで、
「これがある場合に彼が起こる」という、そのことは決して起こらない。

bhāvānāṃ niḥsvabhāvānāṃ na sattā vidyate yataḥ |
satīdam asmin bhavatīty etan naivopapadyate ||（MMK I.10）

もし貴君が〃虚空はある。相があるからである〃と思惟するならば、その

者、彼相亦無。無初無後、亦無二故。復有不生。若不生法而有相者、兎角応有長短等相。此義不然。

若汝意謂、〝我相可得〟、彼相六識所不取故、相不可得。

若汝意謂、〝相現見〟者、則失自法。以根得故。若如是者、汝所立我是無常等。

若汝意謂、〝非根境界〟、相則不摂。

問曰。雖如是破、而実有我。一句説故。此若一句摂両字説、則知彼有。猶如澡*1罐、我亦如是、両両字説。故則知有我【此一我字翻彼二字】。

答曰。此語不成。一廂語故。如彼

相もない。〔虚空には〕初もなく後もなく、二つのものもないからである。〔虚空には〕生じていないということがありもする。もし生じていない法において相があるならば、兎角において長短などという相があるはずである。そのことはそのとおりでない。

もし貴君が〝我（*ātman）の相は可得である〟と思惟するならば、それの相は六識によって把握されないゆえに、〔我の〕相は不可得である。

もし貴君が〝相は直接知覚（*pratyakṣa）によって見られる〟と思惟するならば、自らの立場を失うことになる。〔直接知覚によって見られるならば、我は眼〕根（*indriya）によって獲得されるからである。もしそのようであるならば、〔眼根によって獲得されるものは無常なるものであるから、〕貴君によって主張される我は無常なるものなどである(32)。

もし貴君が〝〔我は六〕根の対象（*viṣaya）でない〟と思惟するならば、〔我の相は〕相のうちに含まれない。

質問。そのように論破されるにせよ、我（*ātman）は現実にある。一語によって説かれるからである。それがもし一語のうちに二音節（*akṣara）を含んで説かれるならば、〝それはある〟とわかる。〔現実にある〕水瓶(33)（*kuṇḍa）のように、そのように、我（*ātman）は二音節によって説かれる。ゆえに〝我はある〟とわかる【この我という一字はかしこ（＝梵語）における二音節を翻訳したものである】。

回答。その言いぐさは成立しない。一方的な言いぐさだからである。たと

虚空、亦如夢等【此一夢字翻彼二字】、我亦如是。是故無我。如彼虚空、又亦如夢、此
48b 等一切二字所説皆悉是無、我亦如是◁。是故無我。

又復無我、以其作故。若物是作、則知無我。猶如彼瓶。如是身作、故身無我。以是作故。

若汝意謂、〃以於身中、見命等相、知有我〃者、命等相中、無常無常。如是思量、常則不成。

若汝意謂、〃我実不説、有法是常、亦復不説、無法為断。更復有法、於三世転、不滅名常。若無法者、不得有義。是故我言、有法是常。若無法者、則為是断〃、汝作是意、[*2] 我今解釈。若有法者、是則得言、〃三世流

えばかの〔現実にない〕虚空（*nabhas）のように、さらにたとえば〔現実にない〕夢（*svapna）【この夢という一字はかしこ（＝梵語）における二音節を翻訳したものである】などのように、そのように、我（*ātman）は〔二音節によって説かれるので〕ある。それゆえに我はない。たとえばかの〔現実にない〕虚空、さらにたとえば〔現実にない〕夢という、これらあらゆる二音節によって説かれたものがすべて〔現実に〕ないように、そのように、我は〔二音節によって説かれるので〕ある。それゆえに我はない。

さらにまた、我はないとは、作られたものだからである。もし物が作られたものならば、〃〔物に〕我はない〃とわかる。瓶のごとし。それと同様にして、身は作られたものであるゆえに、身に我はない。作られたものだからである。

もし貴君が〃身のうちに命などの相を見るので、我があるとわかる〃と思惟するならば、命などの相のうちは、無常、無常である。このように思案する場合、常であることは成立しない。

もし貴君が〃わたしは実のところ〃ある[34]（*asti）というのは常（*śāśvata）である〃と説かないし、〃ない（*nāsti）というのは断（*uccheda）である〃と説きもしない。しかるに、あり（*asti）、三世において流転し、不滅であるものが常（*śāśvata）であると呼ばれる。もし、ない（*nāsti）ならば、あるということを得ない。それゆえに、わたしは〃ある（*asti）というのは常（*śāśvata）である。もし、ない（*nāsti）というならば、断（*uccheda）であ

転〃。常法定住、不動不変、云何而得三世流転。若流転者、則是無常。

問曰。云何無常。

答曰。若過去者、云何是常。若過去者、則是無常。云何過去。過去名失、名尽名滅、名為無体。彼云何常。若其無体（無体→常者?）、云何過去。若有物体、云何過去。若其有者、石女之子亦応是常。以無体故。

又若過去常義不成、未来世常義亦不成。

問曰。云何不成。

る〃と言うのである〃と思惟するならば、貴君がそのように思惟することについて、わたしは今、解説することにしたい。もし、あるならば、〃三世において流転する〃と言い得る。常なるものである法は定住しており、不動であり不変である以上、どうして三世において流転することができようか。〔したがって、三世において流転するような、常なるものはない。〕もし流転するならば、無常なるものである。

質問。どうして無常なるものなのか。

回答。もし過去のもの（*atīta. 過ぎ去ったもの）ならば、どうして常なるものであろうか。もし過去のものならば、無常なるものである。過去のものとはいかなるものか。過去のものは〃失われたもの〃と呼ばれ、〃尽きたもの〃と呼ばれ、〃滅したもの〃と呼ばれ、〃無〃（*abhāva）と呼ばれる。それがどうして常なるものであろうか。もしそれが常なるものであるならば、どうして〔常なるものであるのに〕過去のもの（＝無）であるのか。もし〔過去のものが〕有（*bhāva）であるならば、どうして〔有であるのに〕過去のもの（＝無）であるのか。もしそれが〔常なるもので〕あるならば、石女の子も常なるものであるはずである。〔石女の子は〕無だからである。

さらに、もし過去のものが常なるものであることが成立しないならば、未来のものが常であることも成立しない。

質問。どうして成立しないのか。

答曰。此未来者、名為無体、名為不生、名為不出。彼若如是、云何為常。若其常者、兎角亦常。此義不可。若謂〝有物〟、云何未来。若或是常、若或未来、義不相応。

又現在常、義亦不成。

問曰。云何不成。

答曰。此現在者、現法流転、故名現在。彼現在法、一念不住。若一念住、一劫亦住。而此住相、実不可得。以無住故、念亦是無。若念転者、云何是常。

若不生者、何有現在、未来過去、時節成就。時無体故。若有体者、是

回答。この未来のもの（*anāgata. 未だ来ていないもの）は、〝無〟（*abhāva）と呼ばれ、〝生じていないもの〟（*anutpanna）と呼ばれ、〝起こっていないもの〟（*asaṃbhūta）と呼ばれる。それ（＝未来のもの）がもしそのようであるならば、どうして常なるものであろうか。もしそれが常なるものであるならば、兎角も常なるものとなってしまう。そのことはよろしくない。もし〝〔未来のものは〕ある〟と思惟するならば、どうして〔あるのに〕未来のもの（＝無）なのか。常なるものでもあり、未来のものでもある、ということは妥当でない。

さらに、現在のもの（*pratyutpanna. 起こっているもの）が常なるものであることも成立しない。

質問。どうして成立しないのか。

回答。この現在のもの（*pratyutpanna. 起こっているもの）とは、現在の法が流転しているゆえに、現在のものと呼ばれる。かの現在の法は、一瞬間すら住しない。もし一瞬間、住するならば、一劫のあいだすら住するであろう。しかるにこの住（*sthiti）という相は、本当は不可得である。住しないから、一瞬間すら〔住という相は〕ない。もし一瞬間〔だけ〕流転するならば、どうして常なるものであろうか。

もし生じていない（*anutpanna）ならば、どうして現在のものと未来のものと過去のものとである時節（*adhvan）の成立することがあろうか。〔もし

則過去、未来現在、則不是時。若是時者、過去未来、現在非体。時或与
48c 体、若一若異、義皆不成。又時与体、有尚不成、何況過去、未来現在、或復是常。若有体常、体自不成。体不成故、云何成常。是故常無。

如汝意謂、〃如其無物、則非法〃者、此最不成。汝何意故、謂〃無物者、則非是法〃。若以無物、則非法者、是則有法亦非是法。以無与有共相対故。以無法無、有法亦無。以彼無法不成就故。如其無法不成法者、

生じていないならば、〕時節は無（*abhāva）だからである。もし〔時節が〕有（*bhāva）であるならば、〔無である〕過去のものと、〔無である〕未来のものと、〔無自性＝無である[35]〕現在のものとは時節でない。もし〔（無である）過去のものと、（無である）未来のものと、（無自性＝無である）現在のものとが〕時節であるというならば、過去のものと未来のものと現在のものとは有でない。時節と有とが一なること、あるいは異なることはすべて成立しない。時節と有とがあることすら成立しないのに、ましてや過去のものと、未来のものと、現在のものとが常なるものであったりしようか。もし〔過去のものと、未来のものと、現在のものとが〕有であり常なるものであるというならば、〔（無である）過去のものと、（無である）未来のものと、（無自性＝無である）現在のものとについて〕有はそもそも成立しない。有が成立しないゆえに、どうして常なるものを成立させようか。それゆえに、常なるものはない。

貴君が〃もし、ない（*nāsti）ならば、法があるということを得ない[36]〃と思惟するようなこと、それは最も成立しない。貴君は何を意図して〃もし、ないならば、法があるということを得ない〃と思惟するのか。もし、ないものであるから法でないならば、あるものである法もまた法でない。あることと、ないこととは相待[37]しているからである。ないものである法がない以上、あるものである法もない。かの、ないものである法が成立しないからである。

云何有法而得成法。云何有法名為有法。

若汝意謂、〝此有法者、更有因縁、有此有法〟、則有法与彼無法則不相対。此今解釈。

若汝分別、〝此有法者、更有有法、二有平等、相似相対、不同無〟者、此之有法、更有有法、更無有法。此我今釈。

若彼有法、更有有法、是則無窮。

若汝意謂、〝従於無法、而有有法、是則無因、而有法生〟、是則有法、義不成就。如是無法、而有法生、無

もし、ないものである法は法があることを成立させないというならば、どうして、あるものである法は法があることを成立させ得るのか、どうして、あるものである法が、あるものである法と呼ばれるのか。

もし貴君が〝この、あるものである法には、さらに原因があるので、この、あるものである法がある〟と思惟するならば、あるものである法と、かの、ないものである法とは相待しない。そのことについて、今、解説することにしたい。

もし貴君が〝この、あるものである法（A）には、さらに、〔原因として、〕あるものである法（B）があり、二つの、あるものである法は同等であって、類似しており、ないものと同じでない〟と構想するならば、それ（＝あるものである法（A））にとっての、あるものである法（B）には、①さらに、〔原因として、〕あるものである法（C）があるのか、②さらに、あるものである法（C）がないのか。そのことについて、わたしは今、解説することにしたい。

① もし、かの、あるものである法（B）にとって、さらに、〔原因として、〕あるものである法（C）があるならば、無限遡及になってしまう。

② もし貴君が〝ないものである法から、あるものである法がある（＝生ずる）。その場合、原因がないままに、あるものである法が生ずるのである〟と思惟するならば、〔そのような、〕あるものである法は成立しない。そのよ

信楽者。如是有無、汝捨勿摂。

又有法朋[*3]、相対朋示[*4]。彼有法者、若其有体、得言有法、若無体者、是則不得名為有法。彼体不成。体若不成、云何而得成有成無。汝可捨此有無分別。何用此為。

復有義釈。如是滅生、断常等法、其義云何。為一物中、一時而有、為当前後。此我今釈。不相応法。云何。一処互相違故。滅等相違、不得同処於一物中。云何不壊。

うに〝ないものである法から、あるものである法が生ずる〟ということを信解する者はいない。このように、あるということ（*astitā）と、ないということ（*nāstitā）とを貴君は破棄したまえ、保持したまうな。

さらに、あるものである法という主張の主題（*pakṣa）の、異例群〔である無〕を示すことにしたい。かの、あるものである法は、もし有（*bhāva）ならば、あるものである法と呼ばれ得るし、もし無（*abhāva）ならば、あるものである法と呼ばれ得ない。〔そして、〕その有は成立しない。有がもし成立しないならば、〔その有において、〕どうして、あるということや、ないということを成立させ得ようか。貴君はこの、あるということや、ないということについての構想を破棄すべきである。どうしてそれを用いるべきであろうか。

〔Ⅳ・2・2・5　一体なることと異体なることとが成立しないこと〕

さらに解説がある。このような、滅すること（*nirodha）と生ずること（*utpāda）と、断（*uccheda）と常（*śāśvata）となどという属性（*dharma）はいかなるものか。一実体[38]（*eka-dravya）のうちに一時にあるのか、前後するのか。そのことについて、わたしは今、解説することにしたい。〔これらは互いに〕結びつかない属性である。どうしてか。一ところに位置するならば互いに矛盾するからである。滅すること〔と生ずることと〕などは矛盾して

若汝意謂、〃於一念中、有滅有生、有断常等〃、則不相応。若汝復謂、〃於一物中、非一念転、異異念中、差別転〃者、則不相応。

問曰。云何名為不相応耶。

答曰。若如是者、更異法滅、更異法生、更異法断、更異法常、如是等
49a 故。此一物中◁、云何別異。

若汝意欲避如是過、〃異物異滅。物外異生、異断異常〃如是等者、此則不成。

問曰。云何不成。

おり、一実体のうちに同じく位置し得ない。どうして別々でなかろうか。

もし貴君が〃〔一実体のうちに〕一瞬間において、滅することがあるし、生ずることがあるし、断と常となどがある〃と思惟するならば、妥当でない。もし貴君がさらに〃一実体のうちに一瞬間において、〔滅することや、生ずることや、断や、常が〕起こるのではなく、それぞれ異なる瞬間において別々に起こるのである〃と思惟するならば、妥当でない。

質問。どうして妥当でないと言われるのか。

回答。もしそのようであるならば、滅することは〔生ずることや、断や、常と〕互いに異なる属性であるし、生ずることは〔滅することや、断や、常と〕互いに異なる属性であるし、断は〔生ずることや、滅することや、常と〕互いに異なる属性であるし、常は〔生ずることや、滅することや、断と〕互いに異なる属性である、かくかくしかじか（*evam ādi）ということになるからである。これらは一実体のうちにある以上、どうして異なるはずがあろうか。

もし貴君がこのような過失を避けようと望んで〃実体は〔滅することと〕異なるし、滅することは〔実体と〕異なる。実体以外に、生ずることが〔実体と〕異なってあり、断が〔実体と〕異なってあり、常が〔実体と〕異なってある〃かくかくしかじかというならば、そのことは成立しない。

質問。どうして成立しないのか。

答曰。若如是者、則於一物、亦得言有、亦得言無。無此道理。是故一異義則不成。非唯滅等一異不成。復何者法、若有滅等、彼共滅等一異不成。

問曰。云何為唯滅等一異不成、為一切法一異不成。

答曰。一切諸法皆亦如是一異不成。如偈句言、「亦非一義、非異義故」。

問曰。云何一切諸法一異不成。

答曰。以不生故。如石女児。若法生者、一異義成。若一切法皆不生者、一異之義云何可成。如石女児。本自不生、無自体故。又無自体、以因縁

回答。もしそのようであるならば、一実体のうちに〝〔属性が〕ある〟と言い得もするし、〝〔属性が〕ない〟と言い得もする。そのような道理はない。それゆえに、一体なること（*ekārthatā）と異体なること（*nānārthatā）とは成立しない。ただ滅すること〔と生ずることと〕などの一体なることと異体なることとが成立しないだけでない。何らかの法にもし滅することなどがあるならば、それ（＝その何らかの法）と、滅することなどとの一体なることと異体なることとは成立しない。

質問。はたして（*kim）、ただ滅すること〔と何らかの法と〕などのみの一体なること（*ekārthatā）と異体なること（*nānārthatā）とが成立しないのか、あらゆる法の一体なることと異体なることとが成立しないのか。

回答。あらゆる法についてもすべてこのように一体なることと異体なることとが成立しない。〔帰敬〕偈の句において「一体でなく、異体でなく」（anekārtham anānārtham）と言われているとおりである。

質問。どうしてあらゆる法の一体なることと異体なることとが成立しないのか。

回答。〔あらゆる法は〕生じていないからである（*anutpannatvāt）。石女の子のごとし。もし諸法が生じているならば、一体なることと異体なることとが成立する。もしあらゆる法がすべて生じていないならば、一体なることと異体なることとはどうして成立できようか。石女の子のごとし。〔諸法が〕

故。因縁法者、無法可得。若因縁者、則非是生。経中説故、此一異義則不成就。

問曰。云何因縁名為不生。若不生者、云何而説名為因縁。若因縁者、云何不生。若不生者、云何因縁。如其因縁名不生者、義不相応。

答曰。此不相応。若説因縁、則不相応。若体是有、云何因縁。以先有故。如其無者、則是無法、云何因縁。以無法故。如其無法有因縁者、是則兎角亦須因縁。

もともと生じていないのは、〔諸法が〕無自性（*asvabhāva）〔であり、無自性なるもの、それは無（abhāva）〕だからである。さらに、〔諸法が〕無自性であるのは、〔諸法が〕縁起したものだからである。縁起した法は、法として可得でない。縁起は生ずることでない。本文（*sūtra. ＝帰敬偈）のうちに説かれているゆえに、この、一体なることと異体なることとは成立しない。

質問。どうして縁起は生ずることでないと言われるのか。もし生ずることでないならば、どうして縁起（＝依拠して生ずること）と呼ばれるのか。もし縁起ならば、どうして生ずることでないのか。もし生ずることでないならば、どうして縁起なのか。縁起は生ずることでないと言われるようなことは妥当でない。

回答。それは妥当でない。もし縁（*pratyaya）を説くならば、妥当でないのである。もしものが（*arthasya）あるならば（*sataḥ）、縁は何の役に立とうか（*pratyayena kim）。〔なぜなら、ものは縁がなくとも〕もともとあるからである。〔ものが〕ないならば（*asataḥ）、〔ものは〕ないもの（*asat）である法であるので、何にとっての縁があろうか（*pratyayaḥ kasya）。〔なぜなら、〕ないものである法だからである（Cf. MMK I.6: naivāsato naiva sataḥ pratyayo 'rthasya yujyate | asataḥ pratyayaḥ kasya sataś ca pratyayena kim ||「ものがある場合にも、ない場合にも、縁は〔ものに対し〕妥当でない。〔ものが〕ない場合、何にとっての縁があろうか。かつ、〔ものがすでに〕ある場合、縁は何の役に立と

因者無体。以無物故。如虚空花。
是故此義道理則成。

思惟因縁則是不生。何者因縁。

問曰。因縁二種。一内、二外。内者、所謂無明縁行乃至老死。外因縁者、所謂一切器世間中種子芽等。

答曰。此如是法、今共籌量。若汝分別〃此無明等十二諸分因縁法〃者、如汝所説、此十二分為如車分、於車
49b 為分、名為因縁。為此十二而共和合名為因縁、為一一分自是因縁、為二二分二分因縁、為当於此一切分外更有因縁、為唯相貌。此一切法、如是思量、皆不相応。

うか」)。ないものである法に縁があるならば、兎角にも縁が必要になってしまう。

〔主張：〕〔ものの〕原因は無（*abhāva）である。〔理由：〕もの（*artha）がないからである。〔喩例：〕空華のごとし。それゆえに、このことは道理（*yukti. 理証）によって確立される。

思惟してみるに、縁起（*pratītya-samutpāda）は生ずることでない。縁起とは何か。

質問。縁起は二種類である。内的なものと、外的なものとである。内的なものとは、すなわち、無明という縁によって行があり、しまいには老死があるのである。外的な縁起とは、すなわち、器世間におけるあらゆる種子や芽などである。[39]

回答。このような法について、今、共に思案することにしたい。もし貴君が〃この無明などという十二支が縁（*pratyaya）たる法である〃と構想するならば、貴君によって説かれるとおり、この十二支は、あたかも車の諸部品が車にとって諸部品であるように、縁と呼ばれる。①これら十二すべての和合が縁と呼ばれるのか、②一つ一つの支が縁であるのか、③それぞれ二支ずつ、二支が縁であるのか、④これらあらゆる支以外に縁があるのか、⑤ただ仮設[40]（*prajñapti）のみであるのか。これらあらゆる法（＝縁）は、このように思案される場合、すべて妥当でない。

問曰。云何名為不相応耶。
答曰。以念念故。
若唯是一、則無因縁。

問曰。云何是一、則無因縁。

答曰。若如是者、唯一無明得為因縁、餘非因縁。

又復二者、亦非因縁。以滅与生二不倶故。如生不生。

則不和合。分別車分、亦不相応。因縁和合不可得故。現見車分、於一時中、有法和合。無明等分、於一時中、不見有法。如是因縁、説名因縁。如車分車、無明等分則不如是。滅生生滅、法無和合。若無和合、為説何法。若無所説、云何説法。所有言説是法相貌。

質問。どうして妥当でないと言われるのか。
回答。〔縁は〕瞬間的なものだからである（*kṣaṇikatvāt）。
② もし〔縁が〕ただ一つのみならば、縁（*pratyaya）がなくなってしまう。

質問。どうしてもし〔縁が〕ただ一つのみならば、縁がなくなってしまうのか。

回答。もしそのようであるならば、ただ一つのみの無明が縁であり得るが、他のものは縁でなくなる。

③ さらにまた、二つは縁でない。滅したもの〔である前支〕と生じたもの〔である後支〕との二つは共存しないからである。生じたものと生じていないものと〔が共存しないこと〕のごとし。

① 〔縁は十二支すべての〕和合でもない。車の諸部品を検討してみれば、これまた妥当でない。〔縁起においては〕諸縁が和合することは不可得だからである。車の諸部品が一時において和合していることは現に見受けられるが、無明などという諸支が一時においてあることは見受けられない。このような諸縁が諸縁と呼ばれる。あたかも車の諸部品と車と〔の関係〕のようには、そのようには、無明などという諸支はありえない。滅したものと生じたものとである、あるいは、生じたものと滅したものとである法は和合することがない。もし和合がないならば、いかなる法を説くのか。もし説かれるべ

云何相貌可得言有。如阿闍梨提婆偈言。

　一法名無体　以無和合故
　若一無体者　是則無和合

若離諸分更別有法、則非因縁。以不生故。

如是因縁不生義成。如仏説言、「言因縁者、因縁則空」。是故応捨因縁之義、不応摂受。

如是思量、一義異義、二皆不成。

又見一已、取異相対。既見異故、取一相対。相対不成。如偈説言。

　異異因縁外　更無有法生
　不異因縁外　則無法可得

きものが〔実体として〕ないならば、法を説くこととはいかなることか。あらゆる言説は法の仮設[41]（*prajñapti）である。

⑤　どうして仮設を〝ある〟と言い得ようか。軌範師〔アーリヤ〕デーヴァがおっしゃっているとおりである。

　観察されるあれこれの有なるもの、それぞれについては、一なることがない。一なるものもないゆえに、それゆえに、一ならざるものどももない[42]。

④　もし〔縁起の〕諸支以外に法があるならば、〔その法は〕縁（*pratyaya）でない。〔その法は〕生じたものでないからである。

　このようにして、縁起は生ずることでないということが成立する。仏が「縁起は縁起を欠くので空である[43]」とおっしゃったとおりである。それゆえに、縁起という実体は破棄されるべきであり、保持されるべきでない。

　このように思案するならば、一体なること（*ekārthatā）と異体なること（*nānārthatā）とは、二つともすべて成立しない。

　さらに、或るものを見おわってのち、異なっているものを把握することは相待である。異なっているものを見おわってのち、或るものを把握することは相待である。相待は成立しない。偈が説かれているとおりである。

　異なっているもの（A）は異なっているもの（B）に依拠して異なっている。異なっているもの（A）は異なっているもの（B）がなければ異

異異更無異　不異異亦無
如其異無者　異更不可得

如是一異、応捨勿摂。如是捨已、知本性空。心念彼空、何用摂受虚妄不実。

問曰。如是如是。一切諸法本性自
49c 空。此第一義、是真、是実。我今始解如来実語。如世尊説、「一切諸法本性自空。無自体故」。

なっていない。何か（A）に依拠して何か（B）がある場合、それ（A）より別のそれ（B）は起こらない。

もし異なっているもの（A）が異なっているもの（B）より〔絶対的に〕異なっているならば、異なっているもの（B）がなくてもありえよう。その、異なっているもの（A）は異なっているもの（B）がなくてはありえない。それゆえに、異なっているもの（A）はない。

anyad anyat pratītyānyan nānyad anyad ṛte 'nyataḥ |
yat pratītya ca yat tasmāt tad anyan nopapadyate ||（MMK XIV.5）
yady anyad anyad anyasmād anyasmād apy ṛte bhavet |
tad anyad anyad anyasmād ṛte nāsti ca nāsty ataḥ ||（MMK XIV.6）

このように、一体なることと異体なることとは破棄されるべきであり、保持されるべきでない。このように破棄しおわって、もともと空であることを知る。心のうちにその空性を思念するならば、どうして〔一体なることや異体なることという〕虚しいこと(44)を保持することを用いようか。

質問。そのとおり、そのとおり。あらゆる法はもともと空である。そのことは勝義（*paramārtha）であり、真実（*tattva）であり、諦（*satya）である。わたしは今、初めて如来が諦語者（*satya-vādin）であると(45)理解した。世尊が「あらゆる法はもともと空である。自性がないというありかたによってである(46)」とおっしゃったとおりである。

此復云何世間之人一切現見去来不成。

答曰。以阿含故。

問曰。何者阿含。

答曰。此如是義、於『大経』中、如来説言、「須菩提、一切諸法、去来行空」。彼人不覚、取著不捨。而彼空法、不去不来。無有一法而不空者。

又復説言、「一切諸法悉不来者」。

此是阿含。

又道理故。若法不生、則無去来。猶如兎角。此義成就。

又偈説言。

已去則不去　未去亦不去

離已去未去　現去則非去

ここで、さらに、どうして、世間の人が去ることと来ることとを直接知覚によって見ることはすべて成立しないのか。

〔Ⅳ・2・2・6　来ることと去ることとが成立しないこと〕

回答。阿含（*āgama. 教証）によるのである。

質問。何が阿含なのか。

回答。そのようなことは、『大経』において、如来によって「スブーティよ、あらゆる法は空性を行くこととするものである[47]」と説かれている。かの〔世間の〕人は〔そのことを〕覚らないで、執着し、捨てようとしない。しかるにかの空である法は、去ったりせず、来たりしない。空でないようないかなる法もない。

さらにまた、「あらゆる法はすべて来ないものである[48]」と説かれている。

これが阿含である。

さらに、道理（*yukti. 理証）、すなわち〝もし法が生じていないならば、〔法が〕去ることと来ることとはない。兎角のごとし〟ということによっても、このことが確立される。

さらに、偈が説かれている。

まず、すでに去られた場所は去られない。いまだ去られていない場所は決して去られない。すでに去った場所といまだ去っていない場所とを離

此復広説。何者為去、何法是去、去者是誰。若是我去、以無我故、去義不成。汝法我常、不動不揺、云何能去。若我能去、虚空亦去。而此虚空、実無去法。我者不能従於此方、而到彼方、無離無合。汝所立我、遍一切処、則無去処。自在秉執、遍一切故。以是義故、我則不去。

若汝意謂、〝以身随心、是故有行〟、此義不然。以其有常無常過故。又以有分無分過故。又以有色無色過故。心非作故、身不随行。行不可得。心身有無、常不成就。云何此方行到彼方。

れた、去られつつある場所は去られない。

gataṃ na gamyate tāvad agataṃ naiva gamyate |
gatāgatavinirmuktaṃ gamyamānaṃ na gamyate ‖（MMK II.1）

このことについて、さらに広く解説することにしたい。何処に去ることがあるのか、[49] 去ることとは何の属性なのか、去る者は誰なのか。もし我（*ātman）が去るのならば、無我であるゆえに、去ることは成立しない。貴君の立場（＝ヴァイシェーシカ学派）においては、我は常なるものであるが、〔その我は〕動かないものであり揺るがないものである以上、どうして去り得ようか。もし我が去ることができるならば、虚空も去るであろう。しかるにこの虚空においては、現実には、去ることという属性がない。我はこちらからあちらへ到り得ず、離れることもなく合することもない。貴君によって主張される我は、あらゆる場所に遍在している以上、[50] 去る場所がない。自在に支配し、すべてに遍在しているからである。それゆえに、我は去らない。

もし貴君が〝身は〔ヴァイシェーシカ学派において説かれる〕マナス（*manas）に随うので、それゆえに行くこと（＝去ること）はある〟と思惟するならば、そのことはそのとおりでない。常なるもの〔であるマナス〕[51] と無常なるもの〔である身〕との〔相違という〕過失があるからである。さらに、諸部分を持つもの（*avayavin）〔である身〕と諸部分を持たないもの〔であるマナス〕との〔相違という〕過失があるからである。さらに、有色（*rūpin）〔である

如迦卑邏弟子意謂、〝由勝因縁、丈夫流転、如是名行。丈夫作已、迴故名還。是故由勝、得有去来〟、此我解釈。汝今乃以虚空之華、作歓喜丸、与石女児、令使食之。汝勝是無。而汝意謂、〝由勝力故、丈夫去来。勝雖是常、而能令使丈夫去来、義亦如是〟。如汝意解、如丈夫行、則非是作、亦不成就有所行法、若村城等。此先已遮。以不生故。

〔である身〕と無色〔であるマナス〕との〔相違という〕過失があるからである。〔ヴァイシェーシカ学派においては〕マナスは作られたものでないゆえに、身は〔マナスに〕随っては行かない。行くこと（＝去ること）は不可得である。マナスと身とが、あるもの（*sat）かつないもの（*asat）であることは〔矛盾であるから〕つねに成立しない。どうしてこちらからあちらへ去ろうか。

　カピラの徒（*Kāpila. ＝サーンキヤ学派）が〝プラダーナという原因によってプルシャが活動すること、そのようなことが行くこと（＝去ること）と呼ばれる。プルシャが行為しおわって戻ってくるから、還ること（＝来ること）と呼ばれる。それゆえに、プラダーナによって、去ることと来ることとがある〟と思惟するようなこと、そのことについて、わたしは解説することにしたい。貴君は今、空華によって、歓喜丸（*modaka. 甘い菓子）を作り、石女の子に与えて、それを食べさせている。貴君がいうプラダーナはない。しかるに貴君は〝プラダーナの力によって、プルシャは去ったり来たりする。プラダーナは常なるものであるにせよ、プルシャを去らしめたり来たらしめたりし得る。〔ここでの〕意味もそのとおりである〟と思惟する。貴君によって理解されるような、プルシャが行くこと（＝去ること）のようなものは行為でないし、村や城などのような行かれるべき所を成立させもしない。そのことは先にすでに否認されている。〔プラダーナやプルシャは〕生じたもの

50a

◁又復更有説〝有為〟者、彼則無去。無動揺故。行是相貌。如是相貌、非有為体。如是皆説、〝一切有為念念無常、如是不住、云何有行〟。

是故偈言。

　有生得言行　亦得言作者

如是故知。有為之法雖生雖行、如是生者、於先已遮。
復有偈言。

　有為無来処　念念不住故
　又亦無去処　如是故無住

如是有為行至異処、則無此理。無行作故。如是有為有尚不成、況有行去、若到已還。自体空故。

でないから〔ありえないの〕である。
さらにまた、ある者が〝有為（*saṃskṛta）が〔去るの〕である〟と説くならば、それ（＝有為）は去らない。〔有為は瞬間的であって、〕動かないものだからである。[52] 行くこと（＝去ること）は仮設であり、[53] このような仮設は、有為という実体でない。以上のように、すべて〝あらゆる有為は瞬間的であり、無常であり、同様に、住しないものである。どうして行くこと（＝去ること）があろうか〟と説かれる。
それゆえに、偈が説かれている。

　生ずることがあるならば、行くこと（＝去ること）を言い得るし、作者を言い得もする。[54]

このようであるゆえに、わかる。有為は生ずるにせよ、行く（＝去る）にせよ、そのような生ずること（*utpāda）は先にすでに否認されている。
さらに偈が説かれている。

　諸行（*saṃskārās）は来もしないし、さらに、去りもしない。瞬間的なものだからである。このようにして、住はない。[55]

以上のように、有為が他所に行く（＝去る）という、その道理はありえない。[56] 行くこと（＝去ること）や作すことがないからである。以上のように、有為のあることすら成立しないのに、どうして行くこと（＝去ること）や、あるいは到着してのち還ること（＝来ること）があろうか。〔有為は〕自性

若汝意謂、〝陰有行去、有為不摂〟、此義不然。陰不成故。

問曰。云何不成。

答曰。因縁空故。此義云何。猶如兎角畢竟如是無有因縁、色等諸陰亦復如是、因縁畢竟不可得也。此如是知因縁空故色等陰無。如阿闍梨所説偈言。

離色之因縁　色則不可得
亦復不離色　而見色因縁
離色之因縁　色自成就色
物不得因縁　不得無因縁

（*svabhāva）を欠くので空だからである。

もし貴君が〝〔五〕蘊には行くこと（＝去ること）があり、〔行くことは〕有為のうちに含まれない〟と思惟するならば、そのことはそのとおりでない。〔五〕蘊は成立しないからである。

質問。どうして成立しないのか。

回答。〔五蘊は〕原因を欠いているからである（*kāraṇa-śūnyatvāt）。そのことはいかなることか。あたかも兎角（＝無）が結局のところそのまま原因を有しないように、そのように、色などという諸蘊についても原因は結局のところ不可得である。この、そのようなことによって、〝原因を欠いているゆえに、色などという諸蘊はない〟とわかる。軌範師〔ナーガールジュナ〕によって説かれた偈のとおりである。

色の原因（＝四大種）を離れた、色は不可得である。色を離れた、色の原因も不可得である。

色が色の原因（＝四大種）を離れている場合、色は原因のないものになってしまう。そして、原因のない何らかのものはどこにもない。

rūpakāraṇanirmuktaṃ na rūpam upalabhyate |
rūpeṇāpi na nirmuktaṃ dṛśyate rūpakāraṇam ||（MMK IV.1）
rūpakāraṇanirmukte rūpe rūpaṃ prasajyate |
āhetukaṃ na cāsty arthaḥ kaścid āhetukaḥ kva cit ||（MMK IV.2）

応如是知。無因縁故、色則是無。如是一切。

若汝意謂、〝微塵是有〟、此不成故、如是行義則不可成。

如汝説言、〝一切現見有行去来〟、此義不然。現不成故。

問曰。云何不成。

答曰。此現者名或知或物。此我今釈。

若知、応説〝何者是知、是誰之現〟。若六境界是可得者、境界無故、云何可得知是現耶。有念念者、彼則無現。乃至不疑有現無現、是則為勝。知現之知、此知非現。

このように知られるべきである。原因がないゆえに、色はない。すべてはそれと同様である。

もし貴君が〝原子（*aṇu）はある〟と思惟するならば、それ（＝原子）は成立しないゆえに、そのように、行くことは成立し得ない。

貴君が〝すべて直接知覚（*pratyakṣa）によって〝行くこと、つまり、去ることと来ることとがある〟と見る〟と説くようなこと、そのことはそのとおりでない。直接知覚は成立しないからである。

質問。どうして成立しないのか。

回答。この直接知覚とは、①知（*buddhi）もしくは②〔知の〕対象（*artha）を言うのである。そのことについて、わたしは今、解説することにしたい。

①もし〔直接知覚が〕知ならば、〝いかなるものが知であり、何についての直接知覚であるか〟が説かれるべきである。もし六境が〔知によって〕獲得されるというならば、〔〝直接知覚対象である〟と知る知が起こる瞬間においては、前瞬間において直接知覚対象であった六〕境はない以上、どうして〝直接知覚対象（*pratyakṣa）である〟と知り得ようか。瞬間的であるもの（*kṣaṇika. ＝六境）、それが直接知覚対象であること（*tasya pratyakṣatvam）はない。結局、〝直接知覚対象がある際には直接知覚対象であることがない〟ということを疑わないならば、殊勝である。〝直接知覚対象である〟と知る

知境界故、知不成故、説〝有物〟
50b 人則捨自法。物云何現。此之現相、
『量遮法』中、広遮此事。此何者現。
今何者現。

又復如来有偈説言。

眼則不見色　識則不知法
此第一陰密　世間不能知

如是之義、阿闍梨言。

何人自於自　不曾能自見
若不能見自　云何能見他

如是無現。現不可得。如汝説言、
〝一切現見有去来〟者、此義不然。
去来非色、云何言現。非眼所得、非
意所念、彼不成有、豈可現見。

知、その知は直接知覚でない(57)（＝推理である）。

②〔対象は〕知の境（*viṣaya）であるから、〔直接知覚である〕知が成立しない以上、〝対象がある〟と説く人は自己の主張を捨てることになる。どうして対象が直接知覚対象であること（*arthasya pratyakṣatvam）があろうか。これ（＝対象）が直接知覚対象であるありさまについては、『量遮法』(58)（『認識手段に対する否認法』）においてそれを広く否認した。これ（＝対象）は何によって直接知覚対象であろうか(59)。今、何によって直接知覚であろうか。

さらにまた、如来によって偈が説かれている。

眼は色を見ない。かつ、意は法を見ない。それこそは、世間が窺い知らない、最高の諦である(60)。

それと同様のことが軌範師〔ナーガールジュナ〕によって言われている。

かの、見ることは、じつに、他ならぬそのおのれ自らを見ない。自らを見ないもの、それがどうして他のものどもを見ようか。

svam ātmānaṃ darśanaṃ hi tat tam eva na paśyati |
na paśyati yad ātmānaṃ kathaṃ drakṣyati tat parān || (MMK III.2)

以上のように、直接知覚はない。直接知覚は不可得である。貴君が〝すべて直接知覚によって〝去ることと来ることとがある〟と見る〟と言うようなこと、そのことはそのとおりでない。去ることと来ることとは色でない以上、どうして直接知覚を言えようか。眼によっても得られず、意によっても思惟

若汝意謂、〃以有比故、知是有〃者、比亦不成。前有現故、比之与現倶不成故。比者名知、是意分別。如是比者、唯意能取、意所摂故、是故此義則不如是。意亦無故。

問曰。此如是義、若法不生、則無去来、亦復無現、誰安隠心不狂之人而受此義。謂於一切不生法中、而有去来、如是異義、如是一義、如是常義、如是断義、如是生義、如是滅義、此等一切、以不生故、皆悉不成。

又一切法云何不生。

答曰。偈言。

非自亦非他　非二非無因

されない以上、それ（＝去ることと来ることと）があるということは成立しない。どうして直接知覚によって見られようか。

もし貴君が〃推理（*anumāna）によって〃〔去ることと来ることとが〕ある〃と知る〃と思惟するならば、推理も成立しない。〔推理は〕先に直接知覚があるゆえに〔成立するのであり〕、推理と直接知覚とはともに成立しないからである。推理は知（*buddhi）であると言われ、意による分別である。このような推理は、意による把握に他ならず、意のうちに含まれるゆえに、それゆえに、そのことはそのとおりでない。意もないからである。

質問。〃もし法が生じていないならば、去ることも来ることもないし、直接知覚もない〃という、そのようなこと、心がまともであり狂っていない人は、誰がそのことを受け容れようか。すなわち、〃あらゆる、生じていない法においては、去ること、来ること、さらには（*tathā）、異体なること（*nānārthatā）、さらには、一体なること（*ekārthatā）、さらには、常（*śāśvata）、さらには、断（*uccheda）、さらには、生ずること（*utpāda）、さらには、滅すること（*nirodha）という、これらすべては、〔法が〕生じていないゆえに、いずれも成立しない〃ということを。

さらに、あらゆる法はどのように生じていないのか。

回答。偈が説かれている。

どこであれ、何であれ、諸有は已れからも、他のものからも、両方から

一切法如是　是故皆不生

順中論義入大般若波羅蜜経初品法
門　巻下

も、無原因からも、決して生じていない。

na svato nāpi parato na dvābhyāṃ nāpy ahetutaḥ |
utpannā jātu vidyante bhāvāḥ kva cana ke cana ||（MMK I.1）

順中論義入大般若波羅蜜経初品法門　巻下

原文校訂

＊1　大正蔵底本は「灌」に作る。三本・宮本によって改む。
＊2　大正蔵底本は「作」を欠く。明本によってこれを加える。
＊3・4　大正蔵底本は「明」に作る。三本・宮本によって改む。

註

（1）原文「此如是説……」。毘目智仙訳『業成就論』「彼如是説……」（T31, 778c）＝蔵訳 'di ltar [...] zhes bya（KSP 13, 10–12）＝玄奘訳『大乗成業論』「経言……」（T31, 783b）

（2）『二万五千頌般若波羅蜜多』に基づく表現。
yaś cotpādo yaś cānutpādo dvāv apy etau dharmau [...] eka-lakṣaṇau yad utālakṣaṇau.（PVSPP I-2 166, 32–167, 2）
生不生、是二法、不合不散。（鳩摩羅什訳『摩訶般若波羅蜜経』巻七、無生品。T8, 271c）
生与不生、如是二法、倶非相応、非不相応。（玄奘訳『大般若波羅蜜多経』巻四百二十四、第二分、遠離品。T7, 129c）

（3）直前の註を見よ。

（4）外道によって説かれる我の涅槃については、たとえば、『バガヴァッド・ギーター』（*Bhagavadgītā*）第五章において説かれる「梵涅槃」（brahma-nirvāṇa）すなわち我（ātman）と梵（brahman）との合一を見よ。

（5）『二万五千頌般若波羅蜜多』。

tatra katamā paramārtha-śūnyatā. paramārtha ucyate nirvāṇam. tac ca nirvāṇena śūnyam.（PVSPP [Dutt] 196, 9; PVSPP I–2 61, 21–22）
何等為第一義空。第一義名涅槃。涅槃涅槃空。（鳩摩羅什訳『摩訶般若波羅蜜経』巻五、問乗品。T8, 250b）
世尊、云何勝義空。仏言。善現。勝義謂涅槃。此勝義由勝義空。（玄奘訳『大般若波羅蜜多経』巻五十一、初分、辨大乗品。T5, 291a）

（6）『勝思惟梵天所問経』。
bcom ldan ’das mya ngan las ’das pa zhes bgyi ba ni gang mtshan ma thams cad rab tu zhi ba dang | g-yo ba thams cad ma mchis par gyur pa lags na |（P no. 827, Phu 34b4）
世尊、言涅槃者、名為除滅諸相、遠離一切動。（菩提流支訳『勝思惟梵天所問経』巻一。T15, 66c）

（7）出典不明。

（8）『勝思惟梵天所問経』。
chos de yang ji ltar bstan pa de bzhin du ma yin no ||（P no. 827, Phu 65b2）
彼法如説無如是也。（菩提流支訳『勝思惟梵天所問経』巻四。T15, 79c）
ただし、同経によれば、これはマンジュシュリーに対して言われた言葉でなく、マンジュシュリーが言った言葉である。

（9）原文「如是不説、亦如是無、亦不可得」。毘目智仙訳『業成就論』「如是不説、彼過則成而不可遮」（T31, 779b）＝蔵訳 de bas na khyad par med pa’i phyir de ni lan ma yin no.（KSP 17, 12–13）＝玄奘訳『大乗成業論』「無簡別故、非為善釈」（T31, 784a）

（10）『二万五千頌般若波羅蜜多』。
yasmin samaye Bhagavan bodhisattvo mahāsattvaḥ prajñāpāramitāyāṃ carann imān dharmān upaparīkṣate tasmin samaye rūpasyānutpādaṃ samanupaśyati [...] sarvākārajñatāyā anutpādaṃ samanupaśyati [...] pṛthagjanasyānutpādaṃ samanupaśyati [...] buddhasyānutpādaṃ samanupaśyati.（PVSPP I–2 162, 12–163, 5; PVSPP [Dutt] 259, 8–17）
世尊、若菩薩摩訶薩行般若波羅蜜如是観諸法、是時見色無生……乃至見一切種智無生……見凡人凡人法無生……仏仏法無生。（鳩摩羅什訳『摩訶般若波羅蜜経』巻七、無生品。T8, 271ab）
世尊、若時菩薩摩訶薩修行般若波羅蜜多観察諸法、是時菩薩摩訶薩……見色無生……如是乃至見一切智無生……見異生法無生。……見諸仏無生。（玄奘訳『大般若波羅蜜多経』巻四百二十三、第二分、遠離品。T7, 128bc）

（11）『二万五千頌般若波羅蜜多』。
yathāham āyuṣmantaḥ Subhūter bhāṣitasyārtham ājānāmi tathā rūpam anutpādaḥ [...] sarvākārajñatānutpādaḥ pṛthagjano ’nutpādaḥ [...] buddho ’nutpādaḥ.（PVSPP I–2 163, 8–19; PVSPP [Dutt] 259, 18–22）

如我聞須菩提所説義、色是不生、受想行識是不生、乃至仏法是不生。（鳩摩羅什訳『摩訶般若波羅蜜経』巻七、無生品。T8, 271ab）
如我解仁者所説義、我乃至見者畢竟不生、色乃至識畢竟不生、如是乃至諸仏法及諸仏畢竟不生、一切有情法及一切有情畢竟不生。（玄奘訳『大般若波羅蜜多経』巻四百二十四、第二分、遠離品。T7, 128c）

（12）出典不明。*ādinirvṛtāḥ sarvadharmāḥ prakṛtyanutpannā niḥsvabhāvāḥ.

（13）『勝思惟梵天所問経』。
atyantaparinirvṛteṣu Bhagavan sarvadharmeṣu ye nirvāṇaṃ mārganti tān aham ābhimānikān tīrthikān iti vadāmi.（PP 541, 2–3）
chos thams cad shin tu mya ngan las ’das pa la gang rnams mya ngan las ’das pa dngos por tshol ba de dag ni nyan thos mu stegs can nga rgyal can zhes bdag mchi’o ||（P no. 827, Phu 34b5–6）
世尊、若人於諸法寂滅相中求涅槃者、我説是輩為増上慢邪見外道。（菩提流支訳『勝思惟梵天所問経』巻一。T15, 66c）

（14）『宝雲経』（*Ratnamegha-sūtra*）。
ādiśāntā hy anutpannāḥ prakṛtyaiva ca nirvṛtāḥ |
dharmās te vivṛtā nātha dharmacakrapravartane ||（PP 225, 9）

（15）註（1）を見よ。

（16）『二万五千頌般若波羅蜜多』。
nānyo ’nutpādo ’nyad rūpam. anutpāda eva rūpam. rūpam evānutpādaḥ.（PVSPP [Dutt] 258, 28–259, 1; PVSPP I–2 161, 32–33）
色不異無生。無生不異色。色即是無生。無生即是色。（鳩摩羅什訳『摩訶般若波羅蜜経』巻七、無生品。T8, 271a）
色不異無生無滅。無生無滅不異色。色即是無生無滅。無生無滅即是色。（玄奘訳『大般若波羅蜜多経』巻四百二十三、第二分、遠離品。T7, 128a）

（17）『二万五千頌般若波羅蜜多』。
yaś ca vyayo yac ca rūpaṃ yac cādvaidhīkāraṃ [...] sarva ete dharmā na saṃyuktā na visaṃyuktāḥ.（PVSPP [Dutt] 258, 15–17; PVSPP I–2 161, 13–15）
所有色、所有不二、……是一切法皆不合不散。（鳩摩羅什訳『摩訶般若波羅蜜経』巻七、無生品。T8, 271a）
若色、若不二、……如是一切皆非相応非不相応。（玄奘訳『大般若波羅蜜多経』巻四百二十三、第二分、遠離品。T7, 128a）

（18）冒頭において引用された『二万五千頌般若波羅蜜多』の文「カウシカよ、あらゆる法は自性を欠くので空なのである。自性を欠くので空である法なるもの、それは無である」（憍尸迦、如一切法自体性空。若其彼法自体空者、彼法無体。tathā hi Kauśika sarvadharmāḥ svabhāvena śūnyāḥ. yaś ca dharmaḥ svabhāvena śūnyaḥ so 'bhāvaḥ）に拠る。

（19）『二万五千頌般若波羅蜜多』。
nāsti Subhūte sāṃyogikaḥ svabhāvaḥ.（PVSPP V 136, 14）
諸法和合因縁生法中無自性。（鳩摩羅什訳『摩訶般若波羅蜜経』巻二十二、道樹品第七十一。T8, 378a）
〔若法〕無和合自性〔、此法則以無性為性〕（玄奘訳『大般若波羅蜜多経』巻四百六十三、第二分、樹喩品。T7, 342a）

（20）説一切有部の説。

（21）原文「若人……則無此過」。毘目智仙訳『業成就論』「若何等人……彼得此過」（T31, 779b）＝蔵訳 gang gi ltar na [...] de la skyon de yod（KSP 16, 11–12）＝玄奘訳『大乗成業論』「若執……可有此過」（T31, 784a）

（22）『マハーバーラタ』（*Mahābhārata*）V.36.44ab
人は何度も死んでは生まれる。人は何度も衰えては栄える。人は何度も求めては求められる。人は何度も悲しんでは悲しまれる。（上村勝彦〔訳〕[2002: 135]）
punar naro mriyate jāyate ca punar naro hīyate vardhate punaḥ |
punar naro yācati yācyate ca punar naraḥ śocati śocyate punaḥ ||（V.36.44）
Poona 校訂版（UP 163）によれば、mriyate と jāyate とが逆になる写本（G 4 本）もあるといい、その写本の読みのほうが『順中論義入大般若波羅蜜経初品法門』に近いようである。

（23）参考：『阿毘達磨倶舎論』業品。vināśaś cābhāvaḥ.（AKBh 193, 8）「しかるに、滅することは無である」。参考：『二万五千頌般若波羅蜜多』。yad anityaṃ so 'bhāvaḥ kṣayaś ca.（PVSPP [Dutt] 252, 18; PVSPP I–2 150, 29）「無常なるもの、それは無であり、尽きることである」。

（24）『入楞伽経』（*Laṅkāvatāra-sūtra*）偈頌品一九六。
yasya notpadyate kiṃcin na kiṃcit taṃ nirudhyate |
tasyāsti nāsti nopaiti viviktaṃ paśyato jagat ||（LAS sagāthaka 196）

（25）出典不明。『二万五千頌般若波羅蜜多』のうち、内容が比較的近い文を以下に挙げる。
na hi teṣāṃ dharmāṇām utpādo 'sti yeṣām utpādo nāsti. kutas teṣāṃ kṣayaḥ prajñāsyate.（PVSPP V 77, 16–18）
若法無生、云何有尽。（鳩摩羅什訳『摩訶般若波羅蜜経』巻二十、累教品。T8, 364a）
如是等法無生無滅亦無住異、如何可得施設有尽。（玄奘訳『大般若波羅蜜多経』巻四百五十八、第二分、実語品。T7, 314c）

（26）出典不明。

（27）『雑阿含経』九六一経。ただし対告者はカーティヤーヤナでなく、アーナンダである。
asty ātmety Ānanda śāśvatāya pareti. nāsty ātmety Ānandocchedāya pareti.（AKBh 490, 5–6）
若先来有我、則是常見。於今断滅、則是断見。（『雑阿含経』九六一経。T2, 245b）
『雑阿含経』においては我への言及が見られるが、『順中論義入大般若波羅蜜経初品法門』の作者は我への言及を省略して引用している（*astīti Kātyāyana śāśvatāya pareti. nāstīty ucchedāya pareti）。興味深いことに、バーヴィヴェーカ（Bhāviveka）は『大乗掌珍論』と『般若灯論』第十五章とにおいて『順中論義入大般若波羅蜜経初品法門』と同じく我への言及を省略して引用している。
又於餘処説、「阿難陀、若執有性、即堕常辺。若執無性、即堕断辺」（玄奘訳『大乗掌珍論』巻上。T30, 270c）
de bzhin du kun dga' bo yod ces bya ba ni rtag par 'gyur la | med ces bya na ni chad par 'gyur ro zhes kyang gsungs so ||（D no. 3853, Tsa 160a1–2; P no. 5259, Sha 374a5）
又如仏告、「阿難、若言有者、是執常辺。若言無者、是執断辺」。（波羅頗蜜多羅訳『般若燈論釈』巻九。T30, 94b）
（28）『大宝積経』迦葉品。
astīty Kāśyapāyam eko 'ntaḥ. nāstīty ayaṃ dvitīyo 'ntaḥ.（KP §60）
（29）『二万五千頌般若波羅蜜多』。
api nu Subhūte 'bhāvasvabhāveṣu sarvadharmeṣv astitā vā nāstitā vopalabhate. Subhūtir āha: no Bhagavan.（PVSPP VI–VIII 11, 19–21）
善現、於意云何、於一切法無性性中、有性無性為可得不。善現対曰。不也、世尊。（玄奘訳『大般若波羅蜜多経』巻四百六十六、第二分、漸次品。T7, 358b）
鳩摩羅什訳『摩訶般若波羅蜜経』に該当箇所はない。ただし次の文がある。
是菩薩知諸法性無所有、是中無有性無無性。（鳩摩羅什訳『摩訶般若波羅蜜経』巻二十三、三次品。T8, 385c）
（30）出典不明。ただし、『アビダルマディーパ』（*Abhidharmadīpa*）散文註において、滅することの原因を否定する論者の説（散文）とほぼ同じである。
およそ原因を有する実体なるもの、それらは無常であると見なされる。どのようにかというならば、あたかも芽のようにである。滅することを滅することはありえない。それゆえに、〔滅することは〕原因がないものである。
ye hy arthātmāno hetumantas te khalv anityā dṛṣṭāḥ. katham. aṃkuravat. na vināśasya vināśo 'sti. tasmād ahetukaḥ.（ADVPV 106, 20–22）
先行訳として三友健容［2007: 403］を参照した。
（31）『二万五千頌般若波羅蜜多』。

yo dharmo notpadyate sa na śāsvato bhavati.（PVSPP [Dutt] 222, 2; PVSPP I–2 97, 18）
atyantatayānutpannatvāt sarvadharmāṇāṃ nocchedaḥ.（PVSPP [Dutt] 222, 1; PVSPP I–2 97, 14–15）
無有法断。諸法畢竟不生故。……若法不生、是不作常。（鳩摩羅什訳『摩訶般若波羅蜜経』巻六、発趣品。T8, 258c）
善現、若菩薩摩訶薩観一切法畢竟不生、無断義故。……善現、若菩薩摩訶薩観一切法性既不生、無常義故。（玄奘訳『大般若波羅蜜多経』巻四百一十六、第二分、修治地品。T7, 86b）

（32） この記述は『阿毘達磨倶舎論』破我品と相似する。
〔もし補特伽羅（＝我）が眼識によって見られるというならば、〕さらに、補特伽羅は次のように無常なるものとなる。「というのも、識が生ずるための諸因なるものと諸縁なるもの、それらも無常なのである」（『雑阿含経』一一経）。
anityaś ca pudgala evaṃ prāptoti. ye hi hetavo ye pratyayā vijñānasyotpādāya te 'py anityā iti.（AKBh 464, 15–16）

（33） 原文「澡灌」。般若流支訳『第一義法勝経』「澡罐」（T17, 879b）＝蔵訳 ril ba（P no. 912, Zhu 35a7）

（34） 原文「有法」。『迴諍論』「如是六種義皆悉是有法」（T32, 17b）＝梵文 asti [...] iti ṣaṭkaṃ tat（VV 51, 18–21）

（35） 冒頭において引用された『二万五千頌般若波羅蜜多』の文「カウシカよ、あらゆる法は自性を欠くので空なのである。自性を欠くので空である法なるもの、それは無である」（憍尸迦、如一切法自体性空。若其彼法自体空者、彼法無体。tathā hi Kauśika sarvadharmāḥ svabhāvena śūnyāḥ. yaś ca dharmaḥ svabhāvena śūnyaḥ so 'bhāvaḥ）に拠る。

（36） 原文「如其無物、則非法」。先においては「若無法者、不得有義」（T30, 48b）と訳されていた。

（37） 原文「共相対」。毘目智仙訳『業成就論』「共相対」（T31, 779a）＝蔵訳 bltos nas（KSP 14, 17）＝玄奘訳『大乗成業論』「由」（T31, 783c）

（38） 原文「一物」。毘目智仙訳『業成就論』「一物」（T31, 777c）＝蔵訳 rdzas gcig pu zhig（KSP 3, 9）＝玄奘訳『大乗成業論』「一物」（T31, 781b）

（39） 『仏地経論』のうちに平行箇所がある。
論曰。縁起有二。謂内及外。内縁起者、謂無明等十二有支。外縁起者、謂種芽等一切外物。内者応以雑染清浄二分行相順逆観察。外者応以此有故彼有此生故彼生行相観察。謂種等有、故種等生、故芽等得有、芽等得生。（玄奘訳『仏地経論』巻五。T26, 314a）
その原型は『稲芊経』（*Śālistambha-sūtra*）であるらしい。
それ（＝縁起）もまた二種類であると見られるべきである。外的なものと内的なものとである。そのうち、外的な縁起にとっての、因の連続とは何か。種子から芽、〔……〕花から果実という、それなるものである。

so 'pi dvividho draṣṭavyaḥ, bāhyaś cādhyātmikaś ca. tatra bāhyasya pratītyasamutpādasya hetūpanibandhaḥ katamaḥ. yad idaṃ bījād aṅkuraḥ [...] puṣpāt phalam iti.（Louis de La Vallée Poussin [1913: 73, 13–17]）

そのうち、内的な縁起にとっての、因の連続とは何か。無明を縁として行があり、しまいには、生を縁として老死があるという、それなるものである。

tatrādhyātmikasya pratītyasamutpādasya hetūpanibandhaḥ katamaḥ. yad idaṃ avidyāpratyayāḥ saṃskārāḥ, yāvaj jātipratyayaṃ jarāmaraṇam iti.（Louis de La Vallée Poussin［1913: 76, 13–15］）

（40）原文「相貌」。毘目智仙訳『業成就論』「相貌」（T31, 778b）＝蔵訳 btags pa can（KSP 9, 19）＝玄奘訳『大乗成業論』「仮」（T31, 782c）

（41）註（40）を見よ。

（42）『四百論』（*Catuḥśataka*）。

tasya tasyaikatā nāsti yo yo bhāvaḥ parīkṣyate |
na santi tenāneke 'pi yenaiko 'pi na vidyate ||（CŚ XIV.19）

（43）『二万五千頌般若波羅蜜多』。

pratītyasamutpādaḥ pratītyasamutpādaiḥ śūnyaḥ.（PVSPP V 27, 29–30）

鳩摩羅什訳『摩訶般若波羅蜜経』巻十九、等学品の該当箇所（T8, 357a）にない。

玄奘訳『大般若波羅蜜多経』巻四百五十五、第二分、同性品の該当箇所（T7, 298ab）にない。

pratītyasamutpādaḥ pratītyasamutpādena śūnyaḥ.（PVSPP V 109, 21–22）

鳩摩羅什訳『摩訶般若波羅蜜経』巻二十一、三慧品の該当箇所（T8, 373a）にない。

玄奘訳『大般若波羅蜜多経』巻四百六十二、第二分、巧便品の該当箇所（T7, 333a）にない。

（44）原文「虚妄不実」。

般若流支訳『正法念処経』巻四「虚妄不実」（T17, 17c）＝蔵訳 don med par gyur pa（P no. 953, 'U 130b2）

般若流支訳『正法念処経』巻四「復観餘人虚妄不実」（T17, 19b）＝蔵訳 rtog par byed pa gzhan ma yin pa（P no. 953, 'U 134a4）

般若流支訳『正法念処経』巻十九「虚妄不実」（T17, 110c）＝蔵訳 log pa（P no. 953, Yu 18b6）

般若流支訳『正法念処経』巻五十七「虚妄不実」（T17, 335b）＝蔵訳 lhag par stong pa（P no. 953, Ru 296b6）

（45）原文「如来実語」。般若流支訳『第一義法勝経』「我今実語」（T17, 883b）＝蔵訳 nga ni bden par smra ba ste（P no. 912, Shu 44a4）

（46）『百五十頌般若波羅蜜多』（*Adhyardhaśatikā Prajñāpāramitā*）＝『大般若波羅蜜多経』般若理趣分。
śūnyāḥ sarvadharmā niḥsvabhāvatāyogena.（AAŚPP 17, 2 [§21]）
śūnyāḥ sarvadharmā niḥsvabhāvayogena.（PP 238, 9; 278, 13–14; 444, 8; 500, 11; 504, 7. ただし 238, 9 と 504, 7 との他は蔵訳になし）
一切法空。無自性故。（玄奘訳『大般若波羅蜜多経』巻五百七十一、第十分。T7, 988c）

（47）『二万五千頌般若波羅蜜多』。
śūnyatāgatikā hi Subhūte sarvadharmāḥ.（PVSPP IV, 102, 11–12）
一切法趣空。（鳩摩羅什訳『摩訶般若波羅蜜経』巻十五、知識品。T8, 332c）
善現、一切法皆以空無相無願為趣。（玄奘訳『大般若波羅蜜多経』巻四百四十六、第二分、初業品。T7, 247c）

（48）『二万五千頌般若波羅蜜多』。
anāgatikā hi Subhūte sarvadharmāḥ.（PVSPP IV, 103, 16）
須菩提、一切法趣不来不去。（鳩摩羅什訳『摩訶般若波羅蜜経』巻十五、知識品。T8, 333a）
善現、一切法皆以無去無来為趣。（玄奘訳『大般若波羅蜜多経』巻四百四十六、第二分、初業品。T7, 248a）

（49）原文「何者為去」。先において『二万五千頌般若波羅蜜多』の文「何処かで戯論し」（yatra vā prapañcayet）が「誰為戯論」と漢訳されていたことが参考になる。

（50）参考：『ヴァイシェーシカ・スートラ』（*Vaiśeṣika-sūtra*）VII.1.28–29。vibhavād mahān ākāśaḥ. tathā cātmā.「遍在しているゆえに、虚空は大である。さらに、我もそれと同じである」。

（51）参考：『ヴァイシェーシカ・スートラ』（*Vaiśeṣika-sūtra*）III.2.2。dravyatva-nityatve vāyunā vyākhyāte.「〔マナスが〕実体であることと、常なるものであることとは、風〔が実体であることと、常なるものであることと〕によって説明ずみである」。

（52）この記述は『阿毘達磨倶舎論』業品と相似する。
有為は瞬間的であるから、〔有為が〕行くことはない。
na gatir yasmāt saṃskṛtaṃ kṣaṇikam.（AKBh 193, 1）

（53）註（40）を見よ。

（54）出典不明。ただし、生ずることを否定している以上、大乗仏教徒の偈と考えられる。

（55）説一切有部のヴァスミトラ（Vasumitra）の偈。
是故尊者和須蜜説如是偈。

諸行無来相　以諸刹那故　而無有去相　亦無有住者（浮陀跋摩共道泰等訳『阿毘曇毘婆沙論』巻四十。T28, 294b）

是故尊者世友説言。

諸行無来　亦無有去　刹那性故　住義亦無（玄奘訳『阿毘達磨大毘婆沙論』巻七十六。T27, 393c）

（56）この記述は『阿毘達磨俱舎論』業品と相似する。

それ（＝有為）が他所に行くことは妥当でない。

tasyāyuktā deśāntarasaṃkrāntiḥ.（AKBh 193, 4）

（57）この記述は『唯識二十論』と相似する。

さらに、もし〝これはわが直接知覚対象である〟というその直接知覚対象の知が〔意識とともに〕起こる時には、その時にはその〔眼識の〕対象〔である色境〕が見られない。意識によってのみ判断があるからであり、かつ、その時には〔対象を見る〕眼識が滅してしまっているからである。そうである以上、どうしてそれ（＝対象）が直接知覚対象であることが認められようか。なお、特に、瞬間的である〔五〕境については、その時（＝直接知覚対象の知が起こる時）には、かの色や、あるいは味などは滅してしまっているに他ならない。

yadā ca sā pratyakṣa-buddhir (corr. : text ad. na) bhavatīdaṃ me pratyakṣam iti tadā na so 'rtho dṛśyate. manovijñānenaiva paricchedāt, cakṣurvijñānasya ca tadā niruddhatvāt. iti katham tasya pratyakṣatvam iṣṭam. viśeṣeṇa tu kṣaṇikasya viṣayasya tadānīṃ niruddham eva tad rūpaṃ rasādikaṃ vā.（VVS 8, 29–9, 1）

『唯識二十論』における pratyakṣa が直接知覚対象を意味することについては、原田和宗氏から示唆を受けた。

（58）『順中論義入大般若波羅蜜経初品法門』の作者の自著と考えられるが、現存は確認されていない。

（59）原文「此何者現」。毘目智仙訳『業成就論』「彼何者壊」（T31, 781a）＝蔵訳 gang gis de bcom zhe na（KSP 31, 7）＝玄奘訳『大乗成業論』「誰能損壊如是種子」（T31, 786b）

（60）『転有経』（*Bhavasaṃkrānti-sūtra*）。

na cakṣuḥ paśyate rūpaṃ mano dharmān na vetti ca |
etad dhi paramaṃ satyaṃ yatra loko na gāhate ||（BhSS 444, 3–4）
na cakṣuḥ prekṣate rūpaṃ mano dharmān na vetti ca |
etat tu paramaṃ satyaṃ yatra loko na gāhate ||（PP 120, 4–5）

結論　元魏漢訳ヴァスバンドゥ釈経論群の位置づけ

一　はじめに

本研究の第一部と第二部とにおいて、筆者は元魏漢訳ヴァスバンドゥ釈経論群が古師ヴァスバンドゥ著作群や新師ヴァスバンドゥ著作群との間に接点を有することを指摘した。それらを整理すると次のとおりである。

元魏漢訳ヴァスバンドゥ釈経論群	接点を有する古師ヴァスバンドゥ著作群	接点を有する新師ヴァスバンドゥ著作群
『金剛般若波羅蜜経論』	『辯中辺論』『大乗荘厳経論』	『釈軌論』
『十地経論』	『摂大乗論釈』	『阿毘達磨倶舎論』『縁起論』『唯識三十頌』
『妙法蓮華経憂波提舎』	『大乗荘厳経論』『摂大乗論釈』	確認できず
『無量寿経優波提舎願生偈』	『大乗荘厳経論』	『阿毘達磨倶舎論』
『勝思惟梵天所問経論』	『大乗荘厳経論』『金剛般若波羅蜜経論』『十地経論』	確認できず
『文殊師利菩薩問菩提経論』	『十地経論』	確認できず
『三具足経憂波提舎』	『転法輪経憂波提舎』『宝髻経四法憂波提舎』	確認できず

『転法輪経憂波提舎』	『三具足経憂波提舎』『宝髻経四法憂波提舎』	『阿毘達磨倶舎論』
『宝髻経四法憂波提舎』	『三具足経憂波提舎』『転法輪経憂波提舎』	確認できず
『順中論義入大般若波羅蜜経初品法門』	『大乗荘厳経論』『辯中辺論』	『阿毘達磨倶舎論』『唯識二十論』

特に新師ヴァスバンドゥ著作群との接点を充分確認できなかったのは遺憾であるが（それが必ずしも筆者の力不足のせいだけでないらしいことについては後に一言する）、元魏漢訳ヴァスバンドゥ釈経論群が古師ヴァスバンドゥ著作群や新師ヴァスバンドゥ著作群と直接あるいは間接的に結びついていることを否定することは不可能なようである。したがって、筆者は元魏漢訳ヴァスバンドゥ釈経論群の作者が古師ヴァスバンドゥかつ新師ヴァスバンドゥであり、ヴァスバンドゥ二人説は受け容れられないと結論する。

二　大乗経に対するヴァスバンドゥ釈経論群の製作の動機

ところで、ヴァスバンドゥが作った釈経論の数は、他のインド仏教徒に較べ群を抜いており、むしろ、これほど多くの釈経論を一人が著したということは超人的にすら思われる。序論において確認したとおり、ヴァスバンドゥについては早期の伝承である『婆藪槃豆法師伝』においてすでに百部の著作が帰されているが、百部もの著作を著した論師はインド仏教において異例である。

その点について、筆者は、大乗経に対するヴァスバンドゥ釈経論群は、ヴァスバンドゥの手になるにせよ、基本的には、マイトレーヤの説の敷衍であったと考えている（『金剛般若波羅蜜経論頌』『大乗荘厳経論頌』『辯中辺論頌』の作者が同一のマイトレーヤであり、そのマイトレーヤがアサンガの変名ではあり得ないことについては、本研究第一部第二章において述べた）。それら釈経論群は、言わば、マイトレーヤとヴァスバンドゥとの合作なのであり、それによって、これほど多くの釈経論を作ることが可能となったのであるまいか。そのことは『十地経論』の帰敬偈によって推測される。『十地経論』の帰敬偈は次のとおりである。

この法門は①ある者によって説示され、②ある者たちによって教えを勧請され、③ある者によって意味が解説され、彼（③）から、④ある者によってわたしに開示された。

彼ら（①②③④）と、この最勝の法とに対し頭を地に着け礼してのち、自己と他者との利益を成し遂げるために、かつ、それの利益をとどまらせるために、解説に努めよう。

chos kyi rnam grangs 'di ni sus bshad dang | gang dag rnams kyis 'chad du bcug rnams dang |
gang gis 'di don bstan dang de las ni | gang gis blangs nas bdag la rnam phye ba |
de dag rnams dang chos mchog 'di la yang | spyi bo sa la gtug te phyag 'tshal nas |
bdag dang gzhan don sgrub phyir de yi don | gnas par bya phyir bshad sbyar bya bar 'bad | (D Ngi 103b1–2; P Ngi 130b4–6)

説此法門者　及諸勧請法　分別義蔵人　受持流通等
法門等最勝　頂礼解妙義　欲令法久住　自利利他故（巻一。T26, 123b）

スーリヤシッディ（Sūryasiddhi）の複註『十地経論釈』（D no. 3998, Ji 1a4–2a1; P no. 5499, Ji 2a3–2b1）によれば、①は『十地経』の説者である金剛蔵菩薩、②は『十地経』の聴者である仏世尊や解脱月菩薩ら、③はマイトレーヤ、④はアサンガを指す。つまり、一般にヴァスバンドゥの個人的著作と見られる『十地経論』は、ヴァスバンドゥの意識においては、マイトレーヤによる『十地経』の意味の解説を、アサンガを経由して祖述したものにすぎなかったのである。マイトレーヤによる『十地経』の意味の解説とは、あるいは『瑜伽師地論』本地分中菩薩地住品を指すのかもしれないが、[1]おそらくそれに限る必要はないであろう。なぜなら、『婆藪槃豆法師伝』によれば、マイトレーヤはアサンガに対し、現存の『金剛般若波羅蜜経論頌』の他にも、さまざまな大乗経の意味の解説を与えていたようだからである。

マイトレーヤは兜率多天において、ことごとくアサンガ法師のために諸大乗経の意味を解説した。法師はいずれもことごとく通達し、すべて憶持することができ、のちに閻浮提において、『大乗経優波提舎』を作り、仏の説きたまうたあらゆる偉大な教えを解釈した。

弥勒於兜率多天悉為無著法師解説諸大乗経義。法師並悉通達、皆能憶持、後於閻浮提、造『大乗経優波提舎』、解釈仏所説一切大教。（T50, 188c）

『大乗経優波提舎』（*Mahāyānasūtropadeśa*）は不明であるが、『大乗荘厳経論頌』（*Mahāyānasūtrālaṃkāra*）を指す可能性がある。なぜなら、『大乗荘厳経論頌』の註釈を始める際に、ヴァスバンドゥ『大乗荘厳経論』（MSABh 1, 8）は同頌全体を「優波提舎」（upadeśa）と呼んでいるからである。『大乗荘厳経論頌』は諸大乗経の主要内容の概論であるが、『婆藪槃豆法師伝』の「仏の説きたまうたあらゆる偉大な教えを解釈した」（「解釈仏所説一切大教」）という表現によれば、『大乗経優波提舎』も（特定の大乗経の意味の解説でなく）諸大乗経すべての概論であると考えられ、この点においても『大乗経優波提舎』は『大乗荘厳経論頌』と符合するようである。そう考えると、アサンガは現存の『金剛般若波羅蜜経論頌』のようなマイトレーヤによる諸大乗経の意味の解説を憶持しつつも、それとはいちおう別個に『大乗経優波提舎』を作ったということになる。つまり、アサンガは必ずしもマイトレーヤによる諸大乗経の意味の解説をすべて成文化したわけではなかったらしいのである。

おそらくは、アサンガがマイトレーヤから伝承したまま成文化しなかった、諸大乗経の意味の解説がいくつかあったのであろう。そして、現在、蔵漢の大蔵経のうちに残る、ヴァスバンドゥによる大乗経への釈経論群は、多かれ少なかれ、アサンガが成文化しないままヴァスバンドゥに伝えた、それらマイトレーヤの解説に基づくのであろう。そう考えることによって、おそらくは、ヴァスバンドゥがこれほど多くの大乗経に対する釈経論を残した理由も推測できる。『婆藪槃豆法師伝』によれば、ヴァスバンドゥが大乗経に対する釈経論を作ったのはアサンガの死後、つまり、アサンガ自身によってマイトレーヤの教えが成文化される可能性が失われた時期においてなのであって、そこには、アサンガによって成文化されなかったマイトレーヤの教えを成文化するという目的があったのでないかと推測できるのである。

アサンガ法師の死後、ヴァスバンドゥはようやく大乗論を作り、諸大乗経を解釈した。『華厳』『涅槃』『法華』『般若』『維摩』『勝鬘』などの諸大乗経の論はすべて〔ヴァスバンドゥ〕法師によって作られたものである。

阿僧伽法師殂歿後、天親方造大乗論、解釈諸大乗経。『華厳』『涅槃』『法華』『般若』『維摩』『勝鬘』等諸大乗経論悉是法師所造。(T50, 191a)

三　大乗経に対するヴァスバンドゥ釈経論群と他のヴァスバンドゥ著作群との会通

ところで、元魏漢訳ヴァスバンドゥ釈経論群と、古師ヴァスバンドゥ著作群や新師ヴァスバンドゥ著作群との間の接点についてはすでに指摘したとおりであるが、やや厳密に言うならば、接点は必ずしも多いというほどでない。古師ヴァスバンドゥ著作群や新師ヴァスバンドゥ著作群において説かれていることがらが、なぜか元魏漢訳ヴァスバンドゥ釈経論群において説かれていないことも少なからずある。そのことについて、筆者は次のような理由を考えている。

一つめは、上述のとおり、大乗経に対するヴァスバンドゥ釈経論群がおそらくマイトレーヤの祖述であって独自性に乏しいからである。たとえば、ヴァスバンドゥが『釈軌論』において説く経典解釈の方法は元魏漢訳ヴァスバンドゥ釈経論群においてまず説かれないが、もし大乗経に対するヴァスバンドゥ釈経論群がマイトレーヤの祖述ならば、釈経論群においてヴァスバンドゥ自身の独自性がさほど現われないことも不思議でない。

二つめは、ヴァスバンドゥは自らの諸著作において必ずしも同じことを説かないからである。たとえば、『大乗荘厳経論頌』に対する『大乗荘厳経論』の註釈と、『摂大乗論』所引の『大乗荘厳経論頌』に対する『摂大乗論釈』の註釈とはしばしば一致しない。さらに、『勝思惟梵天所問経』を引用する際に、『釈軌論』は『勝思惟梵天所問経論』が同経に与えるような註釈をまったく与えないが、もし『大乗荘厳経論』と『摂大乗論釈』との不一致を考慮するならば、『釈軌論』と『勝思惟梵天所問経論』との不一致は必ずしも著者問題に繋がらないと考えられる。

三つめは、おそらく、対象となる読者が異なるからである。声聞乗の読者を対象とし主として阿含を用いながら大乗瑜伽師の教理を小出しにちらつかせる新師ヴァスバンドゥ著作群（『阿毘達磨倶舎論』『釈軌論』『成業論』『縁起論』）と、大乗の読者を対象とし主として大乗経を用いながら大乗瑜伽師の教理を大々的に鼓吹する古師ヴァスバンドゥ著作群とでは、内容が異なるのは当然でなかろうか。筆者はこれが元魏漢訳ヴァスバンドゥ釈経論群において特に新師ヴァスバンドゥ著作群との接点が少ないことの理由だと考えている。

ところで、元魏漢訳ヴァスバンドゥ釈経論群と他のヴァスバンドゥ著作群との間には、不一致はともかく、矛盾はないのであろうか。それについては、筆者はほぼ矛盾がないと考えている。むしろ、たとえ元魏漢訳ヴァスバンドゥ釈経論群のうちにのみ現われる特殊な説に見えようとも、実のところ、それは決して特殊な説でないことが大半であるというのが、これまで元魏漢訳ヴァスバンドゥ釈経論群を読み続けてきた筆者の感想である。ここでは、その一例として、『無量寿経優波提舎願生偈』『妙法蓮華経憂波提舎』のうちに現われる、仏国土を勝義諦と規定する説を採り上げ、それが決して特殊な説でないことを述べてみたい。

この説は、まず、『無量寿経優波提舎願生偈』に次のように出る。

かの無量寿仏国土の荘厳という、勝義諦であるすばらしい境界は十六句と一句とによって順次に説かれる。

彼無量寿仏土荘厳第一義諦妙境界十六句及一句次第説。(T26, 232a)

さらに、『妙法蓮華経』如来寿量品(SPS 325, 5–6)の偈「さらに、このように、わたしのこの国土は常に安住している。されど、他の者たちはこれが焼かれていると考える。〔世界を、まことに恐れに満ちた、打ちのめされた、百の憂いの撒かれたものと見る〕」(evaṃ ca me kṣetram idaṃ sadā sthitaṃ anye ca kalpentima dahyamānam | [subhairavaṃ paśyiṣu loka-dhātuṃ upadrutaṃ śoka-śatābhikīrṇam ||]) を註釈する際に、『妙法蓮華経憂波提舎』に次のように出る。

「さらに、このように、わたしのこの国土は常に安住している。されど、他の者たちはこれが焼かれていると考える」とは、報仏如来の国土[2](kṣetra)は勝義諦のうちに含まれるからである。

「我浄土不毀、而衆見焼尽」者、報仏如来真実浄土第一義諦摂故。(T26, 19a)

以上二つにおける勝義諦は中観的な二諦説における勝義諦でない。なぜなら、中観的な勝義諦は、不生不滅である以上、絶対に静的であるが、仏国土は、そこにおいて諸有情が活動する以上、本質的に動的であるからである。したがって、元魏漢訳ヴァスバンドゥ釈経論群において仏国土が勝義諦と規定されていることは、中観的な二諦説から見れば、たいへん特殊な説に見える。

しかるに、これは、『阿毘達磨倶舎論』においてPūrvācārya(先旧軌範師)説としてヴァスバンドゥが使用する二諦説と矛盾しないのである[3]。

出世間智あるいは後得世間〔智〕によって把握されるように、そのように勝義諦はある。他の〔世間智〕によって把握されるように、そのように世俗諦はある、というのが先旧軌範師たちである。

yathā lokottareṇa jñānena gṛhyate tat-pṛṣṭha-labdhena vā laukikena tathā paramārtha-satyam. yathānyena tathā saṃvṛtti-satyam iti Pūrvācāryāḥ.（AKBh 334, 10–11）

この二諦説においては、出世間智あるいは後得世間智の対象が勝義諦、その他の（=異生の）世間智の対象が世俗諦である。ヤショーミトラ（Yaśomitra）の複註（AKV 524, 25–30）によれば、この二諦説は瑜伽師の説である。(4) 仏国土は、〔諸仏と地上の諸菩薩との〕後得世間智の対象であるから、この二諦説においては勝義諦たり得る。したがって、元魏漢訳ヴァスバンドゥ釈経論群において仏国土が勝義諦と規定されていることは、『阿毘達磨倶舎論』における二諦説と矛盾しないのである。

四　おわりに

本章において述べてきたことがらは以下のとおりである。

1　元魏漢訳ヴァスバンドゥ釈経論群の作者はヴァスバンドゥ二人説における古師ヴァスバンドゥであると同時に新師ヴァスバンドゥでもあると考えられる。ヴァスバンドゥ二人説は受け容れられない。

2　大乗経に対するヴァスバンドゥ釈経論群は、ヴァスバンドゥの手になるにせよ、基本的には、アサンガがマイトレーヤから伝承したまま成文化しなかった、諸大乗経の意味の解説を、ヴァスバンドゥが成文化したものと考えられる。それら釈経論群は、言わば、マイトレーヤとヴァスバンドゥとの合作なのであり、それによって、これほど多くの釈経論を作ることが可能となったのであるまいか。

3　古師ヴァスバンドゥ著作群や新師ヴァスバンドゥ著作群において説かれていることがらが、元魏漢訳ヴァスバンドゥ釈経論群において説かれていないことが少なからずあるのは、三つの理由によると考えられる。大乗経に対するヴァスバンドゥ釈経論群はおそらくマイトレーヤの祖述であって独自性に乏しいから。ヴァスバンドゥは自らの諸著作において必ずしも同じことを説かないから。対象となる読者が異なるから。

註

（1）坂本幸男［1956］第二部第一篇第三章「十地経論と瑜伽論菩薩地住品との関係」は『瑜伽師地論』本地分中菩薩地住品が「此の十地経論の種子本と迄は言へなくとも、尠くとも十地経の文の科段を切る上に於て根本的指針を与えたと思はれるもの」であることを指摘している。

（2）「浄土」の原梵語が「国土」（kṣetra）であることについては、菩提流支訳『金剛般若波羅蜜経論』巻上（T25, 786a）の頌に「浄土」とあり、梵文（KS k.20）に「国土」（kṣetra）とあるのを見よ。「真実浄土」の原梵語は「国土」（kṣetra）であり、「真実」はおそらく「国土」が仏国土であることを強調するために付加されたのであろう。

（3）先行訳として、松田和信［1985］を参照した。

（4）この二諦説は『顕揚聖教論』巻十六に合致する。池田道浩［2001］を見よ。『顕揚聖教論』に次のようにある。

さらにまた、頌が説かれる。

円成実性であり、二つの最勝智の対象であり、無戯論であり、一性と異性とを離れている。

論の文。この勝義諦は円成実性であると知られるべきである。質問。いかなる理由によって、七種真如は勝義諦と呼ばれるのか。回答。二つの最勝智の所行（*gocara）だからである。すなわち、出世間智と、それ（=出世間智）の後得世間智との、である。この勝義は無戯論だからである。他の智の境（*viṣaya）は違うのである。さらに、この勝義は、無戯論だから、相ある法に対し一性と異性とを離れている。それはなぜかというならば、この真如は相ある法に対し異であるとも異でないとも説かれないからである。

復次頌曰。

円成実自性　二最勝智義　無有諸戯論　遠離一異性

論曰。此勝義諦当知即是円成実自性。問。何因縁故、七種真如名勝義諦。答。由是二最勝智所行故。謂出世間智及此後得世間智。由此勝義無戯論故。非餘智境。又此勝義無戯論故於有相法離一異性。何以故。由此真如於有相法不可説異亦非（一非？）不異故。

（T31, 559b）

七種真如は『解深密経』『大乗荘厳経論』『顕揚聖教論』『成唯識論』において説かれ、その別名である七種真実は『辯中辺論』において説かれる。竹村牧男［1995］を見よ。『顕揚聖教論』においては、七種真如は円成実性に含まれるが、『辯中辺論』においては、七種真実のうち流転真実と安立真実と邪行真実とが依他起性と遍計所執性とに含まれ、『成唯識論』においては、七種真如が円成実性に含まれると同時に、七種真如のうち流転真如と安立真如と邪行真如とが依他起性と遍計所執性とに含まれる。すなわち、たとえ存在論的な次元において依他起性と遍計所執性とであっても、それらは、出世間智と後得世間智との対象となる場合には、円成実性に含まれるのである。そのことを考慮するならば、存在論的な次元において依他起性であるはずの仏国土が『無量寿経優波提舎願生偈』『妙法蓮華経憂波提舎』において勝義諦と規定されるのは、仏国土が、出世間智と後得世間智との対象となる場合には、円成実性に含まれるからであると考えられる。

略号表

AAŚPP: *Adhyardhaśatikā Prajñāpāramitā*, ed. by Toru Tomabechi, Beijing-Vienna 2009.

ADVPV: *Abhidharmadīpa* with *Vibhāṣāprabhāvṛtti*, ed. by Padmanabh S. Jaini, Patna 1977.

AKBh: *Abhidharmakośabhāṣya*. ed. by P. Pradhan, Patna 1975.

AKV: *Abhidharmakośavhākhyā*. ed. by Unrai Wogihara, Tokyo 1936.

AMN: *Akṣayamatinirdeśasūtra*, in: Jens Braarvig [1993] volume I.

AVS: *Arthaviniścayasūtra*, ed. by N. H. Santani, Patna 1971.

BHSD: *Buddhist ḥybrid Sanskrit Dictionary*, by Franklin Edgerton, London 1953.

BoBh: *Bodhisattvabhūmi*. ed. by Nalinaksha Dutt, Patna 1966.

BhSS: *Bhavasaṃkrāntisūtra*, in: Bhikṣuṇī Vinītā, *A unique collection of twenty sūtras in a Sanskrit manuscript from the Potala, Volume I–2*, Beijing-Vienna 2010.

CŚ : *Catuḥśataka*, ed. by Kalen Lang, Copenhagen 1986.

D: Derge.

DBhS: *Daśabhūmīśvaro nāma mahāyānasūtram*, ed. by Ryuko Kondo, Tokyo 1936.

DBZ: 大日本仏教全書。

GVS: *Gaṇḍavyūhasūtra*, ed. by P. L. Vaidya, Darbhanga 1960.

KP: *Kāśyapaparivarta*, ed. by M. I. Vorobyova-Desyatovskaya in collaboration with Seishi Karashima and Noriyuki Kudo, Tokyo 2002.

KP (Staël-Holstein): *Kāśyapaparivarta*, ed. by Baron Alexander von Staël-Holstein, Shanghai 1926.

KSP: *Karmasiddhiprakaraṇa*, in: 山口益［1951］.

LAS: *Laṅkāvatāra-sūtra*, ed. by Bunyiu Nanjio, Kyoto 1923.

LV: *Lalitavistara Teil 1*, ed. by Salomon Lefmann, Halle 1902.

LV (Mitra): *Lalitavistara*, ed. by Rājendralāla Mitra, Calcutta 1853–1877.

MAV: *Madhyāntavibhāgabhāṣya*, ed. by Gadjin M. Nagao, Tokyo 1964.

MAVṬ: *Madhyāntavibhāgaṭīkā*, ed. by Susumu Yamaguchi, Nagoya 1934.

MMK: *Mūlamadhyamakakārikā*, ed. by Jan W. de Jong, Madras 1977.

MN: *Majjhimanikāya*, Pāli Text Society.

MSABh: *Mahāyānasūtrālaṅkārabhāṣya*, ed. by Sylvain Lévi, Paris 1907.

MSg: *Mahāyānasaṃgraha*, in: 長尾雅人［1982–1987］.

NidS: *Nidānasaṃyukta*, in: C. Tripāṭhī: *Fünfundzwanzig Sūtras des Nidānasaṃyukta*, Berlin 1962.

P: Peking.

PmS: *Prātimokṣasūtra*, in: Anukul Chandra Banarjee, *Two Buddhist vinaya texts in Sanskrit: Prātimokṣasūtra and Bhikṣukarmavākya*, Calcutta 1977.

PP: *Prasannapadā*, ed. by Louis de la Vallée Poussin, St. Petersburg 1897–1937.

PVSPP (Dutt) : *Pañcaviṃśatisāhasrikā Prajñāpāramitā*, ed. by

Nalinaksha Dutt, Calcutta 1934.

PVSPP I–2: *Pañcaviṃśatisāhasrikā Prajñāpāramitā* I–2, ed. by Takayasu Kimura, Tokyo 2009.

PVSPP II–III: *Pañcaviṃśatisāhasrikā Prajñāpāramitā* II–III, ed. by Takayasu Kimura, Tokyo 1986.

PVSPP IV: *Pañcaviṃśatisāhasrikā Prajñāpāramitā* IV, ed. by Takayasu Kimura, Tokyo 1990.

PVSPP V: *Pañcaviṃśatisāhasrikā Prajñāpāramitā* V, ed. by Takayasu Kimura, Tokyo 1992.

PVSPP VI–VIII: *Pañcaviṃśatisāhasrikā Prajñāpāramitā* VI–VIII, ed. by Takayasu Kimura, Tokyo 2006.

RA: *Ratnāvalī*, ed. by Michael Hahn, Bohn 1982.

RGV: *Ratnagotravibhāga*, ed. by Edward H. Johnston, Patna 1950.

SBhV: *Saṅghabhegavastu* I–II, ed. by Raniero Gnoli, Roma 1978.

SmSV: *The smaller Sukhāvatīvyūha*, ed. by Max Müller and Bunyiu Nanjio, Oxford 1833.

SN: *Saṃyuttanikāya*, Pāli Text Society.

SPS: *Saddharmapuṇḍarīkasūtra*, ed. by Hendrik Kern and Bunyiu Nanjio, St. Petersburg 1897–1937.

SS: *Saṅgītisūtra* in: Valentina Stache-Rosen, *Dogmatische Begriffsreihen im älteren Buddhismus II: Das Saṅgītisūtra und sein Kommentar Saṅgītiparyāya Teil 1*, Berlin 1968.

SV: *Sukhāvatīvyūha*, ed. by Atsuuji Ashikaga, Kyoto 1965.

T: 大正新脩大蔵経。

Tāranātha: *Târanâthae de doctrinae Buddhicae in India propagatione*, ed. by Antonius Schiefner, St. Petersburg 1868.

UP: *Udyogaparvan, being the fifth book of the Mahābhārata*, ed. by Sushil Kumar De, Poona 1940.

VChPP: *Vajracchedikā Prajñāpāramitā*. ed. by Edward Conze, Roma 1957.

VKN: *Vimalakīrtinirdeśa*, ed. by Study group on Buddhist Sanskrit literature (Institute for comprehensive studies of Buddhism, Taisho University), Tokyo 2006.

VSV: *Vaiśeṣikasūtravṛtti*, ed. by Muni Śrī Jambuvijayaji, Baroda 1982.

VY: *Vyākhyāyukti*. ed. Jong Cheol Lee, Tokyo 2000.

荒牧典俊［2002］「弥勒論書における「虚妄分別」の起源について」『仏教学セミナー』七五。

安藤嘉則［1988］「ジャイナ哲学における śabda 観について――原子説との関連において――」『論集』一五。

池田道浩［2001］「正しい世俗（tathyasaṃvṛti）と後得智」『印度学仏教学研究』五〇・一。

磯田熙文［1994］「『*Āmnāyānusāriṇī*』における十六空性説について」『日本仏教学会年報』五九。

磯田熙文［1996］「『十万般若広注』と『三母広注』」『勝呂信静博士古稀記念論文集』山喜房仏書林。

伊藤瑞叡［1988］『華厳菩薩道の基礎的研究』平楽寺書店。

宇井伯寿［1921］「羅睺羅、即、羅睺羅跋陀羅」『哲学雑誌』四〇八。

宇井伯寿［1924］『印度哲学研究』甲子社書房。

宇井伯寿［1952］「弥勒菩薩と弥勒論師」『印度学仏教学研究』一・一。

宇井伯寿［1953］『四訳対照　唯識二十論研究』岩波書店。

宇井伯寿［1955］「金剛般若経釈論研究」『名古屋大学文学部研究論集』一二。

宇井伯寿［1963］『大乗仏典の研究』岩波書店。

上山大峻［1990］『敦煌仏教の研究』法蔵館。

大内文雄［1997］「宝山霊泉寺石窟塔銘の研究――隋唐時代の宝山霊泉寺」『東方学報（京都）』六九。

大竹晋［2005］『新国訳大蔵経　十地経論Ⅰ』大蔵出版。

大竹晋［2006］『新国訳大蔵経　十地経論Ⅱ』大蔵出版。

大竹晋［2009］『新国訳大蔵経　能断金剛般若波羅蜜多経論釈他』大蔵出版。

大竹晋［2011］『新国訳大蔵経　法華経論・無量寿経論　他』大蔵出版。

岡田真美子［1991］「*Rāṣṭrapālaparipṛcchā* 中の釈尊前世50話」『前田専学先生還暦記念　我の思想』春秋社。

岡田真美子［1997］「Vasubandhu（世親）と仏教説話――『転法輪経憂波提舎』に見られる本生話――」『神戸女子大学教育学諸学研究論文集』一一。

岡田行弘［1989］「三十二相の系統（Ⅰ）」『印度学仏教学研究』三八・一。

岡野潔［2004］「犢子部と正量部の成立年代」『西日本宗教学雑誌』二六。

小川一乗［2000］「『順中論義入大般若波羅蜜経初品法門』の解読研究」『仏教学セミナー』七一。

小谷信千代［1984］『大乗荘厳経論の研究』文栄堂。

梶山雄一［1976］「解説」、長尾雅人・梶山雄一・荒牧典俊訳『大乗仏典15　世親論集』中央公論社。

梶山雄一［1984］「仏教知識論の形成」『講座・大乗仏教9　認識論と論理学』春秋社。

桂紹隆［1998］『インド人の論理学』中公新書。

桂紹隆［2002］「ヴァスバンドゥの刹那滅論証」『櫻部建博士喜寿記念論集　初期仏教からアビダルマへ』平楽寺書店。

加藤純章［1989］『経量部の研究』春秋社。

上村勝彦（訳）［2002］『マハーバーラタ　5』筑摩書房、ちくま学芸文庫。

金炳坤［2009］「僧肇記「法華翻経後記」偽撰説の全貌と解明」『立正大学大学院仏教学研究会仏教学論集』二七。

木村英一（編）［1960］『慧遠研究　遺文篇』創文社。

五島清隆［2009］「チベット訳『梵天所問経』和訳と訳注（1）」『インド学チベット学研究』一三。

坂本幸男［1956］『華厳教学の研究』平楽寺書店。

櫻部建［1952］「フラウワルナー氏の世親年代論について」『印度学仏教学研究』一。

櫻部建、小谷信千代［1999］『倶舎論の原典解明　賢聖品』法蔵館。

佐藤哲英［1961］『天台大師の研究』百華苑。

真田康道［1991］「堤婆《ママ》の原子論」『仏教論叢』三五。

白館戒雲［1989］「研究雑感」『仏教学セミナー』四九。

勝呂信静［1989］『初期唯識思想の研究』春秋社。

高田仁覚［1953］「阿毘達磨大乗経について」『密教文化』二六。

竹村牧男［1995］『唯識三性説の研究』春秋社。

長尾雅人［1972］「金剛般若経に対する無着の釈偈」『東方学会創立二十五周年記念東方学論集』東方学会。

長尾雅人［1978］『中観と唯識』岩波書店。

長尾雅人［1982–1987］『摂大乗論　和訳と注解　上下』講談社。

中御門敬教［2004］「往生後論攷」『浄土学仏教学論叢　高橋弘次先生古稀記念論集』。

中御門敬教［2008］「世親作『仏随念広註』和訳研究——前半部分・仏十号に基づく三乗共通の念仏観——」『佛教大学総合研究所紀要』一五。

中御門敬教［2010］「無着作『仏随念註』と『法随念註』和訳研究」『佛教大学総合研究所紀要』一七。

袴谷憲昭［1982］「瑜伽行派の文献」『講座・大乗仏教8　唯識思想』春秋社。

袴谷憲昭［1986］「Pūrvācārya 考」『印度学仏教学研究』三四・二。

袴谷憲昭［2001］『唯識思想論考』大蔵出版。

袴谷憲昭・荒井裕明［1993］『新国訳大蔵経　大乗荘厳経論』大蔵出版。

長谷岡一也［1954］「十住毘婆沙論に於ける「如来」の名義釈」『大谷学報』三四・三。

華房光寿［1991］「毘目智仙・瞿曇般若流支の訳経に関して」『印度学仏教学研究』三九・二。

華房光寿［1992］「毘目智仙・瞿曇般若流支の訳経に関して（二）」『印度学仏教学研究』四〇・二。

華房光寿［1994］「天親造『宝髻経四法憂波提舎』に関して」『印度学仏教学研究』四三・二。

華房光寿［1996］「『宝髻経四法憂波提舎』における浄土観管見」『印度学仏教学研究』四四・二。

原田和宗［1996］「〈経量部の「単層の」識の流れ〉という概念への疑問（Ⅰ）」『インド学チベット学研究』一。

原田和宗［1997］「〈経量部の「単層の」識の流れ〉という概念への疑問（Ⅱ）」『インド学チベット学研究』二。

早島理［1988a］「無常と刹那——瑜伽行唯識学派を中心に——」『南都仏教』五九。

早島理［1988b］「外なるもの——*Mahāyānasūtrālaṃkāra* 第XⅧ章第89–91偈を中心に——」『長崎大学教育学部社会科学論叢』三七。

早島理［1989a］「外なるもの——*Mahāyānasūtrālaṃkāra* 第XⅧ章第89–91偈を中心に——（承前）」『長崎大学教育学部社会科学論叢』三八。

早島理［1989b］「外なるもの——*Mahāyānasūtrālaṃkāra* 第XⅧ章第89–91偈を中心に——（完）」『長崎大学教育学部社会科学論叢』三九。

早島理［1994a］「諸行刹那滅 "kṣaṇikaṃ sarvasaṃskṛtam"——*Mahāyānasūtrālaṃkāra* 第XⅧ章82・83偈の解読研究——」『長崎大学教育学部社会科学論叢』四七。

早島理［1994b］「諸行刹那滅 "kṣaṇikaṃ sarvasaṃskṛtam"——*Mahāyānasūtrālaṃkāra* 第XⅧ章82・83偈の解読研究——（承

前）」『長崎大学教育学部社会科学論叢』四八。

早島理［1995a］「諸行刹那滅 "kṣaṇikaṃ sarvasaṃskṛtam"——*Mahāyānasūtrālaṃkāra* 第XⅧ章82・83偈の解読研究——（完）」『長崎大学教育学部社会科学論叢』四九。

早島理［1995b］「刹那滅と輪廻転生 "adhyātmikakṣaṇikatva"——*Mahāyānasūtrālaṃkāra* 第XⅧ章第84–88偈の解読研究——」『長崎大学教育学部社会科学論叢』五〇。

早島理［1995c］「刹那滅と輪廻転生 "adhyātmikakṣaṇikatva"——*Mahāyānasūtrālaṃkāra* 第XⅧ章第84–88偈の解読研究——（承前）」『長崎大学教育学部社会科学論叢』五〇。

早島理［1995d］「刹那滅と輪廻転生 "adhyātmikakṣaṇikatva"——*Mahāyānasūtrālaṃkāra* 第XⅧ章第84–88偈の解読研究——（完）」『長崎大学教育学部社会科学論叢』五〇。

福田琢［1998］「上座世親と古師世親」『同朋大学論叢』七八。

藤仲孝司［2008］「世親作『仏随念広註』和訳研究——後半部分・大乗特有の念仏観——」『佛教大学総合研究所紀要』一五。

布施浩岳［1937］「十地経論の伝訳と南北二道の濫觴」『仏教研究』一・一。

舟橋一哉［1987］『倶舎論の原典解明　業品』法蔵館。

船山徹［2000］「梁の僧祐撰『薩婆多師資伝』と唐代仏教」『唐代の宗教』朋友書店。

船山徹［2003］「龍樹、無著、世親の到達した階位に関する諸伝承」『東方学』一〇五。

本庄良文［1988］「シャマタデーヴァの伝へる阿含資料　賢聖品（1）」『三康文化研究所年報』二一。

本庄良文［1990］「『釈軌論』第四章——世親の大乗仏説論（上）——」『神戸女子大学紀要』二三・一（文学部編）。

本庄良文［1992］「『釈軌論』第四章——世親の大乗仏説論（下）——」『神戸女子大学紀要』二五（文学部編）。

本庄良文［1997］「シャマタデーヴァの伝える阿含資料補遺　智品（上）」『神戸女子大学文学部紀要』三〇。

本庄良文［2000］「シャマタデーヴァの伝える阿含資料補遺　随眠品・定品」『教育諸学研究論文集』一四。

本庄良文［2001］「世親の縁起解釈　受支」『石上善応教授古稀記念論文集　仏教文化の基調と展開　第一巻』山喜房仏書林。

松島央龍［2007］「**Gāthārthasaṃgraha* 第4偈」『龍谷大学仏教学研究室年報』一三。

松田和信［1982］「『分別縁起初勝法門経（*ĀVVS*）』——経量部世親の縁起説——」『仏教学セミナー』三六。

松田和信［1984a］「Vasubandhu における三帰依の規定とその応用」『仏教学セミナー』三九。

松田和信［1984b］「Vasubandhu 研究ノート（1）」『印度学仏教学研究』三二・二。

松田和信［1985］「*Vyākhyāyukti* の二諦説——Vasubandhu 研究ノート（2）——」『印度学仏教学研究』三三・二。

松田和信［1996］「*Nirvikalpapraveśa* 再考——特に『法法性分別論』との関係について——」『印度学仏教学研究』四五・一。

松本文三郎［1927］『仏典批評論』弘文堂。

三友健容［2007］『アビダルマディーパの研究』平楽寺書店。

室寺義仁［1986］「『倶舎論』『成業論』『縁起経釈』」『密教文化』一

五六。
山口益［1951］『世親の成業論――善慧戒の注釈による原典的解明――』法蔵館。
山崎元一［1984］「仏滅年代について」『東洋学術研究』一〇六。
山崎宏［1942］『支那中世仏教の展開』清水書店。
山部能宜［1987］「初期瑜伽行派に於ける界の思想について――*Akṣarāśisūtra* をめぐって――」『待兼山論叢　哲学篇』二一。
米森俊輔［2005］「止観寺僧詮の研究」『仏教学研究』六〇・六一合併。
李鍾徹［2001］『世親思想の研究――『釈軌論』を中心として――』山喜房仏書林。
渡辺章悟［1986］「八不と縁起――「般若経」における「八不偈」をめぐって――」『東洋大学大学院紀要』二三。
Jens Braarvig［1993］, *Ākṣayamatinirdeśasūtra* volumes I–II, Oslo.
Erich Frauwallner［1933］, "Zu den Fragmenten buddhistischer Logiker im Nyāyavārttikam", *Wiener Zeitschrift für die Kunde Morgenlandes*, 40.
Erich Frauwallner［1951］, *On the Date of the Buddhist Master of the law Vasubandhu*, Roma.
Erich Frauwallner［1957］, "Vasubandhu's Vādavidhiḥ", *Wiener Zeitschrift für die Kunde Süd- und Ostasiens*, 1.
Erich Frauwallner［1958］, "Die Erkenntnislehre des klassischen Sāṃkhya-Systems", *Wiener Zeitschrift für die Kunde Süd- und Ostasiens*, 2.
Erich Frauwallner［1961］, "Landmarks in the History of Indian Logic", in: *Wiener Zeitschrift für die Kunde Süd-und Ostasiens und Archiv für Indische Philosophie*, 5.
Erich Frauwallner［1982］, *Kleine Schriften*, Wiesbaden.
Funayama Tōru［2000］, "Two Notes on Dharmapāla and Dharmakīrti", *Zinbun*, 35.
Shoryu Katsura［1985］, "On Trairūpya Formulae", in:『雲井昭善博士古稀記念　仏教と異宗教』平楽寺書店。
Louis de La Vallée Poussin［1913］, *Théorie des douze causes*, Gand.
Katsumi Mimaki［1977a］, "La *Ṣaṇmukhī-dhāraṇī* ou "Incantation des Six Portes", texte attribué aux Sautrāntika (I)", in:『印度学仏教学研究』二五・二。
Katsumi Mimaki［1977b］, "La *Ṣaṇmukhī-dhāraṇī* ou "Incantation des Six Portes", texte attribué aux Sautrāntika (II)", in:『日本西蔵学会々報』二三。
Yoshihito G. Muroji［1993］, *Vasubandhus Interpretation des Pratītyasamutpāda: Eine Kritische Bearbeitung der Pratītyasamutpādavyākhyā (Saṃskāra- und Vijñānavibhaṅga)*, Stuttgart.
Lambert Schmithausen［1967］, "Sautrāntika-Voraussetzungen in Viṃśatikā und Triṃśikā", in: *Wiener Zeitschrift für die Kunde Süd- und Ostasiens*, 11.
Lambert Schmithausen［1983］（加治洋一訳）「『二十論』と『三十論』にみられる経量部的前提」『仏教学セミナー』三七。
Giuseppe Tucci［1956］, *Minor Buddhist Texts Part 1*, Roma.

A STUDY OF THE YUAN-WEI 元魏 TRANSLATIONS OF VASUBANDHU'S *SŪTRA* COMMENTARIES

by

ŌTAKE SUSUMU

DAIZŌ-SHUPPAN
TOKYO
2013

TABLE OF CONTENTS

OUTLINE OF THE PRESENT STUDY

In spite of the fame of the Buddhist philosopher Vasubandhu, his dates are not sufficiently clear, owing to the diversity of biographical materials transmitted in Chinese and Tibetan Buddhist traditions. In this regard, although a large number of works in Sanskrit, Chinese and Tibetan has been ascribed to Vasubandhu by the tradition, his authorship of such works, too, still remains uncertain.

As is well known, the Austrian scholar Erich Frauwallner (1898–1974) proposed to solve this problem of dates by means of his theory of two Vasubandhus. According to Frauwallner, there were two different Vasubandhus, and the works which have been ascribed by tradition to Vasubandhu were in fact not written by a single author. Frauwallner allotted the works of Vasubandhu to the two Vasubandhus as follows:

Vasubandhu the elder (circa 320–380), younger brother of Asaṅga	Vasubandhu the younger (circa 400–480)
Numerous Śrāvakayāna works including a lost commentary on Dharmaśrī's *Abhidharmasāra*; Numerous Mahāyāna works including a commentary on Āryadeva's *Śataśāstra*, commentaries on classical Yogācāra treatises, commentaries on Mahāyāna sūtras, and the original work **Bodhicittotpādana* (*Fa putixin jing lun* 發菩提心經論 ; Sanskrit tentatively restored by Frauwallner).	Śrāvakayāna works such as the *Abhidharmakośa*(*bhāṣya*) and the lost *Paramārthasaptatikā*; Mahāyāna works such as the *Viṃśatikā* and the *Triṃśikā*; Lost works on logic, such as the *Vādavidhi*, the *Vādavidhāna* and the *Vādasāra*.

Frauwallner insisted that Vasubandhu the elder lived earlier than Kumārajīva (4–5 c.), on the basis of the following reasons:

(1) The *Śataśāstra* commentary was translated by Kumārajīva.

(2) The **Bodhicittotpādana* is also said to have been his translation.

(3) The *Fahua fanjing houji* 法華翻經後記 (*Postscript to [Kumārajīva's]*

translation of the Saddharmapuṇḍarīka-sūtra, as quoted in Huixiang's 慧祥 (7–8 c.) *Fohua chuanji* 法華傳記), ascribed to Sengzhao 僧肇 (374–414), one of Kumārajīva's disciples, says that Kumārajīva refered to Vasubandhu as the author of the *Commentary on the Saddharmapuṇḍarīka-sūtra* (*Miaofa lianhua jing youbotishe* 妙法蓮華經憂波提舍 ; **Saddharmapuṇḍarīkopadeśa*).

However, the materials used by Frauwallner contain serious problems:

(1) According to Frauwallner, Vasu (Posou 婆藪), the author of the *Śataśāstra commentary*, is identical with Vasubandhu. This view was based on Jizang's 吉藏 (549–623) *Bailun shu* 百論疏 (*Sub-commentary on the Śataśāstra commentary*), where Vasu was said to be Vasubandhu. However, Sengzhao's *Bailun xu* 百論序 (*Preface to the Śataśāstra commentary*), which was written in Kumārajīva's era and predates Jizang, never says explicitly who Vasu was. Therefore Jizang's identification of Vasu with Vasubandhu seems implausible and unwarranted.

(2) As I show in the Appendix of Part II of the present study, the **Bodhicittotpādana* is not a translation by Kumārajīva, but rather, a patchwork of quotations from Chinese translations of Mahāyāna *sūtra*s.

(3) As has been pointed out by several scholars, the *Fahua fanjing houji* is not a genuine work of Sengzhao; the ascription is apocryphal.

Therefore we cannot admit the *Śataśāstra* commentary and the **Bodhicittotpādana* as Vasubandhu's works, and have no reasons to support Vasubandhu's chronological priority to Kumārajīva, regardless of whether or not we approve Frauwallner's theory of two Vasubandhus for other reasons.

Although Frauwallner did not notice this fact, present-day scholars now know that Vasubandhu, in his *Pratītyasamutpādavyākhyā*, refers to the *Abhidharmakośabhāṣya* and the *Karmasiddhiprakaraṇa* as his own earlier works; and in the *Karmasiddhiprakaraṇa*, he mentions the *Vyākhyāyukti* as an earlier work. In this connection, it is also notable that Yaśomitra, when commenting on the *Abhidharmakośabhāṣya*, often refers to the *Pañcaskandhakaprakaraṇa* as the same author's work. In addition, Vasubandhu's authorship of such works as the *Trisvabhāvanirdeśa*, *Dharmadharmatāvibhāgabhāṣya*, *Akṣayamatinirdeśaṭīkā*, *Śatasāhasrikāpañcaviṃśatisāhasrikāṣṭasāhasrikāprajñāpāramitābṛhaṭṭīkā*, *Bhadracarīpraṇidhānarājaṭīkā*, *Gāthārthasaṃgraha*, *Foxing lun* 佛性論, *Niepan lun* 涅槃論 , *Niepan jing benyou jinwu jie lun* 涅槃經本有今無偈論 , and the *Yijiao jing lun* 遺教經論 is often questioned by present-day scholars.

Therefore, if we are to maintain the theory of two Vasubandhus, we should divide the only certain extant works of Vasubandhu as follows:

Vasubandhu the elder	Vasubandhu the younger
the *Madhyāntavibhāgabhāṣya* the *Mahāyānasūtrālaṃkārabhāṣya* the *Mahāyānasaṃgrahabhāṣya* commentaries on Mahāyāna *sūtra*s, excepting those with apparent problems of authorship	the *Abhidharmakośabhāṣya* the *Vyākhyāyukti* the *Karmasiddhiprakaraṇa* the *Pratītyasamutpādavyākhyā* the *Pañcaskandhakaprakaraṇa* the *Viṃśatikā* the *Triṃśikā*

Among the only certain extant works of Vasubandhu the elder, commentaries on Mahāyāna *sūtra*s are in the majority. Among such commentaries, I have chosen the Chinese translations made by such translators as Bodhiruci, Vimuktisena and Gautama Prajñāruci in the early half of the sixth century, during the era of the Yuan-Wei 元魏 dynasty, as the objects of the present study. Although these *sūtra* commentaries were ascribed by translators to Vasubandhu and have been regarded by tradition as such, no scholars have demonstrated that these commentaries were really composed by him. While Frauwallner regarded them as the works of Vasubandhu the elder, he seems not to have had sufficient grounds for this view. In the present study, I try to compare these works with the other certain extant works of both Vasubandhu the elder and the younger, in order to arrive at sound conclusions about their authorship.

In the general introduction to this book, I first introduce biographical materials about Vasubandhu as transmitted in Chinese and Tibetan Buddhist traditions, and also Frauwallner's theory of two Vasubandhus. I then discuss some problems with Frauwallner's theory, and declare my own opinion that the Yuan-Wei translations of Vasubandhu's *sūtra* commentaries must be studied in order to solve the problem of the dates of Vasubandhu. My reasons for this opinion are as follows:

(1) Although scholars to date have developed studies of Vasubandhu, the Yuan-Wei translations of his *sūtra* commentaries have attracted less scholarly attention, owing to the fact that the most of these translations are without corresponding Sanskrit originals or Tibetan translations. However, without a detailed study of the

Yuan-Wei translations, we cannot understand Vasubandhu's thought as a whole, and cannot evaluate Frauwallner's theory of two Vasubandhus.

(2) The Yuan-Wei translations of Vasubandhu's *sūtra* commentaries are the oldest recorded works of Vasubandhu, and therefore his authorship of them is quite plausible, whether we approve Frauwallner's theory or not.

(3) According to Frauwallner's theory, the Yuan-Wei translations of Vasubandhu's *sūtra* commentaries belong to Vasubandhu the elder. However, while translating these commentaries, Vimuktisena and Gautama Prajñāruci translated the *Karmasiddhiprakaraṇa* and the *Viṃśatikā* respectively, both regarded as the works of Vasubandhu the younger. In addition, according to the *Kaiyuan Shijiao lu* 開元釋教錄 (*Catalogue of the Buddhist canon compiled during the Kaiyuan era*), made in 730, the *Pañcaskandhakaprakaraṇa* allotted to Vasubandhu the younger was also translated before the year 572, although this translation had already been lost by the time of the compilation of the *Kaiyuan Shijiao lu*. That the works of two Vasubandhus were translated into Chinese by the same translators almost at the same time serves as circumstantial evidence against the supposed duality of Vasubandhu.

In the following, by comparing the Yuan-Wei translations of Vasubandhu's commentaries with the other certain extant works of both Vasubandhu the elder and the younger, I point out that the Yuan-Wei translations have a large amount of parallelism between the works of the "two" Vasubandhus, and thus aim to show that the two Vasubandhus are in fact the same person.

In Part I, entitled "Vasubandhu's *Sūtra* Commentaries, as Translated by Ratnamati and Bodhiruci", I compare Ratnamati's and Bodhiruci's translations of Vasubandhu's *sūtra* commentaries with the other certain extant works of both Vasubandhu the elder and the younger.

In Chapter I, entitled "Background to the Translations", I discuss why Ratnamati's and Bodhiruci's translations were made. On the basis of this analysis of the materials, I make the following claims:

(1) From the time when *Kiṃkārya (Jijiaye 吉迦夜) translated five texts, including the famous *Fu fazang yinyuan zhuan* 付法藏因緣傳 (*Record of the circumstances of transmission of the dharma basket*) in 472, no translation was made for quite some time under the Yuan-Wei dynasty. More than thirty years later, when translation was restarted under the same dynasty by Bodhiruci, Vasubandhu's *Commentary on the Daśabhūmika-sūtra* (*Shidi jing lun* 十地經論; **Daśabhūmika-vyākhyā*) was chosen for translation and emperor Xuanwu 宣武 (483–515) himself participated in

the translation. These facts indicate that even before the translation of Vasubandhu's *sūtra* commentaries, Buddhist leaders in the Yuan-Wei dynasty already had great expectations of them.

(2) Such expectations may have stemmed from the above-mentioned *Fu fazang yinyuan zhuan*, in which a certain Vasubandhu (Poxiupantuo 婆修槃陀) is introduced as an advocate of the *sūtra-piṭaka* and an interpreter of all *sūtra*s. Although Yuan-Wei Buddhists such as Tanluan 曇鸞 (476–542?) identified this Vasubandhu with the author of the *sūtra* commentaries, this identification is not correct. In this text, this Vasubandhu is said to have been a teacher of Manoratha (Monuluo 摩奴羅). I point out that this Vasubandhu is the figure Yaśomitra referred to, in his commentary on the *Abhidharmakośabhāṣya*, as "the Sthavira Vasubandhu, who was a teacher of master Manoratha" (*sthaviro Vasubandhur ācāryaManorathopādhyāyaḥ*); and that this Vasubandhu is neither Vasubandhu the elder nor Vasubandhu the younger.

(3) Owing to such expectations, the majority of Vasubandhu's extant *sūtra* commentaries were translated during the Yuan-Wei dynasty. By contrast, owing to the lack of such expectations, only a few translations of Vasubandhu's *sūtra* commentaries were done under other Chinese dynasties or in Tibet. This is why the majority of Vasubandhu's *sūtra* commentaries exist in Yuan-Wei translations.

In Chapter II, entitled "The *Commentary on the Vajracchedikā Prajñāpāramitā* (*Jingang banre boluomi jing lun* 金剛般若波羅蜜經論)", I compare this commentary with the other certain extant works of both Vasubandhu the elder and the younger. On the basis of these comparisons, I make the following claims:

(1) While this commentary consists of verses and explanatory prose, modern scholars have not been able to determine whether the author of the verses was Maitreya, Asaṅga or Vasubandhu, owing to the diversity of traditions. However, the words and thought of the verses have close relationships with the words and thought of both the *Madhyāntavibhāga* (verses) and the *Mahāyānasūtrālaṃkāra* (verses), both by Maitreya. This means that the explanatory verses must be the work of Maitreya, and only the explanatory prose should be considered as a work of Vasubandhu.

(2) As for the relationship with the works of Vasubandhu the elder, the explanatory prose gives the same interpretations as the *Madhyāntavibhāgabhāṣya* and the *Mahāyānasūtrālaṃkārabhāṣya*, when commenting on such words as *abhāsya (sad)bhāvaḥ* ("existence of non-existence") and *dṛṣṭi* ("view").

(3) As for the relationship with the works of Vasubandhu the younger, the explanatory prose gives the same explanation as the *Vyākhyāyukti*, when comment-

ing on the view that Śākyamuni was a *nirmāṇa-kāya* ("body of transformation", i.e., phantom body).

In Chapter III, entitled "The *Commentary on the Daśabhūmika-sūtra* (*Shidi jing lun* 十地經論; **Daśabhūmika-vyākhyā*)", I compare this commentary with the other certain extant works of both Vasubandhu the elder and the younger. On the basis of these comparisons, I make the following claims:

(1) As for the relationship with the works of Vasubandhu the elder, this commentary gives the same interpretations as the *Mahāyānasaṃgrahabhāṣya*, when commenting on the word *(adhy)āśaya* ("intension") and the reasons why it is determined that the path falls into ten stages.

(2) As for the relationship with the works of Vasubandhu the younger, this commentary gives the same interpretation as the *Abhidharmakośabhāṣya*, when commenting on the formula "When this is present, that arises. Because of the arising of this, that arises" (*asmin satīdaṃ bhavati. asyotpādād idam utpadyate*). In addition, this commentary, when commenting on *pratītyasamutpāda* ("dependent co-origination"), gives the same interpretation as the *Pratītyasamutpādavyākhyā*, which divides the twelve factors of the *pratītyasamutpāda* into two lives.

In Chapter VI, entitled "The *Commentary on the Saddharmapuṇḍarīka-sūtra* (*Miaofa lianhua jing youbotishe* 妙法蓮華經憂波提舍 ; **Saddharmapuṇḍarīkopadeśa*)", I compare this commentary with the other certain extant works of both Vasubandhu the elder and the younger. On the basis of these comparisons, I make the following claims:

(1) As for the relationship with the works of Vasubandhu the elder, this commentary gives the same interpretations as the *Mahāyānasūtrālaṃkārabhāṣya*, when commenting on such words as *upāya-kauśalya* ("skillfulness in means"), *buddha-gotra* ("capacity for becoming a Buddha") and the purification of the six organs. In addition, this commentary gives the same interpretations the *Mahāyānasaṃgrahabhāṣya*, when commenting on such words as *vyākaraṇa* ("prediction") and *tathāgata-garbha* ("matrix of the Tathāgata").

(2) As for the relationship with the works of Vasubandhu the younger, I cannot find any parallelism at present.

In Chapter V, entitled "The *Commentary on the Sukhāvatīvyūha* (*Wuliangshou jing youbotishe yuansheng ji* 無量壽經優波提舍願生偈)", I compare this text with the other certain extant works of both Vasubandhu the elder and the younger. On the basis of these comparisons, I make the following claims:

(1) As for the relationship with the works of Vasubandhu the elder, this commentary and the *Mahāyānasūtrālaṃkārabhāṣya* share the theory that, through śamatha ("calming") and *vipaśyanā* ("insight"), a *bodhisattva* attains *karmaṇyatā* ("skillfulness") and *dharmas* (i.e. the twelve-fold teachings), and then enters the *śuddhādhyāśaya-bhūmi* ("stage of pure intention" i.e. the first of the ten stages).

(2) As for the relationship with the works of Vasubandhu the younger, this commentary and the *Abhidharmakośabhāṣya* share the theory that only the bodhisattva who has gone beyond the first *asaṃkhya* ("incalculable") eon can avoid four faults and attain two merits.

In Chapter VI, entitled "The *Commentary on the Brahmaviśeṣacintiparipṛcchā-sūtra* (*Shengsiwei fantian suowen jing lun* 勝思惟梵天所問經論)", I compare this text with the other certain extant works of both Vasubandhu the elder and the younger. On the basis of these comparisons, I make the following claims:

(1) As for the relationship with the works of Vasubandhu the elder, this commentary gives the same interpretation as the *Mahāyānasūtrālaṃkārabhāṣya*, when commenting on the four *dharma*s enumerated in the *Brahmaviśeṣacintiparipṛcchā-sūtra*. In addition, this commentary gives the same interpretations as the *Commentary on the Vajracchedikā Prajñāpāramitā* (See above), when commenting on series of synonyms such as *ātman* ("self"), *sattva* ("being"), *jīva* ("living soul") and *pudgala* ("person").

(2) As for the relationship with the works of Vasubandhu the younger, I cannot find any parallelism at present.

In Chapter VII, entitled "The *Commentary on the Gayāśīrṣa-sūtra* (*Wenshushili pusa wen puti jing lun* 文殊師利菩薩問菩提經論)", I compare this text with the other certain extant works of both Vasubandhu the elder and the younger. On the basis of these comparisons, I make the following claims:

(1) As for the relationship with the works of Vasubandhu the elder, this commentary gives the same interpretations as the *Commentary on the Daśabhūmika-sūtra* (see above), when commenting on such words as *samādhi* ("concentration") and *utthāna* ("waking up" from samādhi).

(2) As for the relationship with the works of Vasubandhu the younger, I cannot find any parallelism at present.

In Part II, entitled "Vasubandhu's *Sūtra* Commentaries, as Translated by Vimuktisena and Prajñāruci", I compare Vimuktisena's and Gautama Prajñāruci's translations of

Vasubandhu's *sūtra* commentaries with the other certain extant works of both Vasubandhu the elder and the younger.

In Chapter I, entitled "Background to the Translations", I discuss why Vimuktisena's and Prajñāruci's translations were made. On the basis of this analysis of materials, I make the following claims:

(1) Ratnamati and Bodhiruci never translated any works by Vasubandhu apart from his *sūtra* commentaries. As I pointed out in the Chapter I of the Part II, their translations of Vasubandhu's *sūtra* commentaries seem to have been requested by Buddhists in the Yuan-Wei dynasty. Therefore it is very probable that Ratnamati and Bodhiruci were not familiar with Vasubandhu's other works, aside from his *sūtra* commentaries.

(2) By contrast, Vimuktisena and Prajñāruci translated Vasubandhu's *Karmasiddhiprakaraṇa* and *Viṃśatikā*, in addition to his *sūtra* commentaries. This circumstantial evidence may suggest that they had a broad knowledge of Vasubandhu's works. Therefore it is quite possible that their translations of Vasubandhu's sūtra commentaries were undertaken of their own accord.

In Chapter II, entitled "The *Commentary on the Sūtra on Three Kinds of Equipment* (*Sanjuzu jing youbotishe* 三具足經憂波提舍), the *Commentary on the Sūtra on the Turning of the Dharma Wheel* (*Zhuan falun jing youbotishe* 轉法輪經憂波提舍) and the *Commentary on the Four Dharmas in the Ratnacūḍaparipṛcchā-sūtra* (*Baoji jing sifa youbotishe* 寶髻經四法憂波提舍)", I compare these three commentaries with the other certain extant works of both Vasubandhu the elder and the younger. On the basis of these comparisons, I make the following claims:

(1) *The Sanjuzu jing* 三具足經 is a part of the *Sarvapuṇyasamuccayasamādhi-sūtra*; and the *Zhuan falun jing* 轉法輪經 is a part of the *Li zhuangyan sanmei jing* 力莊嚴三昧經 (Taishō no. 647; Sanskrit title unknown).

(2) As for the relationship with the works of Vasubandhu the elder, all these three commentaries refer to a lost work named the *Commentary on the Mind of Enlightenment* (*Putixin youbotishe* 菩提心憂波提舍) as the author's earlier work. In addition, the *Commentary on the Four Dharmas in the Ratnacūḍaparipṛcchā-sūtra* refers to the *Commentary on the Sūtra on Three Kinds of Equipment* as the author's former work. These facts mean that these three works are written by the same author. Besides these facts, I have not yet been able to find any parallels between these three commentaries and the other certain extant works of Vasubandhu the elder.

(3) As for the relationship with the works of Vasubandhu the younger, the *Commentary on the Sūtra on the Turning of the Dharma Wheel* gives the same interpretations as the *Abhidharmakośabhāṣya*, when commenting on the "three turnings (*triparivarta*) with twelve forms (*dvādaśākāra*)" of the four truths of the saints (*catvāry āryasatyāni*).

In Chapter III, entitled "*Entering into the Dharma Gate to the First Section of the Large Prajñāpāramitā, by following the Concepts of the Madhyamaka-śāstra* (*Shun zhonglun yi ru da banre boluomi jing chupin famen* 順中論義入大般若波羅蜜經初品法門)", I compare this text with the other certain extant works of both Vasubandhu the elder and the younger. By means of these comparisons, I make the following claims:

(1) Although this commentary has traditionally been regarded as a commentary on Nāgārjuna's *Madhyamaka-śāstra*, the title of this commentary as well as its contents show that it is a commentary on a passage of the *Large Prajñāpāramitā* (i.e. *Pañcāviṃśatisāhasrikā Prajñāpāramitā*).

(2) Although Prajñāruci ascribed this commentary to Asaṅga, Jizang, in his *Zhongguanlun shu* 中觀論疏 (*Subcommentary on [Piṅgala's] commentary on the Madhyamaka-śāstra*), relying on an unknown source, attributed this commentary to Vasubandhu. So there is a room for argument concerning the authorship. I myself believe that this is Vasubandhu's commentary on a passage of the *Large Prajñāpāramitā*, because this commentary has some relationships with the works of both Vasubandhu the elder and the younger.

(3) As for the relationship with the works of Vasubandhu the elder, this commentary gives the same interpretation as the *Madhyāntavibhāgabhāṣya* and the *Mahāyānasūtrālaṃkārabhāṣya*, when commenting on the word *anitya* ("impermanent").

(4) As for the relationship with the works of Vasubandhu the younger, this commentary gives the same theory as the *Abhidharmakośabhāṣya* and the *Karmasiddhiprakaraṇa*, that *saṃskṛta* ("conditioned phenomenon") perishes without cause. In addition, this commentary gives the same interpretation as the *Viṃśatikā*, when commenting on the word *pratyakṣa* ("perception / an object of perception").

(5) While the *Vyākhyāyukti* quotes a large number of verses from the *Sagāthaka* chapter of the *Laṅkāvatārasūtra*, this commentary quotes *Sagāthaka* 196. While the *Abhidharmakośabhāṣya* relies on the *Abhidharmamahāvibhāṣā*, this commentary quotes Vasumitra's verse as quoted in the *Abhidharmamahāvibhāṣā*. This

circumstantial evidence may suggest Vasubandhu the younger is indeed the author of this commentary.

In the Appendix, entitled "The Sources of *the Treatise on the Sūtra on the Awakening of the Mind of Enlightenment* (*Fa putixin jing lun* 發菩提心經論)", I deal with the so-called **Bodhicittotpādana*, said to have been translated by Kumārajīva. As I pointed out above, Vasubandhu's three *sūtra* commentaries refer to a lost work named the *Commentary on the Mind of Enlightenment* (*Putixin youbotishe* 菩提心憂波提舍). I make it clear that the **Bodhicittotpādana* is not identical with this lost commentary. In fact, the **Bodhicittotpādana* is not a translation but a patchwork of quotations from Chinese translations of *Mahāyāna sūtra*s. The latest translation quoted in this text is the above-mentioned *Fu fazang yinyuan zhuan*, rendered by *Kiṃkārya of the Yuan-Wei dynasty in 472. Therefore the only thing of which we can be certain about the date of completion of this text is that it must have occurred after 472.

In Part III, entitled "Annotated Japanese Translations", I render Vimuktisena's and Gautama Prajñāruci's translations of Vasubandhu's four *sūtra* commentaries into Japanese. Chapter I remarks on some noteworthy features of the wording in their translations. Chapters II, III, IV and V respectively contain annotated translations of the *Commentary on the sūtra on three kinds of equipment* (*Sanjuzu jing youbotishe* 三具足經憂波提舍), the *Commentary on the sūtra on the turning of the dharma wheel* (*Zhuan falun jing youbotishe* 轉法輪經憂波提舍), the *Commentary on the four dharmas in the Ratnacūḍaparipṛcchā-sūtra* (*Baoji jing sifa youbotishe* 寶髻經四法憂波提舍) and *Entering into the dharma gate to the first section of the large Prajñāpāramitā, by following the concepts of the Madhyamaka-śāstra* (*Shun zhonglun yi ru da banre boluomi jing chupin famen* 順中論義入大般若波羅蜜經初品法門).

In the general conclusion, I conclude that the Yuan-Wei translations of Vasubandhu's *sūtra* commentaries have a considerable amount of parallelism with the works of both Vasubandhu the elder and the younger. Thus, Vasubandhu is one, and Frauwallner's theory of two Vasubandhus cannot stand.

索　引

凡　例

語句の採録に当たっては以下を方針とした。

1　近現代の研究者名、書籍名、論文名を採録しない。

2　前近代の人名のうち、「マイトレーヤ」「アサンガ」「ヴァスバンドゥ」「勒那摩提」「菩提流支」「毘目智仙」「般若流支」を採録しない。

3　上記以外の前近代の人名と、前近代の文献名とを、本文と註との両方にわたって採録する。

(1) 人　名

(2) 文献名

【さ】

【し】

【に】

【ね】

【の】

【は】

【ひ】

【ふ】

【へ】

【ほ】

著者略歴

大竹　晋（おおたけ・すすむ）

1974年，岐阜県生まれ。筑波大学卒。博士（文学）。
現在，花園大学非常勤講師，佛教大学非常勤講師。

〔著書〕『唯識説を中心とした初期華厳教学の研究』（大蔵出版）
〔訳書〕新国訳大蔵経・インド撰述部『十地経論 Ⅰ・Ⅱ』,『大宝積経論』,
『能断金剛般若波羅蜜多経論釈 他』,『法華経論・無量寿経論 他』
（以上，大蔵出版）他

元魏漢訳ヴァスバンドゥ釈経論群の研究

2013年3月15日　第1刷発行

著　者　大竹　晋
発行者　青山賢治
発行所　大蔵出版株式会社
〒113-0033　東京都文京区本郷3-24-6 本郷サンハイツ404
TEL.03-5805-1203　FAX.03-5805-1204
http://www.daizoshuppan.jp/
装　幀　CRAFT 大友
印刷所　中央印刷株式会社
製本所　株式会社難波製本

ISBN 978-4-8043-0584-4　C3015